Mitos clássicos

Jenny March

Mitos clássicos

Tradução de
Maria Alice Máximo

Revisão de tradução de
Wilson Alves Ribeiro Jr.

2ª edição

CIVILIZAÇÃO BRASILEIRA

Rio de Janeiro
2016

Copyright © Jenny March, 2008
Copyright da tradução © Civilização Brasileira, 2015

Primeira edição no Reino Unido pela Penguin Books Ltd, 2008
Os direitos morais do autor foram assegurados.

Título original
The Penguin Book of Classical Myths

CIP-BRASIL. CATALOGAÇÃO NA FONTE
SINDICATO NACIONAL DOS EDITORES DE LIVROS, RJ

M264m
2ª ed.

March, Jenny
    Mitos clássicos / Jenny March ; tradução Maria Alice Máximo. – 2ª ed. – Rio de Janeiro: Civilização Brasileira, 2016.
    560 p. 23 cm.

    Tradução de: The Penguin Book of Classical Myths
    Inclui bibliografia e índice
    ISBN 978-85-200-0919-2

    1. Mitologia grega na literatura. 2. Mitologia. I. Título.

14-17184

CDD: 869.91
CDU: 821.134.3(81)-1

Todos os direitos reservados. É proibido reproduzir, armazenar ou transmitir partes deste livro, através de quaisquer meios, sem prévia autorização por escrito.

Texto revisado segundo o novo Acordo Ortográfico da Língua Portuguesa.

Direitos desta tradução adquiridos pela
EDITORA CIVILIZAÇÃO BRASILEIRA
Um selo da
EDITORA JOSÉ OLYMPIO LTDA.
Rua Argentina, 171 – Rio de Janeiro, RJ – 20921-380 – Tel.: (21) 2585-2000

Seja um leitor preferencial Record.
Cadastre-se e receba informações sobre nossos lançamentos e nossas promoções.

Atendimento e venda direta ao leitor:
mdireto@record.com.br ou (21) 2585-2002.

Impresso no Brasil
2016

Para Len, com amor, por todos esses anos.

Sumário

Mapas   9
Agradecimentos   17
Introdução   19

1. A criação   37
2. Os deuses   66
3. Os primeiros humanos   135
4. Em busca do tosão de ouro   144
5. Ió e Argos   165
6. Heróis e monstros   176
7. Héracles   189
8. Teseu, Atenas e Creta   230
9. A saga tebana   261
10. A Guerra de Troia   288
11. Odisseu e sua odisseia   377
12. A linhagem de Pélops   413
13. Mulheres perigosas   430
14. Eneias e o destino de Roma   459
15. A fundação de Roma   478
16. Metamorfoses   486
17. Mitos de amor e morte   511

Bibliografia   533
Índice   537

MAPAS

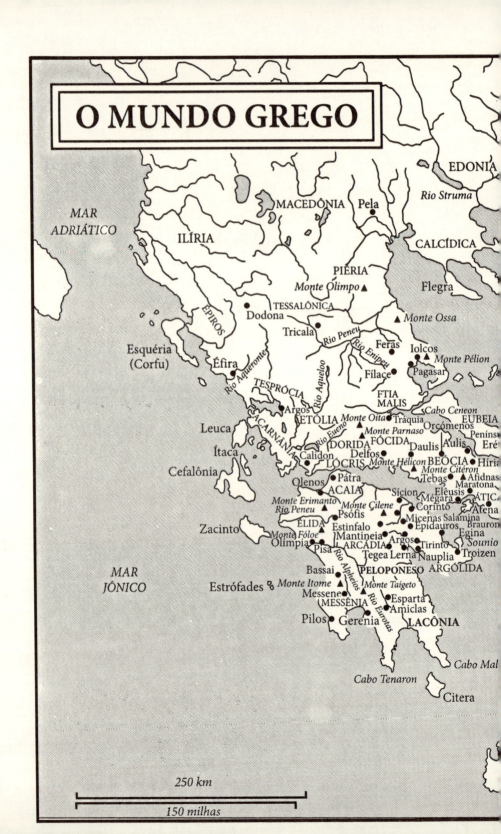

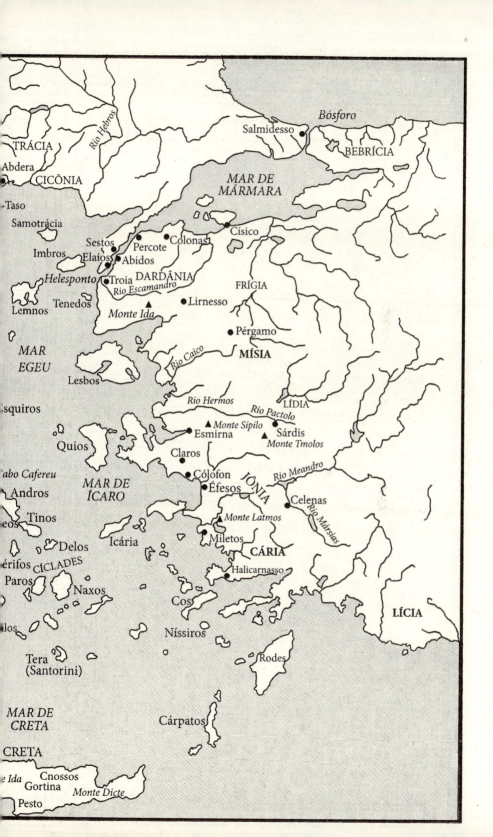

O MUNDO MEDITERRÂNEO

OCEANO ATLÂNTICO

Rio Reno
Rio Ródano
ALPES
ILÍRI
Rio Erídano (Pó)
LIGÚRIA
ETRÚRIA
Mar Tirreno
Rio Tibre
Mar Adriá
CÓRSEGA
Tarquínia
Caere
Alba Longa
Roma
Agy
LÁCI
Monte Vesúvio
Nápoles
Cabo Palinu
SARDENHA
Est de M.
Monte E
Érix
SIC
Tartessos
COLUNAS DE HÉRCULES
Cartago
MONTES ATLAS
Lago Tritonis
LÍBIA

750 km

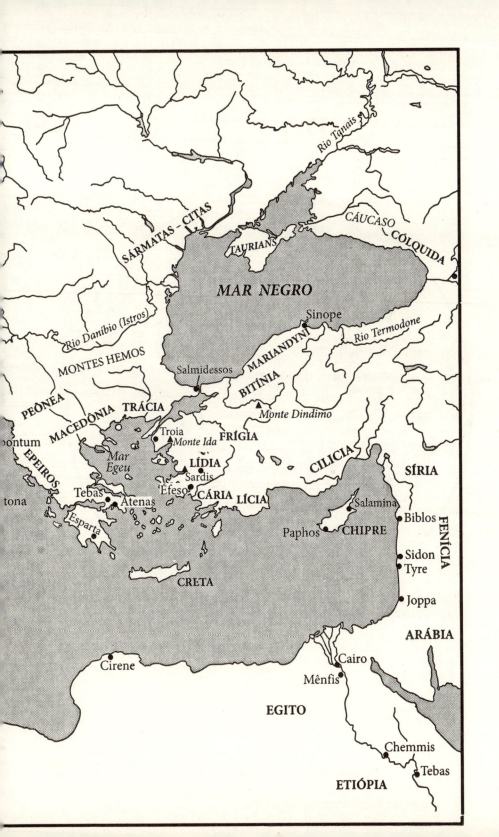

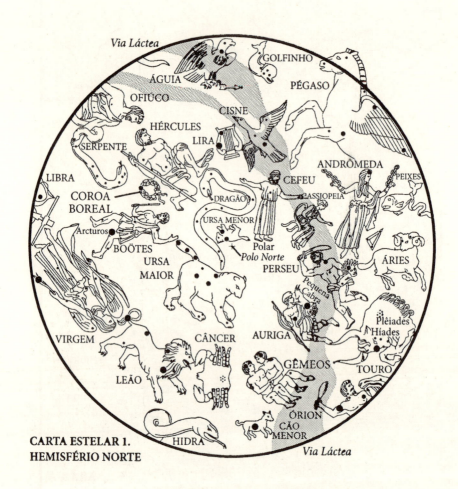

**CARTA ESTELAR 1.
HEMISFÉRIO NORTE**

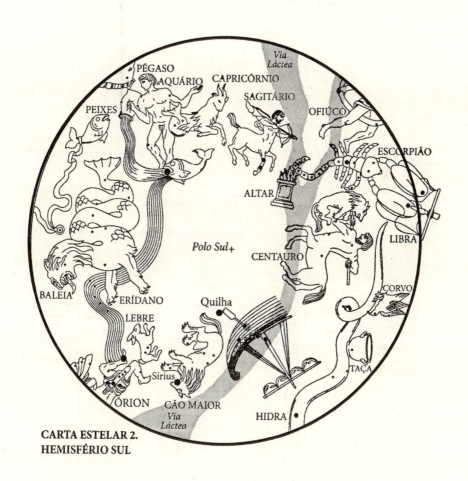

**CARTA ESTELAR 2.
HEMISFÉRIO SUL**

Agradecimentos

Meus calorosos agradecimentos vão para muita gente. Para cada pessoa da editora Penguin que participou da produção deste livro, especialmente para minha editora Georgina Laycock, por seu constante entusiasmo e apoio, e para Isabelle de Cat, por seu inestimável trabalho. Para Nigel Wilcockson, agora na Random House, por me encomendar originalmente o material. Para Sue Willetts, da Joint Library of Hellenic and Roman Studies, por sua ajuda com os mapas das constelações. Para Patrick Hunt, pela permissão para citar seu poema "Kithairon".

Agradeço também a todos que me deram permissão para citar fontes protegidas por copyright, abaixo relacionadas:

A A. P. Watt Ltd, em nome de Gráinne Yeats, por "An Irish Airman Foresees His Death" e "Leda and the Swan", da autoria de W. B. Yeats.

A Faber & Faber por "Mythology", de *Private Property*, da autoria de Andrew Motion.

A Gerald Duckworth and Co. Ltd por "Children of Zeus", do livro *Legends and Pastorals* de Graham Hough.

Pelo "Sonnet 27", de Edna St. Vincent Millay, com copyright de 1931, 1958 de Edna St. Vincent Millay e Norma Millay Ellis, republicado com permissão de Elizabeth Barnett, Responsável Literária da Millay Society.

Embora eu tenha feito todos os esforços para dar ciência a todos os detentores de copyrights do material citado, quaisquer retificações serão recebidas com gratidão.

Por fim, os agradecimentos de sempre às pessoas da minha querida família pelo fato de existirem: a minhas filhas, Alex, Robbie e Felicity, a minhas netas, Jess, Rosanna, Jenny e Rachel, e a meus netos, Tom, Joseph, Will, Sam e Harry. E, é claro, a meu marido Len, não apenas por seu dedicado trabalho com o índice, mas por ter sido meu principal apoio do início ao fim do livro ao longo de todos esses anos — a ele eu dedico este livro.

Introdução

MITOS GREGOS E ROMANOS

Os mitos clássicos do título são os da Grécia e da Roma antigas, mas logo ficará claro para o leitor que os mitos gregos são dominantes neste livro. Um dos motivos para isso é simplesmente a quantidade: existem mais mitos gregos do que romanos, o que reflete a prevalência e a força dos primeiros.

Os mais antigos mitos registrados são encontrados nos poemas de Homero e de Hesíodo (do século VIII ao VII a.C.), e pouco depois disso aparecem abundantemente na arte grega. Fica evidente, a partir de então, que ocupavam lugar central na vida e na cultura da Grécia antiga. Estavam no centro até mesmo das instituições que agregavam os homens, fossem públicas ou não. Os mitos eram repetidamente contados pelos poetas e, do século VI a.C. em diante, passaram a ser tema de dramas envolventes representados no teatro trágico. Memorizar e recitar poemas épicos sobre temas míticos era parte importante da educação de uma pessoa.

Os mitos eram também representados por toda parte nas artes visuais, voltadas tanto para deleite público ou privado, como nas esculturas dos templos e nos vasos de cerâmica de uso doméstico que ainda existem aos milhares. Até mesmo os elementos do mundo físico — rios, nascentes, bosques, montanhas, a própria terra — eram vistos como se fossem animados por presenças divinas, muitos deles ligados a determinados incidentes mitológicos.

Esses mitos eram, além disso, mais do que simples histórias. Para os gregos, eram parte da própria história e relatavam acontecimentos reais de seu passado heroico. Certos pormenores podiam não ser considerados literalmente. O historiador Heródoto, por exemplo, escrevendo no final do século V a.C., pode duvidar de alguns detalhes do mito do grande herói Héracles (p. 210-11), mas não tem dúvida alguma de que Héracles realmente existiu. E basta lermos Pausânias, que viajou por todo o mundo grego no século II d.C. e escreveu o *Descrição da Grécia* em dez volumes, para concluirmos que, para ele, assim como para os demais gregos, seus personagens míticos haviam sido pessoas de verdade, que habitaram lugares de verdade em um passado de verdade.

Os mitos ocuparam, portanto, lugar central na cultura grega — o que significa que eram conhecidos em toda parte por onde a cultura grega se espalhou, área muito mais extensa do que a da Grécia de nossos dias. Durante o período arcaico (700-500 a.C.) e o clássico (500-332 a.C.), os gregos — isto é, os povos de língua grega — ocuparam não apenas a Grécia continental, incluindo a Macedônia ao norte e, a leste, a Trácia até o Helesponto, como também as ilhas do mar Egeu e a costa ocidental da Ásia Menor (atualmente a Turquia). Além do mais, muitas colônias gregas foram fundadas em terras distantes, tanto a leste, principalmente ao redor do mar Negro, quanto a oeste, no sul da Itália e na Sicília, estas conhecidas pelo nome latino de Magna Graeca.

Estas últimas colônias foram as mais importantes para o futuro do mundo clássico, já que teriam poderosa influência no desenvolvimento da cidade de Roma. Os colonizadores, naturalmente, levaram consigo seu hábito de contar histórias e há abundantes evidências arqueológicas, principalmente em cerâmica decorada, de que os mitos gregos eram muito conhecidos na Itália e até mesmo na Etrúria, ao norte, a partir de século VII a.C.

A própria cidade de Roma, expandindo seu poder e seu prestígio, cedo entrou em contato com a cultura grega, de modo que, quando os romanos obtiveram vitória militar decisiva sobre a Grécia em 146 a.C., sua própria cultura já estava profundamente permeada, havia séculos, pela literatura, pelo pensamento e pelos mitos gregos. "A Grécia cativa fez cativo seu rude conquistador", como afirmou Horácio em frase que se tornou famosa (*Epístolas* 2.1.156). E, assim como tomaram como modelo as obras literárias e artísticas dos gregos, os romanos adotaram também os deuses gregos, identificando-os com as próprias divindades nativas italianas. É certo que já o haviam feito no século II a.C. (e provavelmente bem antes), quando o poeta Quintus Ennius (239-169 a.C.) comparou explicitamente os doze principais deuses romanos com os doze deuses gregos do Olimpo.

Concomitante à assimilação dos deuses gregos, os romanos adotaram os mitos gregos, reproduzindo-os intensamente em sua literatura e em sua arte. Com frequência eram feitas eloquentes adaptações literárias dos originais gregos. A Dido de Virgílio (p. 466) nos vem logo à mente, como também algumas das comoventes metáforas de Ovídio (Capítulo 16). Na arte, os romanos deram à herança recebida dos mitos gregos uma nova vida particularmente bela em seus pisos de mosaico, seus afrescos e em suas esculturas em relevo nos sarcófagos. E foram acrescentados relativamente poucos novos mitos de origem puramente romana.

Esse é, portanto, um dos motivos da preponderância de mitos gregos neste livro. Um segundo motivo é que, quando se trata de escolher entre versões de histórias que são contadas ao longo dos séculos, parece (pelo menos a mim) que os mitos são, com frequência, mais poderosos em suas formas mais antigas — e, na quase totalidade dos casos, isso significa a forma grega. Não se trata de negar a qualidade das versões romanas, ou o papel crucial assumido pelos romanos de transmitir os mitos ao mundo pós-clássico capturando a imaginação medieval. A dívida que temos com eles, principalmente com Ovídio, o autor clássico mais lido nos tempos medievais e na Renascença, é enorme. Contudo, nas mãos dos romanos os mitos se tornam mais literários, mais sofisticados, com maior consciência de si mesmos — e, de alguma forma, menos imediatos, menos reais. Nos tempos de Homero ainda era possível aos deuses andar entre os homens.

O ESCOPO DESTE LIVRO

Um livro como este costuma apresentar, em seu início, uma tentativa de definir o conceito de mito e a discussão das muitas teorias sobre suas origens e seus significados. Nada disso é tratado aqui — nem sequer é, devo dizer, de meu interesse. A palavra "mito" vem do grego *mythos*, que significa "palavra" ou "fala" ou "história", e considero plenamente satisfatória sua definição recente (de Richard Buxton): "uma história tradicional socialmente poderosa." Um mito é uma história porque apresenta um conjunto de eventos em uma sequência narrativa; é tradicional por ser transmitido de geração a geração; e é socialmente poderoso ao explorar os valores de grupos sociais e de comunidades. Eu ainda acrescentaria uma quarta característica aos mitos clássicos: seu poder perene de inspirar grandes obras de arte e a grande poesia, tanto nos tempos antigos quanto ao longo dos séculos, até os dias atuais. Voltaremos a este ponto.

Quanto às múltiplas teorias do mito, nenhuma é plenamente satisfatória, posto que uma única teoria é incapaz de abranger todos os mitos, tenha ela uma base etiológica, alegórica, ritualista, estruturalista, psicológica ou qualquer outra. Todas essas teorias podem lançar alguma luz, de maior ou menor intensidade, sobre algo como a origem dos mitos em geral, mas em nada podem ser úteis em um livro como este, que se propõe a recontar todo o conjunto de mitos clássicos desde a criação do universo e dar alguma ideia de como esses mitos eram tratados na literatura antiga.

O que sempre me fascina é a maneira como os poetas apresentam os mitos, ao recontá-los e reapresentá-los, adaptando-os a seus propósitos artísticos pessoais. Por esse motivo dei ao meu primeiro livro sobre mitos na literatura antiga o título *The Creative Poet* [*O poeta criador*]. Poetas podem fazer isso porque os mitos são muito diversos, o que impossibilita a existência de uma única versão canônica da "mitologia clássica" — ainda que ocorra a determinado tratamento antigo se estabelecer como mais clássico do que outros, como o relato de Hesíodo da origem do cosmo em sua *Teogonia* (p. 37), ou no caso do *Hino homérico a Deméter*, história da longa busca de Deméter por sua filha Perséfone (p. 76), ou ainda da reapresentação dramática do mito de Édipo por Sófocles em seu *Édipo rei* (p. 269).

Os poetas foram, portanto, grandes inovadores e, em seu melhor, deram a suas visões artísticas a roupagem da grande poesia que assegura a imortalidade. Não é de causar espanto, pois, que os mitos clássicos excitem, deem forma e enriqueçam a imaginação ocidental, entretecendo-se de maneira inextricável ao tecido da nossa cultura.

Este livro, portanto, é uma espécie de celebração do mito na literatura antiga, e, onde quer que me pareça apropriado, cito os textos originais para dar vida à narrativa. (As traduções são todas minhas.) Em acréscimo, trago, vez por outra, poemas pós-clássicos a fim de dar uma breve indicação da continuada influência dos mitos antigos. É óbvio que tal assunto seria, por si só, tema para muitos livros e não haveria aqui espaço para algo estruturado nesse sentido, por mais despretensioso que fosse. Portanto, o que temos é uma seleção puramente pessoal de poemas mais modernos, inseridos aqui e ali sempre que um trecho de música verbal tornou-se irresistível para mim.*

O livro se desenvolve de maneira basicamente cronológica. Começamos, no Capítulo 1, pela criação do universo e o nascimento dos deuses. O Capítulo 2 é dedicado aos deuses: aos doze grandes do Olimpo e a alguns outros menores que reaparecerão nas histórias da mitologia que se seguem.

No Capítulo 3 encontramos os primeiros humanos e nos voltamos para as origens de uma importante dinastia grega, a dos Deucaliônidas. O Capítulo 4 trata do destino de um dos primeiros membros dessa família, Jasão, cuja busca do tosão de ouro foi uma das expedições mais famosas do mundo antigo.

O Capítulo 5 introduz uma segunda grande dinastia, originária do deus-rio Ínaco, cuja descendência governou Argos durante várias gerações. Um dos primeiros membros da família de Ínaco foi o grande

---

* Esses poemas foram mantidos em seus idiomas originais (inglês e francês), e a cada poema se segue uma tradução livre. (*N. da T.*)

herói Perseu, e seus feitos são contados no Capítulo 6, juntamente com as proezas heroicas de dois outros caçadores de monstros, Belerofonte e Meleagro. O Capítulo 7 trata das façanhas de Héracles, o mais poderoso de todos os heróis, responsável por tantos feitos de coragem ao longo da vida que, ao final, acabou por ser recompensado com a imortalidade.

No Capítulo 8 voltamo-nos para os mitos de Atenas e Creta, dois lugares unidos pelo grande herói Teseu, o mais famoso rei de Atenas e responsável pela morte do Minotauro de Creta. O Capítulo 9 conta a história de outra cidade importante, Tebas, desde sua fundação pelo legendário Cadmo até sua destruição pelas mãos dos epígonos.

O Capítulo 10 trata da Guerra de Troia, a maior guerra da mitologia clássica, imortalizada na *Ilíada* de Homero, enquanto o Capítulo 11 focaliza a *Odisseia*, do mesmo autor, e conta a história do longo retorno ao lar de um dos líderes gregos, Odisseu, após o fim dessa guerra.

No Capítulo 12 voltamo-nos para a família de Agamêmnon, principal chefe da expedição grega a Troia, e para os acontecimentos que cercaram sua morte no retorno triunfal depois da tomada da cidade. O capítulo seguinte trata mais detalhadamente de seu assassinato por Clitemnestra, sua esposa, e de outras "mulheres perigosas" que ficaram famosas por terem assassinado homens.

No Capítulo 14 passamos para os mitos de Roma, começando pela história de Eneias, o lendário fundador do povo romano, cuja longa jornada de Troia à Itália e a terrível guerra que ele e seus seguidores enfrentaram ao chegar são relatadas na *Eneida*, de Virgílio. O Capítulo 15 trata da fundação de Roma por Rômulo e Remo e da história dos primeiros reis romanos.

Os dois últimos capítulos abordam mitos menores: o Capítulo 16 contém 24 poderosas histórias de metamorfoses, e no Capítulo 17 há oito inspiradoras histórias de amor e do que costuma acompanhar o amor, como nas grandes óperas — a morte.

Devo acrescentar uma nota sobre a grafia dos nomes antigos, que constitui sempre um problema difícil de resolver. Na edição inglesa deste livro os nomes dos personagens e dos lugares mitológicos foram apresentados em grego, e não em suas formas latinizadas (provavelmente mais conhecidas).* Assim sendo, encontramos o *k* no lugar do *c*, e *os* no final dos nomes masculinos, em vez do *us* latinizado. Portanto teremos Kronos, e não Cronus; Kadmos, e não Cadmus. Os ditongos *ai, oi, ei* e *ou* não são transliterados para os *ae, oe, i* e *u* latinos. Temos, assim, Daidalos, e não Daedalus; Oinomaos, e não Oenamaus; Teiresias, e não Tiresias; Ouranos, e não Uranus.

Há exceções, porém. Às vezes o nome é tão conhecido em sua forma não grega que mantive o uso familiar. Temos, então, Oedepus, e não Oidipous; Narcissus, e não Narkissos; Athens, e não Athenai; e Mycenae, em vez de Mukenai. Os nomes dos autores gregos retêm suas formas latinizadas, já que é assim que são conhecidos na literatura não acadêmica, nas livrarias e nos catálogos das bibliotecas — Homer, e não Homeros; Aeschylus, e não Aischylos.

Quanto aos nomes dos deuses, uso sua forma grega por motivo de consistência, exceto em narrativas que são puramente romanas: no Capítulo 14, "Eneias e o destino de Roma", e, no 15, "A fundação de Roma", bem como na história de Cupido e Psiquê (p. 523).

As fontes antigas

Nossas duas principais fontes de informação sobre mitos clássicos são, em primeiro lugar, os textos literários, que possuímos em abundância e, em segundo lugar, as formas visuais, dentre as quais os milhares de pinturas em vasos gregos remanescentes, que são, de longe, as mais ricas em informação. Trataremos primeiramente das fontes literárias. Não abordaremos os escritores antigos de maneira abrangente, mas nos fixaremos de maneira breve nos principais autores que serão mencionados neste livro em conexão com nossos mitos.

---

* Nesta edição, optamos por usar a forma latinizada de nomes e topônimos, pois é a que tornaria a leitura mais fluida para o público brasileiro, principalmente para aqueles que estão se iniciando na leitura sobre os mitos clássicos. Além disso, manter os nomes na forma grega nos obrigaria a deixar de acentuá-los, uma vez que os acentos não são usados por autores anglófonos, o que nos desviaria da norma culta do português. Para dirimir todas essas questões, usamos como base o *Índice de nomes próprios gregos e latinos*, de Maria Helena Prieto, João Maria Prieto e Abel Pena, gentilmente indicado pelo prof. Jacyntho Lins Brandão. Assim, onde no original havia o nome Kronos, atualizamos para Crono; Kadmos, para Cadmos. Oedepus, para Édipo; Narcissus, para Narciso; Athens, para Atenas; Mycenae, para Micenas. Homer, para Homero; Aeschylus, para Ésquilo. (N. do E.)

Fontes literárias

Nossas fontes literárias mais antigas para o estudo dos mitos são, como dissemos, os poemas épicos de Homero e de Hesíodo. Essas obras datam de cerca de 700 a.C., com margem de erro de algumas décadas, embora fique claro, pelo uso de determinadas expressões consolidadas na forma de lugares-comuns (como "o grande Heitor do capacete luzidio", ou "Zeus que troveja nas alturas"), que uma longa tradição de poesia oral encontra-se por trás de sua poesia, possivelmente com muitos séculos de existência.

Os dois épicos monumentais atribuídos a Homero são a *Ilíada*, que narra a história da fúria de Aquiles no décimo ano da Guerra de Troia (p. 316), e a *Odisseia*, que relata a viagem de retorno de Odisseu a Ítaca após a guerra e como ele se livrou dos pretendentes que assediavam sua mulher, Penélope (p. 377). Esses dois épicos dão uma visão muito mais abrangente do início da mitologia do que esses breves resumos possam sugerir, já que ambos incorporam muitos outros mitos relativos a deuses e heróis do que os aqui abordados. A identidade de Homero é objeto de controvérsia, até mesmo no que se refere à autoria dos dois épicos — discute-se se teriam sido escritos por um ou dois poetas (ou muitos). Para os gregos, porém, sempre houve um único Homero, e tão sublime que costumavam se referir a ele como "O Poeta", assim como nos referimos a Shakespeare como "O Bardo".

As duas principais obras de Hesíodo são a *Teogonia*, que trata da criação do universo e das batalhas dos deuses pela supremacia (p. 37), e *Os trabalhos e os dias*, poema didático com instruções aos camponeses, porém entretecido com histórias da mitologia. Várias outras obras foram atribuídas a Hesíodo na Antiguidade, provavelmente por equívoco, das quais há dois títulos relevantes: *O escudo de Héracles*, em que é relatada sua luta com Cicno, e *Catálogo das mulheres*, um longo épico voltado ao detalhamento das uniões dos deuses com mulheres mortais e o nascimento dos heróis.

O Ciclo Épico é um conjunto de poemas épicos escritos por outros poetas que não Homero e Hesíodo, nos séculos VII e VI a.C. Apesar de os originais, à exceção de uns poucos fragmentos, estarem, na maior parte, perdidos, conservaram-se até nossos dias alguns resumos feitos por Proclo (talvez um gramático do século II d.C.). Esses incluem um ciclo troiano (*Cantos cíprios, Etiópida, Pequena Ilíada, Saque de Troia, Retornos* e *Telegonia*: ver p. 288), um ciclo tebano (*Edipodia, Tebaida* e *Epígonos*) e uma *Titanomaquia*. Da mesma época são os 33 *Hinos homéricos* em homenagem a vários deuses, compostos em métrica épica (embora não por Homero, apesar do título). Quatro, em especial, são fontes valiosas de mitos primitivos, com várias centenas de versos de extensão (os dedicados a Deméter, Apolo, Hermes e Afrodite).

Outro grupo de poetas gregos que se destacaram entre os séculos VII e V a.C. foram os líricos: Safo e Alceu da ilha de Lesbos, nascidos na segunda metade do século VII; Estesícoro, Anacreontes e Íbico, todos do século VI; Simônides, da ilha de Ceos, que provavelmente viveu entre 566 e 466 a.C.; Baquílides, também de Ceos e sobrinho de Simônides, talvez entre 520 e 450 a.C.; e o poeta tebano Píndaro, c. 518-438 a.C. Grande parte de suas obras perdeu-se no tempo. Temos apenas dois poemas completos, ou quase completos, da autoria de Safo, por exemplo. Do restante quase inteiramente perdido, há apenas fragmentos, o que é uma lástima, posto que na Antiguidade a poesia lírica era saudada como a décima musa. Os grandes poemas líricos de Estesícoro foram coletados em 26 volumes, mas deles restam apenas uns poucos fragmentos. De todos esses poetas, o destino foi mais generoso com Píndaro, cujos poemas de exaltação aos vitoriosos dos quatro grandes jogos — o de Olímpia, o de Delfos, o de Nemeia e o de Ístmia — permaneceram intactos.

Uma nova forma de arte poética surgiu em Atenas por volta do fim do século VI a.C.: o drama trágico — a comédia surgiu algum tempo depois. A data que tradicionalmente assinala sua origem é 530 a.C., e atribui-se sua invenção a um desconhecido chamado Téspis (de onde vem a palavra "thespian" — "ator", em inglês). Durante o século V, muitas centenas de peças foram encenadas no Teatro Ateniense de Dioniso, na encosta sul da Acrópole, embora quase todas tenham se perdido. Trinta e três delas, porém, chegaram aos nossos dias intactas ou quase tão íntegras que pouca diferença faz. Na encenação, uns poucos (em geral, três) atores mascarados assumiam papéis individuais, e cada ator representava mais de um papel. Um coro, igualmente formado apenas por homens, também usando máscaras, cantava e dançava de acordo com a ação.

Os três grandes dramaturgos clássicos cujas peças remanescem são Ésquilo, que morreu em 456 a.C., Sófocles e Eurípides, ambos mortos em 406 a.C. Sete tragédias de Ésquilo subsistem: *Os persas*, *As suplicantes*, *Os sete contra Tebas*, a Trilogia Oresteia, constituída por *Agamêmnon*, *As coéforas* e *As eumênides*, e ainda, de autoria incerta, *Prometeu acorrentado*. Há também sete tragédias remanescentes de Sófocles: *As traquinianas*, *Ájax*, *Antígona*, *Édipo rei*, *Electra*, *Filoctetes* e *Édipo em Colona*. Tivemos mais sorte no caso de Eurípides, com dezoito peças teatrais remanescentes: *Alceste*, *Medeia*, *Hipólito*, *Os heráclidas*, *Hécuba*, *Electra*, *Andrômaca*, *As suplicantes*, *As troianas*, *Helena*, *Íon*, *As fenícias*, *Orestes*, *Héracles*, *Ifigênia em Táuris*, *Ifigênia em Áulis*, *As bacantes* e *Ciclope* (esta última uma farsa mitológica). *Reso* também costumava ser atribuída a Eurípides, mas sua autoria não é certa.

As tragédias desses grandes autores dramatizam acontecimentos do passado mitológico, explorando, por meio da grande poesia, as questões básicas e atemporais da condição humana: como é a vida, como é a morte, como os mortais se relacionam com os outros mortais e com os deuses imortais. Essas tragédias continuam a ser relevantes em nossos dias e ainda levam o público "à piedade e ao medo" de que fala o filósofo Aristóteles ao discutir a tragédia em sua *Poética*, e ainda são capazes de produzir o alívio emocional que ele chamou de catarse.

Essas tragédias são uma fonte vital de informação para muitos dos mitos tratados neste livro. A comédia será mencionada também. Há onze peças remanescentes do autor de comédias Aristófanes, que nasceu entre 660 e 450 a.C. e morreu por volta de 386 a.C. Todas são fantasias imaginativas baseadas na vida contemporânea de Atenas, nas quais sempre se exploravam os mitos para obter efeitos cômicos e para zombar dos personagens mitológicos. Devem também ser mencionados os historiadores do século V Heródoto e Tucídides, que escreveram em prosa e com uma abrangência jamais abordada até então. Heródoto escreveu sobre as Guerras Greco-persas do início do século V, e Tucídides, sobre longa e dura Guerra do Peloponeso (431-404 a.C.) entre Atenas e Esparta. Esses dois historiadores referem-se aos mitos (ou seja, à "história antiga") como pano de fundo para suas questões mais contemporâneas e ambos examinam os eventos míticos quanto à sua plausibilidade — e notamos que o cuidadoso Tucídides aceita sem questionar a historicidade da Guerra de Troia.

Passamos em seguida para o período helenístico (323-31 a.C.). Na esteira das extensas conquistas de Alexandre, o Grande (356-323 a.C.), muitas novas cidades foram fundadas de acordo com o modelo grego, e novos centros de cultura surgiram. O mais famoso deles foi a cidade egípcia de Alexandria, onde o Museu e a Biblioteca, fundados por volta de 280 a.C., se tornaram centros de produção e de crítica literárias, e onde estudiosos viriam a preservar os legados do passado ao coletar, copiar e fazer anotações sobre obras mais antigas da literatura grega. Dois notáveis poetas dessa época foram Teócrito, poeta pastoril, e o intelectual Calímaco. Entretanto, o poeta de maior relevância para nosso estudo dos mitos é Apolônio de Rodes, bibliotecário-chefe em Alexandria por volta de 260 a.C., que, com seu poema épico *Argonáutica* ("Expedição dos argonautas"), é nossa principal fonte no estudo da busca de Jasão pelo tosão de ouro (p. 144).

Do século I a.C. em diante, há vários tratados gregos longos que nos fornecem informações mitológicas em prosa. De longe o mais valioso deles é *Biblioteca*, de Apolodoro, no passado atribuído ao estudioso ateniense Apolodoro, do século II a.C., embora mais provavelmente tenha sido escrito no primeiro ou no segundo século da era cristã. A *Biblioteca* é uma história mitológica completa da Grécia que, apesar de não ter pretensão alguma quanto ao estilo literário, é uma das melhores fontes remanescentes de relatos de muitas histórias. Como o tratado se fundamenta, em grande parte, em fontes primitivas como o *Catálogo das mulheres*, de Hesíodo, é um guia extremamente útil no estudo das tradições míticas mais antigas.

A *Descrição da Grécia*, da autoria do viajante Pausânias, anteriormente mencionado, e escrita no segundo século da era cristã, é também muito valiosa, por ser um rico repositório de mitos locais. Por vezes úteis também são os trabalhos de Diodoro Sículo, historiador grego da Sicília que no século I d.C. compilou uma história mundial em quarenta tomos (nem todos remanescentes), centrada em Roma; os do geógrafo Estrabão (*c*. 64 a.C-20 d.C.), que escreveu a *Geografia* do mundo romano em dezessete tomos; e de Plutarco (*c*. 46 d.C.-120 d.C.), principalmente no que se refere à vida do herói e rei ateniense Teseu (p. 230) em sua coletânea *Vidas paralelas*. Provavelmente da mesma época é Antoninus Liberalis, estudioso de mitos e autor de *Metamorfoses*, uma antologia de 49 histórias de transformações escrita em prosa (no que difere da bem mais famosa *Metamorfoses*, de Ovídio) e baseada principalmente em fontes helenísticas.

Antes de deixarmos os autores gregos, há que mencionar ainda um poeta épico de época posterior: Quinto de Esmirna, que provavelmente viveu no século IV d.C. É de sua autoria a *Posthomerica*, uma série de catorze livros que relata os acontecimentos do período entre a *Ilíada* e a *Odisseia*, de Homero.

Voltemo-nos agora para os poetas romanos e comecemos por Catulo (*c*. 84-54 a.C.), Horácio (65-8 a.C.) e Propércio (*c*. 50-2 a.C.). Todos eles, escrevendo sob a influência de poetas gregos mais antigos, usaram mitos como forma de explorar suas próprias ideias e seus sentimentos. Mas os dois grandes poetas romanos a quem mais devemos são Virgílio e Ovídio.

Comecemos por Virgílio (70-19 a.C.), o poeta que compreendeu que "*sunt lacrimae rerum*", "há lágrimas nas coisas" (*Eneida* 1.462). Ele escreveu as *Éclogas*, um livro de poemas pastoris, as *Geórgicas*, poema didático sobre agricultura, e a *Eneida*, poema épico em doze volumes descrevendo a viagem do príncipe troiano Eneias para a Itália depois da queda de Troia, e sua chegada ao Lácio (p. 459). Virgílio ainda não tinha terminado a *Eneida* quando morreu e, diz a história, exigiu que lhe prometessem que a obra seria queimada. Por sorte seu desejo não foi atendido.

Ovídio (43 a.C.-17 d.C.) — espirituoso, sofisticado, jovial — incorporou mitos em todos os aspectos de suas obras principais. Estas incluem as *Heroides* ("Heroínas"), cartas de famosas mulheres da mitologia a seus amantes ou maridos, por vezes a ambos. Mas sem dúvida sua grande obra foi o poema épico *Metamorfoses*, uma coleção de cerca de 250 histórias de transformações escritas em quinze livros (p. 486). Concluída por volta do ano 8 d.C., essa é provavelmente a fonte de inspiração mais influente na retomada dos mitos clássicos pela literatura e pela arte dos períodos tardios.

Pouco depois disso, o político, filósofo e escritor Sêneca (c. 4 a.C.-65 d.C.) produziu nove tragédias melodramáticas — e, em geral, bastante sangrentas — adaptadas de originais gregos do século V a.C.: *A loucura de Héracles*, *Héracles em Eta*, *As troianas*, *As fenícias*, *Medeia*, *Fedra*, *Édipo rei*, *Agamêmnon* e *Tiestes* — esta uma peça extremamente sangrenta que se perdeu no tempo.

Por fim, três escritores romanos de prosa devem ser brevemente mencionados. Um deles é Lívio (59 a.C.-17 d.C.), responsável por uma história de Roma (*Ab urbe conditia libri*) desde sua fundação até a época do autor. Dos 142 livros dessa obra, apenas 35 chegaram aos nossos dias. Higino foi o nome atribuído ao autor desconhecido das *Fabulae* ("Histórias"), um manual de mitologia, e de uma *Astronomia Poética*, ambas compiladas de fontes gregas, provavelmente no século II a.C. O terceiro é Apuleio (também do século II da Era Cristã), cuja obra inclui as *Metamorfoses*, mais conhecida como *O asno de ouro*, o único romance latino a chegar completo à nossa era e que conta a história de Cupido e Psiquê (p. 523).

Fontes visuais

Os mitos clássicos foram vastamente ilustrados em vários suportes na Antiguidade, e as primeiras representações que temos são de 700 a.C. aproximadamente. Encontramos mitos tanto em esculturas de três dimensões quanto em alto ou baixo-relevo; em afrescos, cuja maioria dos exemplos existentes são trabalhos romanos; em mosaicos, estes também em sua maioria romanos; em moedas, selos e pedras preciosas; e em espelhos de bronze decorados, com muitos belos exemplos feitos pelos etruscos. De todas as fontes que chegaram até nós, porém, as mais ricas e mais informativas são as dezenas de milhares de pinturas de vasos gregos (o termo "vaso" denota uma grande variedade de recipientes como taças para vinho, potes para misturas, frascos para óleos e jarras para água).

Não há espaço aqui para fazermos mais do que mencionar as várias maneiras pelas quais podemos aprender acerca dos mitos por meio da arte antiga — sempre nos lembrando, ao fazermos generalizações, de que chegou até nós apenas uma fração minúscula das obras criadas.

Em primeiro lugar, o que é mais óbvio, as imagens artísticas nos mostram como os antigos visualizavam os personagens dos mitos, bem como a maneira como suas concepções se transformaram ao longo do tempo. Um exemplo disso é o deus Dioniso, que de início era representado como um homem maduro, barbudo, enfeitado com heras, usando longa túnica e, geralmente, vestes de peles de veado ou de pantera. Ao final do século V a.C., Dioniso já era jovial e sem barba, apresentando-se nu ou seminu. Outro exemplo é a górgona Medusa, decapitada por Perseu (p. 178-79). Nas obras mais antigas ela era retratada como uma criatura extremamente feia, com cabelos de cobras, olhos espantados, sorriso assustador, língua pendente e presas assustadoras, mas no final do século V a.C. a Medusa já era humanizada e tinha o rosto de uma bela mulher.

Em segundo lugar, essas peças de arte antiga podem nos mostrar, em termos gerais, quais mitos eram populares, onde e quando, ao se analisar o estilo e a proveniência de cada uma. É fácil perceber que o herói mais popular, por exemplo, é Héracles, reconhecível por seu traje de pele de leão, por seu bastão e por seu arco, apresentando-se geralmente barbado, embora no final do século V a.C., já chegando ao século IV, ele também apareça sem barba. Sua luta com o leão da Neméia é, de longe, o favorito dentre seus feitos, seguida pela batalha contra as amazonas, ao passo que são raras as representações dos episódios com os pássaros do lago Estínfalo e ainda mais raros os dos estábulos de Áugias e das éguas de Diomedes. Quanto às divindades, Dioniso é o mais representado dos deuses e, dentre as deusas, Atena, geralmente como protetora dos heróis.

Em terceiro lugar, esses recursos visuais podem preencher os detalhes de nossas fontes literárias de várias maneiras. Às vezes temos pouca ou nenhuma descrição explícita de um determinado evento em nossos textos, e podemos completar o quebra-cabeça por meio da arte. Um bom exemplo aqui é o da morte do jovem troiano Troilo nas mãos do poderoso Aquiles. As referências a esse assassinato na literatura existente são poucas, mas nas pinturas em vasos podemos vê-lo em seus vários estágios, desde a espera de Aquiles pela passagem do rapaz, a emboscada, até a morte, e, em certas vezes, a decapitação e a batalha por seu cadáver mutilado (p. 314).

Outra maneira pela qual a arte enriquece a literatura é completando a caracterização literária, como a de Peleu, pai de Aquiles. Sabemos que ele deve ter sido um grande herói, já que os deuses o escolheram para ser marido da deusa do mar Tétis (p. 299-300). Entretanto a imagem que temos de Peleu na literatura ainda disponível — em Homero e na tragédia *Andrômaca*, de Eurípides — é a de um velho triste que quase nada revela de sua estatura heroica. Nas pinturas dos vasos, contudo, encontramos o jovem Peleu em ação. Podemos vê-lo em caçadas, cercado por animais selvagens no topo de uma árvore e na caça ao javali de Cálidon, ao lado de outros grandes heróis. Nós o vemos em lutas nos jogos fúnebres do velho rei Pélias, frequentemente com Atalanta ou às voltas com Tétis para conquistá-la como noiva, ou casando-se com sua esposa-deusa e, mais tarde, entregando seu filho Aquiles para ser educado pelo sábio centauro Quíron. Todas essas imagens preenchem os vãos de sua caracterização na literatura.

Às vezes, o que é muito frustrante, temos o registro visual de um evento mítico, mas nenhuma referência literária para nos ajudar a compreendê-lo. Exemplo disso é a busca de Jasão pelo tosão de ouro. Uma taça feita por Douris (*c.* de 480 a.C.) exibe um enorme dragão aparentemente regurgitando um Jasão nu, que pende, fraco e imóvel, de sua grande boca de serpente, e por perto encontra-se uma vigilante

Atena, próxima ao tosão, preso a uma árvore. Nenhuma das nossas fontes literárias descreve esse episódio e nós continuamos sem saber exatamente o que a cena retrata.

Essas são, portanto, algumas das maneiras pelas quais as imagens podem enriquecer nossa apreciação dos mitos antigos, ainda que estes breves comentários não sejam mais do que indicadores de um assunto complexo e envolvente. O leitor que desejar se aprofundar encontrará uma boa quantidade de livros relevantes listados na biografia.

A moral dos mitos

Ao lermos e imaginarmos esses mitos clássicos, entramos em outro mundo e, se quisermos apreciá-lo verdadeiramente, devemos tentar não aplicar nossos valores e crenças, ou ver as ações dos personagens míticos através de uma ótica moderna. Tomemos, por exemplo, a questão do estupro. Os mitos são cheios de histórias de copulações de deidades com humanos. Com frequência, se um deus olha do Olimpo para a Terra, e seus olhos recaem sobre uma bela mortal, ele vai até ela a fim de se impor. Se devemos chamar essas uniões sexuais de casos amorosos, seduções ou estupros nem sempre fica claro — apesar de frequentemente nos parecerem casos de estupro no sentido mais comum da palavra, ou seja, o do intercurso sexual sem o consentimento da mulher.

É fácil condenar. Por outro lado, porém, não se pode recusar um deus, e o fato de uma mulher ter sido escolhida por um deles pode ser considerado uma grande honra. Além disso, segundo um famoso fragmento de um texto de Hesíodo, "os leitos dos deuses não são infrutíferos", e a mulher escolhida dará ao deus um ou mais filhos fortes. (Apenas uma mortal deu a Zeus uma filha: Leda, que gerou com Zeus Helena, aquela que, naturalmente, se tornaria a mais bela mulher do mundo.) Esses filhos conferiam honra a suas mães e a suas famílias, e seus descendentes teriam a glória de possuir um deus em sua genealogia.

Assim, não podemos classificar esses encontros sexuais de deuses com mortais como experiências necessariamente negativas, principalmente na literatura mais remota. Foi o dramaturgo trágico Eurípides, ao dramatizar esses mitos para o palco no final do século V a.C., quem começou a explicar em profundidade seu significado em termos humanos, principalmente em relação ao sofrimento humano. Um bom exemplo é como ele retrata em *Íon* o sofrimento e a solenidade diante da dor vividos por Creúsa ao se recordar do belo Apolo, que a estuprou, e sua tristeza pela perda do filho gerado após esse encontro com a figura divina (p. 234-35).

No lado masculino, o Odisseu de Homero é muitas vezes visto por olhos modernos como um namorador, cujo proclamado amor pela mulher Penélope, que o esperou em casa fielmente por vinte anos, não devia passar de fingimento. Mas não: sua fidelidade a Penélope foi verdadeira em todos os sentidos, exceto em um, superficial, uma vez que era sincero seu grande desejo de voltar para a esposa, em sua casa, em Ítaca. Ele de fato fez sexo com as deusas Circe e Calipso em sua longa jornada para casa ao deixar Troia; vale ressaltar que não se recusam os deuses. Mas seu amor por Penélope era tão grande que, para que pudesse retornar para ela, Odisseu recusou a oportunidade de se tornar imortal (p. 410-11).

Outro herói de Homero também costuma ser julgado com excessivo rigor: Aquiles, o mais poderoso guerreiro em Troia, é desprezado por ter se retirado da batalha e se resignado à "amargura em sua tenda", depois que Agamêmnon lhe tomou sua jovem escrava Briseida (p. 318). Lá ele ficou, enquanto seus camaradas gregos continuavam a lutar e a morrer em sua ausência. Mas Briseida, além de ser a mulher que ele amava, era também parte de um espólio de guerra ao qual ele fizera jus com sua lança, e o herói homérico era valorizado pelos bens que conquistava em saques. Assim, Agamêmnon o desonrara e o envergonhara publicamente ao lhe tomar Briseida. Aquiles julgou-se no pleno direito de se recusar a continuar lutando, o mesmo fizeram outros gregos em um momento crucial da guerra. Aquiles colocou-se em posição condenável somente quando, mais tarde, recusou a oferta de reparação mais do que completa feita por Agamêmnon. Ao agir dessa forma, ele ficou vulnerável à tragédia pessoal que foi a perda de seu melhor amigo, Pátroclo.

É também muito comum que se interpretem mal as vinganças, frequentemente sangrentas, tema que surge a cada instante na mitologia. Mas esse duro mundo dos mitos é mais abertamente selvagem do que o nosso, em que a vingança é vista sob uma ótica distinta. Podemos crer, hoje, que o ódio e a vingança degradam o vingador e que a punição é melhor quando deixada a cargo de um sistema judiciário impessoal. Mas, conforme a ótica antiga de, digamos, cinco séculos antes da era cristã, retribuir o mal com o mal, assim como o bem com o bem, era algo aceito (quando não esperado) pela moralidade grega. A Medeia de Eurípides diz: "Que ninguém me julgue desprezível, ou fraca, ou indolente. Não, justo o contrário, dura com os inimigos e generosa com os amigos. Tais pessoas vivem uma vida da maior glória" (*Medeia*, 431 a.C., 807-10). A vingança, portanto, pode ser vista não apenas como ação honrosa, mas também como uma reação heroica a um mal infligido. Os atos de nossas "mulheres perigosas", por exemplo (Capítulo 13), que se vingam dos homens que lhes fizeram o mal, devem ser vistos sob essa luz.

Tudo isso indica que, ao entrarmos no mundo dos mitos, devemos ter, na medida do possível, nossas mentes abertas para o que pode a princípio nos parecer estranho. Os mitos habitam um mundo distinto. Aqui eles fazem as coisas de maneira diferente.

1. A criação

No início era o Nada. O Nada chamava-se Caos — uma palavra que aqui não sugere confusão ou desordem, mas sim um espaço escuro e vazio. Depois do Caos vieram três outras entidades: Gaia (Terra), de seios fartos, Tártaro, um mundo inferior escuro e tenebroso bem abaixo da Terra, e Eros (Amor Sexual), a força cósmica fundamental originária de todos os atos de procriação que se seguiriam. Dessas quatro entidades foi criado tudo o que existe.

É assim que Hesíodo conta como foi o início absoluto de todas as coisas em sua *Teogonia*, uma das mais antigas obras literárias gregas (cerca de 700 a.C.) que chegaram até nós e que se tornou o relato mítico de referência sobre a origem e desenvolvimento do universo.

Como todo poeta, Hesíodo recebe das musas sua inspiração para nos conduzir à sua grande obra, a elas pedindo que lhe revelem a verdade sobre a criação. "Dizei-me", pede ele, "como os primeiros deuses e a Terra vieram a ser, e os rios e o mar sem fim (...) as estrelas cintilantes e o enorme céu no alto (...)" Então, após começar pelo Caos primevo, seu relato prossegue através da criação do cosmo físico e do nascimento de todos os tipos de divindades, passa por conflitos, batalhas e muito derramamento de sangue até chegar à supremacia final dos deuses do Olimpo, cujo soberano é Zeus.

Sigamos, pois, a narrativa de Hesíodo com seu intrincado esquema genealógico, suplementando-o, quando necessário, com outras fontes, já que esse é o universo e esses são os personagens que formam o pano de fundo para todos os mitos que encherão estas páginas.

Noite e dia

Do Caos nasceram Érebo, a escuridão do mundo inferior, e Nix (Noite), a escuridão que envolve a Terra. Então Érebo acasalou com a Noite — a primeira união sexual — para produzir Éter (o ar limpo e transparente acima da Terra) e Hemera (Dia). A Noite foi habitar as profundezas do Tártaro, que se situa muito abaixo da Terra, tanto quanto o céu está acima. Tão distantes estão eles que se uma bigorna de ferro caísse do céu para a Terra, ou desta para o Tártaro, levaria nove dias caindo e só chegaria no décimo. Era de lá que a Noite emergia ao fim de cada entardecer para trazer escuridão ao cosmo assim que sua filha Dia retornava (744-57):

> Lá está a tenebrosa morada da sombria Noite, envolta em nuvens de negrume (...) onde Noite e Dia se aproximam e se saúdam ao atravessar a grande soleira de bronze. Uma entra e outra sai, e a casa jamais abriga as duas em seu interior, mas uma está sempre fora, passando por cima da Terra, enquanto a outra espera em casa sua hora de sair. Uma leva consigo a luz que permite ao povo da Terra ver a distância, mas a outra, a funesta Noite, envolta em nuvens turvas, leva em seus braços dois irmãos: o Sono e a Morte.

A Noite, por si só, gerou uma série de forças abstratas e poderosas, muitas das quais sombrias e destrutivas: Moro (Jado), Quer (Destino), Tânato (Morte), Hipno (Sono), Oneiros (Sonho), Momo (Culpa), Oizo (Miséria), as hespérides (Filhas do entardecer), as moiras (Parcas), as queres (Destinos), Nêmesis (Retribuição), Apate (Engano), Filotes (Ternura), Geras (Velhice) e Éris (Discórdia).

Alguns não passam de abstrações e seus nomes dizem tudo que há a dizer sobre eles. A Miséria não necessita de explicação, tampouco o Engano; a Ternura também (talvez parecendo uma estranha companheira de todos aqueles rebentos soturnos, mas aqui incluída por sua conexão com o amor, que, por sua vez, liga-se ao período da noite). Culpa é o espírito da desaprovação e da crítica negativa e Velhice se encontra aqui porque nos conduz à Morte.

Outros personagens são descritos com mais riqueza de detalhes e desempenham papéis em muitos mitos posteriores. Hesíodo nos fala de como a Morte e seu irmão Sono vivem juntos nas profundezas do Tártaro (758-66):

> Lá têm seu lar os filhos da soturna Noite, o Sono e a Morte, esses terríveis deuses. O brilhante sol nunca lança sobre eles seus raios quando ascende aos céus e tampouco quando está deles descendo. O Sono vaga pela terra e pelas amplas costas do mar, suave e bondoso para com os homens, mas a Morte tem um coração de ferro, e em seu peito habita um espírito tão impiedoso quanto o bronze. A Morte prende com força cada homem que apanha e é odiada até pelos deuses imortais.

Assim, o bondoso Sono é visto viajando e espalhando o desejo de dormir, algo como o moderno *"Sandman"*, enquanto a impiedosa Morte vem para todos os mortais quando seu tempo chega ao fim, e os carrega consigo para o Mundo Inferior.

Para Hesíodo, os Sonhos são irmãos do Sono, mas depois passaram a ser vistos como os milhares de filhos dele. Enviados pelos deuses, são visões que visitam os sonhadores durante o sono, geralmente assumindo a forma de uma pessoa que lhes é familiar com o objetivo de dar conselhos ou reconfortá-los como fariam amigos em vigília. Ovídio (*Metamorfoses* 11.592-649) imagina os sonhos vivendo com seu pai em uma caverna escura na terra dos Cimérios. Lete, o rio do esquecimento, flui, murmurante, ao longo da caverna, incitando o desejo de repouso, e na entrada florescem papoulas e incontáveis ervas, todas indutoras da preguiça. Tudo à volta está parado, e é aí que o Sono repousa com seus mil filhos. Quando um Sonho é necessário, ele acorda e voa com suas rápidas asas, em segundos, para qualquer lugar da Terra.

As hespérides eram ninfas cantoras que habitavam um jardim além do pôr do sol, nos limites mais afastados da Terra. Em seu jardim havia uma árvore de maçãs de ouro, e era sua tarefa guardar esses frutos (os quais, em certa ocasião, Héracles foi encarregado de roubar como um de seus doze trabalhos). Em geral se considerava que as hespérides eram três, mas seu número varia de dois a sete.

As parcas (*Moirai* em grego e *Parcae* em latim) eram três deusas que definiam o destino de cada mortal ao nascer. (Hesíodo as relaciona entre os filhos soturnos da Noite, mas em um poema posterior lhes dá outros pais: Zeus com a titânide Têmis.) Chamavam-se Cloto ("A fiandeira"), Laquésis ("A mensuradora") e Átropo ("A implacável") e seus nomes revelavam as distintas tarefas que lhes cabiam: Cloto tecia o fio da vida das pessoas, Laquésis media a extensão que cabia a cada uma, e Átropo, a menor e mais terrível das três, cortava-o com sua impiedosa tesoura quando chegava a hora da morte.

Até mesmo os deuses estavam sujeitos ao que decretavam as parcas. Na *Ilíada*, de Homero (16.466-61), Zeus vem a saber, com tristeza, que seu filho dileto Sarpédon está destinado a morrer nas mãos de Pátroclo, mas nada faz para salvá-lo: até mesmo Zeus, o maior dos deuses, deve curvar-se diante do inevitável. Se uma morte era determinada pelas parcas, era inevitável, como explica a deusa Atena na *Odisseia* (3.236-8): "A morte chega para todos igualmente, nem mesmo os deuses podem afastá-la de um homem que amam quando os desígnios destruidores da morte a ele se impõem."

Nêmesis era a deusa da vingança e da indignação divinas ante a violação da ordem natural das coisas, quer pela ruptura da lei moral, quer pela posse excessiva de algo desejável, como riqueza, felicidade ou orgulho. Só uma vez ela tem um papel ativo em um mito: quando lhe atribuem a maternidade de Helena de Troia. Atualmente Nêmesis ainda empresta seu nome para atos de justa retribuição.

As queres (Destinos) eram espíritos da morte que viviam da ruína da vida dos mortais. *O escudo de Héracles*, de Hesíodo, descreve-as em sua ação sangrenta no campo de batalha (248-57):

> As sombrias queres, cerrando seus dentes brancos, com olhos agressivos, ferozes, cobertas de sangue, aterrorizantes, disputavam os moribundos, pois todas ansiavam por beber seu sangue escuro. Tão logo pegavam um homem que havia caído, ou um que acabara de ser ferido, uma delas, com grandes garras, agarrava seu corpo e sua alma e descia direto para o Hades, para o frio Tártaro. E, quando já tinham satisfeito seus corações com sangue humano, elas abandonavam os cadáveres e se lançavam de volta às batalhas e disputas.

Éris, a deusa da discórdia, também se sentia em casa no campo de batalha, como podemos constatar em cenas de guerra da *Ilíada*. Assim a descreve Homero:

> A Disputa irrompe a todo instante, irmã e camarada do Deus da Guerra assassino, que a princípio a mantém contida para logo deixá-la correr pela Terra erguendo a cabeça para os céus. E então ela percorre as multidões em guerra, lançando entre elas a disputa maligna e aumentando cada vez mais a dor dos homens. (4.440-45)

Foi Éris quem deu início à maior guerra da mitologia antiga, a Guerra de Troia, por meio do julgamento de Páris.

Éris foi a única filha da Noite a ter filhos próprios. Hesíodo a apresenta como mãe de muitas abstrações personificadas, tão desagradáveis quanto quem as gerou: são filhos seus a Labuta, a Negligência, a Fome, a Dor, as Batalhas, os Conflitos, a Carnificina, o Assassinato, as Brigas, as Mentiras, o Fingimento, as Querelas, o Desregramento, a Ofensa e a Insensatez (Ate).

Desses, apenas Ate teve uma identidade mitológica própria. Ela era a personificação da Insensatez, o escurecimento da mente que leva as pessoas a cometer atos impensados. Suas ações criavam terríveis problemas entre os homens, até que Zeus enviou suas filhas *Litai*, "Preces", para absolvição, portanto, "Escusas", cuja tarefa era ir atrás de Ate e ajudar a curar o mal causado por ela à humanidade enganada.

Eram todos, sem dúvida, membros de uma sombria prole. Não é de surpreender que tenham emergido da escuridão da Noite. Contudo, por mais significativos que fossem esses membros da família do Caos, foram os descendentes de uma outra entidade primeva, Gaia/Terra, que vieram a representar os papéis mais importantes na história do universo. Gaia fundou duas grandes famílias unindo-se a dois companheiros, o Céu e o Mar, que haviam sido gerados de si mesma. O *Hino homérico* (30) em sua homenagem a louva como mãe de todos (*pammeter*), a entidade mais antiga que nutre todas as coisas vivas do mundo com sua fartura.

A Terra e o Céu

Terra (Gaia), de si mesma, deu origem a Urano (Céu), Montanhas e Ponto (Mar). Depois Urano fecundou Gaia, que deu à luz a raça de deuses primordiais conhecidos como titãs: Oceano, Ceos, Crio, Hipérion, Jápeto, Teia, Reia, Têmis, Mnemósine, Febe, Tétis e, por último, "Crono, o ardiloso, o mais jovem e mais terrível dos filhos, que odiava seu vigoroso pai" (137-8).

A seguir Gaia concebeu dois grupos de monstros: três monstros de cem mãos, gigantes grotescos com cinquenta cabeças e cem braços, e os poderosos ciclopes de um só olho, que viriam a ser os forjadores dos raios e que tinham nomes condizentes com sua natureza — Brontes ("Trovão"), Estérope ("Relâmpago") e Arges ("Raio").

Urano odiava tanto seus filhos que não permitia que tivessem acesso à luz do dia, onde poderiam ameaçar sua soberania. Ele os empurrou de volta para o ventre da mãe Terra, até que Gaia não pôde mais suportar tanta dor, tampouco os infindáveis intercursos que ele lhe impunha. Gaia suplicou a seus outros filhos que a socorressem, mas todos tiveram medo — exceto Crono, que pegou com ela uma foice inquebrável e ficou à espreita do pai.

Urano chegou com a noite e, no instante em que se deitava sobre Gaia, Crono o atacou e decepou seus genitais, atirando-os bem longe, no mar. Gotas de sangue e de sêmen espalharam-se sobre Gaia, ainda capazes de gerar vida, e delas nasceram as erínias (fúrias), os gigantes e as melíades (ninfas das árvores).

As fúrias, filhas condizentes com tal ato de violência, eram deusas da vingança que puniam assassinatos e outros grandes crimes, principalmente no seio das famílias, e guardavam a ordem estabelecida do mundo. Posteriormente, dizia-se que eram três: Alecto ("A incansável"), Megera ("A intransigente") e Tısífone ("A vingadora do sangue derramado").

Uma aura de pavor as cercava, o que mais tarde veio a ser mostrado na famosa peça de Ésquilo *As eumênides*, a terceira da sua clássica Trilogia Oresteia, em que as fúrias perseguem o matricida Orestes. Elas apareciam em cena como criaturas abomináveis, repulsivas, vestidas de preto, com coroas de serpentes na cabeça e andando de quatro para farejar sua presa, ganindo e uivando como cães. Tão apavorantes eram que, na primeira apresentação da peça (458 a.C.), conta-se que mulheres da plateia desmaiaram e sofreram abortos. No final da trilogia, Orestes foi perdoado e as fúrias passaram a ser adoradas em Atenas (p. 427) com um nome eufemístico, *"eumênides"*, "Bondosas", para ajudar a neutralizar seus macabros poderes.

Os gigantes eram também alarmantes: seres monstruosos de força invencível, com corpos enormes e serpentes no lugar das pernas. Segundo Hesíodo, essas criaturas já nasceram completamente paramentadas para a guerra, com armaduras e longas lanças — quiçá já prontas para a grande batalha com os deuses que logo ocorreria. Porém o terceiro grupo, das melíades, ao contrário de seus irmãos e irmãs, era composto de seres nada ameaçadores: espíritos de natureza feminina, quase sempre amorosos, que viviam em árvores, cada uma com a vida ligada à própria árvore. Havia muitos outros tipos de ninfas além das melíades, e todas tinham nomes de acordo com os lugares que habitavam, inclusive as dríades e as hamadríades (outras espécies de ninfas das árvores), as oréades (ninfas das montanhas), as alseídes (ninfas dos bosques), as náiades (ninfas das águas) e as nereidas (ninfas do mar).

O *Hino homérico a Afrodite* (5) retrata de maneira exuberante e delicada a vida das ninfas que vivem no monte Ida (259-72):

> Elas não se situam entre os mortais, tampouco entre os imortais. Na verdade, vivem por pouco tempo, alimentando-se da comida dos céus e dançando entre os deuses, e os silenos [p. 110], junto do zeloso Hermes, se deitam com elas nas profundezas de belas cavernas. Quando elas nascem, pinheiros e altos carvalhos brotam da terra fértil, árvores belas e frondosas, erguendo-se nas altas montanhas, e os homens as chamam de lugares dos deuses, e elas nunca são cortadas. Quando o tempo de vida destinado a uma ninfa está por se esgotar, primeiro essas lindas árvores começam a secar, sua madeira apodrece, os galhos caem e, então, as almas de ninfas abandonam a luz do sol.

Foram esses, pois, os nascimentos que resultaram das gotas que caíram sobre Gaia durante o ato selvagem cometido por Crono contra o pai. Enquanto isso, diz Hesíodo, os genitais decepados de Urano foram carregados pelas ondas, e da espuma que se formou à sua volta nasceu Afrodite, a deusa do amor (190-210):

> Por longo tempo eles foram carregados pelas ondas, e ao redor da carne imortal formou-se uma espuma branca e dali nasceu uma menina. Primeiro ela passou pela sagrada Citera e então dirigiu-se para Chipre, ilha acossada pelas ondas. Lá chegou como uma deusa linda e imponente, e a relva cresceu sob seus delicados pés. Deuses e homens chamavam-na de Afrodite por ter surgido da espuma (*aphros*), mas também de Citereia, porque passou por Citera, e de Cípres por ter surgido em Chipre, banhada pelo mar. Referem-se a ela também como aquela que ama o riso (*philommedes*) e a que surgiu de genitais

(*medea*). Eros e o belo Desejo estiveram presentes em seu nascimento e acompanharam-na quando se juntou aos deuses. Essa honra lhe foi concedida desde o início e os homens e os deuses imortais reconhecem como pertencentes a ela os sussurros das meninas, os sorrisos, os truques, o doce deleite e a delicadeza do amor.

Os titãs

Com a destituição do poder de Urano, Crono passou a ser o novo senhor do universo. Os titãs puderam então se libertar de seu aprisionamento no interior da mãe, Gaia, e produzir uma descendência própria, que viria a formar, em sua maior parte, componentes do mundo natural.

Oceano, o mais velho dos titãs, era o deus do grande rio que os gregos imaginavam cercar completamente o mundo plano, marcando o limite mais vasto dos mortais. Para além do Oceano havia apenas lugares estranhos e assustadores, fora do alcance e da compreensão humana. ("Oceano" em seu sentido usual é um conceito muito posterior.) O Oceano uniu-se à sua irmã-titânide Tétis para gerar os 3 mil rios, grandes e pequenos, que fluem sobre a terra, e as 3 mil ninfas benfazejas da terra e das águas, as oceânides. "Elas se encontram espalhadas por toda parte", diz Hesíodo (363-6), "e por toda parte encantam a terra e as profundezas das águas, brilhantes deusas-crianças". Essas ninfas cuidam especialmente dos jovens.

Teia uniu-se a seu irmão-titã Hipérion e dele teve três filhos, que trariam luz aos céus: Hélio (Sol), Selene (Lua) e Eos (Aurora). Hélio, o deus-Sol, trazia a luz do dia para o mundo em sua carruagem solar puxada por quatro cavalos, que atravessava o céu do Oriente para o Ocidente, como descreve seu *Hino homérico* (31):

> Conduzindo seus cavalos, ele brilha sobre homens e deuses imortais.
> Seus olhos espreitam de dentro do capacete de ouro,
> raios luminosos irradiam de suas têmporas,

>   e cabelos cintilantes emolduram com graça
>   seu rosto de olhar distante. Ricas vestes lindamente tecidas
>   brilham em seu corpo e tremulam ao vento,
>   e corcéis o conduzem.

À noite, com seus cavalos e sua carruagem, ele navegava em uma grande tigela de ouro de volta para seu palácio no oriente, flutuando pelo rio de Oceano que circundava a terra.

Hélio teve muitos filhos que participariam das lendas dos mortais. Os mais notáveis foram Eetes, implacável rei da Cólquida, dono do tosão de ouro, a feiticeira Circe, Pasífae, mãe do Minotauro, e Faetonte, que teve um fim trágico ao tomar emprestada por um dia a carruagem-sol de seu pai e conduzi-la em sua ardente jornada.

Selene, irmã de Hélio, clareava a escuridão da noite ao atravessar o céu em sua carruagem-lua puxada por dois cavalos brancos como o leite. O *Hino homérico* (32) em sua homenagem pinta um radiante quadro de sua jornada pelo céu:

>   De sua cabeça imortal uma radiância celeste
>   abraça a terra, e grande é a beleza que vem
>   de sua luz brilhante. O ar da noite se enche da luz
>   de sua coroa de ouro, e seus raios se espalham pelo céu,
>   quando sua pele clara se refresca com as águas do Oceano
>   e a divina Selene ostenta seus raios de luz que longe vão,
>   e atrela seus brilhantes cavalos de pescoços arqueados
>   e gloriosas crinas, e os conduz adiante
>   a toda velocidade ao cair da noite, no meio do mês,
>   quando sua grande obra está plena e sua luz é a mais brilhante.

Um dos amantes de Selene era o deus-bode Pã, que a atraía para os bosques em suas viagens de carruagem de prata e então a seduzia presenteando-a com um fino velo. Mas seu caso de amor mais famoso foi com o belo mortal Endímion. Certa noite, quando em sua jornada pelo céu, Selene viu o jovem dormindo em uma caverna no monte Latmos, na Cária, de imediato se apaixonou. Por causa daquele amor divino, Zeus concedeu a Endímion a possibilidade de escolher o destino que desejasse, e ele escolheu dormir para sempre, permanecendo sempre jovem. Todas as noites Selene o visitava em sua caverna e apreciava sua beleza, ou então o acordava para satisfazer seus desejos. Segundo Pausânias (5.1.4), tais encontros geraram cinquenta filhas.

Edna St. Vincent Millay adapta eloquentemente esse mito para o público do século XX ("Soneto XXVII" de *Fatal Interview* [Entrevista Fatal]):

> Moon, that against the lintel of the west,
> Your forehead lean until the gate be swung,
> Longing to leave the world and be at rest,
> Being worn with faring and no longer young,
> Do you recall at all the Carian hill
> Where worn with loving, loving late you lay,
> Halting the sun because you lingered still,
> While wondering candles lit the Carian day?
> Ah, if indeed this memory to your mind
> Recall some sweet employment, pity me,
> That with the dawn must leave my love behind,
> That even now the dawn's dim herald see!
> I charge you, goddess, in the name of one
> You loved as well; endure, hold off the sun.*

A terceira filha que traz a luz consigo é Eos (Aurora, para os romanos), a deusa do Amanhecer. "Ela brilha sobre todos os que vivem na Terra e sobre os deuses imortais que vivem no amplo céu", diz Hesíodo (372-3). Homero a chama de "dedos rosados" (*rhododaktulos*) e "vestida de

---

* Lua, que no dintel do oeste/ Sua fronte repouse até se abrir o portão,/ Ansiando por deixar o mundo e descansar,/ Cansada de viajar e já não mais jovial,/ Lembras-te ainda da colina em Cária/ Onde, exausta de tanto amar, te deixaste ficar além do tempo,/ Impedindo que o sol chegasse, para que ficasses um pouco mais,/ Enquanto velas perplexas iluminavam o dia de Cária?,/ Ah, se essa lembrança te trouxer à mente/ Doces recordações, tende pena de mim,/ Que ao alvorecer devo deixar o meu amor,/ E agora já percebo os primeiros pálidos tons que anunciam o dia!/ Suplico a ti, deusa, em nome daquele/ A quem tanto amaste também; resista, não deixes vir o sol.

açafrão" (*krokopeplos*). Ela trazia não apenas as primeiras luzes do amanhecer, mas também ajudava a trazer a luz do dia, já que acompanhava o irmão Hélio em sua jornada pelo céu, guiando sua própria carruagem de dois cavalos.

Tanto Hélio quanto Eos eram capazes de ver e ouvir tudo que acontecia na Terra durante sua jornada diária, circunstância às vezes usada por Eos em proveito próprio. Com grande disposição para o amor, estava sempre pronta a apossar-se de um jovem particularmente belo que visse e a levá-lo consigo para o próprio deleite. Seu par divino era Astreu, porém seu grande amor mortal seria Titono, filho do rei Laomedonte de Troia, e Eos o levou para sua casa na Etiópia, no oriente mais remoto. A deusa o amava tanto que conseguiu que Zeus lhe desse a imortalidade, mas esqueceu-se de pedir que ele permanecesse jovem para sempre. Com o passar do tempo, Titono foi envelhecendo e definhando, mas continuava vivo, e, enquanto ainda tinha vigor, fez em Eos dois filhos: Mêmnon e Emátion, que se tornaram reis, respectivamente, da Etiópia e da Arábia.

O titã Crio uniu-se a Euríbia, uma das filhas de Ponto/Mar e ela lhe deu três filhos: Astreu, Palas e Perses. Astreu ("Estrelado") e sua prima Eos, deusa do Amanhecer, geraram os três principais Ventos do mundo: Bóreas, o gelado e violento Vento Norte, Notos, o suave e úmido Vento Sul, e Zéfiro, o Vento Oeste, que por vezes é tempestuoso e por vezes morno e suave, como um zéfiro.

Eos também teve com Astreu todas as Estrelas do céu. As mais notáveis delas são a estrela da manhã e a do anoitecer, Fósforo e Vésper (na verdade, uma única "estrela", o planeta Vênus). Fósforo ("A que traz a Luz"), também chamada Eósforo, ("a que traz o Amanhecer") anuncia a aproximação de sua mãe Aurora, enquanto Vésper, a gentil estrela do anoitecer, é a que traz a quieta noite. Homero nomeia ambas (*Ilíada* 23.226-7; 22.317-18):

> A estrela matutina passa acima da terra,
> portadora da luz, e em seguida
> Aurora de vestes douradas se espalha sobre o mar.

> Uma estrela se move entre outras na noite que escurece,
> Vésper, a mais linda estrela do céu.

Vésper veio a ser posteriormente associada a canções de núpcias e a casamentos. Alguns versos de Safo dirigidos a Vésper chegaram até nós e devem ter sido parte de um hino matrimonial (fr.104a):

> Vésper, que traz tudo que o brilhante amanhecer espalhou,
> traze para casa as ovelhas, traze as cabras,
> traze de volta o filho para sua mãe.

O segundo filho de Crio, Palas, deitou-se com Estige, uma filha de Oceano e principal rio do Mundo Inferior, e ela lhe deu uma filha, Nice (Vitória) e três filhos, Zelo (Ardor), Crato (Poder) e Bia (Força). Esses quatro viriam a se tornar companheiros constantes de Zeus, uma honra concedida depois que, junto de sua mãe, o apoiaram na guerra contra os titãs. Estige recebeu também a distinção de um decreto de Zeus que estabelecia que as promessas mais solenes dos deuses seriam feitas junto a suas águas. Sempre que um deus desejava fazer um juramento, Íris, a mensageira divina, era enviada com uma jarra de ouro para buscar um pouco da água gelada do Estige, e o deus fazia seu juramento com uma libação. Se algum deles quebrasse a promessa, ficaria sem sentidos por um ano e depois seria banido da companhia dos outros deuses por mais nove anos. Tão severas eram essas punições que nunca se soube de um juramento em falso feito por um deus.

Ceos uniu-se à sua irmã-titânide Febe e dessa união nasceram duas filhas: Astéria e Letó. Astéria concebeu a deusa Hécate com Perses, o terceiro filho de Crio e Euríbia. Hesíodo enaltece Hécate como uma poderosa deusa que dominava a terra, o mar e o céu e que — se desejasse — poderia levar incontáveis bênçãos aos homens, assegurando-lhes riqueza e sucesso em seus empreendimentos. Para Hesíodo, ela parece não ter nenhuma das sinistras associações que adquiriu mais tarde, quando se tornou uma figura ameaçadora, uma deusa do Mundo Inferior associada à magia e à bruxaria, a fantasmas e criaturas da noite.

Essa Hécate tardia fazia suas temíveis aparições terrenas na escuridão da noite, acompanhada de matilhas de infernais cães ladradores e, enquanto Selene (e mais tarde Ártemis/Diana) representa o calmo e enluarado esplendor da noite, Hécate está ligada à escuridão noturna e a seus terrores.

Astéria foi também amada por Zeus mas, para fugir de suas atenções, transformou-se em uma codorna (*ortyx*) e se lançou no mar. No ponto onde ela caiu nasceu uma ilha, Ortígia, que depois veio a se chamar Delos. Essa ilha ofereceria refúgio a Letó, irmã de Astéria, no momento de dar à luz os importantes deuses Apolo e Ártemis, filhos de Zeus. "Letó sempre foi gentil", diz Hesíodo (406-8), "suave com os homens e com os deuses imortais, gentil desde o início, a mais bondosa de todo o Olimpo".

O titã Jápeto foi pai de quatro filhos com sua sobrinha, a oceânide Clímene, e todos os quatro entrarão nesta narrativa um pouco mais adiante: Atlas e Menécio, que viriam a ser punidos por sua participação na batalha dos titãs contra os deuses, Prometeu, o benfeitor da humanidade, e Epimeteu.

Duas titânides, Têmis e Mnemósine, dariam oportunamente filhos a Zeus. Têmis era considerada a personificação da ordem no universo e foi mãe das três parcas (ou talvez as três eram filhas da Noite: ver p. 40) e das três horas, as deusas das estações do ano. Hesíodo dá às horas nomes de conotação ética: Eunomia ("Boa ordem"), Diké ("Justiça") e Irene ("Paz"), refletindo assim suas funções, como deusas da ordem, que mantinham a estabilidade social. A sucessão sistemática das estações era vista como prova da ordem divina imposta ao mundo.

Mnemósine (Memória) deitou-se com Zeus durante nove noites e deu ao deus nove filhas, as musas, na Piéria, ao sopé do monte Olimpo; por isso elas também eram conhecidas como piérides. Elas eram as deusas de quem poetas (como o próprio Hesíodo, conforme vimos) e outros artistas, pensadores e filósofos dependiam para sua inspiração: as deusas das artes eram filhas da Memória, uma interessante metáfora em tempos anteriores à difusão da escrita. As musas eram as mais excelentes cantoras e, como quaisquer divindades, não aceitavam que sua supremacia fosse questionada. Quando o bardo Tamíris certa vez se gabou de cantar melhor do que elas, as musas o cegaram e o privaram de seu talento poético e musical. Por causa de um desafio semelhante, as filhas de Piero foram transformadas em gralhas (p. 492).

Hesíodo deu a cada musa um nome, mas não fez qualquer distinção entre elas. Posteriormente suas funções foram diferenciadas, e cada uma passou a dominar uma área específica do fazer intelectual ou criativo. Usualmente eram elas Calíope ("Voz adorável"), musa da poesia épica (Hesíodo diz que Calíope era a mais importante das musas porque tinha a tutela dos reis); Clio ("Fama"), da história; Euterpe ("Alegria"), da execução do aulos (flauta dupla); Tália ("Animação"), da comédia; Melpômene ("Cantora"), da tragédia; Terpsícore ("A que se deleita na Dança"), da lírica coral e da poesia; Erato ("Ericanto"), da poesia lírica; Polinímia ("Muitas canções"), dos hinos e (mais tarde, em Roma) da pantomima; e Urânia ("Celestial"), da astronomia.

O monte Hélicon, na Beócia, era consagrado às musas, e foi lá que elas se aproximaram de Hesíodo e lhe deram o dom da canção. As musas gostavam de dançar ao redor de Hipocrene, a "Fonte do Cavalo", criada quando o cavalo alado Pégaso bateu com a pata no chão. Sua água tinha fama de trazer inspiração poética a quem dela bebesse, por isso Keats escreveu em sua *"Ode to a Nightingale"* [*Ode a um rouxinol*]:

> O for a beaker full of the warm South,
> Full of the true, the blushful Hippocrene,
> With beaded bubbles winking at the brim,
> And purple-stained mouth;
> That I might drink, and leave the world unseen,
> And with thee fade away into the forest dim.*

---

* Quem me dera um vaso do tépido Sul,/ Cheio da verdadeira água rósea de Hipocrene,/ Com bolhas como contas a faiscar alegres na borda,/ E nos lábios manchados de púrpura;/ Quem dera eu pudesse beber, e deixar o mundo sem ser visto,/ E contigo desaparecer nas sombras da floresta.

Por fim, a mais importante união entre dois titãs foi a de Crono com Reia, da qual nasceram muitos dos deuses do Olimpo. Isso nos conduz à próxima e violenta etapa da luta cósmica pelo poder maior, mas antes completaremos com um pouco mais de detalhes o esquema genealógico de Hesíodo, apresentando a segunda grande família fundada por Gaia. Da união com seu filho Ponto nasceram muitas criaturas espantosas da terra, do mar e do ar, algumas das quais belas, outras, monstruosas.

Terra e Mar

O primogênito de Gaia/Terra e Ponto/Mar foi o deus marinho Nereu, comumente chamado de Velho do Mar. Hesíodo o descreve como "sincero e honesto (...) confiável e gentil, jamais se esquecendo do que é certo aos olhos dos deuses, e sempre com pensamentos justos e bondosos" (233-6). Assim como outros deuses do mar, Nereu tinha o dom da profecia e de mudar de forma. Suas cinquenta filhas, nascidas da oceânide Dóris, eram as nereidas, ninfas do mar famosas por sua beleza. Na arte e na literatura as nereidas geralmente aparecem em grupo, brincando nas ondas com feras marinhas ou dançando juntas na praia. Apenas umas poucas, como Anfitrite, esposa do deus marinho Poseidon, ou Tétis, a mãe do grande guerreiro Aquiles, desempenham papéis individuais nos mitos.

Depois Ponto tornou-se pai mais quatro vezes em união com Gaia: teve dois filhos, Taumas e Fórcis, e duas filhas, Ceto e Euríbia (esta, como já vimos, foi a esposa de Crio e mãe de Astreu, Palas e Perses). Taumas é uma figura um tanto obscura, provavelmente outro deus do mar, apesar de seus filhos com a oceânide Electra serem criaturas mais ligadas ao ar. Eram elas Íris, deusa do arco-íris e mensageira dos deuses, ligeira como os ventos, e as harpias ("Agarradoras"), monstros alados femininos, deusas dos vendavais que varriam os seres da face da terra para nunca mais serem vistos. Na arte antiga, as harpias aparecem como pássaros com rosto de mulher. As duas harpias de

Hesíodo eram chamadas de Aelo ("Tempestade") e Ocípite ("A que voa rapidamente"). "Com suas rápidas asas", diz o poeta (268-9), "elas acompanham as ventanias e os pássaros, arremessando-se das alturas". Mais tarde outros escritores acrescentaram uma terceira, Celeno ("Escura", como as nuvens de tempestade), e Homero ouviu falar de uma harpia chamada Podarge ("Pés chatos"), que, em forma de égua, uniu-se ao Vento Oeste, Zéfiro. Dessa união nasceram Xanto e Bálio, os cavalos imortais de Aquiles, tão velozes quanto os ventos.

Fórcis, como o irmão Nereu, era chamado com frequência de Velho do Mar. Tinha como companheira sua irmã Ceto, cujo nome sugere qualquer grande habitante do mar. Juntos conceberam um grupo de filhos monstruosos: as graias, as górgonas, Equidna e a serpente que auxiliou as hespérides a tomar conta de suas maçãs de ouro (como diz Hesíodo, "a assustadora serpente que guarda as maçãs de ouro em uma região secreta da terra escura, na extremidade do mundo"). Mais tarde lhe foi dado o nome de Ladon.

As graias chamavam-se Ênio, Penfredo e Dino, embora Hesíodo mencione apenas as duas primeiras, "Ênio de finas vestes e Penfredo das vestes cor de açafrão" (270-3). Ele as chama de "belas faces", o que sugere serem elas jovens e atraentes, e diz que eram chamadas de graias, "Mulheres velhas" simplesmente porque tinham cabelos brancos de nascença. Em uma lenda posterior, porém, elas fazem mais jus ao nome, pois são cegas e desdentadas, a não ser por um único olho e um único dente, que compartilham entre si, passando-os uma à outra de acordo com a necessidade.

As górgonas eram monstros assustadores que viviam no extremo Ocidente, além do rio de Oceano. Duas delas, Esteno e Euríale, eram imortais, enquanto a terceira irmã, Medusa, era mortal. Em suas cabeças enrolavam-se cobras, tinham grandes presas, como javalis, mãos de bronze e asas de ouro, e transformavam em pedra quem as olhasse. (É o que diz Apolodoro, 2.4.2.) Representações na arte antiga costumam acrescentar-lhes olhos arregalados, sorrisos assustadores e línguas pendentes, além de as fazer mancar de um jeito muito estranho. Medusa veio a ser morta por Perseu, e de seu pescoço decepado nasceram os dois filhos concebidos pelo deus marinho Poseidon: o cavalo alado Pégaso e Crisaor, o "Da espada de ouro".

Ainda mais terrível do que as górgonas era Equidna. Hesíodo a descreve como sendo metade uma mulher bonita e a outra metade uma monstruosa serpente cheia de manchas, que não envelhecia nem morria, habitava uma caverna embaixo da terra e devorava carne crua. Equidna acasalou com Tífon (um monstro ainda mais aterrorizante do que ela: ver a seguir) para produzir uma série de criaturas monstruosas: Cérbero, o cão de muitas cabeças que guardava a entrada do Mundo Inferior; Orto, o cão de guarda de duas cabeças pertencente a Gerião; Fea, a porca feroz de Crômion; a Hidra de Lerna, de muitas cabeças, com seus cachos de serpentes; e por fim provavelmente (o texto é incerto) a Quimera com suas três cabeças (leão à frente, cabra no meio e serpente atrás) lançadoras de fogo. Provavelmente, também, (aqui o texto é igualmente ambíguo) Equidna acasalou-se com seu filho Orto para dar origem a mais dois monstros aterradores: a Esfinge, que assolou Tebas com sua famosa charada, e o leão de Nemeia, com seu couro à prova de armas.

Os filhos monstruosos de Fórcis e os monstros que, por sua vez, eles geraram iriam mais tarde testar os heróis Belerofonte, Perseu, Teseu e, principalmente, Héracles. Esses heróis conquistaram fama e glória eternas porque livraram o mundo de tais criaturas perigosas. Edmund Spenser, em *Faerie Queene* [*A rainha das fadas*], chama Fórcis de "the father of that fatal brood/ By whome those old Heroes wonne such fame" [o pai de todos aqueles filhos fatídicos/ Por meio dos quais os velhos heróis conquistaram tanta fama].

Crono e Reia

Por intermédio de seus pais, Urano e Gaia, Crono ficara sabendo que seu destino era ser destituído por um de seus filhos, mas, assim como fizera seu pai, Crono estava decidido a não deixar que os filhos tivessem poder suficiente para desafiá-lo. A tática de Urano havia sido a de manter os filhos aprisionados no interior de sua mãe, Gaia, o que não deu certo. Crono tentou outra coisa. Reia lhe deu cinco filhos (Héstia, Deméter, Hera, Hades e Poseidon), nenhum dos quais podia ser assassinado, devido ao dom da imortalidade. Assim, quando um filho nascia, Crono o devorava.

Quando Reia estava grávida do sexto filho, ainda sofrendo pela perda de todos os outros, pediu ajuda aos pais. Acatando seus conselhos, partiu para Creta e lá, em Licto, deu à luz um filho, Zeus (outras fontes referem-se ao monte Dicte ou monte Ida como local de seu nascimento). Gaia o escondeu em segurança e entregou a Crono uma pedra enrolada em panos no lugar do bebê. Crono não percebeu o embuste e engoliu tudo de uma vez.

Zeus foi criado em segredo pelas ninfas locais, segundo fontes posteriores, inclusive Amalteia, que o alimentou com leite de sua cabra. Divindades menores da ilha de Creta, os curetes, protegeram a caverna na qual o bebê ficava escondido, dançando na entrada e fazendo ruídos com seus escudos e lanças para abafar seu choro.

Zeus logo cresceu e atingiu a maturidade, enfrentou seu pai, Crono, e o forçou a regurgitar os filhos que havia engolido. Crono começou por vomitar a pedra que substituíra seu último filho; Zeus a colocou na terra, em Delfos, para que os mortais a admirassem. Lá ela ainda se encontrava no século II da Era Cristã, quando o viajante Pausânias a viu (10.24.6). Em seguida foram vomitados os irmãos e as irmãs de Zeus, na ordem inversa à que haviam nascido: Poseidon, Hades, Hera, Deméter e Héstia.

A BATALHA ENTRE DEUSES E TITÃS

A geração mais jovem de deuses, agora sob a liderança de Zeus, pôs-se em ação para conquistar o poder. Eles lutaram contra Crono e contra os titãs que o apoiavam, que não eram todos. Deu-se então uma grande guerra, conhecida como *Titanomaquia*, que durou dez anos, na qual os titãs lutaram do monte Ótris, e os deuses, do monte Olimpo. O resultado era imprevisível até que Zeus trouxe para seu lado alguns aliados de peso: conforme conselho de Gaia, ele libertou os ciclopes e os monstros de cem mãos das profundezas da Terra, onde seu pai Urano os havia aprisionado, e os alimentou com néctar e ambrosia para fortalecê-los. Os ciclopes forjaram para Zeus os poderosos raios e trovões, e os Cem-mãos lançaram enormes pedras sobre os inimigos, trezentas de cada vez. Nesse ponto a guerra atingiu proporções verdadeiramente cósmicas (678-711):

> O mar infindo rugia terrivelmente, a terra emitia grandes estrondos e o amplo céu rosnava e tremia. O alto Olimpo foi sacudido até a base pelo assalto furioso dos imortais, e fortes tremores se espalharam até o sombrio Tártaro, causados pelo violento pisar dos beligerantes e pelos mísseis que lançavam uns contra os outros. Os gritos de ambos os lados alcançavam o céu estrelado e ecoavam juntos como terríveis brados de guerra.
>
> A certa altura, Zeus passou a usar toda a sua força. Seu coração se encheu de fúria e então exibiu todo o seu poder. Desceu diretamente do céu e do Olimpo lançando de suas poderosas mãos raios incessantes, a faiscar com explosões e chamas prodigiosas. A terra, fonte da vida, gemia enquanto o fogo se espalhava por toda parte, e as vastas florestas estalavam alto com as chamas que as consumiam por todos os lados. Toda a terra fervilhava, assim como as correntes de Oceano e o mar infecundo. Uma tremenda explosão engolfou os titãs e chamas indescritíveis chegaram ao divino céu. O brilho insuportável dos raios cegou até o mais forte dos olhos. (...) O assustador estrépito da terrível batalha elevou-se ainda mais e o poder das grandes façanhas pôde ser visto.
>
> O equilíbrio da batalha começava a mudar...

Crono e os titãs que o apoiavam foram por fim derrotados, e Zeus, agora reinando no lugar do pai, aprisionou-os nas profundezas do Tártaro, ordenando aos Cem-mãos que os guardassem.

Sabemos do destino de uns poucos titãs. Menécio, filho de Jápeto, foi lançado diretamente no Tártaro por um dos raios de Zeus, "por sua crueldade e sua força desmesurada" (516). O próprio Jápeto, conta-nos Homero (*Ilíada* 8.478-81), senta-se ao lado de Crono para sempre na lúgubre escuridão, longe dos deleites do sol e dos ventos. Em outras fontes, Crono é visto com mais simpatia e lhe é dado um destino mais feliz como governante das ilhas dos Bem-Aventurados (p. 120). Na mitologia romana, o personagem correspondente a Crono, Saturno, era visto como um benfeitor. Tornou-se um dos primeiros reis do Lácio depois que foi banido do Olimpo e ensinou a seu povo a arte da agricultura e as bênçãos da civilização. Seu reinado foi uma feliz Era de Ouro, quando todos viveram em paz e prosperidade. Seu festival anual, a Saturnália, era celebrado no solstício do inverno e era a época mais alegre do ano (em grande parte assumida pelo nosso Natal). A esposa de Saturno era a Deusa da Fartura, Ops, que se identificava com Reia, esposa de Crono.

Keats, ao escrever sobre a derrota dos titãs pelos deuses em seu poema inacabado *Hyperion*, funde as duas vertentes do mito: ele também retrata Crono/Saturno como uma entidade simpática e benigna, mas o mantém eternamente no sombrio Tártaro.

> Deep in the shady sadness of a vale
> Far sunken from the healthy breath of morn,
> Far from the fiery noon, and eve's one star,
> Sat gray-hair'd Saturn, quiet as a stone,
> Still as the silence round about his lair;
> Forest on forest hung about his head
> Like cloud on cloud. No stir of air was there,
> Not so much life as on a summer's day
> Robs not one light seed from the feather'd grass,
> But where the dead leaf fell, there did it rest.*

---

* No fundo da sombria tristeza de um vale/ Longe da profunda distância do saudável hálito da manhã,/ Longe do calor do meio-dia e de uma estrela noturna,/ Sentava-se Saturno, de cabelos brancos, imóvel como uma rocha,/ Quieto como o silêncio de sua morada;/ Florestas sobre florestas acima de sua cabeça/ Como nuvens sobre nuvens. Nem o mais leve movimento do ar,/ Nem um mínimo de vida como a que em um dia de verão rouba uma inefável semente da macia grama,/ Mas, lá onde caiu, a folha morta se deixou ficar.

Atlas ("Muito resistente"), outro filho de Jápeto, recebeu um castigo especial: foi condenado a sustentar o céu por toda a eternidade, mantendo-se de pé nos limites mais remotos da Terra, próximo do jardim das hespérides. "Ele permanece imóvel", diz Hesíodo (746-8), "erguendo o amplo céu sobre a cabeça, com mãos que jamais têm descanso". Apenas uma vez Atlas foi aliviado do peso que carregava: quando Héracles foi roubar as maçãs de ouro das Hespérides em um dos seus trabalhos para Euristeu, e, mesmo assim, por pouco tempo (p. 211).

Felizmente, Atlas tivera filhos antes de ser condenado ao trabalho eterno. Com a oceânide Plêione teve Calipso, a deusa-ninfa que manteria Odisseu consigo durante sete anos, e as sete irmãs conhecidas como plêiades: Maia, Electra, Taígete, Alcíone, Celeno, Estérope e Mérope. Seis das sete plêiades tiveram filhos com deuses; as mais conhecidas são Maia, que teve com Zeus o deus Hermes, e Electra, que também com Zeus teve Dárdano, ancestral dos reis de Troia. A sétima irmã, Mérope, casou-se com o mortal Sísifo.

Com a oceânide Etra, Atlas foi pai de Hias e das irmãs conhecidas como Híades; dependendo da fonte da lenda, o número varia de duas até sete. Quando Hias foi morto em uma caçada — não é certo se por um leão, um javali ou uma cobra — as Híades morreram de tristeza pelo irmão e em seguida as plêiades morreram também de tristeza por suas meias-irmãs. Zeus, penalizado, imortalizou todas no céu da noite. O conglomerado de estrelas Híades situa-se na constelação de Touro, perto do conglomerado das plêiades, grupo de estrelas conhecido também como Sete Irmãs. Uma das sete estrelas tem o brilho mais apagado do que as outras e consta que é Mérope, que esconde a cabeça envergonhada por ter se casado com um simples mortal, ou Electra, que cobre seu rosto com um véu em luto pela morte do filho Dárdano e pela destruição de Troia.

Outra versão da transferência das plêiades para as estrelas envolve o poderoso caçador Órion, que não se sabe se nasceu da terra ou se era filho de Poseidon e Euríale, filha de Minos, rei de Creta. Órion perseguiu as plêiades e sua mãe durante cinco (ou sete) anos, decidido a estuprá-las, e no final Zeus interveio e as salvou, transferindo-as para o céu. Ainda assim, Plêione e suas filhas não se livraram totalmente de seu perseguidor, pois a Órion também foi dado um lugar entre as estrelas. Em Creta ele havia passado a maior parte do tempo caçando animais selvagens na companhia de Ártemis e de Letó, e tão grandes eram suas proezas que se gabava de ser capaz de matar todos os animais da terra. Gaia, irada, enviou um escorpião gigantesco que o picou letalmente, mas, a pedido de Ártemis e Letó, Órion foi imortalizado por Zeus nas estrelas, onde se tornaria uma das constelações mais conhecidas do céu noturno. O escorpião também foi transformado em constelação pelo grande serviço que prestou às feras da terra.

Órion fica imediatamente ao sul da constelação de Touro, na qual o grupamento estelar das plêiades se encontra, e, portanto, continua a perseguir suas antigas amadas para todo o sempre no céu da noite. Grande caçador que é, está sempre acompanhado de um cão, a constelação do Cão Maior, que inclui a brilhante Estrela do Cão, Sírio, "A que Queima", assim chamada porque seu aparecimento marcava a estação de maior calor na Grécia. "Quando o cardo floresce", diz Hesíodo em *Os trabalhos e os dias* (582-8), "e a cigarra cantora pousa na árvore, deixando fluir sua música estridente e incessante por baixo de suas asas, na estação do calor que exaure os homens, então as cabras são mais gordas e o vinho, mais doce; as mulheres ficam mais lascivas, mas os homens ficam mais fracos, porque Sírio queima sua cabeça e seus joelhos, e sua pele se resseca com tanto calor".

Órion tem também à vista uma Lebre (Lepus) e um Touro enquanto uma Ursa (Ursa Maior) o espreita de longe, e o Escorpião continua em sua infindável perseguição ao velho inimigo. Quando o Escorpião sobe no céu, Órion desce.

As noivas de Zeus

Depois da derrota de Crono e dos titãs, Zeus passou a ser o novo senhor do universo e tomou uma sucessão de esposas com as quais procriara mais deuses, uns de grande importância, outros de pouca. Hesíodo relaciona todas essas esposas na devida ordem. A primeira foi a oceânide Métis. Quando ela engravidou, Zeus soube por seus avós, Urano e Gaia, que tão logo Métis desse à luz a filha que trazia no ventre (filha essa que seria quase tão sábia e forte quanto o pai), estava destinada a ter também um filho que tomaria o lugar de rei dos deuses e dos homens.

Naturalmente, Zeus não estava disposto a perder os poderes conquistados com tanto esforço, e, por isso, seguiu o exemplo do pai, Crono: enganou a mulher com palavras astutas e em seguida a engoliu. Dessa maneira, impediu o nascimento do filho que o teria destronado, no mesmo tempo em que, assimilou a sabedoria prática de Métis (cujo nome significa "inteligência" ou "esperteza"). Quando chegou a hora do nascimento da filha, Hefesto partiu a cabeça de Zeus com um machado e de dentro dela saiu Atena, já totalmente armada.

Em seguida Zeus casou-se com a titânide Têmis, que, como já vimos, deu à luz as parcas e as horas (Estações do ano). Depois Eurínome, uma das filhas de Oceano, teve com ele as graças. Essas deusas menores eram personificações da beleza, do encanto e da graça, e também da gentileza e da gratidão pela gentileza. Hesíodo nos diz que eram três: Aglaia ("Esplendor"), Eufrosine ("Alegria") e Tália ("Festividade"). As graças desempenham poucos papéis individuais nos mitos, mas, como grupo, aparecem muitas vezes na literatura e na arte, em contextos de júbilo e de festa. Com frequência são companheiras das musas ou estão a serviço de algum deus. Costumam ser associadas a Afrodite e a Eros, como criadoras de laços de amor entre mulheres e homens: "De seus olhos reluzentes", diz Hesíodo (910-11), "flui o amor que enfraquece a força das pernas, e belos são os olhares sob suas sobrancelhas".

A quarta esposa de Zeus foi sua irmã Deméter. Ela lhe deu uma filha, Perséfone, que viria a ser raptada por Hades e tornar-se-ia rainha do Mundo Inferior. A titânide Mnemósine foi a esposa seguinte de Zeus, e, com ela, como vimos, ele teve as nove musas. Em seguida veio outra titânide, Letó, que lhe deu os grandes deuses Apolo e Ártemis. A sétima e última esposa de Zeus foi sua irmã Hera.

Hera deu a Zeus três filhos: Ares, o deus da guerra, Ilítia, a deusa do parto, e Hebe, a deusa da juventude. O aleijado deus-ferreiro Hefesto é considerado por alguns como quarto filho do casal, mas, para outros (inclusive Hesíodo), era filho apenas de Hera.

Daí em diante, Hera foi a esposa permanente de Zeus e a rainha do Olimpo. Isso não o impediu, naturalmente, de continuar a ter ligações com uma grande variedade de mulheres. Todas elas lhe deram filhos, inclusive dois dos grandes deuses: a plêiade Maia foi mãe de Hermes, e a mortal Sêmele, filha de Cadmo, rei de Tebas, foi mãe de Dioniso. Voltaremos aos deuses principais, com detalhes, no próximo capítulo.

Zeus e Tífon

Os titãs foram derrotados, mas logo o poder supremo de Zeus voltou a ser ameaçado, agora por um monstro enorme e aterrador chamado Tífon (também conhecido como Tifão e Tifeu). Segundo o *Hino homérico a Apolo*, Tífon era filho de Hera, apenas. Descontente com o fato de Zeus ter tirado Atena da própria cabeça e de seu filho Hefesto ter nascido deformado, Hera rezou para ter um filho mais forte do que Zeus, e foi assim que nasceu Tífon.

Na versão mais usual, a de Hesíodo, Tífon era filho de Gaia e Tártaro. Ele tinha nos ombros cem assustadoras cabeças de serpente, todas com línguas negras que se agitavam, e seus olhos lançavam chamas. Essas cabeças eram capazes de imitar todo e qualquer som — o bramido de um touro gigantesco, o rugido de um leão, os ganidos de uma matilha de cães de caça, o sibilar de serpentes. Apolodoro (1.6.3) acrescenta que a criatura era mais alta do que qualquer montanha e que sua cabeça roçava as estrelas. Ao abrir os braços, uma das mãos tocaria o Leste, e a outra, o Oeste, e no lugar dos dedos havia cem cabeças de serpentes. Sua boca lançava chamas, seu corpo era alado, e das coxas para baixo havia apenas enorme massa de serpentes entrelaçadas.

Esse monstro desafiou Zeus e teria se tornado o soberano do universo naquele mesmo dia, diz Hesíodo, se Zeus não tivesse respondido de imediato à sua ameaça (839-56):

> Zeus trovejou com toda a sua força, e a terra e o vasto céu ecoaram com um ruído tremendo, assim como o mar e as correntes de Oceano, e as partes mais remotas da terra. O grande Olimpo tremeu sob os pés imortais do rei quando ele avançou, e a terra rugiu em resposta. O púrpuro mar agitou-se em um terrível incêndio causado pelos raios e trovões do deus, pelo fogo que o monstro lançava, pelas chamas dos relâmpagos e pelos ventos de tornados. Toda a terra fervilhou, assim como o mar e o céu (...) e então Zeus saltou do Olimpo e queimou por todos os lados as assustadoras cabeças do terrível monstro.

Tífon caiu, mutilado, e Zeus o lançou no Tártaro. Lá Tífon tornou-se pai de todos os ventos destruidores que causam danos às pessoas na terra, afundam navios, e é essa a origem da palavra tufão.

Apolodoro fez esse embate mais ameaçador para Zeus e, em sua versão, os outros deuses são afetados pelo conflito também. Ao ver que Tífon subia nas alturas com jatos de fogo saindo pela boca, todos fugiram aterrorizados para o Egito, e lá se transformaram em vários animais. (De outras fontes, sabemos que Apolo se transformou em gavião ou em corvo, Ártemis em gato, Ares e Afrodite em peixe, Hermes em íbis, Hera e Hefesto em bois, Dioniso em bode e Letó em rato. Essa história provavelmente foi inventada para explicar as formas animais dos deuses egípcios, que os gregos identificavam com suas divindades. O próprio Tífon era identificado com Seth, o inimigo de Osíris. Quanto a Zeus, teria acompanhado a fuga para o Egito na forma de um carneiro de chifres enrolados, o que explicaria o culto de Zeus-Amon em forma de carneiro.)

Nessa versão, Zeus atacou Tífon de longe, lançando-lhe raios e, aproximando-se dele, atingiu-o com uma foice inquebrável. Mas Tífon prendeu Zeus, arrancou a foice de suas mãos e cortou os tendões de seus membros. Em seguida, carregou o deus indefeso para sua caverna na Cilícia (no sul da Ásia Menor) e escondeu os tendões em uma pele de urso, encarregando um monstro de guardá-lo — o dragão-fêmea Delfine, que era metade serpente e metade mulher.

Felizmente, para Zeus, Hermes e Egipã ("Bode-Pã") conseguiram furtar os tendões e em seguida colocá-los de volta nos pés e nas mãos de Zeus. O deus, com sua força restaurada, perseguiu Tífon novamente, lançando seus raios. A essa altura as parcas foram em socorro do pai. Deram a Tífon uma fruta que enfraquecia quem a comesse, fingindo que aumentaria seu poder. Apesar de o monstro ter perdido força, ainda era capaz de lançar montanhas inteiras sobre Zeus, que fugia. Na Trácia, uma dessas bateu em um obstáculo e retornou sobre a criatura, atingindo-a em cheio. Daí em diante esse monte passou a chamar-se Hemos, devido ao sangue (*haima*) que jorrou sobre sua superfície. Por fim, quando se aproximaram da Sicília, Zeus arremessou o monte Etna sobre Tífon e o soterrou para toda a eternidade. Esse foi o seu legado, pois no monte Etna a ira de Tífon é expelida em correntes de lava e fogo enquanto o monstro luta para se libertar. Apolodoro, menos dramaticamente, diz que as chamas são remanescente dos raios de Zeus.

A batalha dos deuses e dos gigantes

Vencido Tífon, havia ainda uma ameaça que Zeus e os outros deuses precisariam enfrentar antes de estabelecer definitivamente sua supremacia. Gaia estava irada porque Zeus havia lançado seus filhos, os titãs, nas profundezas do Tártaro. Assim, ela levou os gigantes, irmãos deles, a se rebelarem contra a nova ordem divina estabelecida, e incitou outra enorme batalha, conhecida como *Gigantomaquia*.

Hesíodo faz apenas uma breve referência a essa história (954), mas sabemos que era bem conhecida nos séculos VI e V a.C. devido às suas muitas representações na arte. Apolodoro é o primeiro autor a fornecer um completo relato dessa batalha, dentre os que chegaram até nós (1.6.1-2).

Os gigantes iniciaram as hostilidades atirando enormes rochas e árvores em chamas para os céus. Ante essa ameaça, os deuses se prepararam para a guerra e descobriram, por meio de um oráculo, que sozinhos não seriam capazes de matar os gigantes, mas teriam sucesso se tivessem a ajuda de um mortal. Gaia soube disso e conseguiu uma erva mágica que protegeria seus filhos de quem quer que fosse, mortal ou deus. Zeus reagiu proibindo o Sol, a Lua e a Aurora de levar qualquer luz para a terra e então arrancou tal erva do solo antes que qualquer outro a encontrasse. Depois de destruí-la, enviou Atena para pedir ajuda ao maior dos heróis mortais, Héracles.

Os mais fortes de todos os gigantes eram Alcioneu e Porfírion, portanto foi deles que Zeus cuidou primeiro. Héracles atingiu Alcioneu com uma seta, mas o gigante estava destinado a ser imortal enquanto permanecesse na terra onde nascera — Flegra, na Macedônia, mais tarde conhecida como Palene —, e, assim, quando caía no chão de que era nativo, começava a reviver. Aconselhado por Atena, Héracles o arrastou para além dos limites de Palene e o derrotou.

Zeus inspirou em Porfírion um forte desejo por Hera, aguardou o momento em que o gigante tentou estuprá-la, e então abateu-o com um raio. Héracles pôs fim à vida de Porfírion com uma de suas setas. Efíaltes foi morto com duas setas, uma de Apolo, no olho esquerdo, e a outra de Héracles, no direito. Dioniso matou Êurito com seu tirso, a vara mágica feita de um galho com um punhado de hera amarrado na ponta. Clítio e Mimas foram queimados até a morte, Clítio pelas tochas infernais de Hécate, e Mimas, pelos mísseis de ferro em brasa lançados por Hefesto. Encelado fugiu para o Ocidente, mas Atena atirou sobre seu corpo a ilha da Sicília e, desde então, seu hálito de fogo é lançado através do monte Etna (portanto ele divide com Tífon os créditos por criar o vulcão). Atena também matou e esfolou Palas e usou sua pele dura como escudo.

Poseidon perseguiu Polibotes pelos mares até Cós, onde quebrou um pedaço da ilha e o lançou sobre o gigante, esmagando-o embaixo do que veio a ser a ilha de Nisiro. Hermes, usando o capuz de invisibilidade que pertencia a Hades, matou Hipólito. Ártemis matou Gration. As parcas, lutando com porretes de bronze, mataram Ágrios e Toas. Os demais restantes foram derrubados pelos raios e trovões de Zeus e mortos pelas setas de Héracles enquanto estavam caídos.

Assim os deuses, com a ajuda de um mortal, venceram os gigantes e a partir daí puderam reinar, seguros de seus poderes, para todo o sempre.

2. Os deuses

Os grandes deuses

Zeus agora reinava supremo sobre todos os deuses, embora a seus irmãos também coubesse soberania sobre domínios específicos: enquanto Zeus era detentor dos céus, Poseidon assumiu os mares, e Hades, o sombrio Mundo Inferior. Aos outros deuses cabiam também funções e poderes próprios, como veremos.

Havia agora quatorze grandes divindades gregas e todas viriam a ser adotadas pelos romanos, que as identificariam com as próprias divindades nativas. E, como havia poucas histórias a respeito de seus deuses, os romanos também associaram os mitos gregos aos deuses correspondentes em sua cultura.

Os nomes dos deuses gregos (e romanos) eram Zeus (Júpiter), Hera (Juno), Poseidon (Netuno), Hades (Plutão), Deméter (Ceres), Héstia (Vesta), Afrodite (Vênus), Apolo (como não havia um equivalente italiano, os romanos mantiveram seu nome), Ártemis (Diana), Atena (Minerva), Ares (Marte), Hefesto (Vulcano), Hermes (Mercúrio) e Dioniso (Baco). Esses quatorze eram em geral reduzidos a um cânone de doze deuses principais (os Doze Olímpicos), excluindo-se Hades, cujo domínio era abaixo da terra, e Héstia. Ela era uma das deusas da antiga ordem e seu lugar foi ocupado por Dioniso, uma grande divindade que havia chegado por último ao Panteão, nascido de Zeus e da mortal Sêmele.

Os deuses são imaginados como seres gloriosos, humanos em forma e em caráter — com defeitos humanos também, pois podem ser lascivos, vingativos e mesquinhos — e, além disso, organizados em família e vida social semelhantes às dos mortais. Suas figuras, no entanto, são muitíssimo mais belas, mais poderosas, mais sábias, mais informadas e, mais importante de tudo, ao contrário dos mortais, não envelhecem nem morrem. Supunha-se que alguns eram maduros e majestosos (Zeus, Poseidon, Deméter), enquanto outros eram eternamente jovens (Apolo, Ártemis, Afrodite); alcançada a maturidade ideal, seja esse conceito qual fosse, nela permaneciam. (O que não significa dizer que a imagem de um deus seja imutável, pois Dioniso, por exemplo, tornou-se mais jovem com o passar dos séculos, e Eros, inicialmente concebido por Hesíodo como uma força cósmica, foi visto depois como filho de Afrodite e Ares, tornando-se um menino travesso.)

Festejam e bebem, mas sua comida é ambrosia, e a bebida, néctar. O fluido divino que corre em suas veias é o icor, e não o sangue. Acreditava-se que desde tempos remotos eles viviam no monte Olimpo, a montanha mais alta da Grécia, com quase 3 mil metros de altitude, situada perto das fronteiras com a Macedônia e a Tessalônica; por isso ficaram conhecidos como Deuses do Olimpo. Com o passar do tempo, o conceito de "Olimpo" foi se tornando mais abrangente do que a montanha propriamente dita e imaginava-se, de maneira vaga, que os deuses levavam uma vida feliz no céu acima do monte Olimpo, em residências divinamente belas Homero assim descreve a morada dos deuses (*Odisseia* 6.42-6):

> Neste lugar, dizem, a morada dos deuses
> ergue-se firme para sempre. Nenhum vento a perturba,
> ou chuva a encharca, tampouco a neve se aproxima,
> mas o ar límpido envolve, sem nuvens,
> o brilho radiante que baila sobre ela. Neste lugar
> os deuses abençoados vivem seus dias em perfeita felicidade.

Um portão de nuvens vigiado pelas horas, as deusas das estações, abria-se para permitir a saída do Olimpo, e a qualquer momento os deuses podiam deixar seus lares e descer à terra para interferir nas vidas dos homens, ao ajudar ou prejudicar os mortais que escolhiam — e assim desempenhavam um papel muito real nos mitos.

Zeus

Zeus (Júpiter) reina sobre o céu e é, portanto, um deus do clima, aquele que envia a chuva, a geada, a neve e a tempestade. Sua arma é o raio, símbolo do poder invencível que exerce sobre deuses e homens. Em Homero ele é chamado de "ajuntador de nuvens", "trovejador das alturas", "senhor dos raios", Zeus que "se deleita com os trovões" o "pai dos deuses e dos homens".

A impressão geral do Zeus de Homero, principalmente na *Ilíada*, é a de um deus que tudo domina por meio de uma força física tremenda. Certa vez, em uma punição a Hera, por ter perseguido seu filho mortal Héracles, suspendeu-a do alto do Olimpo com as mãos atadas por uma corrente de ouro e com bigornas aos pés (15.18-20). Quando Hefesto, filho de Hera, tentou ajudá-la, Zeus o ergueu pela perna e o atirou do alto do Olimpo para a terra. Zeus está sempre pronto a ameaçar com violência física os deuses que fazem algo de errado, e se vangloria de sua impressionante supremacia (8.19-27):

> Se pendurardes do céu uma corrente de ouro,
> e segurardes nela todos vós, deuses e deusas,
> jamais poderíeis arrastar-me do céu para a terra,
> não a Zeus, o poder mais alto, nem se tentásseis
> com todas as vossas forças. Porém se eu decidisse puxar-vos para
> [cima
> eu ergueria a todos juntamente com a terra e com o mar,
> e amarraria a corrente no pico mais alto do Olimpo,
> deixando o mundo todo pendurado em pleno ar,
> tão mais forte sou eu do que deuses e homens.

Na *Odisseia*, Homero retrata Zeus como um deus mais diplomático. Com o passar do tempo, sua imagem era mais e mais a de um deus que dominava pela sabedoria e pela justiça, e não tanto pela força e pelas ameaças.

Ele certamente era visto como protetor da lei e da justiça na terra, e seus epítetos indicam as esferas sobre as quais tinha jurisdição. Era defensor do lar (*Herkeios*), da família (*Ephestios*), da propriedade (*Ktesios*), da amizade (*Philios*), dos juramentos (*Horkios*), da hospitalidade (*Xênios*), dos suplicantes (*Hikesios*) e da humanidade em geral (*Soter*, Salvador). Por outro lado, cometia um adultério após outro, e os filhos que teve com as incontáveis amantes constituíam uma legião — o que talvez não seja de surpreender, posto que certamente seria a maior das glórias tê-lo como divino progenitor de uma genealogia humana. Zeus era um conquistador amoroso tão incorrigível e contou tantas mentiras a Hera que, diziam, perdoava todas as juras falsas feitas pelos mortais em nome do amor. (Julieta, de Shakespeare, faria referência a isso: "dos perjúrios de amor, dizem, ri-se Júpiter"). Zeus costumava aproximar-se das mulheres mortais usando um disfarce, tanto para enganar sua presa inocente, quanto para escapar dos ciúmes de Hera, que estava sempre pronta (e com razão) a suspeitar de sua má conduta. Como viria a dizer o poeta e crítico Graham Hough ("Children of Zeus"):

> Ageless, lusty, he twists into bull, ram, serpent,
> Swan, gold rain; a hundred wily disguises
> To catch girl, nymph, or goddess; begets tall heroes
> ... All that scribe or sculptor
> Chronicle is no more than fruit of his hot embraces
> With how many surprised recumbent breasts and haunches.*

---

* Eterno, lascivo, ele se transforma em touro, carneiro, serpente,/ Cisne, chuva de ouro; uma centena de enganadores disfarces/ Para seduzir meninas, ninfas ou deusas; nelas gerar grandes heróis/ ... Tudo que o escriba ou escultor/ Relata não é mais do que fruto de seus acalorados abraços/ Com incontáveis seios e quadris surpresos.

Na arte antiga, Zeus é representado como uma figura barbada, imponente, quase sempre segurando sua arma invencível, o raio, e um longo cetro, que era também um símbolo de autoridade entre os governantes humanos. É frequentemente acompanhado de um pássaro emblemático, a majestosa águia, soberana de todos os pássaros. Sua representação mais famosa na Antiguidade era a colossal estátua de ouro e marfim criada pelo artista e escultor Fídias para o grande templo do deus em Olímpia. Embora a obra já se tenha perdido há muito tempo, sabemos bastante a respeito dela a partir de relatos, como o do viajante Pausânias (5.11). Essa estátua foi considerada uma das Sete Maravilhas do Mundo.

Hera

Hera (Juno) é irmã e esposa de Zeus e rainha do céu. Como vimos, deu a Zeus três (ou quatro) filhos: Ares, o deus da guerra, Ilília, deusa do parto, e Hebe, deusa da juventude. Seu quarto filho, o deformado deus-ferreiro Hefesto, é por vezes considerado filho apenas de Hera.

Como deusa do casamento, das mulheres casadas e do parto, era adorada em santuários por todo o mundo grego. Seus dois centros de culto mais famosos ficavam na ilha de Samos, onde seu templo era um dos maiores da Grécia, e no seu templo argivo, entre Argos e Micenas. Sua ligação com Argos era particularmente grande. Na *Ilíada* (4.51-2), Hera cita Argos como um dos seus três lugares favoritos; os outros dois eram Micenas e Esparta. Tanto Homero quanto Hesíodo referem-se a ela como Hera Argiva.

Na arte antiga, Hera era representada como uma régia matrona, quase sempre portando um cetro ou usando uma coroa. Seu pássaro é o pavão, cuja cauda é decorada com os muitos olhos de Argos que tudo vê, depois de sua morte pelas mãos de Hermes (p. 167). No Heráion Argivo havia uma estátua colossal da deusa em seu trono, feita de ouro e marfim pelo grande escultor Policleto. Essa estátua era famosa por sua beleza, mas hoje só a podemos ver em moedas de Argos. Pausânias (2.17.3-4) conta que em sua coroa estavam representadas as graças e as horas e que em uma das mãos ela segurava uma romã e, na outra, um cetro no qual estava pousado um cuco, pássaro cuja forma Zeus assumiu para seduzir Hera antes de seu casamento. Diante de sua habilidade em adotar disfarces bem-sucedidos, Hera acabou capturando o pássaro encantador para ser seu bichinho de estimação, mas no mesmo instante Zeus retornou à sua verdadeira forma e a possuiu. ("Essa história e outras semelhantes sobre os deuses, eu as relato sem nelas acreditar", diz o racional Pausânias, "mas as relato mesmo assim".)

Apesar de sua grande importância como deusa cultual, na maioria das vezes Hera é apresentada na literatura e na mitologia como esposa traída, de natureza vingativa, eternamente ciumenta de Zeus e seus muitos casos de infidelidade, e persegue tanto as amantes do marido quanto os filhos que resultam dessas ligações. A deusa, por exemplo, tentou impedir que Letó encontrasse um lugar para dar à luz Apolo e Ártemis; transformou Calisto em ursa e Ió em vaca; provocou a morte de Sêmele; atormentou Héracles, filho de Zeus com Alcmena, durante toda a sua vida. Em seu retrato mais memorável, contudo, ela se apresenta bondosa: é o que ocorre na *Ilíada*, em que Homero descreve o modo como Hera seduziu Zeus a fim de afastar sua atenção do campo de batalha de Troia (14.153-353). Ela se prepara cuidadosamente e suborna Hipno (Sono) para deixar Zeus sonolento após o sucesso de seu plano de fazer amor. Então, toma emprestada de Afrodite sua sensual cinta, usada perto dos seios, e isso a deixa tão atraente que Zeus não consegue resistir ao desejo de fazer amor. "Nunca antes desejei tanto uma mulher", diz ele, "nem mesmo quando amei a esposa de Íxion, nem quando amei Dânae, nem mesmo quando amei Europa, nem mesmo quando amei (...)", e assim ele prossegue, sem tato algum, desfiando suas muitas infidelidades. Hera é tolerante, pois está conseguindo o que queria. E então:

> o filho de Crono tomou a esposa nos braços,
> e da terra sagrada debaixo deles brotou uma relva fresca,
> e brotaram trevos orvalhados, íris e jacintos

tudo tão espesso e macio que eles não sentiram o chão.
Ali deitaram-se juntos os dois, e uma bela nuvem dourada
cobriu-os, e dela caíram brilhantes gotas de orvalho.

Poseidon

Poseidon (Netuno) é o deus do mar e, como o próprio mar, às vezes é sereno e gentil, outras vezes violento e tempestuoso, quando sua ira assustadora traz tempestades terríveis para o mundo. Homero retrata vividamente ambas as naturezas desse poderoso deus. Aqui ele viaja tranquilamente por seu território (*Ilíada* 13.23-30):

> Ele prendeu à sua carruagem seus dois cavalos de ferradura de bronze,
> de patas ligeiras, com longas crinas de ouro a lhes pender.
> Vestido em ouro, tomou seu bem-trançado
> chicote de ouro e, subindo em sua carruagem, conduziu-a
> através das ondas. Por todos os lados, das profundezas do mar,
> vieram golfinhos, brincando no percurso, homenageando seu senhor,
> e o mar se fendeu em júbilo, abrindo caminho à sua frente.
> Tão ligeiros iam os cavalos que nem uma só vez
> as ferraduras de bronze de suas patas se molharam com a espuma.

E vemos o deus em ação violenta ao brandir seu tridente para enviar tempestades como vingança contra Odisseu, que cegara o ciclope Polifemo, filho de Poseidon (*Odisseia* 5.291-7):

> Ele reuniu as nuvens e, agarrando seu tridente,
> agitou o mar. Invocou a violência
> de todos os ventos reunidos, e cobriu de nuvens igualmente
> a terra e o mar. A noite desceu depressa do céu.
> O vento leste e o vento sul golpearam, e o tempestuoso vento oeste,
> e o vento norte vindo do céu, formando grandes ondas.

E em terra, também, Poseidon usa seus tempestuosos poderes, pois ele é *Enosichton* e *Ennosigaios*, aquele que faz tremer a terra, e com seu tridente é capaz de provocar os terremotos que desejar. Ele é também deus dos cavalos, em cuja personificação é conhecido como Poseidon Hippios, "Poseidon Cavalo". Dizem alguns que ele criou o primeiro de todos os cavalos, fertilizando o chão rochoso com seu sêmen ou nele batendo com seu tridente. O certo mesmo é que gerou o cavalo alado Pégaso com a Medusa górgona, e que costumava dar cavalos maravilhosos aos seus mortais favoritos. Quando a deusa Deméter se transformou em égua para evitar suas atenções amorosas, ele se transformou em garanhão, montou-a e dessa relação nasceu o divino Aríon. Em um poema moderno, Roy Campbell sintetizou a natureza dupla de Poseidon como deus do mar e deus dos cavalos em seu *Horses on the Camargue*:

> I heard a sudden harmony of hooves,
> And, turning, saw afar
> A hundred snowy horses unconfined,
> The silver runaways of Netune's car
> Racing, spray-curled, like waves before the wind.
> Sons of the Mistral, fleet
> As him with whose strong gusts they love to flee,
> Who shod the flying thunders on their feet
> And plumed them with the snorting of the sea...
> But when the great gusts rise
> And lash their anger on these arid coasts,
> When the scared gulls career with mournful cries
> And whirl across the waste like driven ghosts:
> When hail and fire converge,
> The only souls to which they strike no pain
> Are the white-crested fillies of the surge
> And the white horses of the windy plain.
> Then in their strength and pride
> The stallions of the wilderness rejoice;
> They feel their Master's trident in their side

And high and shrill they answer to his voice.
With white tails smoking free,
Long streaming manes and arching necks, they show
Their kinship to their sisters of the sea —
And forward hurl their thunderbolts of snow.*

Nas representações da arte antiga, Poseidon é uma figura majestosa, com vasta barba, não muito diferente de Zeus, porém com uma aparência mais selvagem e facilmente reconhecida por seu emblema, o tridente que lhe servia de cetro e de arma. Às vezes está segurando um peixe e com frequência é acompanhado por algumas de suas criaturas marítimas; vez por outra cavalga um hipocampo (um híbrido que da metade para a frente é um cavalo e da metade para trás é um peixe).

Assim como Zeus, Poseidon tinha uma enorme quantidade de filhos mortais, muitos dos quais tão pouco refinados e tão rudes e imprevisíveis quanto o pai. Sua esposa divina era a nereida Anfitrite. A princípio uma noiva relutante, fugiu para o mar ao ser cortejada. Ele então enviou todas as suas súditas, as criaturas do mar, à sua procura. Um golfinho foi o primeiro a encontrá-la e foi tão persuasivo que ela cedeu e acabou se casando com Poseidon. Em sinal de gratidão, o deus do mar imortalizou o golfinho entre as estrelas na constelação do Golfinho.

---

* Ouvi uma súbita harmonia de patas,/ E, voltando-me, vi ao longe/ Cem cavalos cor de neve a correr livremente,/ Os fugitivos de prata do carro de Netuno/ A galope, como ondas de espuma a rolar sopradas pelo vento./ Filhos do Mistral, ligeiros/ Como aquele das rajadas fortes com quem lhes apraz correr,/ Que lhes ferrou as patas com raios e trovões/ E por penacho lhes deu o riso forte do mar.../ Mas, quando as grandes rajadas de vento se soltam/ E chicoteiam com sua ira esta árida costa,/ Quando as gaivotas apavoradas voam com seus pios de desalento/ E rodopiam em torno do nada como fantasmas rechaçados:/ Quando a chuva de granizo e o fogo convergem,/ Os únicos seres aos quais eles não causam dor/ São as potrancas de crinas brancas como o mar encapelado/ E os brancos corcéis da planície de ventania./ É então que, fortes e orgulhosos,/ Os garanhões selvagens se rejubilam;/ Sentem o tridente de seu Mestre ao seu lado/ E com sons fortes e agudos respondem à sua voz./ Com suas brancas caudas a se agitarem como fumaça,/ Suas longas crinas a ondearem ao vento e seus pescoços curvados, eles demonstram/ O parentesco com suas irmãs do mar —/ E se lançam adiante com seus raios de neve.

Poseidon e Anfitrite viveram juntos em um esplêndido palácio de ouro nas profundezas do mar. Tiveram um filho, Tritão, que tinha a cabeça e o tronco em forma humana, a parte inferior do corpo como de peixe e com frequência é representado soprando um instrumento em forma de concha. De início ele era um único ser, mas depois transformou-se em um grande número de tritões que compunham o séquito de Poseidon e brincavam com as nereidas nas ondas. A imagem de Tritão, barbudo e soprando sua concha, é muito usada em fontes e chafarizes, como a Fonte do Tritão de Bernini na Piazza Barbarini, em Roma, ou com o pai, Poseidon, na famosa Fontana di Trevi, também em Roma. No ardente soneto de Wordsworth, *The World is Too Much with Us*, Tritão, juntamente com o deus do mar Proteu, torna-se símbolo de um mundo menos materialista que se perdeu:

> Great God! I'd rather be
> A Pagan suckled in a creed outworn;
> So might I, standing on this pleasant lea,
> Have glimpses that would make me less forlorn;
> Have sight of Proteus rising from the sea,
> Or hear old Triton blow his wreathed horn.*

Deméter

Deméter (Ceres) é a deusa dos cereais, aquela que dá o grão e, portanto, o pão, alimento básico do homem. Ela é, pois, a grande provedora da vida na Terra. Com seu irmão Zeus, teve uma filha, Perséfone (Proserpina), também conhecida como Koré ("A menina"), com a qual era intimamente associada no culto grego. As duas eram, com frequência, chamadas simplesmente de "as Duas Deusas", ou mesmo de "as Deméteres". Mãe e filha costumam aparecer juntas na arte antiga,

---

* Grande Deus! Eu preferia ser/ Um pagão alimentando-me de um credo ultrapassado;/ Para que pudesse, daqui desta agradável campina,/ Ter visões que me deixassem menos desamparado;/ Ter a visão de Proteus surgindo do mar,/ Ou ouvir o velho Tritão tocar sua antiga trompa.

geralmente portando tochas e usando coroas, por vezes segurando cetros e talos de graníferas.

 O principal mito de Deméter se refere ao rapto de Perséfone por Hades, deus do Mundo Inferior, e sua longa busca pela filha amada, relatada de maneira comovente no antigo *Hino homérico* (2) a ela dedicado. Zeus apoia Hades em seu desejo de ter Perséfone como esposa, mas, como sabe que Deméter não concordará, torna-se cúmplice do irmão. Um dia, quando colhe flores em uma campina com as amigas, Perséfone se afasta das outras e vê um glorioso pé de narciso, carregado com uma centena de botões perfumados que Zeus havia criado para atraí-la. No instante em que ela estende as mãos para colher uma radiante flor, a terra se abre e de seu interior surge Hades em sua carruagem de ouro. Ele agarra a jovem, sem se importar com seus gritos, e a carrega para seu sombrio reino no interior da terra. Enquanto ainda pode ver a luz do sol, Perséfone grita por sua mãe, e Deméter, ao ouvi-la, parte em direção aos gritos, rápida como um pássaro. Mas chega tarde demais, pois a filha já havia desaparecido.

 Durante nove dias e nove noites, Deméter não come nem bebe, apenas vaga pelo mundo com tochas acesas nas mãos, à procura da filha. No décimo dia, encontra a deusa Hécate, que também tinha ouvido os gritos de Perséfone, e ambas vão consultar o deus-sol, Hélio, que tudo vê em sua jornada diária pelo céu. Ele lhes diz que Hades levou a moça consigo para ser sua noiva com a aprovação de Zeus, e tenta tranquilizar Deméter, dizendo que Hades é um marido digno de sua filha. Mas Deméter está tão irada que abandona o Olimpo, a morada dos deuses, e vai viver entre os mortais disfarçada de velha.

 Ao vagar pelo mundo, ela chega a Elêusis, na Ática. Ali, triste, descansa à sombra de uma oliveira, perto da Fonte da Virgem, onde as mulheres apanham água. As quatro filhas do rei local, Celeu, vão à fonte e tratam Deméter com delicadeza, com pena de sua idade avançada e de sua solidão. A deusa, disfarçada, diz-lhes que está à procura de trabalho doméstico. As moças levam-na até sua mãe, Metanira, que a recebe muito bem e lhe dá o trabalho de cuidar do seu bebê temporão, Demofonte. Naquele lar acolhedor, a deusa se alegra com as brincadeiras de uma velha serva, Iambe, e ri pela primeira vez desde que perdeu a filha.

Demofonte floresce sob seus cuidados e, em gratidão pelo bom acolhimento, Deméter começa a transformar a criança em imortal, queimando secretamente sua parte mortal todas as noites e untando o menino com ambrosia todos os dias. Mas uma noite Metanira a surpreende e se põe a gritar, assustada ao ver o filho no fogo. No mesmo instante Deméter, zangada, reassume seu divino esplendor, revela sua identidade e diz a Metanira que, se os eleusinianos quiserem de volta sua benevolência, deverão construir para ela um grande templo.

Celeu e seu povo assim o fazem, e Deméter por lá permanece durante um ano, sentindo saudades da filha e decidida a não retornar ao Olimpo. Agora, em sua tristeza, ela faz que toda a terra fique infértil. Nenhum grão germina e uma grande fome aflige a humanidade, a tal ponto que Zeus chega a temer que não restem mais seres humanos para oferecer sacrifícios aos deuses. Ele então envia Íris com uma mensagem a Deméter, ordenando-lhe que retorne ao Olimpo, mas sem sucesso. Ele envia todos os deuses, um por um, para lhe oferecer presentes e pedir-lhe que retorne, mas ela persiste na recusa, dizendo que nunca mais porá os pés no Olimpo, nem permitirá que a terra germine, até encontrar a filha novamente. Assim, Zeus cede e envia Hermes ao Hades para buscar Perséfone e levá-la para casa. Mas, antes que deixe o Mundo Inferior, Hades lhe dá secretamente uma semente de romã para comer.

Hermes a leva na carruagem de ouro de Hades para o templo em Elêusis e, quando Deméter o vê trazendo a filha, corre em sua direção. Perséfone salta da carruagem, corre para a mãe, e as duas se abraçam, felizes. Mas a semente de romã no Mundo Inferior impede que Perséfone parta definitivamente, obrigada a passar quatro meses por ano como esposa de Hades. Esses são os meses nos quais o inverno domina a terra e as sementes permanecem adormecidas no seu interior. Nos demais meses do ano, na primavera, no verão, meses de vida e crescimento, e nos meses da colheita, Perséfone vive alegremente com a mãe. Deméter aceita essa condição e faz que a terra produza ricas colheitas novamente. Ela retorna a Elêusis, onde ensina aos eleusinianos os novos rituais secretos, conhecidos como Mistérios Eleusinianos, que serão realizados por muitos séculos em sua homenagem.

Embora Deméter fosse venerada por toda parte no mundo antigo, Elêusis sempre foi o lugar mais conhecido de seu culto e seus rituais se tornaram a maior de todas as religiões de mistério. Há evidências em Elêusis de pelo menos dezoito séculos ininterruptos de adoração a Deméter desde os tempos micênicos até a destruição do santuário, em 395 d.C. Embora os pormenores do ritual tenham permanecido secretos, parece que eles se centravam na busca de Deméter por sua filha perdida, no retorno de Perséfone e no reencontro com a mãe, simbolizando tanto o renascimento dos cereais e das frutas na primavera, quanto o renascimento místico dos iniciados depois da morte.

O *Hino homérico* em homenagem a Deméter contém os nomes dos principais cidadãos de Elêusis a quem ela ensinou seus rituais: Celeu, Diodes, Eumolpo, Polyxeno e Triptólemo. Na literatura posterior, Triptólemo torna-se uma figura mais importante: não apenas como cidadão de Elêusis, mas também como filho mais velho de Celeu e Metanira e, principalmente, como o mortal que Deméter escolheu para transmitir seu dom com os grãos e a agricultura ao mundo. Ela deu a Triptólemo um suprimento de cereais e uma carruagem puxada por dragões alados, e o humano voava sobre a terra espalhando os cereais e ensinando as pessoas a cultivar a terra.

Outra figura importante foi o filho que Deméter teve com Iasion, filho de Zeus com a plêiade Electra, depois de se deitar com ele em um campo que fora arado três vezes em Creta. Esse filho era o divino Pluto, "Prosperidade", e representava a abundância e boa fortuna advindas da terra. Hesíodo (*Teogonia* 972-4) o descreve como "um deus bondoso que anda por toda a terra e pelo amplo mar, e a quem quer que ele encontre, ou àquele em cujas mãos ele caia, torna rico e concede muita sorte". Pluto tem um papel importante nos Mistérios Eleusinianos, e na arte é representado em companhia de Deméter e Perséfone, geralmente como um rapaz nu, carregando uma cornucópia ou um punhado de talos de graníferas. Quanto a Iasion, Homero registra (*Odisseia* 5.125-8) que Zeus o atingiu com um raio por sua presunção de deitar-se com uma deusa.

Com o passar do tempo, outros incidentes foram acrescentados ao mito de Deméter. Durante sua longa procura pela filha, segundo Pausânias (1.37.2), um ateniense chamado Fítalo ofereceu hospitalidade à mãe cansada que, em retribuição, presenteou-o com a primeira figueira. Pausânias viu o túmulo de Fítalo com a inscrição registrando a honra que ele e seu povo receberam pela conquista de tão rico presente para a humanidade.

Ovídio nos conta muitas histórias sobre metamorfoses. Uma delas menciona uma ninfa siciliana da água chamada Ciane ("Azul"), que viu quando Hades raptou Perséfone em sua carruagem (Ovídio, *Metamorfoses* 5.409-77). Ciane ergueu-se de seu lago e tentou bloquear a passagem, mas Hades lançou-se diretamente em suas águas e, ao brandir seu cetro real, abriu uma passagem para o Mundo Inferior. A carruagem entrou rapidamente na cratera que se abriu e Ciane permaneceu, lamentando o destino de Perséfone. Ficou triste também com o desprezo que Hades demonstrou por seu querido lago. De tanto chorar, ela acabou se dissolvendo em suas águas e nada mais restou dela. Quando Deméter por lá passou à procura da filha, Ciane já não podia contar o que sabia, mas mostrou-lhe o cinto de Perséfone flutuando na superfície do lago, prova silenciosa do destino da jovem.

Uma segunda história (5.446-62) conta que Deméter, sedenta e cansada de sua longa peregrinação, parou à porta de uma casinha para pedir um pouco d'água. A velha que lá vivia deu-lhe água de cevada, e ela a tomou com tal avidez que o filho da velha, Ascálabo, riu-se e zombou de sua sofreguidão. A deusa, ofendida, atirou o resto da bebida no rosto do rapaz, que se transformou em um lagarto de corpo manchado. A mãe se pôs a chorar e a acariciar a pequena criatura, que fugiu assustada e nunca mais foi vista pela mãe.

Destino semelhante teve um outro rapaz, Ascálafo, filho do deus-rio do Mundo Inferior Aqueronte (5.533-50). Quando Perséfone comeu sete sementes de romã em sua visita a Hades, Ascálafo foi a única testemunha e, má sorte sua, contou o que vira. Como isso significava que Perséfone não poderia voltar permanentemente para a mãe, mas teria que passar parte de cada ano no Mundo Inferior, ela o puniu atirando em seu rosto água do rio Flegetonte, transformando-o em uma ave de mau agouro, o mocho. Na versão de Apolodoro (1.5.3, 2.5.12), foi Deméter quem o puniu. Ela o prendeu embaixo de uma pesada pedra e lá ele ficou até que Héracles foi pegar Cérbero e arrastou a pedra de cima dele. Mas Deméter ainda estava zangada com o rapaz e transformou-o novamente em uma coruja.

Por fim, um destino ainda pior coube ao ímpio Erisícton (8.738-878). Quando precisou de madeira para construir um salão de banquetes, ele não hesitou em cortar árvores do bosque sagrado de Deméter. Atacou até mesmo um gigantesco carvalho que se erguia muito acima das outras árvores, mas, quando o machado penetrou na madeira, sangue começou a jorrar do tronco. Era da ninfa que vivia dentro da árvore. Ainda assim ele continuou, e, quando uma pessoa que passava objetou, Erisícton decepou-lhe a cabeça.

A árvore tombou e todas as ninfas que costumavam dançar sobre suas raízes pediram a Deméter que punisse o destruidor, e assim ela o dotou, enquanto dormia, de uma fome insaciável. Ao acordar, ele só pensava em comer: passou a comer sem parar e, quanto mais comia, mais vontade tinha de comer. Gastou toda sua fortuna comprando comida e ainda continuou angustiado por uma fome cada vez maior. Por fim, para conseguir mais dinheiro, vendeu sua filha Mestra como escrava. Ela havia sido, em certa ocasião, amante de Poseidon e suplicou ao deus do mar que a ajudasse. Ele lhe deu o dom da metamorfose e Mestra conseguiu fugir transformando-se em um pescador e depois voltando a ser ela mesma. Depois disso, seu pai voltou a vendê-la várias vezes para conseguir dinheiro e comprar comida, e a cada vez ela assumia uma forma diferente e fugia, apenas para ser vendida novamente. Mas isso não era suficiente. Por fim, Erisícton começou a comer pedaços da própria carne e, assim, morreu.

A mais memorável das histórias míticas de Deméter, no entanto, continua a ser a de sua longa e angustiada busca pela filha perdida. Milton reconta essa história de aflição em *Paradise Lost* [*Paraíso perdido*] (4.268-72), no qual dá à mãe e à filha seus nomes romanos e situa o rapto de Perséfone em Enna, no centro da Sicília:

> (...) that faire field
> Of Enna, where Proserpin gathring flours
> Her self a fairer Floure by gloomie Dis
> Was gatherd, which cost Ceres all that pain
> To seek her through the world.*

Héstia

Héstia (Vesta) é a deusa do lar, do fogo sagrado que habita o centro de toda casa e de toda comunidade. Foi cortejada por seu irmão Poseidon e por seu sobrinho Apolo, mas, em vez de se casar, renunciou ao amor sexual e fez um juramento de castidade eterna. Enquanto os outros deuses viajavam por todo o mundo, Héstia permanecia quieta no Olimpo e assim não teve nenhum papel nas histórias da mitologia. Em compensação, Zeus concedeu-lhe honrarias especiais, pois, como deusa do lar, ela era adorada em todas as casas e em todos os templos dos deuses, e, portanto, seu poder era realmente grande. Como diz o poeta em seu *Hino homérico* (29):

> Héstia, vossos são o lar eterno e a maior das honrarias nas mais altas moradas, tanto as dos deuses imortais quanto as dos homens que andam pela terra. Gloriosos são vossos privilégios e os cânticos feitos a vós. Pois sem vós os homens não teriam alimento, e para vós o doce vinho é servido primeiro e por último.

---

* ... naquele campo encantado/ de Enna, onde Proserpina, colhendo flores/ Ela mesma a mais encantadora flor pelo sombrio Dis/ Foi colhida, o que custou a Ceres a enorme dor/ De buscá-la mundo afora.

A equivalente romana de Héstia, Vesta, era não apenas deusa do lar, mas também guardiã da comunidade. As sacerdotisas que cuidavam de seu culto em Roma eram conhecidas como Virgens Vestais e mantinham sempre aceso o fogo em seu altar, alimentando-o noite e dia. Junto ao templo de Vesta cultuavam-se os Penates do Estado (*Penates Publici*, protetores de Roma). Dizia-se que haviam sido salvos das chamas de Troia e levados para a Itália por Eneias. Eram os equivalentes públicos dos Penates domésticos, os deuses do lar que protegiam as famílias.

No festival de Vesta, *Vestália*, asnos eram enfeitados com colares de pães e não trabalhavam, porque certa vez Vesta foi salva por um asno dos arroubos amorosos do deus itifálico Príapo. Depois de um banquete de Cibele, no qual todos os deuses, ninfas e sátiros comeram e beberam à vontade, Vesta adormeceu. Príapo a viu e a desejou, e a teria possuído também, se o relincho do asno de Sileno não a tivesse acordado a tempo de vê-lo avançando em sua direção com o gigantesco falo ereto. Foi assim que a deusa escapou de um doloroso destino e a partir de então os asnos passaram a ser homenageados em seu nome.

Afrodite e Eros

Afrodite (Vênus) é a deusa do amor erótico, aquela que concede beleza e atração sexual. A literatura a partir de Homero celebra a força do amor e o domínio de Afrodite. Seu *Hino homérico* mais longo (5) começa assim: "Conta-me, musa, os feitos da dourada Afrodite, a Cipriana, que desperta doces desejos nos deuses e deixa embevecidos as tribos dos mortais, os pássaros que voam pelos ares e todas as criaturas que vivem na terra e no mar." Os únicos seres vivos imunes à sua influência eram as três deusas virgens, Atena, Ártemis e Héstia. Todos os demais, mortais e imortais igualmente, estavam sujeitos ao poder e às dores do amor. Safo inicia seu famoso *Hino a Afrodite* com as seguintes palavras: "Ricamente entronizada, imortal Afrodite, filha de Zeus, tecedora de ardis, eu imploro, Senhora, não partais meu espírito com aflições e tristezas."

Como vimos anteriormente, Afrodite nasceu, segundo Hesíodo, da espuma das ondas que se formaram ao redor dos genitais decepados de Urano. Há também uma versão mais convencional do seu nascimento, pois para Homero a deusa era simplesmente a filha de Zeus e Dione, esta uma personagem um tanto obscura que pode ter sido uma titânide, uma oceânide ou uma nereida. Seja qual for a origem de Dione, é bem provável que tenha sido uma deusa importante, principalmente porque seu nome parece ser a forma feminina de Zeus (radical grego *Di*).

Afrodite casou-se com o deus-ferreiro aleijado Hefesto, mas não lhe deu filhos e foi uma esposa infiel. Seu amante habitual era o deus da guerra, Ares. A *Odisseia* (8.266-366) conta um famoso episódio desse caso amoroso no qual o deus-sol Hélio, em sua viagem pelo céu, viu os dois amantes deitados juntos e contou o que viu a Hefesto. O astuto deus planejou uma vingança inteligente contra a esposa infiel e seu amante: criou uma rede mágica invisível, prendeu-a acima do leito nupcial e fingiu que partiria em viagem a Lemnos (uma ilha especialmente associada a ele).

Os amantes, naturalmente, aproveitaram essa oportunidade para ir para a cama, mas no auge de sua paixão a rede caiu, imobilizando-os. Hefesto imediatamente chegou e chamou os outros deuses para testemunhar a humilhação dos amantes nus e impossibilitados de se mover. As deusas mantiveram-se a distância por recato, mas todos os deuses se aproximaram e se fartaram de rir. Hermes confessou a Apolo que para se deitar com a dourada Afrodite se submeteria a pena ainda maior. Poseidon, por fim, convenceu o irado Hefesto a libertar os amantes com o compromisso de que Ares sofreria uma penalidade. Assim o deus da guerra partiu para a Trácia, e Afrodite, para seu recanto sagrado em Chipre, onde as graças a banharam e adornaram, aplacando a dor da humilhação.

Afrodite deu a Ares vários filhos: uma filha, Harmonia, que se casou com o mortal Cadmo, e dois filhos, os gêmeos guerreiros Fobos e Deimos. Seus nomes significam "Terror" e "Medo", nomes adequados aos filhos do deus da guerra, a quem acompanhavam no campo de batalha: "São deuses terríveis", diz Hesíodo (*Teogonia* 935-6), "que, juntamente com Ares, saqueador de cidades, incitam à luta as hostes rivais nas batalhas sangrentas".

Segundo tradição posterior (primeiramente encontrada em Simônides, 575), o filho mais famoso de Afrodite e Ares foi Eros, o deus do amor. Isso difere da mitologia mais antiga, pois, na *Teogonia* de Hesíodo, Eros era uma das entidades primitivas nascidas no início dos tempos (p. 37). Para Hesíodo, ele era uma força cósmica fundadora e, assim como a própria Afrodite, inspirador de amor e onipotente diante de deuses e mortais: "o mais belo dos deuses imortais, ele enfraquece os membros, a razão, bem como os cuidadosos planos que têm guardados em seu peito todos os deuses e todos os homens" (120-22). Eros estava presente no nascimento de Afrodite para lhe dar as boas-vindas ao mundo e, a partir de então, tornar-se seu companheiro constante (192-202), inoculando o amor em quem ela desejasse.

Talvez sejam os poetas líricos arcaicos aqueles que nos dão as imagens mais memoráveis do violento impacto de Eros no corpo e na mente. Diz Safo: "Eros sacudiu meu coração assim como a ventania se lança sobre os carvalhos da montanha" (47); e "Mais uma vez Eros enfraquece minhas pernas e faz girar minha cabeça, irresistível criatura que causa dor e prazer" (130). De Anacreontes (413): "Mais uma vez Eros, como um ferreiro com seu grande martelo, atingiu-me em cheio e afundou-me em uma torrente gelada que corre montanha abaixo." De Íbico (287): "Novamente Eros volta para mim seus olhos irresistíveis de negros cílios e, com todo seu encantamento, lança-me nas inescapáveis redes de Afrodite. Como tremo sob esse olhar, qual um corcel premiado, agora velho, que é novamente preso à carruagem de corrida e, contra sua vontade, segue para a pista." Eurípides (*Medeia* 530-31) é o primeiro a mencionar o arco e as setas com as quais Eros perfura suas vítimas e as torna cativas.

Na arte antiga, Eros (ou mesmo uma pluralidade de Eros) costuma acompanhar Afrodite. A princípio representado como um belo jovem alado, com o passar do tempo foi ficando mais novo e, na Era Helenística, passou a ser representado, tanto por poetas quanto por artistas, como um menininho travesso que portava uma tocha capaz de inflamar o amor, um arco e uma aljava cheia de setas certeiras.

Afrodite era personagem da predileção dos escultores. As estátuas mais antigas dos períodos arcaico e clássico apresentam-na, de modo geral, decorosamente vestida com longas túnicas; mas a partir do século IV sua figura passa a ser representada nua (ou quase), como o ideal da beleza feminina. Suas duas estátuas mais famosas são a Afrodite de Melos (Vênus de Milo), do século II a.C., agora no Louvre, em Paris (provavelmente a mais famosa estátua feminina nua de todos os tempos), e a Afrodite de Cnidos, de Praxíteles, criada por volta de 350 a.C., que representa uma Afrodite modesta preparando-se para o banho. Não se sabe onde está o original, mas a obra é bem conhecida por meio de reproduções em moedas e de suas muitas cópias romanas.

Afrodite com tal frequência infligia amor aos deuses, inclusive Zeus, naturalmente, que, em retaliação, ele lhe impôs a humilhação de se apaixonar por um vaqueiro, Anquises, para que ela soubesse como era ser atormentada pelo desejo por um mortal. Seu "Hino homérico" (5) descreve essa paixão. Ao ver Anquises cuidando de seu gado no monte Ida, Afrodite foi tomada de desejo. Banhada e enfeitada pelas graças, desceu à terra disfarçada de princesa frígia (68-74):

> Ela então veio para Ida, de tantas fontes,
> habitado por feras, e logo foi
> para a casa onde ele morava, do outro lado da montanha.
> Seguiram-na lobos cinzentos e leões de olhos brilhantes,
> ursos e velozes leopardos, ansiosos por veados,
> todos eles a lhe mostrar as presas. E ao vê-los
> ela ficou feliz, e colocou-lhes no peito o desejo;
> aos pares, então, acasalaram-se as feras,
> naqueles bosques ensombreados.

Ela foi ao encontro de Anquises "vestida com uma túnica mais brilhante do que o fogo, uma linda túnica dourada, ricamente trabalhada, que cintilava como o luar sobre seus ternos seios, uma visão maravilhosa.

Pulseiras enrolavam-se em seus braços, seus brincos faiscavam como pequenas flores, e à volta de seu suave pescoço havia lindos colares. O amor arrebatou Anquises (...)" (86-91).

   O humano suspeitou de que ela fosse uma deusa, mas Afrodite lhe assegurou ser apenas uma jovem mortal, filha de Otreu, rei da Frígia, levada por Hermes até o monte Ida para casar-se com ele. Propôs então que consumassem sua união ali mesmo, naquele instante. Cheio de júbilo, Anquises concordou (155-67):

> Ele a tomou pela mão, e Afrodite, plena de amor e alegria
> voltou-se, baixando seus lindos olhos, e deitou-se
> na confortável cama, já recoberta por macios mantos,
> peles de ursos e de ferozes leões
> que ele mesmo havia matado nas altas montanhas.
> E já os dois no macio leito,
> Anquises retirou-lhe primeiro os ornamentos —
> broches adornados, brincos, colares —
> e desatou a faixa que prendia a túnica, despiu-a da brilhante túnica,
> e tudo colocou sobre um banco cravejado de prata.
> Então, cumprindo a vontade de deuses e destino, deitou-se com ela,
> homem mortal com deusa imortal,
> sem saber exatamente o que fez.

Depois de sua união ela o fez dormir um doce sono, e só ao acordar lhe revelou sua verdadeira identidade. Anquises foi tomado de medo, certo de que seria punido; voltou seu rosto para o outro lado e suplicou à deusa que tivesse piedade. Ela o acalmou, dizendo que teria um filho seu, Eneias, que seria criado pelas ninfas da montanha até completar cinco anos, quando então ela levaria o menino para o pai. Tudo sairia bem desde que Anquises jamais revelasse o nome da verdadeira mãe de seu filho e dissesse que o menino fora gerado por uma ninfa.

   Tudo aconteceu como Afrodite havia previsto, porém, passados alguns anos, Anquises, em uma bebedeira, revelou seu grande segredo e foi punido por manchar a honra de Afrodite: Zeus atingiu-o com um raio, deixando-o cego ou aleijado.

Apolo

Apolo (assim chamado por gregos e romanos) é o patrono da música e das artes e o condutor das musas. É também o deus das profecias e das revelações e presidia em Delfos o mais famoso oráculo da Grécia. Apolo é o deus da purificação e da cura, chamado com frequência de Péon. Assim como Zeus empunha o raio, e Poseidon, o tridente, a arma de Apolo são o arco e suas setas, capazes de espalhar a peste e causar a morte. Homero o chama de "senhor do arco de prata" e de "aquele cujas setas vão longe". Também conhecido, a partir dos tempos de Homero, como *Phoibos* Apolo, "aquele que cintila", passou a ser visto, durante o século V a.C., como um deus-sol, às vezes confundido com o deus-sol Hélio, identificação essa que mais tarde se firmou.

Apolo representa os valores da ordem e da harmonia, da razão e da moderação, exemplificando as proverbiais máximas gregas "Conhece-te a ti mesmo" e "Nada em demasia". Na arte antiga é representado como um jovem quase sempre sem barba e com frequência nu, epítome da beleza masculina jovem. Seus atributos são a lira e o arco e, por vezes, também uma coroa de louros. Talvez a mais bela representação desse deus austero e racional seja a escultura que se encontra no frontão ocidental do templo de Zeus em Olímpia, na qual aprecia a violenta batalha entre os lápitas e os centauros. É ele quem assegura a ordem e a serenidade finais.

Apolo era filho de Zeus com a titânide Letó, e irmão gêmeo de Ártemis. Quando se aproximava a hora de seus bebês nascerem, Letó vagou por muitas terras, à procura de um lugar para dar à luz, mas nenhum país ousava permitir seu descanso, por temor à ira de Hera, que sempre se vingava dos amores de Zeus. Por fim Letó chegou à pequena ilha de Delos, uma das Cíclades, única com coragem suficiente para acolhê-la, e mesmo ali foi vítima da fúria de Hera. A deusa enciumada manteve Ilítia, deusa do parto, perto de si no Olimpo para impedi-la de ouvir os gemidos distantes de Letó e de ajudá-la no nascimento dos bebês.

Letó sofreu as dores do parto por nove dias e nove noites, sem resultado, até que as outras deusas, com pena, mandaram Íris buscar Ilítia, oferecendo em troca um esplêndido colar feito com fios de ouro, se ela pusesse fim ao longo trabalho de parto de Letó. O *Hino homérico a Apolo* (3) relata o nascimento do primeiro filho, Apolo (115-19): "Tão logo Ilítia, deusa do parto, pôs os pés em Delos, chegou o momento de Letó dar à luz, e ela se empenhou no esforço final. Abraçou-se a uma palmeira, ajoelhando-se na relva macia enquanto a terra se ria de júbilo sob ela, e a criança arremessou-se para a luz."

O *Hino* não faz referência ao nascimento de Ártemis logo em seguida (na verdade, dizia-se por vezes que Ártemis nasceu primeiro e ajudou a mãe no nascimento de Apolo) e prossegue com o relato dos primeiros dias do jovem deus. Tão logo ele nasceu, Têmis alimentou-o com néctar e ambrosia e assim a criança imediatamente saiu andando pelo mundo afora. Suas primeiras palavras expressavam seus três maiores interesses (131-2): "A lira e o arco serão sempre meus interesses especiais, e serei para os homens o profeta da vontade infalível de Zeus."

O jovem Apolo viajou por toda a Terra à procura de um lugar onde criar seu santuário oracular. Sua primeira escolha foi Haliarto, na parte ocidental da Beócia, mas a ninfa da fonte local, Telfusa, não quis compartilhar com ele seu recanto agradável. Ela convenceu o deus a mudar-se para a área de Crisa, na encosta sul do monte Parnaso, justificando que lá seria muito mais tranquilo do que em sua fonte, muito frequentada por cavalos e mulas.

Assim, Apolo escolheu o lugar ideal, em Delfos, mas logo descobriu que lá vivia um monstruoso dragão feminino, mais tarde denominado Píton, que atormentava todo o campo à sua volta, matando os habitantes e devorando seus rebanhos. Apolo matou a grande serpente com uma seta certeira e então o lugar passou a chamar-se Pitô, porque a carcaça apodreceu (*pyth-*) ao sol junto à fonte sagrada. Até mesmo o deus foi chamado de Apolo Pítico, e o lugar passou a ser seu. Mas ele retornou a Hiliarto para punir Telfusa por tê-lo enviado ao covil de Píton: cobriu a fonte da ninfa com uma grande quantidade de pedras e subordinou o culto a Telfusa ao seu, criando um altar para Apolo

Telfusiano em um bosque próximo. Tempos depois o famoso vidente cego Tirésias, cujas profecias eram inspiradas por Apolo, morreu ao beber da água de Telfusa, e talvez essa tenha sido a vingança da ninfa.

Em Delfos, Apolo estabeleceu seu oráculo. Na forma de um golfinho, ele distraiu a atenção de cretenses que navegavam com destino a Pilos e os levou a Delfos a fim de se tornarem seus sacerdotes. Mais tarde se dizia que também criou os Jogos Píticos — realizados de quatro em quatro anos e menores em importância apenas em relação aos Jogos Olímpicos — para comemorar a morte de Píton. Em sua homenagem, a profetisa de Apolo em Delfos passou a ser chamada de Pitonisa. A vitória sobre a serpente simboliza o triunfo do deus olímpico da luz sobre as forças das trevas, e seu oráculo se tornou o mais importante da Grécia. Próximo a Delfos ficava a famosa Fonte Castália, cujas águas eram conhecidas por seu poder de inspiração. O monte Parnaso passou a ser visto não apenas como o lar de Apolo, mas também como lugar frequentado pelas musas e sede da poesia e da música.

No templo de Apolo em Delfos ficava o *omphalos*, uma pedra cônica que assinalava o centro ("Umbigo") da Terra. Zeus havia determinado que ali ficava o centro exato da Terra utilizando-se do seguinte expediente: soltou duas águias, uma da extremidade ao leste da terra e outra da extremidade ao oeste, marcando então o ponto onde se encontraram. Delfos era também, por várias outras razões, o centro espiritual do mundo antigo. O lugar onde a Pitonisa fazia suas profecias era um tripé, um caldeirão de metal apoiado em três pernas, a partir do qual ela divulgava, em transe, os oráculos de Apolo. Interpretados para os consulentes pelos sacerdotes, esses oráculos eram famosos por sua ambiguidade; de fato, um dos epítetos de Apolo era *Loxias*, "aquele que fala de maneira oblíqua". (Ainda que a mais famosa de todas as previsões míticas, a que revelou que Édipo mataria o pai e se casaria com a mãe, tenha sido bem clara — mas não o suficiente.)

Apolo teve vários filhos com mulheres mortais, muitos dos quais foram agraciados com os dons especiais do pai. Três deles são aqui mencionados, todos dotados da capacidade de curar e/ou de fazer profecias. O primeiro deles foi o deus da cura e da medicina, Asclépio (Esculápio para os romanos). Segundo a versão mais conhecida do mito, a mãe de Asclépio era a tessalonicense Corônis, filha do rei de Flégias. Consta que Apolo apaixonou-se ao vê-la lavando os pés no lago Boibias; mas, mesmo grávida do deus, ela preferiu o mortal Ísquis, filho de Elato. Corônis sabia que Apolo se cansaria dela quando sua beleza se fosse, enquanto Ísquis, pela ordem natural das coisas, envelheceria ao seu lado. Decidiu então casar-se com seu amante mortal, apesar da oposição do pai. Infelizmente, Apolo havia deixado um corvo tomando conta de Corônis e, quando a ave a viu fazendo amor com Ísquis, voou, excitada, até o deus, para relatar a infidelidade da moça. O deus, irado, amaldiçoou o corvo branco e o transformou em uma ave preta. Daí em diante, todos os corvos passaram a ser pretos.

Apolo enviou a irmã Ártemis para matar Corônis, mas, enquanto o cadáver estava na pira funerária, o deus salvou o bebê retirando-o do corpo em chamas da mãe. Apolo entregou esse filho, Asclépio, ao sábio centauro Quíron para que o criasse. Quíron educou o menino e ensinou-lhe as artes da medicina. Mais tarde, Asclépio teve dois filhos, Macáon e Podalírio, que também se aprimoraram nas artes médicas e lutaram em Troia. Asclépio teve também várias filhas, que representavam diferentes aspectos da cura, como Hígia, personificação da saúde.

Asclépio tornou-se capaz de fazer curas maravilhosas e acabou por usurpar uma prerrogativa dos deuses ao trazer um morto de volta à vida. Zeus matou o médico e o paciente com um raio, deixando Apolo tão irado que, por sua vez, matou os Ciclopes que haviam forjado o raio letal para Zeus. Como castigo, Apolo foi obrigado a servir um mortal, Admeto, durante um ano (p. 530).

O principal santuário de Asclépio na Grécia ficava em Epidauro, no Peloponeso. Aqueles em busca de cura passavam a noite no templo, aguardando a visita do deus. As serpentes eram animais sagrados para Asclépio e estavam presentes em seus muitos santuários, sempre assistindo às curas. Depois de uma epidemia de peste no ano 293 a.C., seu culto foi levado para Roma. As representações artísticas mostram, em suas mãos, um bastão ao redor do qual se enrosca uma serpente, e seu eterno símbolo no céu é a constelação de Ofiúco, aquele que segura a Serpente.

Outro filho de Apolo que herdou os dons da cura e da profecia foi Aristeu, gerado pela ninfa e caçadora Cirene. Píndaro relata esse encontro em sua *Ode pítica 9* (I-70). Apolo apaixonou-se por Cirene ao vê-la no monte Pélion, lutando sozinha contra um enorme leão, e perguntou ao centauro Quíron quem era a moça. Quíron, ao perceber que Apolo estava se enamorando, não pôde resistir a uma pequena provocação:

> Perguntais, senhor, sobre a origem desta jovem? Vós que conheceis o fim de todas as coisas e tudo que as leva até lá. Vós que sabeis quantas folhas faz brotar a primavera, quantos grãos de areia no mar e nos rios são carregados pelas ondas e pelas ventanias. Vós que sabeis tudo que será e por quê — Tudo sois capaz de saber com clareza.

O centauro então previu que Apolo levaria Cirene para a Líbia e a faria rainha de uma terra nomeada em sua homenagem. Tudo isso fez o deus, que a levou dali em sua carruagem de ouro.

O filho de Cirene e Apolo, Aristeu, não apenas herdou do pai os dons da profecia e da cura, como tornou-se inventor de muitos ofícios, como a apicultura, o cultivo de oliveiras, a fabricação de queijos, o pastoreio e a preparação da lã. Ele se casou com Autônoe, filha de Cadmo, e assim desempenhou um papel na saga de Tebas. Após sua morte, passou a ser cultuado como um deus rústico.

Um terceiro filho de Apolo foi o vidente Iamo, cuja mãe era Euadne, filha de Poseidon e de uma ninfa espartana, Pitane. Euadne havia sido criada por Épito, um rei da Arcáida, e quando engravidou de Apolo tentou esconder o fato de seu guardião. Mas o rei acabou por descobrir a dolorosa verdade e apressou-se a procurar o oráculo de Delfos para se aconselhar. Ficou sabendo, então, que Apolo era o pai do menino, que estava destinado a ser um grande profeta, fundador de uma linhagem de videntes infalíveis. Tranquilizado, por fim, Épito voltou para casa, mas ao chegar ficou sabendo que, em sua ausência,

Euadne tinha dado à luz no campo. Com o coração pesado, mas sem ousar levar o bebê para casa, ela o havia abandonado lá. Agora, passados cinco dias, ela e seu guardião foram procurar a criança, já sem esperanças de encontrá-la ainda com vida. Mas Apolo havia enviado duas serpentes para alimentar o filho com mel e Euadne encontrou seu bebê vivo e saudável, deitado em um canteiro de violetas. Deu-lhe, por isso, o nome de Iamo, "filho das violetas".

Apesar de ter gerado essa e outras crianças mortais, Apolo costumava ser infeliz no amor. Ele perseguiu a ninfa Dafne, por exemplo, mas a jovem se transformou em um loureiro diante de sua tentativa de tocá-la (p. 498). Deu a Cassandra poderes de profecia em troca de seus favores, mas ela mudou de ideia e o rejeitou; como vingança, o dom de predizer o futuro foi combinado à condenação de jamais ser levada a sério. Apolo também amou a bela Marpessa, filha de Eueno, um dos filhos de Ares, mas a reação da moça foi semelhante à de Corônis. A princípio, o deus aguardou tranquilamente enquanto outros pretendentes faziam a corte, e a todos eles Eueno desafiava para uma corrida de carruagem, prometendo conceder a mão da filha a quem conseguisse vencê-lo. Mas era sempre o vencedor, e cortava as cabeças dos oponentes derrotados para pregá-las nas paredes de sua casa — até que um último pretendente chegou: Idas, conhecido como filho de Afareu, rei da Messênia, mas, na verdade, filho de Poseidon. Sua carruagem era puxada por cavalos alados, presentes de seu divino pai, e nela ele partiu com Marpessa. Eueno os perseguiu, porém foi incapaz de alcançá-los com seus cavalos meramente mortais, e quando, por fim, chegou ao Rio Licorma, na Etólia, desistiu, desesperado. Matou então seus cavalos e afogou-se no rio, que passou a se chamar Eueno em sua homenagem.

Idas levou sua nova esposa para Messênia, e foi então que Apolo decidiu entrar em ação. Dirigiu-se também a Messênia e tomou Marpessa à força. Imediatamente Idas apontou seu arco para o deus, decidido a lutar por sua noiva, mas Zeus se pôs entre os dois e disse a Marpessa que escolhesse o pretendente de sua preferência. A jovem escolheu Idas, preferindo o mortal ao deus, pelo mesmo motivo que o fizera Corônis. Apolo teve que desistir e, passado algum tempo, Marpessa deu ao marido uma filha a quem chamaram de Alcíone, nome do martim-pescador (pássaro cujo piar é triste como um pranto), para que pudessem sempre se lembrar do pranto triste de Marpessa quando Apolo a tomou à força. Alcíone veio a se casar com Meleagro, o grande herói que matou o javali de Cálidon.

Apolo amou também dois rapazes, Jacinto (*Hyakinthos*) e Ciparisso (*Kyparissos*), que corresponderam ao seu amor, porém morreram tragicamente. Jacinto era amado não apenas por Apolo, mas também pelo bardo Tamíris (o primeiro caso de amor homossexual entre mortais, segundo Apolodoro) e por Zéfiro, o deus do Vento Oeste. O rapaz amava apenas Apolo e um dia, quando se divertiam lançando discos um para o outro, Zéfiro, enciumado, desviou a trajetória do disco com uma rajada de vento, justamente quando Apolo o lançara. O disco atingiu Jacinto na cabeça, matando-o imediatamente. Apolo tentou trazê-lo de volta à vida, mas não conseguiu e, desesperado de tristeza, deu a seu amante uma espécie de imortalidade: transformou o sangue que saía do ferimento mortal em uma flor azul-escura, o "jacinto", um tipo de íris. A flor renasce a cada primavera e em suas pétalas pode-se ler "AI AI" (Ai! Ai!), trazendo de volta, para sempre, os gritos de tristeza de Apolo pela morte do amante.

Ciparisso foi outro jovem favorito de Apolo, e, como Jacinto, correspondeu ao amor do deus. Ele tinha também grande afeto por um veado domesticado, um belo animal sagrado para as ninfas. Ciparisso o levava até a água ou para campinas de relva fresca, adornava-o com coroas de flores e até o cavalgava, por vezes, guiando-o com rédeas vermelhas. Em um dia de verão, porém, quando o animal dormia à sombra de uma árvore, Ciparisso atirou sua lança de caça e o matou acidentalmente. Enlouquecido de tristeza, desejava apenas juntar-se ao animal na morte, e Apolo não era capaz de consolá-lo, por mais que tentasse. Ao definhar em amargura, Ciparisso pediu aos deuses que seu pranto pela morte do animal perdurasse para sempre. Apolo, então, transformou-o em um cipreste (*kypárissos*), eterno símbolo do pesar.

Terminemos como começamos, com Apolo como deus da música. Naturalmente sensível a qualquer questionamento de seus supremos dons musicais, era rápido na vingança contra quem o desafiasse. Mitos antigos falam de duas famosas disputas nas quais o talento musical de Apolo foi testado. Uma delas foi contra o deus-bode Pã, na qual Apolo foi julgado vencedor por todos, à exceção de Midas, de quem se vingou de maneira memorável (p. 509). A outra disputa deu-se entre Apolo e o sátiro frígio Mársias.

Originalmente o aulo, ou flauta dupla, havia sido inventado por Atena, para imitar os desesperados lamentos das duas górgonas que sobreviveram à morte de sua irmã Medusa. Mas a deusa jogou fora o instrumento ao descobrir, desgostosa, que ao tocá-lo seu rosto ficava distorcido. O sátiro Mársias encontrou o aulo e encantou-se com seu som, tocando-o tão bem que desafiou Apolo para uma disputa musical. O deus e o sátiro concordaram em chamar as musas para julgá-los e estabeleceram uma punição para o perdedor: o vencedor poderia fazer com o vencido o que quisesse.

A disputa começou com Mársias tocando seu aulo e Apolo, sua lira, ambos igualmente bem. Por fim Apolo inverteu a posição de sua lira e continuou a tocá-la com grande competência, desafiando o sátiro a fazer o mesmo com seu aulo — o que, naturalmente, seria impossível —, e assim Apolo foi julgado vencedor. A punição escolhida para Mársias foi uma morte agonizante: suspendeu-o no galho alto de um pinheiro e o esfolou vivo. As lágrimas de todas as criaturas do bosque que amavam o sátiro transformaram-se no rio Mársias, tributário do Meandro e o rio mais límpido da Frígia.

Heródoto (7.26) nos conta que a pele esfolada de Mársias ainda podia ser vista em sua época, exibida em Celenas, próximo à nascente do rio Mársias. Segundo Pausânias (2.7.9), a flauta do sátiro, lançada no rio, teria reaparecido bem longe dali, no rio Asopo, onde um pastor a encontrou e a dedicou a Apolo em Sícion, embora na época de Pausânias o instrumento já tivesse sido queimado em um incêndio.

Um curto *Hino homérico* (21) a Apolo rende tributo a seus dons musicais:

> *Phoibos*, em louvor a vós, até mesmo o cisne canta alto e mavioso enquanto voa para seu lar às margens do agitado rio Peneio; e em louvor a vós o menestrel de voz suave, com sua maravilhosa lira, sempre inicia e termina seus cânticos.
> Eu vos saúdo, senhor! Com meu cantar almejo vossa proteção.

Ártemis

> Eu canto em louvor a Ártemis das setas de ouro, casta virgem das clamorosas caçadas que, com suas setas, faz tombar o veado, Ártemis, irmã do Apolo da espada de ouro. Pelas colinas ensombreadas e pelos cumes em ventania empunha seu arco dourado, deleitando-se com a caça ao lançar suas setas certeiras. Os picos das altas montanhas tremem, os bosques sombrios ecoam terrivelmente os gritos das feras, e a terra e o mar cheio de peixes estremecem (...)

Assim começa um dos dois *Hinos homéricos* (27) dedicados a Ártemis (Diana), irmã gêmea de Apolo. Os irmãos são as duas grandes divindades arqueiras e representam, ambos, uma contradição: Apolo é o deus da cura, mas suas setas certeiras são capazes de espalhar a peste e a morte, enquanto Ártemis, a protetora de todos os animais selvagens (*Potnia Theron*), é também a deusa da caça, que mata as criaturas sob sua proteção. Apesar de virgem, como Ártemis *Locheia* (a do leito infantil), ela é deusa do parto, juntamente com Ilítia; e, como Ártemis *Kourotrophos* (a que cuida dos jovens), é a protetora de todas as coisas vivas jovens, sejam humanas ou animais. Um de seus locais de culto mais famosos ficava em Brauron, na Ática, onde menininhas vestidas de amarelo lhe prestavam homenagens como *arktoi*, ursas, e dançavam como ursos em seu festival anual, a *Brauronia*.

Ela era por vezes confundida com Ilítia, porque ambas protegiam o parto. E, assim como Apolo, "aquele que brilha", veio a ser identificado com o deus-sol Hélio, Ártemis era confundida com Selene, a deusa-lua, e ambas eram chamadas de *Phoibe*. Ártemis também era às vezes identificada com outra deusa da noite, sua prima Hécate, associada a encruzilhadas (grandes centros de atividades mágicas e fantasmagóricas), que cruzava a noite com seu séquito de sombras (almas) de mortos sem descanso e uma matilha de cães infernais. Por vezes, Hécate era efetivamente chamada de Ártemis das encruzilhadas.

A representação dominante de Ártemis, tanto na arte como na literatura, era a da virgem caçadora. A arte antiga sempre a retrata como uma mulher jovem e bela, portando arco e setas, às vezes trajando longas túnicas e, outras vezes, túnicas curtas que só chegavam aos joelhos. É comum vê-la vestida com peles de animais ou acompanhada de animais, principalmente veados. O grande templo de Ártemis em Éfeso, uma das sete Maravilhas do Mundo, continha uma imagem bastante diferente: uma famosa estátua na qual a deusa parece ter muitos seios, quiçá para assinalar sua conexão com o parto.

Acreditava-se que Ártemis vagava pelas montanhas e florestas com um séquito de ninfas, amantes da caça que haviam jurado manter-se castas como sua líder — impiedosa, se a regra fosse violada. Quando Calisto foi estuprada por Zeus, por exemplo (p. 495), uma das versões de seu trágico destino, bem diferente da de ter sido transformada em urso, foi a de sua morte nas mãos de Ártemis. Mas a deusa arqueira era vista também como uma agente da morte em sentido mais amplo, relacionado ou não com a ideia de punição. Qualquer morte inesperada de mulher podia ser atribuída às setas súbitas e certeiras de Ártemis. Na *Odisseia* de Homero, quando Odisseu encontra a sombra da mãe no Hades e assim fica sabendo de sua morte, pergunta qual foi a causa. "Foi de uma longa doença?", indaga, "ou foi Ártemis, a deusa arqueira, que a visitou e a fez cair com suas suaves setas?" (11.172-3).

Sempre houve uma relação próxima e mutuamente protetora entre Ártemis, Apolo e sua mãe. Quando o gigante Títio tentou estuprar Letó, os irmãos, juntos, o mataram e por seu crime o gigante ainda foi punido no Hades com o eterno tormento de abutres dilacerando seu fígado. Os irmãos também mataram os filhos e as filhas de Níobe, esposa do rei Anfíon de Tebas, ao vê-la se vangloriar de ter mais filhos do que Letó. Apolo matou os meninos, e Ártemis, as meninas.

Letó costumava participar de caçadas com a filha e, como vimos (p. 58-9), sua companhia foi, certa vez, o caçador Órion. Foram elas que pediram que o gigante fosse imortalizado nas estrelas depois de ter recebido uma ferroada mortal de um gigantesco escorpião. Porém são muitas as versões da história de Órion, e em uma delas Ártemis o matou acidentalmente. Dizia-se que ela gostava tanto da companhia de Órion que pensava em se casar com ele (a única menção, no mito de Ártemis, de a eterna virgem estar sendo movida por uma paixão sexual). Apolo, profundamente enciumado com isso, apontou para um objeto no mar, bem afastado da terra, e desafiou a irmã a atingi-lo com uma seta, o que ela fez — e só se deu conta de que o alvo havia sido a cabeça de Órion quando o cadáver chegou à praia.

Dois outros gigantes famosos, desafiadores dos deuses, foram mortos por Ártemis ou por Apolo. Oto e Efíaltes, gêmeos, eram chamados de alóadas em homenagem a seu pretenso pai, Aloeu, mas na verdade eram filhos de Poseidon. Sua mãe era Ifimedeia, mulher tão perdidamente apaixonada pelo deus do mar que costumava ir até a praia para colher a água nas mãos e derramá-la sobre o corpo. Um dia Poseidon apareceu e fez amor com ela, e no tempo devido nasceram os dois gêmeos.

Os meninos cresceram em velocidade alarmante. É a própria Ifimedeia quem conta sua história na *Odisseia* de Homero, quando Odisseu encontra sua sombra no Hades (11.305-20). Seus filhos eram os maiores e mais belos de todos os mortais, depois do gigante Órion, e ao completarem nove anos já mediam o equivalente a 16 metros de altura. Ameaçavam fazer guerra aos deuses e empilhar o monte Ossa sobre o monte Olimpo e o monte Pélion sobre o Ossa para poderem chegar ao céu. "E teriam feito isso", diz Homero, "se tivessem chegado à idade adulta". Mas antes Apolo os matou: "antes que a penugem lhes florescesse sob as têmporas, ou recobrisse seus queixos com o desabrochar da juventude."

Na versão de Apolodoro (1.7.4), foi Ártemis quem salvou os deuses. Nesse relato os gigantes chegaram a empilhar o Ossa no Olimpo e o Pélion no Ossa, e, ao alcançarem a morada dos deuses, puseram o deus da guerra, Ares, fora de ação, deixando-o amarrado, e perseguiram duas das deusas. Oto foi atrás de Ártemis, e Efíaltes, atrás de Hera. Mas Ártemis os matou lançando mão de um estratagema: transformou-se em uma corça e correu entre eles, que, atirando cada um uma lança para matar o animal, acabaram por errar o alvo e mataram um ao outro.

Talvez o mito mais famoso associado a Ártemis seja o de seu confronto com o mortal Actéon, filho de Aristeu e Autônoe e neto de Cadmo, rei de Tebas. Actéon era um exímio caçador cujo trágico destino foi ser transformado em veado por Ártemis, depois ser feito em pedaços pelos próprios cães de caça.

Vários motivos são dados para essa morte terrível. O mais antigo, atestado em um poema perdido de Estesícoro, era que Zeus estava zangado com Actéon por cortejar sua tia Sêmele, mulher que o próprio deus desejava. Em outra versão, Actéon teria provocado a ira de Ártemis ao se gabar de ser melhor caçador do que ela, ou se julgar bom o suficiente para casar-se com ela. Na versão mais conhecida, porém, Actéon teria irritado Ártemis quando, ao caçar no monte Citéron, a viu nua e cercada de ninfas, banhando-se em uma fonte ensombreada.

A deusa, indignada, borrifou-o com a água na qual se banhava e o transformou em veado, mas manteve no animal a mente humana, para que ele tivesse consciência do seu terrível destino. Actéon fugiu para a floresta, perseguido por seus ferozes cães de caça. Por fim eles o alcançaram e o fizeram em pedaços, em meio aos gritos alegres dos próprios amigos de Actéon, que o chamavam para assistir ao espetáculo. Somente quando sua vida foi finalmente arrancada, a ira de Ártemis pôde se aplacar. Conta a história que os cães, ao se darem conta do desaparecimento do dono, passaram a procurá-lo por toda parte, ganindo de tristeza. Penalizado, o centauro Quíron o representou em uma estátua tão perfeita que os cães se consolaram.

A morte de Actéon é um tema recorrente na arte antiga a partir do século VI a.C., com Ártemis sempre presente na cena. Em obras mais antigas, Actéon às vezes está vestido com uma pele de veado, e os primeiros vasos nos quais sua figura é representada com chifres são posteriores a meados do século V. Ártemis surpreendida no banho aparece pela primeira vez nos afrescos de Pompeia.

Esse mito também inspirou muitos escritores até os dias atuais. O poeta laureado Andrew Motion acrescentou um toque de ironia ao escrever sobre a morte de Diana, Princesa de Gales, em setembro de 1997. Aqui a vítima não é Actéon, mas sim Ártemis/Diana, perseguida até a morte pelos cães de caça da mídia que, em vida, a idolatraram (*Mithology*):

> Earth's axle creaks; the year jolts on; the trees
> begin to slip their brittle leaves, their flakes of rust;
> and darkness takes the edge of daylight, not
> because it wants to — never that. Because it must.
>
> And you? Your life was not your own to keep
> or lose. Beside the river, swerving underground,
> your future tracked you, snapping at your heels:
> Diana, breathless, hunted by your own quick hounds.*

Atena

Atena (Minerva) é a deusa virgem da guerra e das habilidades manuais. Como deusa da guerra, preside o uso disciplinado e racional da guerra para proteger a comunidade, ao contrário do deus Ares (Marte), que se deleita com o derramamento de sangue, as carnificinas e o frenesi da batalha. Na arte antiga, Atena está sempre paramentada para a guerra, com seu elmo de penacho, sua lança e sua égide (uma capa de pele de cabra usada como espécie de escudo peitoral, geralmente

---

* Racha-se o eixo da Terra; o passar do ano estremece; as árvores/ deixam cair suas folhas sem vida, seus flocos de ferrugem;/ e a escuridão ocupa as bordas da luz, não/ porque deseja — jamais por isso. Porque assim tem de ser.// E tu? Tua vida não te pertencia para que a vivesses/ ou a perdesses. Junto ao rio, que corria agitado por baixo da terra,/ teu futuro te perseguiu e te alcançou na fuga:/ Diana, exausta, caçada por seus próprios cães de caça ligeiros.

adornada com serpentes). Uma horrível imagem da górgona, aquela que instila medo, é vista frequentemente em sua égide ou em seu escudo, e pousada no seu ombro está sempre sua ave especial, a coruja.

Como deusa das habilidades manuais, representa não apenas as tarefas femininas de fiar e tecer, mas também dos carpinteiros, ferreiros e oleiros. Nesse âmbito, Atena estava sempre envolvida com os projetos dos mortais que demandassem habilidades. Foi ela quem supervisionou a construção do famoso barco *Argo*, por exemplo, e do cavalo de madeira, que possibilitou aos gregos conquistar Troia.

Como convém a uma deusa da guerra, Atena não nasceu da maneira usual, mas sim da cabeça de Zeus, o que a transforma, naturalmente, em sua filha favorita. Quando a primeira esposa de Zeus, Métis, estava grávida do primeiro filho, Zeus descobriu que ela estava destinada a ter um segundo filho que tomaria seu lugar como rei dos deuses e dos homens. Ele resolveu o problema engolindo-a (p. 60). Chegada a hora do nascimento da primeira criança, Hefesto partiu a cabeça de Zeus com um machado e de lá saiu Atena, armada e proferindo gritos de guerra que ecoaram através do céu e da terra.

Assim, Atena era, em certo sentido, uma reencarnação de *metis*, a inteligência, e foi sempre vista como a personificação da sabedoria. Chamavam-na de Atena *glaukopis*, expressão cujo significado é incerto, mas aquela "dos olhos cinzentos", ou "dos olhos cintilantes", ou ainda "do rosto como o da coruja" são algumas possibilidades. Há também várias explicações para seu epíteto "Palas" Atena, sendo o significado mais provável "moça" ou "virgem" ou, ainda, um nome derivado de *pallein*, brandir, pois a deusa era frequentemente representada brandindo uma lança.

De modo geral, Atena era benevolente com os mortais. Assim como todos os deuses, por vezes punia erros quando necessário, mas nunca de maneira excessivamente vingativa. Tirésias, por exemplo, ficou cego ao vê-la nua a se banhar, mas recebeu vários benefícios como compensação, inclusive o dom da profecia (p. 284). Também Aracne foi punida ao ousar desafiá-la em uma disputa de tecelagem, mas a deusa, por pena, logo transformou-a em uma aranha, que viveria a tecer eternamente (p. 494). Atena, porém, é vista com mais frequência apoiando ou estimulando seus mortais prediletos. Ao longo de toda a *Odisseia* de Homero, é a amiga constante e conselheira de Odisseu, que é inteligente, engenhoso e valente tal como ela; na arte a deusa protege o poderoso Héracles em centenas de representações das muitas aventuras do herói.

Atena era a protetora de muitas cidades espalhadas por todo o mundo grego, mas tinha uma relação especial e íntima com Atenas, o que se reflete em seu nome (embora a relação exata entre os nomes da cidade e da deusa seja ainda objeto de debate). Ela disputou com Poseidon a proteção do local durante o reinado de Cécrops, cada qual demonstrando seus poderes divinos — Poseidon ao criar uma fonte de água do mar na Acrópole e Atena ao fazer nascer uma oliveira. Por apresentar uma dádiva considerada a melhor, Atena, a partir de então, tornou-se a protetora especial de Atenas. Foi também, de certa forma, ancestral do povo que protegia por meio de seu quinto rei, Erictônio, que nasceu depois de Hefesto tentar possuí-la à força. Na luta, o sêmen caiu na coxa de Atena. Ela o limpou com um chumaço de lã, que atirou ao chão. No lugar onde o sêmen caiu, a terra concebeu e dali nasceu Erictônio. Atena tornou-se sua mãe adotiva.

Entre 447 e 438 a.C., os atenienses construíram em sua homenagem o principal monumento de Atenas, na Acrópole: o Partenon (*parthenos*, virgem). Em seu interior ficava a enorme e famosa estátua de Atena, em ouro e marfim, obra do grande artista e escultor Fídias — que naturalmente se perdeu, mas sobre a qual sabemos algo graças à descrição de Pausânias (I.24.5-7) e a pequenas reproduções romanas. Havia também na Acrópole uma colossal estátua de Atena, feita em bronze por Fídias (essa também perdida). Sabemos ainda, por intermédio de Pausânias (I.28.2), que o penacho do elmo de Atena e a ponta de sua lança podiam ser vistos, reluzindo à luz do sol, pelos atenienses que retornavam por mar à cidade, tão logo ultrapassavam o Cabo Sunion.

Ares

Ares (Marte), filho de Zeus e de Hera, é o deus da guerra. Ao contrário de Atena, que supervisiona o uso controlado da guerra para proteger a comunidade, Ares representa os aspectos brutais das atividades guerreiras — o frenesi da batalha, o desejo de sangue, a crueldade, a carnificina —, um deleite para muitos. Fobos (terror) e Demos (medo), filhos que teve com Afrodite, costumam acompanhá-lo nos campos de batalha, bem como Éris, deusa da discórdia, e a deusa-guerreira Ênio (Belona para os romanos), nada mais do que a personificação da guerra sangrenta.

Não é de surpreender que Ares seja, em geral, pouco amado tanto na terra quanto no Olimpo (a não ser por Afrodite). Na *Ilíada*, ao ser ferido por Diomedes no campo de batalha em Troia, ele foge aos gritos para o Olimpo a fim de se queixar a Zeus (5.888-98):

> E Zeus, ajuntador de nuvens, olhou-o com rancor e disse: "Não te sentes a meu lado para te lastimares, mentiroso de duas caras. Para mim és o mais odioso de todos os deuses do Olimpo, pois a discórdia é sempre cara ao teu coração, e as guerras, e as batalhas. (...) Contudo, não posso suportar que sofras por muito tempo, pois és meu filho e foi para mim que tua mãe te gestou. Tivesses, porém, nascido de outro deus, ó pestilento, há muito eu já te teria expulsado do céu."

Ares nunca se casou, apesar de ter tido vários filhos com sua amante Afrodite (p. 83), e foi pai de muitos mortais, quase todos brutais e beligerantes como ele próprio. Eis alguns deles: Cicno, que decepava a cabeça dos estranhos que passavam e usava os crânios para construir um templo para o pai; Diomedes, rei dos bistônios da Trácia, que alimentava seus cavalos com carne humana; Enômao, rei da Élida, que duelava com os pretendentes da filha Hipodâmia em uma corrida de carruagens letal, depois pregava as cabeças nas paredes do palácio; e o rei da Trácia, Tereu, que estuprou e em seguida cortou a língua da princesa ateniense Filomela — atos cruéis, ferozmente vingados por sua irmã Procne.

Ares era relativamente pouco adorado pelos gregos. Na arte antiga, aparece sempre paramentado para a guerra, mas não é uma figura popular e é em geral mero espectador nas cenas dos outros deuses. O único mito ilustrado com certa frequência no qual sua figura recebe algum relevo é a luta de seu filho Cicno com Héracles.

Marte, o equivalente romano de Ares, era, ao contrário, um deus muito importante, que tinha acima de si apenas a divindade suprema, Júpiter. Havia também uma história sobre o nascimento de Marte que era unicamente romana. Juno estava aborrecida com o fato de Júpiter ter tirado Minerva da própria cabeça, sem participação feminina, por isso pediu auxílio a Flora, deusa das flores e da primavera. Originalmente chamada de Clóris, a ninfa amada pelo Vento Oeste Zéfiro transformou-se em Flora ao receber seu beijo, e soprou sementes de flores que se espalharam por toda a terra. Na primavera o suave Vento Oeste aquece a terra fria, possibilitando o ressurgimento das flores. Flora deu então a Juno uma erva, e a deusa, ao tocá-la, engravidou imediatamente: Marte foi o resultado.

O outro mito exclusivamente romano, relatado por Ovídio, é a cômica história da associação de Marte com a velha deusa Anna Perenna. Ele a persuadiu a interceder em seu favor junto à deusa virgem Minerva, mas Anna sabia que Minerva jamais sucumbiria aos seus apelos amorosos. Apesar disso, ela fez que o deus acreditasse que seria aceito, e certa noite se fez passar por Minerva, à custa de muitos véus, em um encontro. O deus chegou ansioso ao local combinado e só depois descobriu que quem estava por baixo dos véus era a velha deusa Anna.

Marte teve dois filhos gêmeos, Rômulo e Remo, com Reia Silvia, uma virgem vestal. Um deles, Rômulo, viria a ser o fundador de Roma (p. 478).

Hefesto

Hefesto (Vulcano), deus do fogo e dos trabalhos forjados em metal, é o ferreiro divino. De acordo com determinadas lendas, é filho de Zeus e Hera, que estava zangada com Zeus porque Atena nascera de sua cabeça. Em algo, porém, todas as lendas estão de acordo: o deus-ferreiro era manco. Hera ficou tão envergonhada com aquela enfermidade que o atirou para fora do Olimpo. Hefesto caiu no grande rio chamado Oceano, que circundava toda a terra, e foi salvo pela nereida Tétis e pela oceânide Eurínome. Durante nove anos viveu em uma caverna junto ao Oceano, praticando sua arte de ferreiro e criando todo tipo de joias finas para suas duas benfeitoras.

A cada ano que passava suas habilidades cresciam e por fim Hefesto fez uso de seu talento para se vingar da mãe cruel. Enviou um lindo trono de ouro que ela, feliz, aceitou. Mas no trono havia grilhões invisíveis, que a prenderam tão logo se sentou. Os outros deuses suplicaram a Hefesto que voltasse ao Olimpo para soltá-la, mas o ferreiro, insensível às súplicas, recusou-se a ir. Passado algum tempo, Dioniso resolveu o problema: embriagou Hefesto com vinho e levou-o até o céu em uma mula (uma cena muito comum na arte antiga que o mostra no lombo de um burro itifálico, seguido por sátiros e ninfas). Só então ele concordou em soltar a mãe.

Hefesto deve ter perdoado Hera, pois mais tarde tentou defendê-la quando Zeus a pendurou no Olimpo, com bigornas atadas aos pés, para puni-la por perseguir seu amado filho Héracles. Zeus estava tão zangado com essa interferência que segurou o deus-ferreiro pelo pé e o atirou, pela segunda vez, do Olimpo. Dessa vez o corpo caiu durante um dia inteiro antes de aterrissar, ao pôr do sol, quase morto, na ilha de Lemnos — queda essa que Milton imortalizou em *Paraíso perdido* (I.742-6).

>(...) from Morn
>To Noon he fell, from Noon to dewey Eve,
>A Summer's day; and with the setting Sun
>Dropt from the Zenith like a falling Star,
>On Lemnos th' Aegaean Ile (...)*

---

* ... da manhã/ Ao meio-dia ele caiu, do meio-dia à orvalhada noite,/ Um dia inteiro de verão; e ao pôr do sol/ Caiu do zenite como uma estrela cadente,/ Em Lemnos, ilha do Egeu...

Os habitantes da ilha o acolheram e, desde então, Hefesto passou a ter um afeto especial por Lemnos, que, em tempos históricos, foi seu principal centro de culto no mundo grego. Passado algum tempo, ele voltou a ser um imortal no Olimpo, sem guardar, que se saiba, qualquer ressentimento contra Zeus.

Na *Teogonia* de Hesíodo, Hefesto é casado com Aglaia, a mais jovem das graças, e na *Ilíada* de Homero, com Cáris (a Graça personificada). Mais conhecida, porém, é a versão segundo a qual ele se casou com Afrodite (por mais improvável que pareça), a deusa do amor. Na *Odisseia*, Homero relata o famoso episódio da vingança de Hefesto contra sua esposa infiel e o amante, Ares: prendeu-os nus sob uma rede mágica invisível e chamou os outros deuses para testemunharem a humilhação do casal (p. 83). Ele não teve filhos com nenhuma dessas deusas e foram poucos os que teve com mulheres mortais. O mais importante deles é Perifetes, que era fraco das pernas como o pai, conhecido como "o homem do bastão" porque sempre espancava os viajantes até a morte com um bastão de bronze. Teseu o matou.

Como mestre-ferreiro divino, Hefesto criou obras de arte de beleza sem par. Construiu os palácios dos deuses em ouro e bronze, e suas muitas obras de arte no Olimpo incluem robôs que trabalhavam em sua forja e trípodes com rodas de ouro que se moviam a um comando. Fez também esplêndidas armas e armaduras, tanto para deuses quanto para seus mortais favoritos, e foi ele quem criou a grande taça de ouro do Sol, que transportava Hélio pelas correntezas do Oceano, de oeste para leste, todas as noites. Hefesto também criou joias de extrema beleza e outros artefatos, geralmente para os deuses, mas vez por outra tais objetos caíam nas mãos de mortais e desempenhavam papéis muito importantes em suas vidas (como a túnica e o colar de Harmonia na saga de Tebas; ver Capítulo 9). Na arte antiga, o deus-ferreiro geralmente porta um machado ou um par de tenazes, e por vezes usa uma túnica e um chapéu sem aba, de operário.

Como deus do fogo, acreditava-se que Hefesto tivesse não apenas uma oficina no Olimpo, mas também forjas por toda parte, onde quer que a terra emitisse fogo e fumaça, principalmente sob o vulcânico monte Etna, na Sicília. Lá, dizia-se, os gigantes de um só olho, os ciclopes, trabalhavam sob suas ordens, e a montanha ressoava as batidas de seus martelos, tremendo e lançando fumaça devido à ininterrupta atividade. (O monstro Tífon e o gigante Encelado também receberam, como vimos, os créditos pelo tumulto vulcânico do Etna.)

Três episódios da *Ilíada* ilustram bem os três principais aspectos de Hefesto, bem distintos entre si. No Livro 18, Homero descreve o mestre-ferreiro, com seu grande torso peludo e suas pernas atrofiadas, a trabalhar na forja. Ele sua e se agita, debruçado sobre uma bigorna, enquanto faz maravilhosas peças de armadura para Aquiles, a mais notável das quais é um escudo fantasticamente ornamentado, de ouro e prata, bronze e estanho, decorado com uma infinidade de figuras. Apesar de feio e deformado, Hefesto era capaz de criar objetos de mágica beleza. Sua figura o tornava, no entanto, também objeto de riso, e no Livro 1 é o aspecto cômico do ferreiro aleijado que se destaca em sua tentativa de apaziguar uma briga entre Zeus e Hera. Ao se movimentar desajeitado de um lado a outro, servindo vinho, faz todos os deuses rirem, e, assim, a harmonia é restaurada.

Por fim, o Livro 21 apresenta o poderoso e assustador rei do fogo quando Hefesto desce, por ordem de Hera, para a planície de Troia a fim de secar as enchentes do rio Escamandro (também chamado de Xanto), que, transbordando de ira, tenta afogar Aquiles (21.361-7):

> O rio ardia em chamas, as amáveis correntes em ebulição.
> E assim como ferve um caldeirão sobre um fogo forte,
> derretendo a gordura de um capão bem-alimentado, borbulhando
> por todo lado enquanto, abaixo, gravetos secos queimam,
> assim também ardiam em chamas as amáveis águas do Xanto,
> e a água fervia e não mais fluía,
> imobilizada pelo poderoso sopro de Hefesto.

Hermes

Hermes (Mercúrio) é o arauto e mensageiro dos deuses. Por ser um deus de tanta mobilidade, é, naturalmente, a divindade que protege todos os viajantes. É também o deus das fronteiras, e suas estátuas, conhecidas como *hermai*, "hermes", eram colocadas onde quer que fosse necessário demarcar divisas: ao longo de estradas, em encruzilhadas e, principalmente, nas entradas das casas. Esses hermes, pilares de pedra com quatro lados sobre os quais se encontra a cabeça de um deus barbado com falo projetado à frente, eram também portadores de boa sorte.

Como deus dos viajantes, Hermes serve de guia e de escolta para humanos e deuses; e, como deus das fronteiras, ajuda os homens a cruzar a mais formidável de todas, que é aquela entre o mundo dos vivos e o mundo dos mortos. Nesse papel, no qual é conhecido como Hermes *psychopompos*, "condutor de almas", ele conduz a alma de quem morre para o Mundo Inferior.

Habilidoso e esperto, Hermes é também o deus dos mercadores e dos negociantes, dos embusteiros e dos ladrões. É o deus dos rebanhos e das manadas e cuida, principalmente, de sua fertilidade (na arte, é frequentemente representado com um carneiro nos ombros). Por ser patrono das disputas atléticas, era representado em estátuas erguidas nos ginásios.

De modo geral, Hermes era benevolente com os mortais, dando-lhes sorte e prosperidade: um bom achado ou um ganho inesperado eram chamados de *hermaion* ou *hermaia dosis*, "presente de Hermes". Não é de surpreender, pois, que sua figura seja muito popular na arte antiga, na qual é facilmente reconhecível por seu principal símbolo, um bastão de arauto (*caduceus* ou *kerykeion*), e por seu chapéu de viajante com aba larga (um *petasos*, por vezes alado), além de botas ou sandálias aladas.

Hermes era filho de Zeus e da plêiade Maia, filha do titã Atlas. Nasceu ao amanhecer em uma caverna profunda e sombria do monte Cilene, na Arcádia. O delicioso *Hino homérico* (4) em sua homenagem relata os primeiros feitos desse deus "ardiloso e sedutor, gatuno, ladrão de gado, portador de sonhos, espião noturno, porteiro (...)" (13-15). Mal acaba de nascer, Hermes está pronto para começar a fazer diabruras. Terminada a manhã, ele salta de seu berço e, ao encontrar uma tartaruga junto à entrada da caverna, cria a primeira lira, usando o casco como corpo do instrumento e tripas de carneiro para fazer as sete cordas. Durante algum tempo se contenta em produzir músicas maravilhosas com seu novo instrumento, mas novas diabruras estão sendo maquinadas em seu coração.

Ao anoitecer desse mesmo dia, Hermes vai furtar gado do rebanho de Apolo. Ao encontrar o gado do deus a pastar nas montanhas de Piéria, leva consigo cinquenta vacas. Ele as obriga a fazer o percurso de costas para confundir quem estiver à sua procura, e disfarça suas próprias pegadas com sandálias feitas de gravetos. Um velho que cuidava de um vinhedo próximo vê o que Hermes está fazendo, mas o deus o proíbe de falar sobre o assunto.

Próximo ao rio Alfeu, o pequeno deus faz uma pausa para acender uma fogueira. Nela sacrifica duas das vacas e divide a carne em doze pedaços para os deuses, mas não come dessa carne, ainda que muito desejasse. Então, deixando para trás o restante do gado, retorna à caverna de sua mãe e, sorrateiramente, deita-se em seu berço, puxa sobre si as cobertas e assume a imagem de um bebê inocente. Maia não se deixa enganar. "De onde vens a esta hora da noite, a própria imagem da falta de vergonha?", indaga. " (...) Foi teu pai quem te fez assim, para eterno sobressalto dos homens mortais e dos deuses imortais" (155-61).

Chegada a manhã, Apolo sai à procura de suas vacas furtadas. O velho que a tudo assistira conta ao deus que viu uma criancinha levando as vacas, e Apolo, com seu dom da vidência, descobre quem é o ladrão. Tomado de raiva, vai até a caverna de Maia (235-42):

> E, quando o pequeno filho de Zeus e Maia viu Apolo irado por causa de suas vacas, encolheu-se em suas cheirosas roupinhas de bebê; e, assim como os tocos das árvores queimadas se recobrem de cinzas,

também Hermes se cobriu ao ver Aquele que Atira Longe. Encolheu-se, juntando as mãos, os pés e a cabeça, como um bebê recém-nascido procurando a ternura do sono, embora estivesse bem desperto.

Depois de procurar na caverna sem encontrar coisa alguma, Apolo exige que lhe digam onde está seu gado. Chega mesmo a ameaçar jogar Hermes no Hades e fazer dele o líder de todos os bebês que lá se encontram. Hermes se faz de inocente e diz nada saber sobre o furto. "Eu tenho a aparência de um ladrão de gado, de um homem forte?", pergunta. "Essa não é uma tarefa para mim: o que me interessa são outras coisas. Interessa-me dormir, interessa-me o leite da minha mãe, as cobertas que me agasalham, os banhos mornos." O menino chega a dizer que nem sabe o que são vacas, que só as conhece de ouvir falar.

Apolo se diverte ao ouvir isso, mas não acredita. Leva então o bebê para o Olimpo e conta a Zeus toda a história. Hermes continua mentindo, mas, apesar de seus protestos de inocência, Zeus ordena que mostre a Apolo o local onde escondeu o gado. Assim ele faz (afinal de contas, fora Zeus quem lhe dera a ordem); para escapar à ira de Apolo, o pequeno Hermes pega sua lira e põe-se a cantar de maneira tão encantadora que o deus deseja para si o instrumento. Os dois fazem então um trato: Apolo fica com a lira e Hermes se torna o divino pastor de rebanhos. A partir daí, tornam-se grandes amigos.

O velho que viu Hermes furtando o gado de Apolo veio a ser conhecido como Batos em relatos posteriores que desenvolvem essa parte da história. De acordo com Ovídio (*Metamorfoses* 2.679-707), Hermes suborna o velho com uma vaca para que nada diga do que viu, e o camponês responde que seria mais fácil uma pedra falar daquele furto do que ele. Pouco tempo depois, o deus retorna disfarçado e testa Batos, oferecendo-lhe uma vaca e um touro se lhe disser alguma coisa sobre o gado roubado. Tentado pela dupla recompensa, o velho diz tudo o que sabe, por isso Hermes o transforma, muito apropriadamente, em uma pedra.

Dioniso

Dioniso (Liber, Baco) é o deus do vinho e da embriaguez, da loucura ritual e da liberação, extática, da identidade do dia a dia. Homero a ele se refere como "júbilo para os mortais" (*Ilíada* 14.325), e Hesíodo, como "aquele dos muitos deleites" (*Teogonia* 941). Foi ele quem apresentou o vinho aos homens, diz Eurípides, "que, ao bebê-lo bastante, afastam de si os sofrimentos de miseráveis mortais e, no sono que se segue, esquecem-se dos problemas de cada dia. Não há outra cura para a tristeza (...)" (*As bacantes* 278-83). Dioniso é um deus da natureza que representa a essência da vida, o correr do sangue nas veias, a palpitante excitação e o mistério do sexo, da vida e do crescimento.

É também o deus do teatro e da caracterização, e a máscara teatral é o símbolo dessa transformação de identidade. Nos festivais de teatro de Atenas, a imagem de Dioniso, como deus do teatro, era levada para assistir às representações realizadas em sua homenagem. E de duas peças muito diferentes do final do século V a.C. o próprio deus participa, tornando-se uma figura de grande comicidade em *As rãs*, de Aristófanes, e um deus sinistro e sorridente, responsável pela destruição de Penteu na tragédia *As bacantes*, de Eurípides (p. 454).

Dioniso tinha uma animada turma de extáticos seguidores: mênades, sátiros e silenos, que celebravam os ritos do deus com vinho e música, canções e danças e, às vezes, em êxtase, dilaceravam animais (*sparagmos*) e comiam sua carne crua (*omophagia*). Essas bacanais eram um tema muito popular na arte antiga. As mênades ("mulheres em frenesi") — também conhecidas como bacantes ("mulheres de Baco") — usam peles de veado e coroas de hera, de carvalho ou de briônia, e por vezes se enfeitam com serpentes. Carregam sempre o tirso, o bastão mágico do deus, feito de uma vara de funcho com um punhado de heras amarrado à ponta. Às vezes carregam também tochas, galhos de carvalho ou de abeto.

Na literatura antiga encontramos um quadro dramático das mênades em ações miraculosas, tanto pacíficas como violentas, na tragédia *As bacantes*, de Eurípides. No alto do monte Citéron elas manejam serpentes e amamentam animais selvagens. Com um único toque são capazes de fazer brotar das pedras e da terra fontes de água, de vinho e de leite, enquanto de seus tirsos jorra um maravilhoso mel. Quando tomadas de cólera, porém, adquirem força física tremenda: arrancam árvores da terra e despedaçam gado e seres humanos. Seus tirsos tornam-se perigosas armas contra um inimigo, enquanto seus corpos tornam-se imunes ao ferro e ao fogo.

Sátiros e silenos (esses nomes costumam ser usados como equivalentes) eram também seguidores naturais de Dioniso, pois eram criaturas masculinas selvagens com voraz apetite para o sexo e o vinho, além de grande amor pela música e pela orgia. Os romanos os identificavam com os espíritos nativos de seus bosques, os faunos. Têm forma predominantemente humana, mas com algumas características animais. Três deles podem ser vistos com orelhas, caudas e traseiros de cavalo em um famoso e antigo vaso, o Vaso François (*c.* 570 a.C.). As atividades em que estão engajados nos dão um claro exemplo de sua natureza: um deles carrega vinho, o outro toca uma flauta dupla e o terceiro abraça uma ninfa.

Na arte tardia, os sátiros costumam ter pernas humanas e são em geral representados com cabelo em desalinho, nariz arrebitado, orelhas e cauda de cavalo e ereções permanentes, exibidas com orgulho. Em época ainda posterior, no tempo da arte helenística, sua figura é frequentemente representada com características de bode. Tais seres são vistos em atitudes típicas de sátiros — acompanhando Dioniso, tocando instrumentos musicais, participando da colheita da uva, perseguindo ninfas ou mênades, copulando com animais ou se masturbando.

O líder dos sátiros era Sileno — velho, sábio e o mais beberrão de todos eles; supunha-se que tenha sido preceptor de Dioniso quando jovem. "Um velho bêbado", diz Ovídio (*Metamorfoses* 4.26-7), "que apoia as pernas trêmulas com o auxílio de um bastão, ou que se agarra, ébrio, a seu burro corcunda". No entanto o estado etílico inspirava a mente turva de Sileno, dando-lhe sabedoria e poderes proféticos. Midas, rei da Frígia, certa vez quis tirar proveito da sabedoria de Sileno e conseguiu capturá-lo ao ordenar que fosse colocado vinho na fonte onde ele bebia. Quando o sátiro adormeceu depois de beber, foi capturado e levado à presença de Midas. Diante do rei, suas palavras foram pessimistas: afirmou que a melhor coisa que poderia acontecer a um homem seria não nascer, e a segunda melhor seria morrer o mais cedo possível.

Dioniso, dentre todos os deuses, é o mais representado na arte antiga. Sua figura é facilmente identificada por levar um recipiente de vinho, usar uma coroa de hera e portar um emblema especial, o tirso. Geralmente aparece como deus do vinho, acompanhado de seus seguidores extáticos e, às vezes, por panteras ou serpentes. Até cerca de 430 a.C., é representado como um homem maduro, barbado, com uma coroa de hera e longa túnica, recoberta frequentemente com pele de veado ou de pantera. Com o passar do tempo, torna-se mais jovem. A partir de 430 aparece quase sempre como um rapaz sem barba, nu ou seminu. Às vezes é acompanhado por Ariadne, a noiva mortal que levou para o Olimpo e tornou imortal depois de abandonada por Teseu (p. 247-48).

Dioniso era filho de Zeus e de uma mortal, Sêmele, filha de Cadmo, rei de Tebas. Quando Hera descobriu que Sêmele estava grávida, desceu para a Terra decidida a destruir a rival. Disfarçada como uma velha ama real, instilou dúvida na mente da jovem quanto à verdadeira identidade de seu amante. Sugeriu-lhe, para sanar aquela dúvida, que a jovem pedisse a Zeus que se apresentasse em toda a sua glória divina, como havia aparecido diante de Hera para cortejá-la.

E assim fez a crédula Sêmele: convenceu Zeus a prometer que faria qualquer favor que lhe solicitasse e então fez o pedido. O deus não teve escolha a não ser cumprir a palavra dada. Com todo seu esplendor de deus da tempestade e senhor dos raios, foi até ela e queimou-a, transformando-a em cinzas. Enquanto a jovem morria, porém, Zeus arrancou a criança que estava em seu ventre, deu um talho na própria coxa e lá a colocou, costurando o corte em seguida. Foi ali que Dioniso cresceu até chegar o momento de nascer. Dizia-se que do túmulo de Sêmele em Tebas continuou a sair fumaça por muitos anos; mas tudo acabou bem, afinal, mais tarde seu corpo se tornou imortal — Dioniso foi buscá-la no Hades e levou-a para o Olimpo, onde ela recebeu um novo nome: Tione.

Quando o menino nasceu, Zeus o entregou a Ino, irmã de Sêmele, e a seu marido, Átamas, para que o casal o criasse. Eles o vestiram como se fosse uma menina para protegê-lo da ciumenta Hera, que acabou por descobrir a verdade. Como punição, deu a Ino e Átamas a loucura e, loucos, eles mataram seus próprios filhos.

Zeus então enganou Hera, transformando Dioniso em um cabrito e levando-o para ser criado pelas ninfas do monte Nisa (cuja localização precisa não é conhecida). Hera, porém, continuou a persegui-lo até que chegasse à idade adulta, quando o enlouqueceu. Dioniso então vagou pelo mundo, atravessando o Egito e a Síria até chegar à Frígia, onde, por fim, foi curado por Reia/Cibele. Seguiu viagem e chegou à Índia, de onde retornou à Grécia, espalhando seu culto por onde passava e transmitindo aos mortais o conhecimento acerca do cultivo da uva e dos prazeres do vinho.

Um dos mortais que receberam uma videira do deus foi Icário, agricultor da Ática (p. 233). Dizem que outro foi Eneu, rei de Cálidon, talvez devido à semelhança de seu nome (*Oineus*) com o da videira (*oinos*). Reza a lenda que a dádiva chegou às suas mãos por meio do pastor Estáfilo ("Cacho de uvas"). O camponês notou que uma de suas cabras começou a voltar do campo mais tarde do que o restante dos animais e bastante alegre. Ao segui-la, Estáfilo descobriu que ela comia prazerosamente as uvas de uma videira, então levou alguns cachos daquela fruta para seu senhor. Eneu espremeu o suco das uvas e fez o primeiro vinho.

A certa altura, Dioniso foi raptado por piratas, história que é contada em um dos *Hinos homéricos* (7) em homenagem ao deus. Os piratas o viram ao se aproximarem da terra (2-6):

> Ele surgiu na praia deserta em um promontório, parecendo um rapaz na flor da juventude. Belos eram os cachos de cabelo escuro a emoldurá-lo, agitando-se ao vento, e seus ombros fortes vestiam um manto cor de púrpura.

Os piratas o tomaram por uma pessoa de berço real, que lhes renderia um grande resgate, e por isso levaram-no preso para seu navio. Os nós com que tentaram amarrá-lo, porém, desfaziam-se sozinhos. O timoneiro foi o único a perceber que não se tratava de um mortal comum e tentou convencer seus camaradas, que não lhe deram atenção.

Quando já estavam em alto-mar, fatos miraculosos começaram a acontecer: vinho passou a jorrar e a correr em rios por todo o barco; o mastro e a vela foram recobertos de videiras e de hera. Um urso feroz apareceu no convés e o deus transformou-se em um leão assustador que se lançou, a rugir, sobre o capitão dos piratas. Os marinheiros, aterrorizados, atiraram-se ao mar e foram transformados em golfinhos (o que explica o fato de os golfinhos, por já terem sido humanos, serem amistosos com as pessoas). O único a ser poupado foi o timoneiro, que havia tentado defender o deus. Ele se tornou um ardente devoto de Dioniso.

Vários dos mitos de Dioniso relatam perseguições que lhe foram feitas por mortais que se recusavam a reconhecê-lo como divindade e a aceitar seus rituais. Quase sempre esses mitos têm fins infelizes, muitas vezes sangrentos. Um bom exemplo é o mito de Licurgo, rei dos edonianos da Trácia. Sua história é encontrada pela primeira vez em Homero (*Ilíada* 6.130-40), que relata a perseguição feita por ele a Dioniso e suas amas encosta abaixo da montanha sagrada chamada Nisa, escorraçando-os com um aguilhão de boi. Licurgo os aterrorizou de tal maneira que o deus foi levado a mergulhar no mar e buscar refúgio junto a Tétis, deusa do mar. Como castigo, Zeus cegou o rei, que morreu pouco depois, odiado por todos os deuses.

Com o passar do tempo, essa história foi se tornando mais sangrenta. Segundo Apolodoro (3.5.1), Dioniso puniu Licurgo com a loucura e, louco, o rei matou seu filho Drias com um machado, pensando que estivesse podando uma videira. Depois de decepar as extremidades do filho, Licurgo recuperou a lucidez. Em seguida as terras do seu reino tornaram-se inférteis, e seus súditos souberam que só voltaria a dar frutos se o rei fosse assassinado — e ele então foi feito em pedaços por cavalos selvagens, que o esquartejaram. Higino tem ainda outra versão (*Fábula* 132), na qual Licurgo se embebedou e tentou estuprar a própria mãe, matou a esposa e o filho e, por fim, decepou o próprio pé pensando que fosse uma videira. Dioniso então mandou que panteras o devorassem.

Houve também mulheres que foram punidas por se recusarem a adorar o deus. Mínias, rei de Orcômeno, tinha três filhas: Leucipe, Alcatoé (ou Alcitoé) e Arsipe (ou Arsinoé). As três ignoraram o festival de Dioniso: por serem moças trabalhadeiras, preferiram ficar em casa o dia todo, trabalhando em seus teares, a se juntarem à farra com outras mulheres. Em uma das versões da história (Antoninus Liberalis 10), Dioniso apareceu na forma de uma menina e insistiu que não deixassem de cumprir seus ritos. Ao ver seus conselhos ignorados, ele se transformou em touro, leão e leopardo, e leite e néctar começaram a brotar dos teares. As irmãs, aterrorizadas, tiraram a sorte para ver quem faria um sacrifício ao deus, e, quando Leucipe foi sorteada, seu filho Hipaso foi esquartejado pelas tias, que, em seguida, se juntaram às mênades nos festejos em homenagem a Dioniso. Finalmente, as três foram transformadas em um morcego e dois tipos de coruja; ou, segundo outra versão, em um corvo, um morcego e uma coruja.

Na versão de Ovídio (*Metamorfoses* 4.1-415), as irmãs trabalhavam em seus tecidos, satisfeitas, a contar histórias umas às outras. Subitamente, ao anoitecer, dos teares brotaram vinhas e os fios que deles saíam transformaram-se em gavinhas de parreiras; a sala onde estavam pôs-se a arder em chamas; a casa se encheu de fumaça e de rugidos de feras. As três moças fugiram apavoradas para cantos escondidos da casa e todas as três foram transformadas em morcegos.

O mais famoso desses mitos de pessoas que se opuseram a Dioniso é o de Penteu, jovem rei de Tebas que foi dilacerado pela própria mãe (seu destino será assunto de um capítulo posterior, p. 454-55). Dioniso era sem dúvida um deus de natureza dupla: como diz Eurípides (*As bacantes* 861), era o deus "mais terrível e mais gentil para com os mortais".

Hades e o Mundo Inferior

Quando os três filhos de Crono dividiram entre si o universo, Zeus e Poseidon dominaram o mundo superior e Hades assumiu o controle da escuridão nebulosa do Mundo Inferior — que costuma ser chamado simplesmente de Hades. Nesse domínio, passou a reger as almas dos mortos. Hades era, certamente, um deus soturno e sinistro, mas, em nenhum sentido, cruel ou satânico, já que seu reino guarda muitas diferenças em relação ao Inferno cristão. Sua esposa e rainha do Mundo Inferior era Perséfone (Proserpina), sua sobrinha, filha de Deméter, por ele raptada (p. 75).

Hades tinha outros nomes: era chamado eufemisticamente de Plutão ("Rico") devido a todas as riquezas que vinham da terra. Os romanos também adotaram esse nome, latinizando-o para Pluto. Chamavam-no também de Dis, contração de *dives* ("rico") e Orcus. Foram-lhe dados vários epítetos, tais como *Stugeros* ("Odioso"), *Polydektes* e *Polydegmon* ("O que recebe muitos"), *Polyxeinos* ("Anfitrião de muitos"), *Klumenos* ("Famoso"), *Eubouleus* ("Bom conselheiro"); ele era conhecido também como Zeus *Katachthonios*, "Zeus do Mundo Inferior", o que enfatizava o poder absoluto que tinha sobre seus domínios. Hades praticamente não era cultuado, uma vez que sua jurisdição se limitava às almas dos mortos e não havia interesse algum pelos vivos. Não é de surpreender, pois, que Hades raramente apareça na arte antiga. Quando aparece, costuma portar um cetro ou uma chave como símbolos de sua autoridade, ou uma cornucópia quando é representado como Plutão.

Seu subterrâneo era um lugar frio, fora do alcance da luz do sol e irrigado por cinco rios: o Estige (Rio Odioso), o Aqueronte (Rio dos Aflitos), o Cocito (Rio das Lamentações), o Flegetonte (Rio das Chamas) e o Lete (Rio do Esquecimento). Em *Paraíso perdido,* Milton resume com habilidade e precisão os atributos dos cinco rios (2.577-86):

> Abhorred Styx, the flood of deadly hate,
> Sad Acheron of sorrow, black and deep;
> Cocytus, nam'd of lamentation loud

Heard of the rueful stream; fierce Phlegethon
Whose waves of torrent fire inflame with rage.
Far off from these a slow and silent stream,
Lethe, the River of Oblivion, rolls
Her wat'ry labytinth, whereof who drinks
Forthwith his former state and being forgets,
Forgets both joy and grief, pleasure and pain.*

Comparado aos outros quatro, o Lete era visto como um rio piedoso, já que a capacidade de esquecer os sofrimentos da existência humana pode ser uma bênção — como afirma Byron em seu *Don Juan*. (A referência feita aqui à deusa do mar Tétis trata de sua tentativa de tornar o filho Aquiles imortal ao imergi-lo no rio Estige.)

And' if I laugh at any mortal thing,
   'Tis that I may not weep; and if I weep
'Tis that our nature cannot always bring
   Itself to apathy, for we must steep
Our hearts first in the depths of Lethe's spring
   Ere what we least wish to behold will sleep:
Thetis baptized her mortal son in Styx;
A mortal mother would on Lethe fix.**

Homero situou a entrada do Hades no extremo Ocidente, além do rio Oceano, mas os antigos acreditavam que havia outras entradas no mundo conhecido: através de uma caverna em Tenaro (que ainda pode ser vista na extremidade do promontório do meio ao sul do Peloponeso),

---

* Repugnante Estige, torrente do ódio que mata,/ Triste Aqueronte das aflições, negro e profundo;/ Cocito, cujo nome é o lamento alto/ Ouvido na corrente do pesar; Flegetonte ameaçador/ Cujas ondas de fogo caudalosas se inflamam em fúria./ Longe deles, lento e silencioso,/ Flui o Lete, Rio do Olvido/ Em labirinto de água, da qual quem bebe/ Dali por diante esquece quem era,/ Esquece a alegria e a tristeza, o prazer e a dor.
** E, se me rio de algo humano,/ É para não chorar; mas se choro/ É porque nossa natureza não pode se levar/ Pela apatia, pois antes precisaríamos mergulhar/ Nossos corações nas águas profundas do Lete/ Antes que o que não queremos ver desapareça no sono:/ Tétis batizou seu filho mortal no Estige;/ U'a mãe mortal no Lete poderia se socorrer.

ou através de um lago sem fundo em Lerna, na Argólida, ou ainda através de uma caverna junto ao lago Averno, próximo a Nápoles.

Nos limites do Mundo Inferior ficavam os rios Estige e Aqueronte, a cujas margens chegavam as almas dos mortos, escoltadas por Hermes. Se tivessem sido enterrados como deviam, o velho barqueiro Caronte os atravessava para a outra margem, cobrando um óbolo pelo trabalho. (Era costume enterrar o morto com essa moeda na boca, para o pagamento ao barqueiro.)

Caronte, naturalmente, era uma figura considerada desagradável. Ele aparece na comédia de Aristófanes *As rãs* (180-270), na qual é apresentado como um personagem grosseiro, áspero e desaforado ao transportar Dioniso através do Aqueronte até o Hades. O deus é obrigado a remar, enquanto o barqueiro comanda o leme. A representação mais antiga de Caronte que chegou aos nossos dias está em um vaso de figuras negras de cerca de 500 a.C., e posteriormente ele aparece com frequência em lécitos funerários de fundo branco, vestido como um trabalhador, de pé, segurando uma vara junto ao leme. Com o passar do tempo, vai se tornando cada vez mais esquálido em suas representações. Virgílio o vê como um personagem repugnante (*Eneida* 298-301): "um barqueiro atrevido, assustador e imundo, o queixo coberto por uma barba desgrenhada, olhos ferozes onde ardia o fogo e nos ombros uma capa imunda presa por um nó."

A nascente do Estige, dizia-se, ficava no mundo dos mortais e a certa altura caía de um despenhadeiro muito alto, antes de correr através da escuridão abaixo da terra. Em Nonácris, na Arcádia, há um rio de verdade chamado Estige, já chamado assim no século VI a.C., com águas geladas da neve que o alimenta, e uma cachoeira como a descrita na lenda. Segundo Pausânias (8.17.6-18.6), suas águas eram instantaneamente fatais e partiam ou corroíam qualquer material, exceto os cascos dos cavalos. Dizia-se que Alexandre, o Grande, morreu ao beber da água do Estige, dada a ele em um recipiente feito de casco de mula. Segundo uma superstição mais moderna, porém, ocorre exatamente o contrário: quem beber da água do Estige da Arcádia no dia certo do ano se torna imortal.

Depois de atravessar o Estige, as almas dos mortos entravam no Hades através de portões, que eram protegidos por um cão assustador, Cérbero, nascido dos monstros Tífon e Equidna. Sua tarefa era assegurar que aqueles que entravam no Mundo Inferior jamais saíssem. "Balançando a cauda e baixando as orelhas, ele se mostra servil aos que entram", diz Hesíodo (*Teogonia* 770-3), "porém jamais os deixa sair novamente. Deita-se à espreita e devora quem tentar atravessar de volta os portões". Hesíodo refere-se ao guarda como "ingovernável, o indizível Cérbero que come carne crua, o cão de Hades com voz de bronze, cinquenta cabeças, audaz e forte" (310-12), mas a maioria dos relatos a seu respeito o descrevem com duas ou três cabeças (em representações artísticas, por razões práticas, sua figura costuma ter duas ou três cabeças e, às vezes, apenas uma). Sua cauda era uma assustadora serpente e de seu corpo surgiam outras cobras sibilantes.

Os mitos falam de uns poucos mortais privilegiados que visitaram o Hades ainda em vida e conseguiram escapar, retornando à terra. Héracles foi um deles, quando, em um de seus doze trabalhos, capturou o próprio Cérbero e o levou para o mundo a fim de exibi-lo a Euristeu. Depois disso, devolveu o cão ao posto de guarda. Odisseu viajou até o limite do Mundo Inferior para se aconselhar com a sombra do vidente Tirésias sobre sua viagem de volta a Ítaca, e lá encontrou muitas almas. Eneias desceu às profundezas a fim de achar a sombra de seu pai, Anquises, que lhe falou da futura grandeza de Roma. Orfeu também lá foi, na esperança (vã) de trazer de volta a esposa morta, Eurídice. Todos eles conseguiram voltar em segurança à luz do sol. Quando Teseu e Pirítoo desceram ao Mundo Inferior com a intenção de raptar Perséfone, porém, Hades prendeu-os em cadeiras das quais não tinham condições de se mover. Teseu foi, mais tarde, salvo por Héracles durante sua ida ao Hades para capturar Cérbero, mas Pirítoo permaneceu preso no assento para sempre.

No Mundo Inferior as almas dos mortos tinham uma existência sombria na Planície de Asfódelos. O Aquiles de Homero descreve, de maneira concisa, a qualidade dessa vida depois da morte quando se encontra com Odisseu nos limites do Hades. Odisseu tenta consolá-lo falando-lhe da autoridade que agora teria entre os mortos. Aquiles responde com a inesquecível frase (*Odisseia* II.489-91): "Eu preferia estar vivo e trabalhando como servo de algum homem, sem terras e sem praticamente coisa alguma para minha subsistência, a ser rei de todos os mortos."

De acordo com escritores tardios, o Hades tinha uma área distinta das demais, o Elísio (ou Campos Elíseos), habitada por alguns mortais privilegiados depois da morte. Nesse lugar, graças ao favor dos deuses, eles viviam para sempre em estado de perfeita felicidade. É certo que Homero menciona o Elísio como o lugar para onde iam as almas privilegiadas após a morte ao dizer que era para lá que iria Menelau, que, na qualidade de genro de Zeus, lá viveria eternamente (*Odisseia* 4.561-8). Porém ele não situa Elísio no Hades, e sim próximo ao rio Oceano, nos limites ocidentais da terra. Governado pelo sábio Radamante, esse lugar jamais sofre os cruéis efeitos da neve, do inverno ou da chuva.

Em seu *Os trabalhos e os dias* (167-73), Hesíodo chama essa terra feliz de ilhas dos Bem-Aventurados, e afirma ser ela governada por Crono (conferindo ao titã, portanto, um final mais feliz do que em sua *Teogonia*, na qual, como já vimos, Crono e os demais titãs foram lançados ao Tártaro). Hesíodo naturalmente dá grande ênfase — enquanto agricultor que trabalhava com afinco — a uma vida descansada naquelas ilhas, nas quais a terra produz, sem ser trabalhada, quatro colheitas três vezes por ano. Píndaro também (*Ode olímpica* 2.56-83, fr. 129) fala de um mundo sem trabalho e sem lágrimas, uma terra em que o sol brilha eternamente, nascem frutos e flores dourados, as campinas são vermelhas de tantas rosas e mortais privilegiados vivem em lazer eterno e podem se ocupar em paz do que desejarem. Pausânias (3.19.11-13) chega a situar a morada desses bem-aventurados dentro do mundo conhecido, em Leuce, a ilha Branca, perto da foz do Danúbio. Foi lá que um certo Leônimos viu as sombras dos heróis vivendo em eterno júbilo e, entre eles, Aquiles — agora não mais, presumimos, chorando pela vida terrestre perdida.

Mais tarde passou a ser comum considerar o Elísio uma parte particular do Hades, isolada da área onde penavam as almas de mortos comuns. Esse é certamente o caso na *Eneida* (Livro 6), de Virgílio, quando Eneias encontra o pai, Anquises, no Mundo Inferior. Para Virgílio, o Elísio é o lugar onde descansam as almas boas antes de renascerem.

Havia no Hades, além de um lugar especial para as almas abençoadas, uma área onde os pecadores eram punidos pelos pecados cometidos na terra. Com o passar do tempo, esse lugar passou a ser conhecido como Tártaro (bem diferente do Tártaro de Hesíodo, que era onde viviam as entidades primevas como Gaia e Eros). Há quatro pecadores famosos em particular que sofreram punição eterna, três dos quais foram vistos por Odisseu em sua visita ao Mundo Inferior, descrita na *Odisseia* (Livro 11). O gigante Títio foi morto por Apolo e Ártemis como vingança pela tentativa de estupro de sua mãe, Letó. Odisseu viu-o amarrado ao chão do Hades, estendido por mais de 8 mil metros quadrados, enquanto dois abutres ficam ao seu lado a comerem seu fígado. Os tecidos sempre se recuperavam e, assim, o tormento jamais terminava.

Em seguida, Odisseu viu Tântalo. Antes um rico rei da Lídia e favorito dos deuses, Tântalo era até mesmo convidado a jantar em divinas mesas, mas abusou da confiança dos deuses e foi punido por cometer ofensa tão grande, sendo banido para o Hades por toda a eternidade. Homero não especifica qual foi o crime de Tântalo, mas várias ofensas lhes são atribuídas por fontes posteriores. Dizem algumas que o rei os convidou para jantar e serviu-lhes a carne do próprio filho, Pélops, cortada em pedacinhos e ensopada, com a intenção de testar a onisciência dos deuses (p. 413). Segundo outras versões, ele divulgou segredos dos deuses aos homens ou roubou um pouco do seu néctar e de sua ambrosia para compartilhar com amigos mortais. A punição foi sofrer o eterno "suplício de Tântalo", assim descrito por Odisseu (11.582-92):

> Vi Tântalo sofrer penas difíceis de suportar,
> de pé, em um lago, com água até o queixo.
> Sedento estava, mas era incapaz de saciar sua sede,
> pois a cada vez que o velho se curvava, aflito por beber,

a água secava e desaparecia, e então só a terra negra
estava a seus pés, onde os deuses a secavam.
Acima de sua cabeça, frutas pendiam em cascatas de altas árvores,
peras e romãs e lustrosas maçãs,
doces figos e azeitonas maduras, mas, sempre que
o velho estendia as mãos para alcançá-las, um vento
lançava longe as frutas em direção às nuvens.

Odisseu também testemunhou a punição de Sísifo, que havia sido rei de Corinto e era famoso pela esperteza e pelo espírito inventivo que exibia (e que o levavam às vezes a ser considerado pai do astuto Odisseu). Sísifo era um trapaceiro simpático. Seu primeiro crime foi fazer revelações indiscretas sobre Zeus, que, em sua costumeira atitude de conquistador amoroso, havia levado consigo Egina, a bela filha do deus-rio Asopo. Sísifo havia presenciado o rapto e prometeu contar o que vira ao aflito pai da moça em troca de uma fonte de água fresca para sua alta cidadela de Corinto. O deus-rio deu-lhe imediatamente a fonte Pirene, e Sísifo revelou o que havia presenciado. Decidido a salvar a filha, Asopo partiu furiosamente atrás de Zeus, mas acabou levado de volta a seu leito pelos raios que o deus supremo lançou. (Em tempos históricos, era possível encontrar carvão no rio Asopo e acreditava-se que resultava do ataque de Zeus.)

Zeus carregou Egina para a ilha de Enone. Foi nesse local que, chegada a hora, ela lhe deu um filho, Éaco, e, ao crescer, o menino renomeou a ilha em homenagem à mãe. Mas Éaco sentia-se muito só, sem companhia; e Zeus então lhe deu companheiros, transformando todas as formigas que lá viviam (*murmekes*) em seres humanos conhecidos como os mirmidões.

Apesar de tudo ter terminado bem para Zeus, o deus ainda se vingou do delator ao ordenar que Tânato (Morte) levasse Sísifo para o Mundo Inferior — mas o espertalhão conseguiu enganar até a Morte. Ele levou a melhor e amarrou Tânato de tal maneira que, por algum tempo, nenhum homem pôde morrer. Os deuses não gostaram dessa história e enviaram Ares, o deus da guerra, para resolver a situação.

Ares soltou Tânato e entregou-lhe Sísifo para que fosse morto, mas o velhaco ainda tinha uma carta na manga: antes de morrer, havia recomendado à mulher, Mérope, que em hipótese alguma realizasse os rituais funerários de costume. Isso deixou Hades tão ofendido que o deus mandou Sísifo de volta à terra para recriminar a esposa e tomar as providências necessárias para o enterro. Sísifo, naturalmente, não fez nada disso; simplesmente ficou na terra e viveu feliz até idade avançada.

Quando finalmente chegou ao Mundo Inferior, no fim da vida, Sísifo recebeu uma punição eterna: empurrar perpetuamente uma grande pedra morro acima, até o topo, de onde o objeto rola encosta abaixo, até ser pego novamente para que a subida recomece (um "trabalho de Sísifo", portanto, é um trabalho infindável e frustrante). Odisseu assim o descreve (11.593-600):

> Eu vi Sísifo sofrendo dores difíceis de suportar.
> Com ambos os braços a cingir enorme pedra,
> a empurrá-la com as mãos e os pés ele seguia
> montanha acima, mas, quando no cume ia chegando,
> uma força impiedosa rolava a enorme pedra para baixo.
> Ele novamente se punha a empurrá-la morro acima,
> e o suor escorria de seus membros, e poeira se erguia de sua cabeça.

Do ponto de vista de um mortal, um homem capaz de enganar a morte merece aplausos, não castigo. Talvez então seja melhor ver os esforços de Sísifo como o faz Albert Camus em seu *The myth of Sisyphus* [*O mito de Sísifo*]. Camus toma a luta de Sísifo como um símbolo para o absurdo da vida e a futilidade das realizações do homem, mas afirma que ainda é possível encontrar a felicidade no reconhecimento de nossa condição e na luta para nos erguermos a partir disso. E termina:

> Deixo Sísifo ao pé da montanha. Sempre encontrará seu fardo. Mas Sísifo nos mostra uma fidelidade superior que nega os deuses e ergue pedras. Conclui, ele também, que está certo assim (...) A luta em direção ao cume é suficiente, por si só, para preencher o coração do homem. É preciso imaginar Sísifo feliz.

O quarto grande pecador foi Íxion, rei tessalonicense que governava os lápitas. Foi o Caim dos gregos, o primeiro mortal a derramar sangue de alguém da própria família. Íxion casou-se com Dia, filha de Dioneu (ou Eioneu), prometendo ao futuro sogro presentes de noivado e convidando-o a ir buscá-los. Quando Dioneu chegou, caiu em um fosso, preparado por Íxion, onde o fogo ardente o levou à morte. Por mais cruel que tenha sido esse crime, não foi por isso que Íxion recebeu punição eterna.

Nenhum mortal se dispunha a purificar Íxion de crime tão terrível, mas Zeus, por fim, teve pena e levou-o para o Olimpo, onde não apenas o purificou, como o curou da loucura que dele se apossou depois do assassinato. Íxion, porém, retribuiu a generosidade de seu benfeitor tentando estuprar Hera. Quando a deusa contou a Zeus o que havia acontecido, ele deu a uma nuvem (*nephele*) forma semelhante à de Hera e colocou-a na cama de Íxion para testar a veracidade da história. Íxion tomou-se de amores pela nuvem, que, passado algum tempo, deu à luz uma criança, Centauro. Este, por sua vez, copulou com éguas selvagens da Magnésia nas encostas do monte Pélion, e desse encontro nasceram os centauros, parte homem e parte cavalo, uma raça de feras selvagens e bestiais.

Zeus puniu Íxion amarrando-o aos quatro eixos de uma roda de fogo a girar eternamente. Em tempos primitivos, acreditava-se que essa roda girasse ao redor da Terra à vista dos homens, como exemplo dos perigos da ingratidão aos benfeitores. Mais tarde, porém, Íxion e sua roda passaram a ser situados no Tártaro. Segundo uma das versões, a roda era coberta de serpentes.

Algumas das almas dos mortos recebiam no Hades castigos infindáveis e fúteis, da mesma forma que Sísifo. As filhas de Dânao, que em vida haviam assassinado seus maridos, tentavam eternamente tirar água de um poço com potes furados. E Ocno realizava eternamente uma tarefa que reiterava seus sofrimentos na terra. Enquanto era vivo, havia sido um homem muito trabalhador, mas, por mais que se esforçasse, perdia todo o dinheiro nos gastos extravagantes de sua mulher. Depois de morto, sua alma foi obrigada a trançar uma corda sem parar, enquanto a seu lado ficava uma mula que comia a corda à medida que era trançada.

Todas essas punições, porém, são relativamente brandas quando comparadas ao medonho lugar em que se transformou o Tártaro mais tarde no mundo antigo, local onde pecadores em geral eram submetidos a tormentos eternos por causa dos crimes cometidos na terra. Três juízes julgavam as almas dos mortos: Éaco, que também guardava as chaves do reino, e os irmãos Radamante e Minos. Em vida, Minos e Radamante haviam pertencido à casa real cretense, famosa por sua sabedoria e por sua justiça como legisladores, ao passo que Éaco (filho de Egina), sempre havia sido um exemplo de retidão moral. Os três condenavam as almas dos malfeitores ao Tártaro e lá as fúrias se encarregavam de puni-las, torturando e aterrorizando os espectros dos mortos, como relata Virgílio em uma impressionante passagem da *Eneida*, Livro 6. Essa passagem teve grande influência na concepção cristã dos tormentos do Inferno.

Deuses menores

Alguns deuses menores devem ser mencionados por sua importância, ainda que não estejam incluídos entre os grandes do Olimpo.

Pã

Pã é um deus rural, que protege pastores e ovelhas. Parte homem e parte bode, é identificado com os deuses rústicos romanos Fauno e Silvano. Na arte antiga foi representado inicialmente como um bode, mas, com o passar do tempo, tornou-se predominantemente humano, porém com chifres, orelhas e pernas de bode. Seu *Hino homérico* (19) celebra seu nascimento na Arcádia, região central do Peloponeso, selvagem e montanhosa. Foi concebido pelo deus Hermes, que se apaixonou pela filha (cujo nome não se sabe) do herói da Arcádia, Dríops. Como forma de cortejo, o deus passou longo tempo cuidando das cabras do pai da moça, e, depois de conquistá-la, Hermes teve junto a ela um filho bastante incomum (35-47):

> (...) que, desde seu nascimento, foi uma maravilha surpreendente, com seus pés como os de um bode e dois chifres — uma criança barulhenta e risonha. Quando a ama viu seu rosto desgracioso e seu cavanhaque, teve medo e, com um salto, saiu correndo e abandonou o menino. Mas Hermes, o deus da boa sorte, tomou-o nos braços e logo uma alegria incomensurável encheu seu coração. Foi em seguida para a morada dos deuses imortais, levando o filho enrolado em aconchegantes mantas de pelo de lebre das montanhas. Lá chegando, colocou-o ao lado de Zeus e dos outros deuses e a eles mostrou seu filho. Todos os imortais, então, encheram-se de júbilo, principalmente Dioniso, e deram-lhe o nome de Pã ("Todos"), porque o menino fez felizes todos aqueles corações.

Pã é um deus dos campos não cultivados, um espírito da natureza lascivo e alegre. Passa os dias vagando por montanhas e florestas, dormindo ao sol nas tardes quentes (momentos em que, dizem, é muito perigoso perturbá-lo), ou tocando melodias suaves e envolventes em sua flauta de junco, que ele mesmo inventou. Isso aconteceu, de acordo com Ovídio (*Metamorfoses* 1.689-712), enquanto perseguia uma ninfa pela qual se encantara — outra de suas ocupações prediletas. Sírinx era seu nome, mas ela recusou as propostas amorosas de Pã, preferindo a vida de caçadora virgem, e fugiu dele até alcançar o rio Ladon. De lá não conseguiu passar e, desesperada, suplicou às ninfas do rio que a salvassem, e assim elas fizeram. No instante em que Pã julgou tê-la agarrado, descobriu que em vez do corpo da ninfa estava abraçando um feixe de juncos do pântano. Ao dar um suspiro de tristeza, seu sopro atravessou os juncos e produziu um som triste e envolvente. Encantado com a doce música que havia produzido, ele cortou os juncos em diferentes comprimentos, amarrou-os e assim criou a primeira flauta de Pã, dando-lhe o nome grego de *syrinx*, em homenagem a seu amor perdido.

Pã perseguiu outras ninfas — na verdade, nenhuma ninfa estava a salvo dele. (Tampouco, em certas ocasiões, meninos pastores ou mesmo animais de seus rebanhos.) Uma dessas ninfas foi Pítis, que, como Sírinx, fugiu de suas tentativas de aproximação. Ela se transformou em um pinheiro (*pitys*), e é esta a razão de Pã enfeitar sua testa com uma coroa de folhas de tal árvore. Em outra versão, Pítis recebeu de bom grado as tentativas de aproximação de Pã, mas havia um rival a disputar o amor da ninfa: Bóreas, o gelado Vento Norte. Bóreas ficou tão enciumado quando Pítis escolheu Pã que, com seu sopro, fez que a ninfa despencasse do alto de uma montanha e morresse. A terra onde o corpo caiu, tomada por pena, transformou-a em pinheiro. E, quando o vento gelado do norte sopra por entre seus galhos, é possível ouvir seus gemidos de tristeza.

No século V a.C., o culto a Pã espalhou-se da Arcádia até a Ática e a Beócia, e de lá para o restante do mundo grego. Por sua natureza lasciva, acreditava-se que era o responsável pela fecundidade dos rebanhos, bem como do reino animal em geral: quando havia necessidade de estimular a reprodução, batia-se em sua estátua com determinada planta medicinal para ativar seus poderes de fertilidade.

Pã demonstrou especial predileção pelos atenienses, aparecendo ao corredor Filípedes (às vezes chamado erroneamente de Fidípedes) em uma trilha nas montanhas da Arcádia, enquanto ele corria de Atenas a Esparta para pedir ajuda contra os persas, na véspera da batalha de Maratona (490 a.C.). Pã perguntou por que os atenienses não o cultuavam, posto que muitas vezes os ajudara no passado e ainda os ajudaria no futuro. Nessa batalha, os espartanos não foram em auxílio aos atenienses, mas mesmo assim (claramente com a ajuda de Pã) os atenienses tiveram uma grande vitória em Maratona. Assim, dedicaram a Pã a caverna-santuário que ainda pode ser vista em uma encosta da Acrópole e instituíram sacrifícios e corridas com tochas em sua homenagem. A comédia de Menandro *O homem mal-humorado* mostra-nos uma celebração religiosa em homenagem a Pã, realizada na caverna do deus em File, na Ática. Um carneiro é sacrificado, todos fazem uma bela refeição, e a celebração, alegre e ruidosa, dura toda a noite, com pessoas bebendo e comendo na presença do deus.

Uma lenda registrada por Plutarco (*Moralia* 419 b-d) relata a "morte de Pã". Durante o reinado de Tibério (14-37 d.C.), os passageiros de um barco que navegava ao longo da costa ocidental da Grécia ouviram uma voz misteriosa que, aparentemente, se dirigia ao piloto, um egípcio chamado Tamuz, para comunicar: o "Grande Pã (*Pan megas*) está morto". Isso provavelmente foi uma interpretação equivocada de um grito ritual, quando o epíteto *pammmegas* ("o grande tudo") era usado em referência ao deus sírio Tamuz, identificado com Adônis, durante a comemoração anual de sua morte e sua ressurreição. Os cristãos, porém, imaginaram tratar-se não apenas da morte e da ressurreição de Cristo, como também da morte dos deuses pagãos e do fim de sua era. Diz a lenda que a partir daquele exato momento as respostas dos oráculos pagãos cessaram para sempre.

Apesar disso, Pã continua a viver, pois sua presença invisível é causa do "pânico" (*panikos*), o medo aterrador e irracional que irrompe violentamente, e com causa desconhecida, principalmente no silêncio (ou diante de sons inexplicáveis) dos lugares solitários e rochosos habitados pelo deus.

Os dióscuros

Os dióscuros (*dioskouroi*, "rapazes de Zeus") foram os "gêmeos divinos" Castor e Polideuces (nome posteriormente latinizado para Pólux). Eram filhos de Leda com seu marido e com Zeus. Tíndaro, rei de Esparta, era o pai do mortal Castor, e Polideuces era filho imortal de Zeus.

Os gêmeos foram inseparáveis desde que nasceram. Castor ficou famoso por sua destreza como cavaleiro (embora os dois irmãos cavalgassem com extrema rapidez), enquanto Polideuces se distinguiu como exímio lutador de boxe. Os irmãos viveram a vida normal dos grandes heróis de sua geração, viajando com os argonautas em busca do tosão de ouro, e participaram, com Meleagro, da caça ao javali de Cálidon. Eles foram mortos, porém, antes que pudessem lutar na Guerra de Troia e antes mesmo de assumir o trono de Esparta.

O problema começou quando os gêmeos brigaram com seus primos Idas e Linceu, filhos de Afareu, rei da Messênia. A disputa resultou na morte de três dos quatro rapazes. Contam algumas lendas que a briga foi por causa de suas primas Hílara e Febe, filhas de Leucipo (irmão de Tíndaro e Afareu), também chamadas simplesmente de Leucípedes. Idas e Linceu estavam noivos das jovens, mas os dióscuros as raptaram, talvez no próprio dia do casamento, e as levaram para Esparta. Hílara casou-se com Castor e Febe, com Polideuces, e ambas deram à luz meninos.

Outro motivo para a briga teria sido um desentendimento a respeito de um rebanho. Essa parece ser a versão mais antiga, pois Proclos relata um episódio, que consta nos *Cantos cíprios*, em que os dióscuros teriam roubado gado dos primos. Píndaro, que relata o desfecho da briga fatal (*Ode nemeia* 10), diz simplesmente que "Idas estava aborrecido por causa de seu gado", mas em Apolodoro encontramos uma história com deliciosos pormenores (3.11.2). Os quatro primos furtaram, juntos, um grande rebanho de bovinos na Arcádia, e coube a Idas repartir o produto do furto. O jovem então cortou uma vaca em quatro pedaços e disse que metade do rebanho ficaria com aquele que comesse primeiro a porção que lhe coubesse, e o restante do rebanho seria de quem acabasse de comer sua parte em segundo lugar. Antes que os outros se dessem conta da proposta, Idas, que era um prodigioso comilão, já havia devorado sua parte e a do irmão. Em seguida, levou todo o rebanho para sua casa na Messênia. Como vingança pelo que lhes parecia ter sido uma transação injusta, os dióscuros partiram para a Messênia e recuperaram todo o gado roubado e mais algum. Puseram-se então a esperar a reação de Idas e Linceu.

Para um relato da luta fatal, recorremos a Píndaro. Linceu, que era dotado de visão sobre-humana, tão aguçada que lhe permitia ver até mesmo através de objetos sólidos, correu até o alto do monte Taígeto, de onde, examinando a ravina abaixo, viu Castor e Polideuces escondidos em um carvalho oco. Assim, os irmãos foram capazes de surpreender os dióscuros. Idas feriu Castor mortalmente, trespassando a árvore com sua lança. Polideuces, por ser imortal, salvou-se e saiu em perseguição aos seus primos, que chegaram ao túmulo de Afareu. Lá eles se voltaram para lutar e, desesperados, arrancaram do chão a lápide funerária, lançando-a sobre seu perseguidor. Sem se deixar intimidar, Polideuces matou Linceu com sua lança enquanto Zeus fulminava Idas com um raio.

Mortos ambos os primos, Polideuces voltou ao local onde Castor jazia, à beira da morte. Chorando, suplicou a Zeus que lhe permitisse morrer com o irmão, e o deus lhe deu uma escolha: ou Castor iria para o Hades e seu irmão imortal ocuparia seu lugar entre os deuses do Olimpo, ou Castor poderia compartilhar de sua imortalidade, desde que ambos passassem dias alternados no Mundo Inferior com as sombras dos mortos e no Olimpo, com os deuses. Sem hesitar, Polideuces escolheu a segunda alternativa, e Zeus então os imortalizou, criando a constelação de Gêmeos para celebrar a devoção mútua dos irmãos.

Castor e Polideuces foram deuses importantes, principalmente em sua Esparta natal, e eram padroeiros dos marinheiros, a quem apareciam como fogo de santelmo, fenômeno luminoso em que uma chama é vista saltando ao redor dos mastros dos barcos durante uma tempestade. Dizia-se que uma única bola de fogo era mau presságio, ao passo que duas bolas de fogo eram sinal inequívoco da presença protetora dos dióscuros. O poeta lírico Alceu de Lesbos celebra em um cântico esse aspecto dos deuses gêmeos:

> Vós que viajais por toda a vasta terra
> e por todos os mares em velozes corcéis,
> facilmente salvando homens
> da morte gélida;
> vós que saltais para o alto de suas embarcações
> e com um brilho que se vê de longe,
> trazeis luz ao negro barco
> na noite de aflição (...)

Os irmãos foram considerados importantes também em Roma. Quando, em 499 (ou 496) a.C., os romanos estavam engajados em uma grande batalha contra os latinos junto ao lago Régio, próximo a Tusculum, os gêmeos apareceram em seus cavalos brancos e lutaram ao lado dos romanos. Tão logo a batalha terminou, voltaram a aparecer no fórum Romano, com seus cavalos banhados de suor, e anunciaram a estrondosa vitória de seus aliados. Depois de saciar a sede dos cavalos na fonte sagrada da ninfa Juturna, desapareceram. Perto dali foi erigido um templo em homenagem a Castor para comemorar esse evento. Três das colunas dessa construção ainda estão de pé.

Príapo

Príapo (*Priapus*) é um deus da sexualidade e da fertilidade caracterizado por um gigantesco falo ereto. Foi um dos últimos deuses a ser incorporado ao panteão grego, tendo sua origem no Helesponto, e consta que era filho de Afrodite e Dioniso. A mãe de Príapo ficou tão envergonhada com a deformidade física do filho que o abandonou em uma montanha logo após seu nascimento. Lá ele foi encontrado por pastores, que o criaram. Por esse motivo, Príapo foi sempre um deus rústico, guardião de vinhedos, pomares, jardins, abelhas e rebanhos. Seu culto espalhou-se rapidamente durante o século III a.C. e mais tarde tornou-se bem difundido em todo o Império Romano.

O animal usado em sacrifício a ele era geralmente o burro, e vários motivos são dados para essa escolha. Conta-nos uma lenda que certa vez o deus teve uma discussão com um desses animais sobre qual dos dois teria o maior órgão sexual, e Príapo perdeu. Já outra lenda fala de um burro que o teria atrapalhado no momento do estupro da ninfa Lótis (ou, em outra versão, Vesta: p. 81), que dormia. Príapo estava pronto para chegar às vias de fato quando ela foi acordada pelo zurrar do burro de Sileno. Ao se dar conta do que estava por lhe acontecer, a ninfa fugiu em pânico e o expôs ao ridículo.

Ou talvez os burros fossem sacrificados a Príapo porque eram considerados os mais lúbricos de todos os animais, portanto os mais adequados a serem oferecidos a um deus tão bem-dotado sexualmente.

Cibele

Cibele (*Kybele*) era a grande deusa-mãe da Frígia, comumente chamada apenas de "A grande mãe", com poderes sobre a fertilidade e sobre toda a natureza silvestre, simbolizados pelos leões que a acompanhavam. Na arte antiga, esses animais se sentam a cada lado do seu trono, ou puxam sua carruagem, e Cibele usa uma coroa alta para mostrar que protege o povo na guerra. Seu séquito era formado por alegres mênades e por seguidores do sexo masculino, os coribantes, que produziam música em sua homenagem, tocando címbalos, flautas e tambores.

Os gregos costumavam identificá-la com Reia, esposa de Crono e mãe dos deuses, ou com Deméter. O principal santuário de Cibele ficava na região montanhosa de Pessino, na Frígia, onde se acreditava que sua imagem sagrada, feita de pedra, tivesse caído do céu. De lá seu culto se espalhou por todo o mundo grego e, mais tarde, também pelo mundo romano, quando (tradicionalmente em 204 a.C.) os romanos levaram para Roma a estátua sagrada de pedra e construíram em sua homenagem um templo no Palatino.

Cibele era associada, no mito e no culto, a um jovem consorte, Átis, cuja história era centrada num episódio de autocastração. Essa história tem diferentes versões, como a da Frígia: enquanto Zeus dormia, seu sêmen caiu na terra e dele nasceu Cibele (também conhecida como *Agdistis*), com órgãos sexuais masculinos e femininos. Os deuses castraram a criatura hermafrodita, e dos órgãos genitais cortados nasceu uma amendoeira. Certo dia uma amêndoa caiu no colo da ninfa Nana, filha do deus-rio Sangário, e, quando entrou em seu útero, possibilitou a concepção de Átis. Assim que o filho nasceu, a ninfa o abandonou, mas uma cabra milagrosamente amamentou o menino, que cresceu e tornou-se um belo jovem pelo qual Cibele, agora totalmente fêmea, se apaixonou perdidamente. A deusa era tão possessiva e ciumenta que, para impedir que o rapaz se casasse com outra mulher, o fez enlouquecer e Átis, em um acesso de loucura, castrou a si mesmo e morreu.

Nos cultos orgiásticos de Cibele, os sacerdotes também eram eunucos. Em estado de êxtase religioso, os devotos se castravam nos rituais em homenagem à automutilação e à morte de Átis.

Adônis

Adônis foi um deus da vegetação e da fertilidade, introduzido na Grécia a partir do Oriente. Seu festival, a *Adonia*, era celebrado anualmente, e seu culto era muito popular entre as mulheres. O deus nasceu da união incestuosa entre Ciniras, rei de Chipre, e sua filha Mirra (p. 505), e era tão belo que foi amado por Afrodite (p. 519). Adônis morreu jovem, chifrado por um javali selvagem durante uma caçada.

Seus seguidores lamentavam a morte plantando "jardins de Adônia" no solstício de verão. Nesses jardins, sementes eram colocadas em solo raso, brotavam rapidamente e rapidamente murchavam, simbolizando a breve vida do deus. Esse lamento por sua morte era seguido pelo júbilo por sua ressurreição como deus. Biblos, na Fenícia, era especialmente sagrado para ele, e dizia-se que um rio próximo, o rio Adônis, ficava manchado de sangue todos os anos na época de sua morte.

Janus

Terminamos este catálogo de deuses com uma entidade apenas romana: Janus. Seu templo ficava no Fórum, em Roma, e tinha portões duplos, mantidos fechados nos raros tempos de paz e abertos nos tempos de guerra. Deus das portas e das passagens (*ianuae*), presidia todos os inícios, que os romanos julgavam cruciais para o sucesso de qualquer empreendimento. Faz sentido, pois, que seu nome tenha sido dado ao primeiro mês do nosso ano, janeiro. Faz também sentido que sua imagem tivesse duas faces, uma voltada para a frente e a outra para trás, assim como uma porta, que dá passagem para ambos os lados.

Esse útil atributo ajudou-o na perseguição a Cranae, uma ninfa dedicada à virgindade. Ela enganava todos os seus pretendentes amorosos dizendo que a aguardassem em uma caverna ensombreada, onde gozariam as delícias do amor, mas, em vez de ir para lá, corria e se escondia na floresta. Janus conseguiu ser mais esperto do que a jovem e, ao ser enviado para a caverna, com os olhos de trás viu a ninfa se esconder atrás de uma rocha. Ele a pegou antes que pudesse escapar e fez com ela o que pretendia fazer. Cranae veio a se tornar a deusa Carna, e Janus a nomeou protetora das dobradiças das portas, dando-lhe um galho de espinheiro para manter afastados todos os maus espíritos. Ela protegia especialmente os bebês em seus berços dos vampiros, que, acreditava-se, atacavam durante a noite para sugar sangue.

Havia muitas outras divindades romanas, cada uma com poderes específicos relativos a diversos aspectos da vida, mas elas parecem ser apenas funções personificadas, sem características individuais. Listá-las todas seria enfadonho, além de supérfluo, pois, por mais importantes que possam ter sido para os romanos, não fazem parte das histórias da mitologia de que trata este livro.

3. Os primeiros humanos

Quando tratamos da criação da humanidade, não encontramos um relato dominante como o que Hesíodo nos oferece em relação à criação do cosmo. Dispomos de uma grande variedade de explicações, por vezes contraditórias, sobre como a humanidade passou a existir. No entanto é ainda Hesíodo quem com frequência nos ilumina no estudo dessas primeiras concepções das origens dos seres humanos.

AS CINCO RAÇAS HUMANAS

Hesíodo foi o primeiro autor da Antiguidade a nos falar das primeiras raças de homens que viveram em épocas mais felizes do que a presente (*Os trabalhos e os dias*, 109-201). O escritor identificou cinco raças ao todo, quatro das quais receberam nomes de metais de valor decrescente, correspondendo à deterioração humana em termos de felicidade e de paz. Primeiramente, nos tempos de Crono, os deuses criaram uma Raça de Ouro, que viveu em perfeita felicidade (112-20):

Viviam como deuses, com o coração livre de preocupações, sem precisar trabalhar ou sofrer. Tampouco a abominável velhice os acossava; mantinham sempre o vigor das mãos e dos pés, divertiam-se em festejos, longe de todas as doenças, e morriam como quem se entrega ao sono. Todas as boas coisas eram suas, pois a terra copiosa produzia frutos em abundância, e levavam uma vida de tranquilidade e de fartura, ricos em rebanhos e abençoados pelos deuses.

Com o passar do tempo, essa Raça de Ouro desapareceu e transformou-se em espíritos benéficos (*daimones*) que vagam pela terra protegendo os mortais dos perigos.

Os deuses então criaram a Raça de Prata, inferior em mente e em físico à Raça de Ouro. Esses homens levavam 120 anos para crescer, e daí em diante se tornavam tolos, agressivos e negligentes para com os deuses. A essa altura, Zeus já havia substituído Crono como senhor do universo, e então acabou com a Raça de Prata e criou a Raça de Bronze, a partir de uma árvore chamada freixo. As armaduras, armas, ferramentas e até mesmo as casas desse povo eram feitas de bronze. Essa raça era tão dedicada à guerra e à matança que acabou por exterminar a si mesma com sua violência incontida.

Zeus então criou uma quarta raça, não metálica: a Raça dos Heróis. Eles foram os poderosos mortais que viveram nos "tempos heroicos" e lutaram com galhardia em Tebas e em Troia — e que vêm a ser os personagens dos nossos mitos gregos. Alguns foram tão gloriosos que tiveram por recompensa uma vida depois da morte em um paraíso situado nos confins da Terra e chamado por Hesíodo de ilhas dos Bem-Aventurados (p. 120).

Em quinto lugar, e por último, veio a Raça de Ferro. A essa altura já chegamos ao mundo de Hesíodo, que é também o nosso: "E os homens nunca descansam do trabalho e do sofrimento, dia após dia, tampouco escapam à morte; e os deuses os cobrem de tribulações" (176-8). E tudo vai ficando cada vez pior...

Prometeu e Pandora

Outra tradição atribuiu a criação da humanidade ao titã Prometeu, filho de Jápeto e Clímene (p. 50). "Prometeu moldou os homens com barro e água", diz Apolodoro (1.7.1); e, embora não haja referência a essa história nas fontes disponíveis anteriores ao século IV a.C., é provável que seja anterior a essa época. Quando o viajante Pausânias visitou Panopeu na Fócida, viu duas enormes pedras que pareciam exalar odor humano e que, dizia-se, foram formadas com o resto do barro que Prometeu usou para criar a espécie humana (10.4.4).

O que é certo, porém, é que Prometeu era visto, desde os tempos primordiais, como defensor e benfeitor da humanidade. É Hesíodo novamente quem nos informa (*Teogonia* 521-616). Quando deuses e homens foram fazer juntos uma refeição em Mecona (posteriormente Sícion), coube a Prometeu a tarefa de repartir um grande boi em duas porções, uma para os deuses e a outra para os mortais. Ele apresentou uma porção da melhor e mais suculenta carne coberta pelo nada apetitoso estômago do boi e outra porção constituída por uma pilha de ossos escondida sob uma camada de carne gorda e apetitosa. Coube a Zeus escolher a porção dos deuses e, embora Hesíodo defenda a grande sabedoria do deus dizendo que ele não foi enganado, escolheu a pilha de ossos. Daquele dia em diante, os homens sempre ficavam com a melhor carne dos sacrifícios e queimavam os ossos para os deuses.

Essa trapaça deixou Zeus irado e ele puniu a humanidade recusando compartilhar o dom do fogo. Prometeu, então, roubou o fogo do céu e o trouxe secretamente para a terra em um talo oco de funcho (cuja medula branca queima lentamente, tornando possível assim o transporte de fogo de um lugar para outro).

Novamente irado, Zeus decidiu contrabalançar a dádiva do fogo com uma desgraça que infernizaria para sempre a vida dos homens: a mulher, um belo mal (*kalon kakon*, 585). Antes dessa época, os homens levavam uma vida livre de trabalhos e de doenças, mas a partir do surgimento da primeira mulher isso mudaria para sempre. Hesíodo descreve a criação da mulher e todos os problemas que ela causou em *Os trabalhos e os dias* (47-105). (Ao ler essa história, porém, devemos nos lembrar de que Hesíodo não tinha uma boa opinião das mulheres; em outra parte de sua obra (373-5) ele diz: "Não se deixe enganar por uma mulher que, cheia de carinhos e de fala mansa, exibe o corpo, pois o que ela quer é seu celeiro. Aquele que confia em uma mulher está confiando em uma fraude.")

O nome da primeira mulher era Pandora ("Todas as dádivas"), e ela é o que há de mais semelhante à Eva bíblica na tradição grega. Pandora foi criada do barro e da água pelo deus-ferreiro Hefesto. Atena vestiu-a, enfeitou-a e lhe ensinou os trabalhos domésticos; Afrodite cobriu-a de beleza e graça e Hermes pôs em seu peito uma natureza ardilosa e dissimulada. Então Zeus enviou sua bela porém traiçoeira criação para o irmão de Prometeu, o ingênuo titã Epimeteu, que se esqueceu da advertência de Prometeu para que não aceitasse presente algum oferecido pelo deus.

Epimeteu, encantado com aquela adorável visão, recebeu Pandora de braços abertos e tomou-a como esposa. Ao fazer isso, condenou a humanidade ao eterno sofrimento, pois Pandora levou em seu enxoval um *pithos*, grande jarro, no qual estavam guardadas todas as tristezas e doenças, além de toda espécie de trabalho pesado. Ao abrir a tampa do jarro (agora geralmente chamado de "caixa de Pandora"), tudo aquilo se espalhou pela terra e os mortais nunca mais se viram livres dos sofrimentos. Apenas a esperança permaneceu no jarro, ainda acessível aos mortais, como uma espécie de consolo para todas as tribulações que Pandora soltou no mundo.

Quanto a Prometeu, Zeus também o puniu por ter dado aos homens o dom do fogo: mandou que o acorrentassem em um despenhadeiro nas montanhas do Cáucaso e enviou uma águia, filha dos monstros Tífon e Equidna, para dele se alimentar. Todos os dias a águia dilacerava o fígado de Prometeu, que se reconstituía todas as noites para que o tormento continuasse. Passaram-se longas eras até que essa agonia diária terminasse, quando Zeus permitiu que seu filho mais poderoso, Héracles, atirasse na águia e soltasse o titã (p. 212).

A história de Prometeu é dramatizada na tragédia *Prometeu acorrentado*, tradicionalmente atribuída a Ésquilo e a primeira (e única a chegar até os nossos dias) tragédia de uma trilogia sobre Prometeu. Nela Zeus é apresentado como um tirano brutal, e Prometeu, como alguém que fez mais pela humanidade do que simplesmente dar-lhe o fogo: ele teria ensinado aos mortais muitas habilidades úteis à civilização, dentre as quais a arquitetura, a agricultura, a escrita, a medicina, a domesticação de animais, o uso de barcos, a mineração e a adivinhação.

Prometeu é acorrentado a seu penhasco por Hefesto, que o faz a contragosto, cumprindo ordens de Cratos ("Poder") e Bia ("Força"), mas, apesar de todo seu sofrimento, não se arrepende de um único de seus feitos sequer, e continua a desafiar Zeus heroicamente, sem medo de seus raios divinos (1041-53):

> Que os retorcidos raios fulminantes sejam lançados
> sobre mim: que se inflamem os céus
> com o estalar dos trovões e a fúria convulsa
> dos ventos: que a terra até as raízes de suas fundações
> se abale diante da tempestade: que se confundam
> as vagas dos mares com as estrelas da abóbada celeste
> em louco turbilhão: e que ele erga
> meu corpo às alturas e o lance, a girar, no abismo
> do tenebroso Tártaro. Ele não será capaz de me fazer morrer.

No final da peça, Zeus lança Prometeu no Tártaro, com rocha e tudo.

Sabemos alguma coisa acerca da segunda peça, *Prometeu libertado*, a partir de fragmentos. Héracles matou a águia e Prometeu se reconciliou com Zeus em troca de um importante segredo revelado por Têmis: que a nereida Tétis estava destinada a ter um filho mais grandioso do que o pai. Naquela ocasião Zeus estava cortejando Tétis, portanto tal conhecimento salvou-o de ter com ela um filho que viria a destroná-lo, fazendo exatamente o que ele mesmo havia feito ao pai, Crono. Zeus desistiu da corte e Tétis mais tarde se casou com Peleu. O fruto dessa união foi Aquiles, filho que sem dúvida foi mais grandioso do que o pai.

O GRANDE DILÚVIO

Outra tradição apresenta Prometeu como responsável pela humanidade, mas em outro sentido. Foi quando seu filho Deucalião e Pirra, filha de Epimeteu e Pandora, se tornaram os únicos sobreviventes do Dilúvio — mito que, de uma forma ou de outra, aparece em várias culturas por todo o mundo.

Na versão grega, Zeus decidiu destruir a espécie humana com o Dilúvio devido à perversidade dos homens. Em alguns relatos, sua decisão se baseia na iniquidade específica da família de Licáon, um dos primeiros reis da Arcádia. Dizem alguns que Licáon tentou enganar Zeus, ao colocá-lo diante da carne cozida de uma criança humana. Zeus reagiu fulminando toda a família de Licáon e transformando-o em lobo (*lykos*); sua história, portanto, é uma versão da lenda do lobisomem. Outros relatos dizem que os filhos de Licáon é que eram ardilosos, e ofertaram a Zeus a carne de uma criança assassinada, o que o teria levado a ordenar o Dilúvio.

Prometeu sabia da intenção de Zeus, e por isso preveniu Deucalião, dizendo-lhe que construísse uma grande arca e que nela estocasse alimentos. Uma chuva interminável causou o Dilúvio, e Deucalião e Pirra flutuaram em sua arca por nove dias e nove noites até que, por fim, a chuva cessou e a arca aportou no monte Parnaso, acima de Delfos. Lá eles desembarcaram e fizeram uma oferenda de gratidão a Zeus por terem sido poupados. Então, como únicos mortais sobreviventes, coube-lhes repovoar o mundo. Zeus decidiu ajudá-los e, seguindo instruções levadas por Hermes, o casal pegou pedras e as lançou sobre os ombros. As pedras de Deucalião transformaram-se em homens, e as de Pirra, em mulheres. A humanidade recomeçou então, agora passada a limpo.

Deucalião e Pirra tiveram vários filhos, o mais notável dos quais foi Heleno. Seu nome foi dado a toda a raça grega, pois seu povo chamava a si mesmo de helenos e seu país de Hêlade. Heleno teve três filhos — Éolo, Doro e Xuto, dos quais se originaram os quatro principais ramos do povo grego: Éolo foi o ancestral dos eólios, Doro, dos dórios, e os dois filhos de Xuto, Íon e Aqueu, dos jônios e dos aqueus. Conta a tradição que Heleno repartiu as terras gregas entre seus três filhos e que Éolo sucedeu o pai na Tessalônica, enquanto Doro e Xuto foram se estabelecer em outras partes da Grécia.

Desses descendentes de Deucalião, o ramo familiar de Éolo foi o que mais se destacou na mitologia, pois dele se originariam muitos grandes heróis e heroínas lendários. Éolo teve sete filhos — Salmoneu, Creteu, Átamas, Sísifo, Díon, Magnes e Perieres — e cinco filhas: Canace, Alcíone, Pisídice, Calice e Perimede.

Comecemos pela história de uma neta de Éolo, Tiro. Filha de Salmoneu (como costumava acontecer com as belas jovens daquele tempo), deitou-se com um deus, com quem teve herdeiros grandiosos. Seu neto Jasão foi o herói que liderou uma das mais importantes expedições do mundo antigo: a busca pelo tosão de ouro.

Tiro e seus filhos

Salmoneu deixou a casa do pai, Éolo, na Tessalônica, e fundou uma cidade na Élida à qual deu o nome de Salmone. Orgulhoso e arrogante, ele se considerava igual a Zeus e exigia do povo sacrifícios em sua homenagem e não ao deus. O homem até mesmo imitava o trovão e os relâmpagos de Zeus arrastando peles curtidas e potes de bronze atrás de sua carruagem e lançando tochas acesas para o alto. Salmoneu não era um governante amado por seu povo. Dentre outras coisas, as pessoas temiam as tochas incandescentes lançadas pelo rei. O pior, porém, ainda estava por vir, pois, em retaliação, Zeus lançou um raio de verdade sobre Salmoneu e sua cidade, destruindo assim tudo e todos que lá estavam. Ou quase.

A filha de Salmoneu, Tiro, sempre se opusera à presunção do pai de reclamar para si honrarias divinas. Zeus a poupou e a enviou para junto do seu tio Creteu, que era rei da cidade de Iolco, na Tessalônica. Creteu a recebeu de bom grado e a criou. Homero, na *Odisseia*, relata seu encontro com Odisseu no Hades, onde Tiro é uma das famosas sombras de heroínas com as quais ele fala (11.238-55):

> Ela se apaixonou pelo rio, o divino Enipeu,
> o mais belo dos rios que fluem sobre a terra,
> e, louca de amor, passou a frequentar suas belas águas.
> Então o deus que sustenta a terra e a faz tremer
> gostou dela e com ela deitou-se na foz
> do agitado rio, e uma grande onda escura,
> u'a montanha d'água, curvou-se por cima e à volta deles
> assim escondendo o deus e a mulher mortal. Ele soltou
> o cinturão da virgem e lançou o sono sobre ela,
> e então, terminado seu ato de amor, o deus
> uniu suas mãos às mãos dela e lhe disse:
> "Rejubila-te, jovem, com este teu amor, e, quando
> for o tempo, darás à luz filhos esplêndidos,
> pois o amor de um deus nunca é sem propósito.
> Cuida deles e cria-os bem. Agora volta para casa
> e fica em paz. A ninguém revela meu nome.
> Mas a ti eu digo: sou Poseidon, o que faz tremer a terra."
> Dito isso, ele mergulhou de volta no mar bravio.
> E ela concebeu e deu à luz Pélias e Neleu.

Homero nada mais nos conta sobre a história de Tiro, por isso nos voltamos para Apolodoro (1.9.7-11) em busca da continuação. Apesar do pedido de Poseidon, Tiro não criou os filhos gêmeos: a jovem os teve em segredo e os abandonou no campo para que morressem, voltando, em seguida, para a casa de Creteu. Os bebês foram encontrados e criados por um tratador de cavalos e foi ele quem lhes deu os nomes: Pélias, pela marca esbranquiçada (*pelios*) que o menino tinha no rosto, resultante de um coice de cavalo, e Neleu.

Quando cresceram, os irmãos reencontraram a mãe e descobriram que durante muitos anos ela havia sido tratada com grande crueldade por sua madrasta, Sidero. Os rapazes foram castigá-la, mas Sidero fugiu para um santuário de Hera. Pélias matou-a justamente no altar da deusa (um de seus muitos atos desrespeitosos que levaram Hera a odiá-lo para sempre). Supõe-se que o reencontro com a mãe e a vingança de Pélias tenham sido tema de pelo menos uma de duas tragédias perdidas de Sófocles, *Tiro*, na qual, segundo a *Poética* de Aristóteles (16), o reconhecimento entre mãe e filhos se deu por meio de uma arca na qual os bebês haviam sido abandonados.

Mais tarde os dois irmãos brigaram e Pélias expulsou Neleu de Iolco. Ele se refugiou junto a Afareu, rei da Messênia, que lhe doou grande parte de suas terras litorâneas. Neleu estabeleceu-se em Pilos e a transformou em uma das mais belas e prósperas cidades do mundo grego.

A triste história de Tiro tem final feliz, pois ela se casou com Creteu e teve com ele mais três filhos: Éson, Feres e Amitaon. Éson iria se tornar o pai de Jasão.

4. Em busca do tosão de ouro

A busca de Jasão e dos argonautas pelo tosão de ouro é famosa desde tempos muito remotos. Na *Odisseia* de Homero, a feiticeira Circe menciona brevemente a viagem do *Argo* como uma história que "está na língua de todos os homens", ao descrever para Odisseu alguns rochedos muito perigosos que deveriam ser evitados em sua viagem de volta ao lar (12.61-72).

> Os deuses abençoados os chamam de Rochedos Errantes. Pássaro nenhum passa por lá em segurança, nem mesmo os trêmulos pombos que levam ambrosia para o Pai Zeus, pois as rochas nuas sempre capturam ao menos um deles, então o Pai envia outro para completar a quantidade. Nenhum barco de homens que passou por lá escapou, pois vagas mortais e explosões de fogo atiram longe os pedaços dos barcos e os cadáveres da tripulação. Um único barco por lá passou incólume a caminho de Eetes: o *Argo*, cujo nome está na língua de todos os homens. Mas mesmo ele teria sido atirado de encontro às grandes rochas não fosse Hera, por amor a Jasão, tê-lo feito passar.

Infelizmente, nenhuma versão épica de toda a história resistiu ao período arcaico. A *Quarta ode pítica*, de Píndaro, escrita para celebração da vitória na corrida de bigas por Arquesilau de Cirene em 462, nos dá um primeiro relato, ainda que breve, dessa expedição. A versão mais completa e mais conhecida está no épico tardio *Argonáutica* (século III a.C.), de Apolônio de Rodes, e essa será a principal fonte de nossa narrativa neste capítulo. Antes, porém, devemos nos voltar para a origem do próprio tosão de ouro, bem como para o início da história de Jasão, o heroico líder da expedição. Talvez ele não aparente ser muito heroico no épico de Apolônio, no qual se apresenta tímido e confuso, sempre pronto a se entregar a dúvidas e ao desespero. Mas devemos ter em mente que o Jasão arcaico com certeza teria sido concebido de maneira diferente: teria sido um grande realizador de tarefas aparentemente impossíveis, como Perseu ou Belerofonte, ou Héracles, e necessitaria de uma natureza heroica para tanto. Como todos os primeiros heróis, teria sido belo, atlético e corajoso, um homem sempre pronto a enfrentar os desafios que surgissem à sua frente.

O TOSÃO DE OURO

Átamas, filho do poderoso Éolo, rei da Tessalônica (p. 141), tornou-se rei de Orcômeno, na Beócia. Com sua primeira esposa, Néfele, teve um filho e uma filha, Frixo e Hele. Quando Néfele morreu, o rei se casou novamente, mas sua segunda mulher, Ino, filha de Cadmo, rei de Tebas, tinha ciúmes dos enteados e planejou matá-los. Começou por convencer as mulheres da Beócia a torrar os grãos que estavam separados para a próxima plantação, o que, naturalmente, os tornou estéreis e resultou na perda total da colheita. Então, quando Átamas enviou mensageiros para perguntar ao oráculo de Delfos como sua terra poderia ser salva da fome, Ino subornou-os para que dissessem que Frixo deveria ser sacrificado a Zeus.

Átamas, naturalmente, não desejava matar o filho, mas acabou por concordar, já que era para o bem de seu povo. No exato momento em que ia cortar a garganta de Frixo, contudo, apareceu um extraordinário carneiro enviado por Néfele para salvar seu filho. Dado como presente por Hermes, o ser era capaz de falar e de voar, e seu couro era de lã de ouro. Frixo e Hele saltaram para seu dorso a uma ordem do carneiro, que saiu voando, levando-os a salvo para bem longe.

Infelizmente, enquanto voavam acima do estreito que separa a Europa da Ásia, Hele escorregou do dorso do animal e afogou-se no mar, no local que passou a ser chamado de Helesponto ("Mar de Hele") em sua homenagem. O carneiro continuou a voar com Frixo e, por fim, deixou-o em Ea, capital da Cólquida, na extremidade oriental do mar Negro, terra próxima do fim do mundo conhecido. Esse ponto era reinado por Eetes, filho do deus-sol Hélio. Ele recebeu bem o recém-chegado e ofereceu-lhe a mão de uma de suas filhas, Calcíope, em casamento. Como prova de gratidão, Frixo sacrificou o carneiro a Zeus, que o imortalizou nas estrelas como a constelação de Áries.

Frixo deu o belo tosão de ouro a Eetes. O rei pendurou-o em um carvalho, em um bosque consagrado ao deus da guerra Ares, e colocou para cuidar do velo um dragão que nunca dormia. Lá a peça permaneceu intocada durante muitos anos, enquanto sua fama se espalhava pelo mundo grego.

Jasão

Jasão era filho de Éson, que, como filho mais velho de Creteu e de Tiro, deveria ter se tornado rei de Iolco quando seu pai morreu. Mas o trono foi usurpado pelo meio-irmão mais velho de Éson, Pélias, filho de Tiro e do deus do mar, Poseidon. Quando Jasão nasceu, seus pais o esconderam, temendo que Pélias mandasse matá-lo. O casal disse a Pélias que o bebê nascera morto e então, secretamente, o filho foi enviado para ser criado no monte Pélion pelo sábio centauro Quíron, educador de muitos grandes heróis. Pélias, enquanto isso, continuou a reinar, mas ficou sabendo por um oráculo que deveria ter cuidado com um homem que viria do campo usando uma única sandália, pois seria aquele quem o levaria à morte.

Quando chegou à idade adulta, Jasão retornou a Iolco. Chegou à cidade usando apenas uma sandália, pois havia perdido a outra enquanto carregava a deusa Hera, disfarçada de mulher idosa, na travessia do rio Anauro. Hera odiava Pélias, que ignorava as homenagens devidas à sua divindade; assim, ela escolheu Jasão como instrumento de destruição de seu inimigo. A partir daí a deusa o ajudaria em todas as suas dificuldades até o dia da morte do rei.

Tão logo viu o recém-chegado com uma única sandália, Pélias lembrou-se do oráculo e deu-se conta do perigo. Perguntou então a Jasão o que faria se soubesse, por um oráculo, que determinado homem o mataria. Jasão, talvez inspirado por Hera, respondeu que mandaria tal homem em busca do tosão de ouro, e assim selou o próprio destino. Pélias imediatamente enviou-o naquela missão, certamente impossível, convencido de que o rival jamais retornaria.

Na *Quarta ode pítica*, de Píndaro, encontramos a mais antiga descrição de Jasão: sua figura, impondo medo e respeito, chega a Iolco com passos firmes, vestida com uma pele de leopardo, levando nas mãos duas lanças, os longos cabelos caindo pelas costas. Na versão de Píndaro ele reclama para si o trono, mas oferece em troca as terras e o gado que havia tomado. Pélias não o enfrenta: dá uma resposta branda, fingindo que o espírito de Frixo continua a persegui-lo em seus sonhos, exigindo que fosse buscar o tosão na Cólquida. Como estava velho demais, disse o rei, Jasão teria que ir em seu lugar, e prometeu ainda que, se a missão fosse cumprida com sucesso, abdicaria do trono em favor de Jasão. Ao dizer isso, Pélias estava, evidentemente, seguro de que Jasão não sobreviveria para reclamar o trono.

Fosse como fosse, sedento de glória, Jasão preparou-se rapidamente para a aventura. Um barco com cinquenta remos foi construído com a ajuda de Atena. Feito com madeira do monte Pélion, a embarcação recebeu o nome de *Argo* em homenagem a seu construtor, Argos, e na proa foi colocada uma prancha miraculosa que falava, feita com madeira do carvalho sagrado de Zeus que havia em Dodona.

Jasão convidou os mais bravos heróis da Grécia para acompanhá-lo. As listas da tripulação diferem entre si, mas os nomes mais importantes dentre as várias fontes incluem Héracles e seu escudeiro Hilas; o grande herói ateniense Teseu; Meleagro, que depois mataria o monstruoso javali de Cálidon; os dois filhos de Éaco, Peleu e Télamon; Orfeu, o melhor músico do mundo; Zetes e Cálais, rápidos e voadores, filhos do Vento Norte, Bóreas; Castor e Polideuces, os dióscuros; os dois filhos de Afareu, Idas e Linceu; os videntes Idmon e Mopso; um filho de Poseidon, Eufemo, tão rápido que era capaz de correr na superfície da água sem molhar os pés; o encarregado do leme, Tífis; o lápita Polifemo; o filho de Neleu, Periclímeno, que tinha o poder de tomar a forma que desejasse; Áugias, mais tarde famoso por seus "estábulos"; Peas, rei de Mália; Admeto, filho de Feres; Argos, que construiu o barco; Acasto, filho de Pélias; e Anceu, filho de Licurgo, vestido com uma pele de urso e armado com um machado de duas pontas. Por sua enorme força, foi escolhido para remar ao lado de Héracles.

A participação de Héracles na expedição é realmente anômala, pois ele era de longe o maior dos heróis a bordo, e mesmo assim a expedição foi tradicionalmente capitaneada por Jasão. Apolônio supera essa dificuldade apresentando Héracles como capitão unanimemente eleito, mas que abdicou em favor de Jasão e foi deixado para trás em uma etapa inicial da viagem, assim que eles chegaram à Mísia.

Quando tudo ficou pronto, a tripulação partiu, alegre, com Tífis ao leme e os remadores marcando o ritmo ao som da lira de Orfeu (*Argonáutica* 1.541-6):

> As ondas quebravam sobre as lâminas dos remos e em ambos os lados do escuro oceano fervia a espuma nele deixada por aqueles homens poderosos. Com as armaduras cintilando ao sol como chamas, o barco seguia veloz, deixando um branco rastro ao longe, como uma estrada a mostrar o caminho em uma verde planície.

A VIAGEM ATÉ A CÓLQUIDA

A viagem, longa e perigosa, começou bem, e no quinto dia o barco aportou na ilha de Lemnos, onde Hipsípile era rainha. Em suas veias corria sangue divino, pois seu pai era Toas, filho de Dioniso e Ariadne. Naquela época a ilha era habitada apenas por mulheres, que, no ano anterior, haviam massacrado todos os homens. Tudo começou quando Afrodite puniu as mulheres da ilha por não lhe prestarem o devido culto: deu a todas um odor repulsivo. Seus maridos então foram buscar escravas na terra vizinha, a Trácia, e passaram a fazer sexo apenas com elas. As mulheres rejeitadas se vingaram matando não apenas seus maridos e as escravas, mas toda a população masculina da ilha. Apenas uma mulher, Hipsípile, teve pena e poupou seu velho pai, Toas. Ela o deixou à deriva em uma arca no mar e ele chegou a salvo a uma praia. Hipsípile, então, tomou seu lugar como governante de Lemnos.

Embora as mulheres achassem que os trabalhos masculinos, como cuidar do gado e arar a terra, fossem uma mudança bem-vinda para suas costumeiras ocupações domésticas, não tardaram a se dar conta das desvantagens de uma sociedade exclusivamente feminina. Quando descobriram que os argonautas haviam chegado à ilha, receberam-nos de braços abertos em seus lares e em suas camas, na esperança de fazerem muitos filhos. (Por sorte já haviam, àquela altura, perdido o mau cheiro.) Jasão, é claro, ficou com Hipsípile.

Dia após dia a partida era postergada, enquanto o tempo ia sendo gasto com prazeres. Por fim Héracles, impaciente para entrar em ação, lembrou os homens de sua missão e insistiu que voltassem logo para seus postos junto aos remos. Todos então prosseguiram viagem, mas o desejo das mulheres foi realizado: decorrido o tempo certo, Lemnos foi repovoada com bebês do sexo masculino. Hipsípile teve dois filhos de Jasão — Euneu, que viria a ser o rei de Lemnos por ocasião da Guerra de Troia, e Toas.

Os argonautas fizeram uma breve parada na ilha de Samotrácia, onde celebraram os mistérios dos *Cabiros*, divindades menores que os ajudariam a fazer a viagem em segurança. Em seguida, ao atravessar o Helesponto, passaram a noite com os dolianos, uma tribo da Mísia que vivia nas costas meridionais da Propôntida. Seu rei, Cízico, era ainda um jovem, recentemente casado com Cleite, filha de Mérops, rei de Percote. Cízico recebeu muito bem os argonautas, demonstrando grande hospitalidade.

Perto dali, no entanto, vivia uma raça de gigantes selvagens e violentos chamados *Gegeneis* ("Nascidos da Terra"). Essas criaturas, cada uma delas com seis braços enormes, no dia seguinte atacaram o barco. Héracles liderou a tripulação na luta e, ao final de uma árdua batalha, todos os gigantes haviam sido massacrados. O *Argo* partiu novamente, mas na noite seguinte uma tempestade levou-os de volta à terra de onde tinham acabado de partir. Na escuridão, ninguém conseguiu reconhecer o lugar, e os dolianos, por sua vez, não os reconheceram e os atacaram, pensando que fossem invasores inimigos. Na batalha que se seguiu, Jasão, sem se dar conta, matou Cízico.

Às primeiras luzes do dia, ambos os lados perceberam seu trágico erro. Durante três dias, choraram a morte do jovem rei e depois o enterraram com honras fúnebres. Em sua homenagem renomearam a cidade com seu nome. De tão triste, Cleite se enforcou e as ninfas dos bosques choraram por sua morte. As lágrimas foram tantas que se transformaram em uma fonte à qual foi dado o nome de Cleite, em homenagem à infeliz esposa.

Por fim os argonautas seguiram viagem, mas, quando passavam pela costa da Mísia, Héracles quebrou seu remo. Por esse motivo, quando baixaram à terra naquela noite, Héracles entrou na floresta à procura de madeira para uma nova peça. Nesse meio-tempo, seu jovem escudeiro e amante Hilas foi buscar água em uma fonte ali perto. A ninfa da fonte encantou-se com a beleza do rapaz à luz do luar e, ao vê-lo se inclinar para mergulhar seu jarro, puxou-o a fim de beijá-lo. O único argonauta a ouvir seu grito ao cair na água foi Polifemo, que correu para socorrê-lo. Como não encontrou sinal do rapaz, apressou-se em dizer a Héracles que Hilas deveria ter sido levado por bandidos ou por alguma fera selvagem. Héracles ficou enlouquecido de dor pela perda e saiu desvairado pela floresta, e lá passou a noite toda a gritar por seu amado companheiro (1.1265-72):

> Como um touro picado por uma vespa se lança a toda velocidade pelos campos e pântanos, sem se importar com o rebanho ou com o condutor do rebanho, e continua a correr sem descansar, parando apenas por alguns instantes quando, imóvel, ergue seu largo pescoço para lançar urros de desatino pela dor que o atormenta, assim também fez Héracles em seu desatino, correndo como um louco e parando, aqui e ali, para dar um grito que ecoava por toda a floresta.

Quando raiava a madrugada, os argonautas partiram sem notar, na pouca luz que havia, que Héracles e Polifemo não estavam no barco, deixando-os assim para trás. Polifemo viria, tempos depois, a fundar a cidade de Cios entre os mísios; mas sempre desejou reunir-se a seus camaradas e, por isso, passado mais algum tempo, partiu da Mísia à sua procura. Por fim, Polifemo morreu na terra dos Calibes, na costa meridional do mar Negro, onde ganhou um túmulo sob uma grande árvore, um choupo branco, à beira-mar.

Quanto a Héracles, quando por fim perdeu as esperanças de encontrar o amante, voltou para casa, mas não sem antes ameaçar a população local de extermínio se não lhe fosse prometido que a busca por Hilas prosseguiria. Para assegurar-se de que o obedeceriam, levou consigo rapazes de famílias nobres como reféns, e os deixou em Tráquis. O povo de Mísia continuou a busca, mas em vão. Durante séculos fizeram sacrifícios a Hilas sempre que chegava a primavera, época do seu desaparecimento.

Isso, porém, aconteceu no futuro. Por ora continuemos com os argonautas em sua viagem, desfalcados de dois tripulantes dos quais só sentiram falta às primeiras luzes do dia. Estiveram prestes a retornar, mas Zetes e Cálais convenceram os companheiros a seguir viagem. (Esse foi um ato imprudente, e os filhos do Vento foram punidos com a morte quando Héracles os encontrou na ilha de Tenos. Depois de matá-los, empilhou terra sobre seus cadáveres e colocou dois pilares nos túmulos, um dos quais balançava de um lado para o outro sempre que o pai dos dois, o Vento Norte, soprava.)

O deus marinho Glauco surgiu das profundezas do oceano e insistiu, ele também, que os argonautas seguissem viagem apesar de tudo. Glauco havia sido um mortal que vivia na cidade de Antédon, na Beócia, mas, ainda mortal, amava o mar apaixonadamente e passava todos os dias junto às águas, pescando com redes ou com caniço e anzol. Certo dia, ao colocar sobre uma grama muito verde os peixes que havia pescado, surpreendeu-se ao vê-los reviver e retornar ao mar, sacudindo-se sobre a grama. Glauco se deu conta de que aquela grama deveria ter poderes mágicos. Ao comer um pouco, logo se viu tomado de um desejo incontrolável de abandonar a terra e ir viver no mar para sempre. Ele mergulhou nas ondas e logo descobriu que havia adquirido uma nova forma: nasceram-lhe nadadeiras e cauda de peixe, e seus cabelos tornaram-se verdes, da cor do mar. Os deuses do mar receberam-no como um deles e retiraram o que ainda havia de mortalidade de seu corpo. Como os outros deuses do mar, Glauco ficou famoso por ter poderes divinatórios. Assim, quando os argonautas ouviram suas instruções para seguir viagem, obedeceram-nas tranquilizados.

Chegaram, a seguir, à terra dos bebricianos, que era governada por Amico, filho de Poseidon. Amico era um homem violento, que tinha o hábito de desafiar para uma luta de boxe todos os visitantes que chegavam em seus domínios. Ele sempre vencia e matava o infeliz perdedor. Quando os argonautas lá chegaram, receberam o desafio de sempre, prontamente aceito por um dos dióscuros, o grande boxeador Polideuces. Amico olhou com desdém para aquele que, a seu ver, seria a próxima vítima (2.25-9):

> Ele [Amico] voltou-se e lançou sobre Polideuces um olhar feroz, como o de um leão atingido por uma lança e cercado de caçadores na montanha e que, embora cercado por uma multidão de homens, não lhes dá a mínima atenção, mantendo o olhar fixo naquele único homem que o atingiu primeiro, porém não o matou.

Eles se prepararam para a luta, cada um com as mãos cobertas de correias de couro duro. Eram dois homens muito diferentes em porte e estatura: Amico, diz Apolônio, parecia um filho monstruoso do terrível Tífon, o último grande desafiante de Zeus no Olimpo, enquanto Polideuces era belo como Hespero, a estrela do anoitecer. Quando tudo estava pronto, os dois se aproximaram, ferozes. A luta de boxe no mundo antigo era mais violenta, sangrenta e mortífera do que sua equivalente moderna, portanto a disputa foi brutal. À destreza e à flexibilidade de Polideuces, opunham-se o enorme porte e a força bruta de Amico. Por fim, no último assalto, "eles se lançaram um contra o outro como dois touros enlouquecidos disputando uma fêmea que pastava"; Amico esticou o corpo para golpear com seu enorme punho a cabeça do oponente, mas Polideuces desviou e reagiu, atingindo Amico bem acima da orelha e esfacelando os ossos de sua cabeça.

Morto o rei, os bebricianos avançaram sobre os argonautas, mas logo foram postos em debandada (2.130-36):

> Assim como pastores ou criadores de abelhas esvaziam com fumaça uma grande colmeia em uma pedra e as abelhas por algum tempo ainda voam furiosamente em seu lar, e então, enlouquecidas pela fumaça, lançam-se para bem longe da rocha, do mesmo modo reagiram os bebricianos, que não conseguiram ali permanecer por mais tempo e espalharam-se por sua terra, levando a notícia da morte de Amico.

O porto seguinte dos argonautas foi Salmidesso, na Trácia, cujo rei era o vidente cego Fineu, filho de Agenor, rei de Tiro e, portanto, irmão de Europa, levada para Creta por Zeus, em forma de touro, e de Cadmo, fundador de Tebas. Fineu havia recebido de Apolo o dom da profecia, mas, por ter revelado demais o futuro aos homens, foi castigado por Zeus com a cegueira. Esse não foi seu único sofrimento: ele também passou a ser perseguido pelas harpias (p. 52), monstros alados muito velozes que mergulhavam das alturas sempre que ele estava prestes a comer e arrebatavam a comida de sua boca ou das mãos, depois tornavam, com seus excrementos, o pouco que restasse imprestável para comer. Quando os argonautas chegaram, Fineu estava quase morto de inanição, mas se encheu de esperanças pois, com sua capacidade de vidente, sabia que dois dos membros do grupo, Zetes e Cálais, estavam destinados a salvá-lo de suas perseguidoras.

Cheios de pena pelo sofrimento de Fineu, os homens prepararam um banquete para atrair as harpias, enquanto Zetes e Cálais ficaram à espreita, aguardando (2.266-72):

> Mal o velho tocou a comida, as harpias, sem qualquer aviso, lançaram-se das nuvens como súbitas tempestades de raios, ruidosas e a toda velocidade, ansiosas pela comida. Os heróis gritaram para espantá-las quando as viram, mas as harpias devoraram tudo e, aos gritos, voaram para o outro lado do mar, deixando atrás de si um insuportável mau cheiro.

Por serem filhos alados de Bóreas, o Vento Norte, Zetes e Cálais eram os homens mais rápidos da terra, então partiram em sua perseguição, com as espadas em riste. Alcançaram as harpias nas ilhas Flutuantes (*Plotai*), tradicionalmente identificadas como as Equínades, no mar Jônico. Ali teria sido o fim daqueles monstros se Íris, deusa do arco--íris, não tivesse acorrido para ajudá-las. Ao ouvirem a promessa de que as harpias jamais voltariam a importunar Fineu, Zetes e Cálais deram meia-volta e retornaram para junto de seus companheiros. A partir daí aquelas ilhas passaram a ser conhecidas como Estrófades, as "Ilhas da Meia-Volta". As harpias se foram para Creta, onde passaram a viver em uma caverna profunda no monte Dicte.

Em sinal de gratidão, Fineu avisou os argonautas sobre os perigos que os aguardavam em sua viagem, principalmente os das Simpléglades, as temidas rochas Colidentes na extremidade setentrional do Bósforo, que guardavam a entrada do mar Negro. Essas rochas não estavam presas ao fundo do mar, mas permaneciam em constante movimento, chocando-se violentamente uma contra a outra com força tremenda e esmagando os barcos que tentassem navegar entre elas. Nenhuma embarcação jamais escapara da tentativa de passar pela região.

Quando os argonautas se aproximaram dessas aterradoras rochas, fizeram exatamente como Fineu os havia aconselhado. Primeiro soltaram uma pomba, cujo destino seria um sinal do sucesso ou do insucesso do *Argo* ao passar. Ela voou entre os enormes penhascos e saiu do outro lado, tendo apenas a ponta de sua cauda arrancada pelos rochedos que se chocaram com violência. Era agora a vez de o *Argo* tentar passar.

As rochas se separaram novamente e o timoneiro Tífis gritou para que os homens remassem com todas as suas forças. Eles remaram desesperadamente através do estreito canal, mas uma enorme onda impediu que o barco prosseguisse, enquanto as gigantescas rochas, uma de cada lado, tremiam ruidosamente e se aproximavam. No último instante, quando as rochas já iam se chocar, a deusa Atena interveio, mandando pela popa uma onda que lançou o barco a salvo no mar aberto. Apenas a ponta do ornamento da popa foi arrancada com a colisão. A partir daí, as Simpléglades não ofereceram mais perigo algum para os homens, pois ficaram presas uma à outra e permaneceram no mesmo lugar para sempre.

Os piores perigos da viagem dos argonautas haviam ficado para trás quando o barco passou a navegar abertamente pelo mar Negro. Foram bem recebidos por Lico, rei dos mariandinos, na Mísia, povo que estava em guerra havia muito tempo com os bebricianos. Lico recebeu os argonautas com honras reais, pois a fama de destruidores de Amico os precedera.

O grupo sofreu, no entanto, duas baixas na terra de Lico: o timoneiro Tífis, que morreu de doença, e o vidente Idmon, por uma morte violenta. Idmon sabia muito bem que estava destinado a morrer se participasse daquela expedição, mas foi mesmo assim, desejoso de adquirir gloriosa reputação. Encontrou seu destino na forma de um javali de presas brancas, tão grande e assustador que até as ninfas do pântano onde a criatura vivia tinham medo. O javali lançou-se sobre Idmon quando ele caminhava ao longo de um rio lamacento. Com a coxa perfurada até o osso e os tendões, Idmon contou com o auxílio de seus camaradas. Peleu lançou um dardo no javali, que se voltou e avançou contra o atacante, mas então Idas o golpeou e, com um rosnado terrível, o animal empalou-se em sua lança. Os homens deixaram o javali morto e levaram Idmon de volta para o barco, mas ele morreu nos braços dos companheiros. Todos prantearam sua morte durante três dias e, no quarto dia, enterraram-no com honrarias, coroando o monte de terra da sepultura com uma oliveira selvagem.

Quando se lançaram ao mar novamente, o filho de Lico, Dásquilo, havia se juntado à tripulação, e Anceu tomou o lugar de Tífis no leme. Passando pela terra das amazonas, chegaram à ilha de Ares, onde uma enorme revoada de pássaros hostis os atacou, deixando cair suas penas, afiadas como setas. Os argonautas se defenderam unindo seus escudos acima da cabeça e afastaram os pássaros com gritos ferozes.

Sempre seguindo as instruções de Fineu, eles aportaram em uma ilha e lá encontraram os quatro filhos de Frixo, o homem que havia voado para a Cólquida montado no carneiro com o velo de ouro. Frixo morrera havia pouco tempo, e seus filhos (Argos, Melas, Frontis e Citorisso) tinham naufragado naquela ilha quando tentavam voltar para Grécia, onde esperavam receber uma herança do avô, Átamas. Ficaram felizes ao se juntar aos argonautas e os guiaram na última etapa de sua viagem, agora subindo o rio Fasis até Ea, capital da Cólquida. Ao chegarem lá, ancoraram e deram graças aos deuses.

A conquista do tosão de ouro

Jasão esperava persuadir Eetes a entregar-lhe pacificamente o tosão. Assim, com os filhos de Frixo como guias, ele foi com Télamon e Augeias ao esplêndido palácio do rei. Aqui Hera entra na ação. Dado o seu desejo de vingar-se de seu antigo inimigo Pélias, a deusa precisava que Jasão tivesse êxito em sua missão e retornasse a Iolco com a jovem e bela filha de Eetes, Medeia — que era também uma sacerdotisa de Hécate, deusa do Mundo Inferior associada a bruxarias e encantamentos. Medeia, com seus conhecimentos de magia, seria a agente da destruição de Pélias. Assim, pois, Hera pediu a ajuda de Afrodite, que subornou seu filho Eros para que lançasse uma de suas infalíveis setas em Medeia, fazendo que ela se apaixonasse por Jasão. Tão logo Medeia pôs os olhos no belo estranho, ardeu de desejo.

Eetes tinha certeza de que os gregos haviam ido lá para matá-lo e usurpar seu trono. Embora Jasão o assegurasse de seu verdadeiro propósito, o rei se recusou a acreditar, e, na dúvida se deveria matá--los a todos ali mesmo, ou testar a força e a coragem de Jasão, logo decidiu-se pela segunda opção. Fingindo concordar com o pedido, disse que entregaria o tosão de bom grado se Jasão cumprisse certas tarefas (aparentemente impossíveis). No decorrer de um único dia, Jasão deveria atrelar dois touros de patas de bronze e que lançavam fogo pelas narinas e com eles arar um campo de ponta a ponta. Em seguida, devia semear na terra dentes do dragão de Cadmo (p. 262), fornecidos por Atena, e matar a hoste de guerreiros armados que brotariam do solo.

Jasão ficou desalentado com a enormidade das tarefas que o aguardavam, mas Medeia, tomada de amor ardente, dispôs-se a ajudá-lo. Instada por sua irmã Calcíope, a jovem venceu seu natural recato, e foi, de madrugada, encontrar-se com Jasão no santuário de Hécate. Lá, deu a ele uma poção mágica que, pelo período de um dia, torná-lo-ia completamente invulnerável. Em retribuição, ele prometeu casar-se se ela fosse para a Grécia.

Na noite seguinte, obedecendo às instruções de Medeia, Jasão fez sacrifícios para obter a ajuda de Hécate. Ao raiar do dia, ungiu o corpo e a armadura com a poção mágica e imediatamente passou a sentir-se poderoso e invencível. "Como um corcel de guerra, ansioso por entrar em ação, relincha e bate com os cascos no chão, arqueando o pescoço e sacudindo as orelhas de excitação, assim também exultou o filho de Éson ao sentir a força de seus membros" (3.1259-62). Agora ele estava pronto para enfrentar o desafio de Eetes. Nesse meio-tempo, Eetes e o povo de Cólquida haviam se dirigido para a planície de Ares para se divertir com as tribulações de Jasão.

Jasão partiu sem temor, nu e armado apenas com um escudo para enfrentar os enormes touros. Os animais imediatamente arremeteram em sua direção, mas, apesar de toda a sua ferocidade e do fogo que lhes saía do focinho, ele conseguiu atrelá-los ao arado. Então, usando sua irresistível lança para forçá-los a seguir adiante, arou a terra e semeou os dentes do dragão. Agora só lhe restava a luta com os guerreiros armados. Fez uma pausa para matar a sede em um rio que passava por ali, "flexionou os joelhos para torná-los mais ágeis e encheu de coragem seu grande coração, urrando como um javali selvagem que afia as presas para enfrentar os caçadores, enquanto de seus lábios uma espuma raivosa escorria até o chão" (3.1350-53).

Os guerreiros agora brotavam por toda parte no campo onde haviam sido semeados e o sol se refletia em seus escudos, armaduras e capacetes (3.1357-63):

> O brilho cintilou no ar desde a terra até o Olimpo; e como ocorre quando a neve pesada cai e os ventos de tempestade subitamente espalham as nuvens no céu escuro da noite e todas as estrelas brilham na escuridão, assim também os guerreiros brilharam ao sair da terra.

Jasão lembrou-se da orientação de Medeia e lançou uma enorme pedra no meio deles. Como cães selvagens, eles se voltaram uns contra os outros e passaram a lutar entre si, enquanto Jasão os exterminava com sua espada. Os sulcos da terra foram se enchendo de sangue à medida que mais e mais guerreiros caíam. Quando o sol se afundou no horizonte, o campo estava coberto de cadáveres e lá estava Jasão, sozinho e triunfante.

Eetes, naturalmente, não tinha a menor intenção de entregar o tosão, e por isso, durante a noite, planejou, junto aos outros líderes da Cólquida, uma forma de matar os argonautas. Nesse meio-tempo, Medeia, temendo a ira do pai, fugiu para o acampamento de Jasão. Ela conduziu seu amado pelo denso bosque de Ares, onde estava o tosão, pendurado em seu carvalho sagrado, guardado pelo enorme dragão que nunca dormia. O guardião os viu se aproximar e logo esticou o grande pescoço, emitindo um som sibilante e já desenrolando a cauda escamosa. Enquanto deslizava em direção aos dois, deparou-se com os olhos fixos de Medeia, que o fez adormecer com palavras mágicas e poderosos encantamentos. O monstro ergueu a cabeça para atacá-los, mas o maxilar ficou caído e seu vasto corpo espiralado esticou-se pelo denso bosque adentro.

Jasão retirou do carvalho sagrado o objeto de sua longa busca e levou-o, a cintilar com um brilho dourado, para o *Argo*. Não havia tempo a perder. Os argonautas partiram na longa jornada de volta a Iolco, levando Medeia consigo, e o *Argo* desceu o rio Fásis a toda velocidade. Logo os barcos de Eetes o perseguiriam.

O retorno a Iolco

Em vez de voltar pelo caminho que tinham ido, os argonautas tomaram uma rota bem diferente para casa. Isso deu a Apolônio a oportunidade de fazer que eles encontrassem alguns dos mais famosos adversários do Odisseu homérico, apesar de, na cronologia mitológica, a viagem do *Argo* ter acontecido uma geração antes da Guerra de Troia. A tripulação começou navegando o rio Istro (Danúbio) acima, depois desceu por outro rio que se supunha desaguar no Adriático setentrional. A frota cólquida, enquanto isso, havia se dividido em uma tentativa de bloquear todas as rotas de fuga, e uma parte, liderada pelo filho de Eetes, Apsirto, tinha seguido pela mais rápida das duas entradas do Istro e navegava pelo rio à frente dos argonautas. (Em outra versão do mito, Apsirto era ainda uma criança na época da fuga de Medeia. Ela o teria levado consigo, para assassiná-lo e jogar os pedaços de seu corpo desmembrado no mar, como plano para atrasar Eetes em sua perseguição — ver p. 437).

Quando os argonautas saíram pela foz do rio e entraram no Adriático, encontraram os cólquidas em uma emboscada. Entretanto, como Apsirto era um homem razoável, não chegou a ser travada uma luta, pois Eetes havia prometido que o tosão seria de Jasão se conquistado de maneira justa. Mas, infelizmente, Apsirto insistiu em levar Medeia de volta para a Cólquida, e, para não se submeter a tal destino, ela estava pronta para recorrer ao assassinato. Mandou uma mensagem ao irmão, atraindo-o para um encontro em uma ilha próxima ao fingir que havia sido levada à força para o *Argo* e dizer que desejava enganar João e voltar para casa com o tosão.

Encontraram-se os irmãos na calada da noite, e Apsirto lhe fez perguntas para certificar-se de que ela realmente desejava trair os argonautas — "como uma criancinha que experimenta uma torrente no inverno que nem mesmo um adulto desejaria atravessar", diz Apolônio pateticamente (4.460-61). Jasão estava esperando, emboscado, e saltou diante do dois com a espada na mão. Medeia desviou os olhos da cena do assassinato de Apsirto e, em ato ritual, decepou-lhe as mãos, os pés, o nariz e as orelhas (o chamado ritual do *maschalismos*), para impedir que seu fantasma se vingasse. Por três vezes Jasão lambeu e cuspiu o sangue da vítima, na tentativa de afastar de si a culpa pelo sangue derramado. Ele então enterrou o cadáver, e os demais argonautas atacaram o barco de Apsirto, matando toda a tripulação.

Quando o *Argo* recomeçou a viagem, a prancha falante feita de madeira do santuário de Zeus em Dodona anunciou que o grande deus estava irado por causa do impiedoso assassinato e exigia que Jasão e Medeia fossem purificados pela feiticeira Circe, irmã de Eetes. Circe vivia na ilha de Eeia, na costa ocidental da Itália, portanto eles subiram o rio Erídano (Pó) e desceram pelo Reno (rios que Apolônio julgava estarem ligados). Continuaram a navegar até chegar ao mar Tirreno.

Circe deu-lhes as boas-vindas ao chegarem a Eeia e, como lhe foi pedido, purificou Jasão e Medeia, fazendo oferendas e orações propiciatórias. Só depois a feiticeira se deu conta da gravidade do crime que eles haviam cometido. Então os expulsou de sua casa e os argonautas zarparam novamente, descendo a costa da Itália.

A viagem foi tranquila pois Hera havia providenciado suaves brisas para levá-los adiante. Passaram pela ilha das Sereias, as feiticeiras cantoras que atraíam os homens para seu destino (p. 390), e elas cantaram, como sempre, suas canções irresistíveis. A tripulação queria descer à praia, mas isso teria sido o seu fim. Orfeu, então, pôs-se a tocar sua lira para abafar a música fatal, e assim o *Argo* passou em segurança, levado pelos ventos. Apenas Butes sucumbiu ao encantamento e, saltando do convés, saiu nadando em direção ao canto. Mas, antes que chegasse à ilha, Afrodite o retirou da água e o levou a salvo para a Sicília.

Os argonautas evitaram os horrores de Cila e de Caríbdis (p. 391), que assombravam o estreito de Messina, entre a Itália e a Sicília, mas para isso precisaram passar entre as Planktai, as "Rochas Errantes", envoltas por ondas terríveis e tempestades de fogo. Hera havia pedido à deusa marinha Tétis e às suas irmãs nereidas que os ajudassem, e assim elas fizeram que o *Argo* passasse rapidamente entre as rochas assustadoras, enquanto, à volta do barco, o mar fervia produzindo vapor.

Navegando na direção do Oriente através do mar Jônico, o *Argo* aportou em Esquéria (Drepana/Corfu), a ilha dos feácios. O rei Alcínoo recebeu-os muito bem, mas pouco depois uma frota da Cólquida aportou e exigiu a volta de Medeia. Coube a Alcínoo arbitrar a questão. Medeia suplicou à rainha que a salvasse de ser levada de volta para seu pai, e Arete, profundamente comovida com tal súplica, assim o fez. Como Alcínoo havia decidido que, se Medeia ainda fosse virgem, deveria voltar para o pai, mas, caso não o fosse mais, deveria ficar com o marido, Arete imediatamente tomou providências para que o amor dos dois se consumasse naquela mesma noite. Uma caverna sagrada tornou-se seu quarto de núpcias, e o tosão de ouro serviu-lhes de leito nupcial.

Novamente no mar, os argonautas foram levados pelo vento para fora da sua rota e chegaram à Líbia. Por nove dias e nove noites o Vento Norte os encaminhou para o golfo de Sirtis, cercado por águas paradas e pela vastidão do deserto. A princípio eles ficaram desesperados e se prepararam para morrer, mas depois receberam um sinal maravilhoso vindo do mar: um cavalo gigantesco com crina de ouro surgiu das águas e galopou terra adentro. Era o cavalo de Poseidon, concluíram eles, e estava se dirigindo a algum golfo navegável. Então os tripulantes ergueram o *Argo* e o carregaram nos ombros na mesma direção.

Durante doze dias e doze noites, viajaram, exaustos, pelas areias do deserto, carregando seu barco pesado, até que finalmente chegaram, com grande alívio, ao lago Tritonis. Antes que pudessem deixar aquela terra, porém, eles perderam mais dois companheiros: o vidente Mopso morreu picado por uma cobra, e Canto foi morto por um neto de Apolo, o pastor líbio de nome Cafauro, pois tentava roubar algumas ovelhas para alimentar a tripulação faminta. Os outros argonautas se vingaram matando Cafauro e levando todo o seu rebanho.

Eles enterraram os dois companheiros e lançaram o *Argo* no lago. Foi então a vez de o deus marinho Tritão, filho de Poseidon e de Afrodite, ir em seu auxílio, disfarçado do rei do lugar, Eurípilo. Eufemo foi presenteado com um torrão de terra, como prova de amizade, e então Tritão voltou à sua verdadeira forma, com cabeça e tronco humanos e cauda encurvada de peixe, e nadou ao lado do barco, guiando-o em segurança de volta ao Mediterrâneo.

Quando chegaram a Creta, os argonautas tentaram aportar, mas foram apedrejados por Talo, o homem de bronze que guardava a ilha. Dizia-se que Talo fora feito pelo deus-ferreiro Hefesto e dado ao rei Minos, embora Apolônio acreditasse que aquele fosse o único sobrevivente da Raça de Bronze, dado de presente a Europa por Zeus ao conquistar seu amor. A tarefa de Talo era dar três voltas ao redor da ilha todos os dias com seus incansáveis pés e livrar o território de estranhos. Seu corpo era invulnerável, exceto por um ponto fraco perto do pé: uma única veia contendo *icor*, o sangue dos deuses, descia-lhe do pescoço até o tornozelo e era selada na parte de baixo por uma fina membrana de pele (alguns dizem que era de bronze). Quando o guarda atacou os argonautas, porém, Medeia o enfeitiçou de longe, olhando-o nos olhos, e ele caiu, cortando o tornozelo em uma pedra pontuda. O fluido vital que enchia sua única veia esvaiu-se e seu corpo tombou sem vida.

Ao norte de Creta, Eufemo deixou cair no mar o torrão de terra que ganhara de Tritão, e o presente se transformou na ilha de Caliste ("A mais bela"), mais tarde conhecida como Tera (Santorini) e colonizada pelos descendentes de Eufemo. Então, após uma última parada na ilha de Egina, o *Argo* percorreu a derradeira etapa de sua longa viagem e chegou a salvo a Iolio. Felizes, os argonautas desembarcaram.

Assim termina a *Argonáutica* de Apolônio, mas esse não é o fim da história. Pélias, aproveitando a ausência de Jasão, havia matado seu pai, Éson, e outros membros da família. Agora era chegada a vez de Pélias também morrer.

A morte de Pélias

Jasão deu o tosão a Pélias, que não desfrutou do troféu por muito tempo: Medeia, enviada a Iolco por Hera justamente para tal propósito, planejou sua morte de maneira ardilosa, levando as duas filhas do rei a matá-lo. A feiticeira usou suas artes mágicas em um velho carneiro, com resultados dramáticos, vividamente descritos por Ovídio (*Metamorfoses* 7.312-21):

> Um velho carneiro peludo, já muito gasto pela passagem do tempo, com chifres curvando-se sobre as têmporas descarnadas, foi arrastado até ela. Medeia cortou a garganta rugosa com sua faca tessalonicense, quase sem sujá-la com o pouco sangue do animal. Ela então mergulhou a carcaça em um pote de bronze, lançando nele algumas ervas mágicas muito poderosas. A mistura fez o corpo do animal encolher e os chifres queimarem até sumir. Ele foi ficando cada vez mais novo e, por fim, ouviu-se um fraco balido dentro do pote. Enquanto se maravilhavam todos com aquele som, um carneirinho saltou e fugiu assustado, à procura de um úbere para mamar.

As filhas de Pélias ficaram tão impressionadas que prontamente concordaram em fazer o velho pai rejuvenescer também. Elas o mataram, esquartejaram e colocaram os pedaços do cadáver em um pote de bronze, certas de que voltaria a ser jovem. Medeia, é claro, não lhes deu as ervas apropriadas, e esse foi o fim de Pélias.

Seu filho Acasto enterrou-o com as devidas honras e ordenou que se realizassem jogos fúnebres que ficaram famosos em todo o mundo antigo, com grandes heróis vindos de toda a Grécia para competir.

Jasão e Medeia fugiram de Iolco e encontraram refúgio junto a Creonte, rei de Corinto. Jasão dedicou o *Argo* a Poseidon e permaneceu em Corinto pelo resto da vida. Muitos anos mais tarde, morreu esmagado sob uma trave que caiu da carcaça podre de seu antes glorioso barco.

Quanto a Medeia, continuaria a cometer vários outros assassinatos — mas isso será assunto de um capítulo posterior (p. 436).

5. Ió e Argos

Já acompanhamos a formação de uma grande família da mitologia heroica grega, a dos Deucaliônidas (p. 140), que teve origem na Grécia central e de lá se espalhou para outras regiões. Outra importante linha familiar originou-se no Peloponeso a partir de Ínaco, deus do maior rio da Argólida, através de sua filha Ió.

Ió e o exílio de Argos

A história de Ió é mais uma das muitas histórias sobre o desejo do grande deus Zeus por uma bela mulher mortal e as consequências de tal atração. Com grande frequência, suas perseguições amorosas envolvem algum tipo de transformação: Zeus se transforma em um cisne, um touro ou uma chuva dourada para assim enganar sua vítima desavisada e fugir dos ciúmes de sua esposa, Hera. Na história de Ió, é ela quem se transforma — e numa vaca.

Ió era uma das sacerdotisas virgens do templo de Hera em Argos quando sua beleza chamou a atenção de Zeus. Por algum tempo o deus nada fez além de enviar-lhe sonhos sedutores, noite após noite, instando-a a encontrá-lo nas verdes campinas de Lerna. Ió sempre despertava confusa e temerosa, e por fim ousou contar os sonhos ao pai. Ínaco também ficou perplexo quanto ao significado daqueles sonhos, e, ao consultar os oráculos de Delfos e de Dodona, ficou sabendo que deveria expulsar a filha de casa e do país, sob pena de toda a sua raça ser extinta pelos raios de Zeus. Pai e filha separaram-se com grande tristeza. Tão logo Ió partiu de casa, foi transformada em uma vaca pela vingativa Hera, que também enviou um moscardo para picá-la sem parar e forçá-la a correr mundo afora, impedindo assim que fizesse amor com Zeus.

Essa é a história contada pela própria Ió quando a personagem aparece no palco, usando um par de chifres de vaca na tragédia *Prometeu acorrentado*, de Ésquilo. Picada pelo moscardo, a filha de Ínaco vagou a esmo e foi parar no penhasco rochoso onde Prometeu estava acorrentado, mas ele lhe disse que ainda havia um longo caminho a percorrer. Ela cruzou o canal que divide a Europa da Ásia, que a partir daí foi chamado de Bósforo ("Passagem da vaca") em homenagem a Ió. A viagem se estendeu até os limites extremos do mundo. Após passar pelas terras dos citas, das amazonas, das graias e das górgonas, dos grifos e dos arimaspos de um olho só, dos etíopes de pele escura, Ió, por fim, chegou ao Egito, e sua viagem errática terminou. Ela recuperou a forma humana e deu à luz um filho à margem do Nilo. A criança recebeu o nome de Épafo por causa do toque suave (*epaphe*) de Zeus ao concebê-lo.

Ovídio é a nossa fonte mais pormenorizada para a história da patética transformação de Ió (*Metamorfoses* 1.583-750). Segundo esse relato, Zeus tentou atrair Ió para o bosque e, ao vê-la fugir de medo, cobriu a terra com uma nuvem escura e consumou seu desejo. Hera, olhando do alto do Olimpo e vendo aquelas estranhas nuvens acima de Argos, logo suspeitou de alguma traição por parte do marido e desceu para investigar. Quando dispersou as nuvens, encontrou Zeus em companhia de uma linda vaca branca. Ele percebera a aproximação da esposa ciumenta e transformara rapidamente a desafortunada jovem. Hera pediu a vaca de presente — pedido que Zeus não teve como negar —, mas, como ainda suspeitava das intenções do marido mulherengo, colocou Argos, que tudo via, para guardar sua nova aquisição. Não havia melhor guardião, pois Argos era um monstro com uma centena de olhos, dos quais apenas dois dormiam de cada vez, enquanto os outros continuavam alertas. A criatura poderia vigiar Ió noite e dia.

Quando Ió em sua nova forma tentou falar, ficou horrorizada com o som do mugido que saiu de seus lábios e apavorada também com seus chifres e sua mandíbula caída refletidos no rio de seu pai. Ela passou a seguir Ínaco todo o tempo, aflita para contar o que lhe tinha acontecido, mas ele, naturalmente, não a reconheceu e simplesmente arrancava um pouco de capim e lhe oferecia para comer. Ió lambia a mão do pai e tentava beijá-la, e por fim conseguiu contar-lhe sua história escrevendo-a na terra com uma das patas. Quando Argos a obrigou a ir para pastos mais distantes, Ínaco, desesperado de tristeza, escondeu-se em uma caverna onde ficava a nascente de seu rio e, de tanto chorar pela filha amada, com suas lágrimas fez que as águas do rio Ínaco transbordassem.

Zeus teve pena de Ió e deu a Hermes a difícil tarefa de matar o guardião que nunca dormia. Sempre ágil, Hermes se fez passar por um pastor de cabras e pôs Argos para dormir com a música de sua flauta, contando-lhe também a história de Sírinx, a ninfa cuja transformação deu origem ao instrumento (p. 126). Por fim, todos aqueles olhos vigilantes adormeceram. Hermes cortou a cabeça de Argos com uma foice — "e então a noite caiu sobre seus cem olhos" (1.721). Para assinalar essa façanha, Hermes passou a ser chamado também de Argifonte, "Matador de Argos", e Hera colocou seus muitos olhos na cauda de seu pássaro real, o pavão.

Os sofrimentos de Ió, entretanto, ainda estavam longe do fim. Hera a fez correr, aterrorizada, pelo mundo afora até chegar ao Egito, e só então a hostilidade da deusa foi aplacada. Ió recuperou sua forma humana e deu à luz o filho de Zeus, Épafo. Por fim, no Egito, pôde encontrar a paz. Casou-se com o rei egípcio Telégono e passou a ser adorada como a deusa Íris, enquanto Épafo era adorado como o deus-touro Ápis.

O retorno a Argos

Alguns outros eventos no Egito merecem ser relatados antes que a narrativa retorne a Argos. Épafo casou-se com Mênfis, uma filha do deus-rio Nilo, e em homenagem à esposa fundou a cidade de Mênfis, no Baixo Egito. Ela teve uma filha, Líbia, que deu nome às terras a oeste do Egito (uma área muito maior do que a Líbia atual). Líbia teve filhos gêmeos com Poseidon: Belo, que permaneceu no Egito e sucedeu Épafo no trono, e Agenor, que migrou para a Fenícia e lá estabeleceu um reino para si. (Dois de seus filhos, Europa e Cadmo, fundariam dinastias em Creta e em Tebas: ver p. 242-43 e 261). Os descendentes de Belo retornaram a Argos e reivindicaram a terra natal de seus ancestrais.

O nome Belo é a forma helenizada do levantino *Baal* e do babilônio *Bel*, que significam "senhor", e sua importância na história reside em seus filhos. Belo também se casou com uma filha do deus-rio Nilo, Anchinoe, que lhe deu filhos gêmeos, Egito e Dânao. Os dois tiveram filhos com muitas esposas — Dânao teve cinquenta filhas, conhecidas como as danaides, e Egito, cinquenta filhos. Belo, que governou um enorme império cujo centro era o reino em torno do Nilo, estabeleceu Dânao na Líbia e Egito na Arábia; mas Egito não ficou satisfeito com a parte que lhe coube e decidiu partir para futuras conquistas.

Assim, primeiramente derrotou a tribo dos melampodes ("pés pretos"). À terra conquistada, deu o nome de Egito, e, ao povo, de egípcios (*aiguptioi*, em grego), em homenagem a si mesmo. Em seguida ofereceu seus cinquenta filhos em casamento às cinquenta filhas de Dânao. Tais alianças significariam que a família de Dânao seria absorvida pela do irmão e com isso sua posição ficaria muito enfraquecida. Os irmãos brigaram e, aconselhado por Atena, Dânao construiu um grande barco no qual, com suas cinquenta filhas, partiu para Argos, já que aquela era a terra de sua ancestral Ió.

Ao chegarem, encontraram Argos governada por Gelanor, que era também descendente de Ínaco, embora o fosse por outro ramo da família. Dânao reivindicou o reino com base na sua descendência de

Ió. Segundo uma lenda argiva, registrada por Pausânias (2.19.3-4), Gelanor não aceitou tal reivindicação e os dois discutiram a questão na assembleia de Argos. Os cidadãos decidiram em favor de Dânao, devido a um fato que foi considerado como uma mensagem divina. Na manhã do julgamento, um lobo surgiu do nada e atacou um rebanho de gado argivo, matando o touro que liderava o grupo, e isso foi visto como um sinal de que o recém-chegado deveria sair vitorioso. Assim foi que Dânao ficou com o reino e, por acreditar que Apolo, deus da profecia, tivesse enviado o lobo, demonstrou sua gratidão fundando um santuário de Apolo *Lykeios* (que significa "Deus Lobo" nesta interpretação da expressão).

Dânao deu o próprio nome a seu povo, que passou a ser conhecido como *Danaoi*, dãnaos. E esta passou a ser uma denominação da nação grega em Homero e em outros poetas posteriores. O novo líder também levou água para Argos, que tinha se tornado uma terra árida como resultado da ira de Poseidon desde os tempos em que o deus do mar e Hera disputaram a patronagem do país. Ínaco e outros deuses-rios haviam julgado a disputa a favor de Hera, e como vingança Poseidon tornara a terra seca na maior parte do ano.

Dânao ensinou seu povo a cavar poços e mandou as filhas às terras áridas à procura de água. Uma das danaides, Amimone, estava explorando o distrito de Lerna, algumas milhas ao sul da cidade de Argos, quando viu um veado e nele lançou sua azagaia. Errou o alvo, mas acertou um sátiro que dormia. O sátiro, de um salto, pôs-se de pé e, libidinoso como os de sua espécie, tentou estuprar a moça. A danaide foi salva por Poseidon, que apareceu de súbito, lançou seu tridente e afugentou o sátiro (seres tão covardes quanto libidinosos), e então ele mesmo a possuiu. Depois, quando o deus arrancou seu tridente da pedra onde tinha ficado preso, dela jorraram fontes de água abundante. A partir de então, Lerna tornou-se para sempre uma região de muitas águas, com fontes permanentes, rios e até mesmo pântanos. (Um deles seria a morada da monstruosa Hidra que coube a Héracles matar.) Grávida de Poseidon, Amimone deu ao deus do mar um filho, Náupilo, que viria a ser um famoso navegador.

Segundo a tragédia de Ésquilo *As suplicantes*, primeira da Trilogia das danaides, quando Dânao chegou a Argos, lá não reinava Gelanor, mas sim Pelasgo. Dânao lá chegou com suas cinquenta filhas e, a persegui-las, vieram os cinquenta filhos de Egito, todos ansiosos por se casar. Mas as danaides não os queriam e suplicaram a Pelasgo que as protegesse de seus perseguidores. A princípio o rei não se mostrou desejoso de se arriscar a uma reação violenta, mas, ao ver que todas as jovens ameaçaram enforcar-se nos altares da cidade, concordou em ajudá-las.

Infelizmente as duas tragédias de Ésquilo que se seguiram a essa, *Os egípcios* e *As danaides*, perderam-se ao longo do tempo, mas seus desfechos são bem conhecidos graças a muitos outros relatos. Dânao foi forçado, por fim, a concordar com os casamentos, portanto destinou cada uma das filhas a um de seus primos. Deu um grande banquete de comemoração, mas também presenteou cada filha com uma adaga, instruindo-as secretamente a matar os maridos na noite de núpcias. Quarenta e nove delas obedeceram. A danaide mais velha, Hipermnestra, poupou o marido Linceu, talvez porque se apaixonou por ele ou talvez porque teve sua virgindade respeitada. Linceu fugiu para a cidade próxima de Lirceia e lá fez uma fogueira para que a mulher soubesse que estava a salvo.

Dânao puniu Hipermnestra com a prisão e chegou a levá-la a julgamento por desobediência, mas a corte argiva declarou-a inocente. Talvez, na tragédia de Esquilo, isso tenha ocorrido com a intervenção de Afrodite, pois sabemos que a deusa desempenhou um papel na terceira peça, *As danaides*, em uma fala a favor do amor e da união sexual, por meio da qual toda vida é nutrida e renovada.

As outras 49 danaides decapitaram os maridos e levaram as cabeças ao pai em sinal de obediência. Aos corpos foram dedicados os rituais funerários de costume, junto às muralhas da cidade, e as cabeças foram enterradas em Lerna. Zeus ordenou a Atena e a Hermes que purificassem as jovens dos assassinatos que haviam cometido, e a Dânao deu a tarefa de encontrar novos maridos para elas. Os jovens de Argos não estavam inclinados a disputar-lhes a mão em casamento, e é fácil entender por quê. Dânao então prometeu dispensar os habituais presentes de casamento devidos ao pai da noiva, e ofereceu as filhas como prêmio a quem as disputasse em uma corrida a pé. O vencedor faria sua escolha, o segundo colocado escolheria em seguida, e assim sucessivamente. Todas se casaram.

Passado algum tempo, Linceu reuniu-se a Hipermnestra e reconciliou-se com o sogro. Depois, com a morte de Dânao, assumiu o trono de Argos. Linceu e Hipermnestra tiveram um filho, Abas, por meio do qual deram início a uma esplêndida linhagem real que incluiu grandes heróis, como Perseu e Héracles. O destino das outras danaides não foi tão feliz, pois, depois de mortas, foram punidas por seus crimes no Mundo Inferior. Foram obrigadas a passar à eternidade carregando água em tonéis que vazavam e que tinham que ser continuamente enchidos.

A DISCÓRDIA DOS IRMÃOS ACRÍSIO E PRETO

De sua esposa Aglaia, Abas teve filhos gêmeos, Acrísio e Preto. Os dois brigavam ainda no ventre da mãe e cresceram implacavelmente hostis um ao outro. Quando o pai morreu, os herdeiros disputaram o trono de Argos — Apolodoro (2.2.1) nos diz que foi durante essa guerra que foram inventados os escudos. Por fim Acrísio expulsou o irmão e assumiu o reinado. Preto refugiou-se na corte de Iobates, e lá se casou com a filha do rei da Lícia, conhecida geralmente como Estenebeia, embora Homero a chame de Anteia. Iobates ofereceu a Preto um exército de soldados lícios para atacar Argos, mas os gêmeos, por fim, chegaram a um acordo: dividiram a Argólida entre si, e atribuíram o governo de Argos a Acrísio e o de Tirinto a Preto. Conta a lenda que as grandes muralhas de Tirinto, construídas com pedras tão grandes que pareciam impossíveis de serem carregadas por mãos humanas, foram erguidas para Preto por gigantes de um olho só, os ciclopes.

Estenebeia deu a Preto três filhas, Lisipe, Ifinoé e Ifianassa, todas vítimas da loucura, atribuída a uma punição enviada pelo deus Dioniso porque não aceitaram seus rituais, ou pela deusa Hera, por não lhe demonstrarem o devido respeito. Em seus acessos de loucura, as jovens vagavam selvagens pela região, inteiramente nuas. Diziam alguns que elas imaginavam ser vacas, enquanto outros afirmavam que a irascível Hera as havia de fato transformado em vacas. Passado muito tempo — não se sabe se meses ou anos — Lisipe, Ifinoé e Ifianassa voltaram à normalidade. Em uma versão do poeta lírico Baquílides (*Ode* 11.40-112), Preto prometeu à deusa Ártemis vinte bois de pelo vermelho, nunca sujeitos à canga, em troca da cura das filhas. Ártemis intercedeu junto a Hera, que, por fim, livrou-as da loucura.

Na versão mais usual, as moças teriam sido curadas por Melampo, um dos maiores videntes da Grécia, que à época vivia em Pilos, na Messênia. Ele certa vez salvara os filhotes de algumas cobras, mortas por servos seus, e cuidara deles até se tornarem adultos. As serpentes retribuíram seu tutor lambendo suas orelhas uma noite, enquanto dormia. Depois disso, Melampo passou a compreender a linguagem dos pássaros e de outros animais e a fazer predições.

Seus dons de adivinhação foram provados pela primeira vez quando seu irmão Bias se apaixonou por Pero, a bela filha de Neleu, rei de Pilos. Eram muitos os que a cortejavam, por isso seu pai disse que a daria em casamento àquele que fosse capaz de levar-lhe o esplêndido gado de Fílaco, rei de Fílaca, na Tessalônica. Essa seria uma tarefa formidável, pois um cão ferocíssimo guardava o gado noite e dia. Melampo aceitou o desafio em nome do irmão, prevendo que seria apanhado ao tentar furtar o gado e ficaria preso por um ano, mas ao fim desse tempo o gado seria seu.

Tudo aconteceu como o previsto. Fílaco apanhou Melampo furtando e o prendeu. Quando já se passava quase um ano, o vidente ouviu carunchos que conversavam no teto de sua cela, e diziam que a madeira da viga principal já estava quase toda comida. Melampo, então, pediu para ser levado para outra cela e, pouco depois, o teto da primeira cela desabou. Fílaco ficou tão impressionado com os dons proféticos de seu prisioneiro que o consultou a respeito da impotência de seu filho Íficlo. O vidente prometeu curá-lo em troca do famoso gado.

Depois de sacrificar dois touros e convocar os pássaros, Melampo soube, por intermédio de um velho abutre, que, certo dia, quando Fílaco estava castrando carneiros, Íficlo ficara aterrorizado com a faca ensanguentada. Diante disso o pai havia enterrado a faca em um carvalho sagrado. A lâmina fora coberta por uma casca, e se o objeto fosse encontrado e recuperado, e se Íficlo bebesse raspas da ferrugem misturadas com água durante dez dias, ele seria pai. Melampo fez exatamente o que o abutre lhe recomendou, e, passado o tempo devido, Íficlo gerou dois filhos: Podarces e Protesilau.

Melampo levou o gado para Neleu em Pilos e conquistou a mão de Pero para Bias. Muitos anos mais tarde, quando ouviu falar da loucura das filhas de Preto, foi para Tirento e se ofereceu para curá-las em troca de um terço do reino. Preto achou o preço muito alto e não aceitou a proposta, mas as moças ficaram ainda mais loucas e a loucura se espalhou para as demais mulheres argivas. Todas abandonaram seus lares, e até mesmo mataram os próprios filhos, vagando depois pelas montanhas e florestas.

Diante disso, Preto aceitou a oferta de Melampo — mas já era tarde demais: o vidente havia aumentado o preço para dois terços do reino, um para ele e um para seu irmão, Bias. Preto concordou, temendo que o preço subisse ainda mais, e Melampo cumpriu sua promessa, levando consigo um bando de jovens fortes que correram atrás das moças e fizeram que descessem as montanhas aos gritos, pulando e dançando de maneira frenética. Durante essa perseguição, Ifinoé morreu, mas suas duas irmãs e o restante das mulheres foram purificadas e recuperaram a sanidade mental. Preto, em sinal de gratidão, deu as duas filhas restantes em casamento a Melampo e a seu irmão: o vidente casou-se com Ifianassa, e Bias (Pero já havia morrido), com Lisepe. Depois disso Estenebeia deu a Preto um filho, chamado pelo pai de Megapentes ("Grande tristeza"), para recordar o sentimento que a loucura das filhas o causara.

Preto sofreu outro infortúnio quando Estenebeia se apaixonou pelo herói Belerofonte (ver p. 181). Mas seu irmão gêmeo, Acrísio, também teve de enfrentar adversidades, que começaram quando sua bela filha Dânae despertou o interesse de Zeus.

Dânae e o nascimento de Perseu

Acrísio queria ter filhos homens, mas, junto de sua mulher Eurídice (filha de Lacedemon, rei de Esparta), concebeu apenas uma filha, Dânae. Ele consultou um oráculo para saber se teria um filho homem e — como costumava acontecer — o oráculo não deu uma resposta útil, mas fez uma profecia assustadora. Foi-lhe dito que Dânae teria um filho que, ao crescer, o mataria. Na esperança de conseguir escapar desse destino se mantivesse a filha longe de qualquer contato com homens, Acrísio a prendeu juntamente com a ama em um aposento subterrâneo de bronze. (Segundo a fonte mais antiga da versão, que parece ser de Horácio e veio a ser a mais usual, a prisão de Dânae era uma torre de bronze: *Odes* 3.16.) Essa solução, porém, não levou em consideração o desejo de Zeus por Dânae. A câmara tinha uma pequena abertura por onde entravam luz e ar, e foi por essa fresta que Zeus entrou, na forma de chuva dourada, derramando-se sobre as coxas da jovem. No tempo devido Dânae deu à luz um filho, Perseu. Acrísio recusou-se a acreditar que o pai do menino fosse Zeus, por isso trancou a filha e o bebê em uma arca de madeira e a lançou ao mar, que os carregou para longe.

Alguns fragmentos dessa triste história chegaram até os nossos dias em um poema do poeta lírico Simonides, no qual Dânae lamenta-se para seu bebê, no interior da arca de madeira (fr. 543):

> (...) Quando, na arca finamente trabalhada,
> o vento a soprar e o grandioso mar
> lhe trouxeram o medo, ela, com as faces molhadas,
> enlaçou nos braços amorosos seu pequeno Perseu
> e disse: — "Meu filho, em que situação me encontro.
> Mas tu dormes profundamente, com teu pequeno coração
> em paz, repousando nesta desconfortável madeira
> pregada com bronze, nesta noite sem luz,
> na escuridão negra. Não abalam a ti
> as ondas que se quebram neste mar revolto

acima de tua cabeça; tampouco te perturba o rugir do vento,
enquanto dormes aqui, com este teu lindo rosto
emoldurado por um xale cor de carmim.
Se soubesses do perigo que corres,
teus pequenos ouvidos ouviriam minhas palavras.
Mas, como não sabes, só te digo que durmas,
meu bebê, e que o mar durma,
e que nossa infindável dor durma...

Zeus protegeu a mãe e o bebê, fazendo a arca boiar em segurança até a ilha de Sérifo, no arquipélago das Cíclades. Lá foi apanhada pela rede de pescar de Díctis, irmão do rei local, Polidectes, e Dânae e o bebê foram levados para a casa do pescador. Lá Perseu levou uma vida tranquila até chegar à idade adulta, mas esse pacato estado de coisas não poderia durar, pois um filho de Zeus estava destinado a protagonizar grandes feitos. E estava destinado também, é claro, a matar o avô, Acrísio.

6. Heróis e monstros

A medida de um grande herói, além de sua força e sua coragem, era, com frequência, a extraordinária habilidade com a qual enfrentava e derrotava oponentes terríveis e, na maioria das vezes, monstruosos. Jasão, como vimos, teve de atrelar touros que lançavam fogo pelas ventas — ainda que com o auxílio das poções mágicas de Medeia. Héracles é o exemplo supremo desse tipo de herói, pois com grande frequência enfrentou e venceu o pior que o mundo e até mesmo os deuses puderam mandar contra ele. Seus muitos triunfos, quase sempre obtidos sem ajuda alguma, merecem um capítulo à parte. Neste capítulo vamos falar de três outros proeminentes heróis, cujas realizações foram mais limitadas do que as de Héracles, mas que mesmo assim foram responsáveis por grandes feitos de coragem e resistência. Comecemos pela continuação da história de Perseu.

Perseu e a Medusa górgona

A carreira heroica de Perseu começou quando Polidectes, rei de Sérifo, apaixonou-se por Dânae e decidiu que a possuiria por bem ou por mal. Ele concluiu que a presença de um filho crescido, capaz de proteger a mãe, seria um obstáculo à sua pretensão, por isso planejou livrar-se de Perseu de uma vez por todas. O rei fingiu que desejava se casar com Hipodâmia, filha de Enômao, rei de Pisa, e que, por isso, estava reunindo cavalos como contribuição para o presente da noiva. Quando lhe foi pedida sua contribuição, Perseu gabou-se dizendo que, se necessário, iria buscar a cabeça da Medusa górgona. Polidectes aproveitou-se da oferta de Perseu, certo de que não conseguiria voltar vivo, pois o simples olhar de Medusa era suficiente para que um homem se transformasse em pedra.

Perseu, naturalmente, ficou desanimado por ter que cumprir a promessa impensada, mas Atena e Hermes fizeram dele um favorito dos deuses, oferecendo ajuda divina para que cumprisse sua missão. Por orientação dos céus, Perseu foi primeiramente visitar as três graias, filhas do velho deus do mar Fórcis e do monstro marinho Ceto, e irmãs das três górgonas. Essas velhas desdentadas, cegas e de cabelos brancos desgrenhados tinham apenas um olho e um dente que compartilhavam, passando-os de uma para a outra quando necessário.

Perseu precisava descobrir, por intermédio delas, onde encontrar certas ninfas que poderiam ajudá-lo em sua perigosa missão. Ao ver que as graias, como seria de se supor, recusaram-se a prestar qualquer assistência que pusesse em perigo suas irmãs, Perseu roubou o olho e o dente que eram compartilhados entre as velhas e disse que não os devolveria até que dessem a informação desejada. Por fim, sem alternativa, elas lhe contaram o que sabiam.

As ninfas equiparam Perseu com sandálias aladas que o levariam ao covil das górgonas no fim do mundo, com um capuz de escuridão que pertencia a Hades e que o tornaria invisível, e com um alforje especial no qual a cabeça da Medusa poderia ser guardada. Além disso, Hermes lhe deu uma foice indestrutível para decapitar a criatura. Junto do escudo de bronze polido que Perseu levara, esses objetos o equiparam totalmente, por fim, para a tarefa.

Com suas sandálias aladas e seu capuz de escuridão, ele voou para além do rio Oceano, no Ocidente distante, até a terra das três górgonas, as imortais Esteno e Euríale e a mortal Medusa. Perseu as encontrou dormindo. Eram criaturas assustadoras, com a cabeça coberta de serpentes enroscadas, grandes presas como as de um javali, mãos de bronze e asas de ouro. Medusa era seu alvo por ser mortal, e ele cuidou de não olhar diretamente para seu rosto, a fim de não ser transformado em pedra. Manteve a concentração apenas no reflexo dela em seu escudo polido, enquanto Atena o ajudava guiando sua mão, que empunhava a foice. Finalmente decepou a cabeça de Medusa, enfiou-a no alforje — mais tarde ele a usaria contra seus inimigos — e partiu voando rapidamente.

Medusa estava grávida do deus Poseidon, e de seu pescoço cortado saltaram dois filhos: o cavalo alado Pégaso, que viria a ter um papel na lenda de Belerofonte, e Crisaor ("Espada de ouro"), sobre quem sabemos muito pouco além de que foi pai de Gerião, um dos monstros destruídos por Héracles. Esteno e Euríale fizeram o possível para capturar o assassino de sua irmã, mas, como Perseu estava usando o capuz de escuridão, as górgonas o perderam de vista. Voltaram, então, para chorar a irmã morta. Píndaro (*Ode pítica* 12.6-27) conta que Atena inventou o som lamentoso do *aulos*, a flauta dupla, para imitar esse triste pranto.

Não se dispõe de um relato mais antigo da expedição contra as górgonas, mas *O escudo de Héracles* (século VI a.C.), de Hesíodo, capta os momentos depois que Perseu conseguiu cortar a cabeça da Medusa. O poema contém uma descrição do escudo maravilhoso feito por Hefesto para Héracles antes da luta contra Cicno, o sanguinário filho do deus da guerra Ares. Muitas maravilhas estavam gravadas nele, uma delas era a figura de Perseu na jornada, feita de ouro (220-37):

> Nos pés, ele usava sandálias aladas e, atravessada nos ombros, presa a um cinturão de bronze, havia uma espada em uma bainha negra. Voava ligeiro como o pensamento. Nas costas levava a cabeça de um terrível monstro, a górgona, em um lindo alforje de prata, maravilha de se ver, do qual pendiam pingentes cintilantes de ouro. Na cabeça do herói estava o assustador capuz de Hades, com sua terrível escuridão da noite. O próprio Perseu, filho de Dânae, viajava a

toda velocidade, como se voasse e tremesse de pavor. Em seu encalço lançavam-se as duas górgonas, indescritivelmente assustadoras, ansiosas por alcançá-lo, orientando-se pelo barulho que o escudo fazia. Duas serpentes pendiam de suas cinturas, as cabeças inclinadas para a frente. Suas línguas tremulavam e elas rangiam os dentes com fúria, enquanto os olhos ameaçadores brilhavam ferozmente. Nas terríveis cabeças das górgonas via-se a ameaça do grande Terror.

Apesar das terríveis górgonas, Perseu conseguiu fugir com seu troféu e tomou o caminho de casa, isto é, de Sérifo. Numa das versões da história, Perseu chegou à terra das hespérides (aqui imaginada no noroeste da África), onde pediu acolhida a Atlas. Ao ter o pedido recusado, Perseu mostrou ao titã a cabeça de Medusa, transformando-o no enorme monte Atlas, grande o bastante para sustentar o céu e suas estrelas. Pouco depois, quando Perseu voava acima dos desertos arenosos da Líbia, gotas de sangue caíram na terra da cabeça decepada de Medusa, e se transformaram em cobras venenosas que até hoje são abundantes na Líbia.

Por fim, Perseu chegou à terra dos etíopes, onde Cefeu era rei, e viu lá embaixo uma bela jovem acorrentada a uma rocha à beira-mar — era Andrômeda, filha de Cefeu e Cassiepeia. A vaidosa Cassiepeia gabara-se de ser mais bela do que as nereidas, que se queixaram a Poseidon. Como castigo, o deus mandou uma enchente e um monstro marinho para destruir a terra do casal. Um oráculo previu que o povo só se livraria dessas maldições se Andrômeda fosse dada ao monstro, e Cefeu foi forçado por seu povo a acorrentar a filha e deixá-la no rochedo para ser devorada. Foi nesse ponto crítico, enquanto a moça aguardava que o monstro fosse devorá-la, que Perseu passou voando com suas sandálias aladas.

Ele se apaixonou pela jovem princesa à primeira vista e prometeu ao rei que a salvaria, desde que a recebesse como esposa. Quando o monstro surgiu do oceano, Perseu voou e o atacou do alto, matando-o com sua foice. Foi então reivindicar a mão de Andrômeda, mas, infelizmente, a jovem já havia sido prometida ao irmão de Cefeu, Fineu, que se opôs ao casamento. Entretanto, isso durou pouco, porque Perseu simplesmente descobriu a cabeça de Medusa e transformou em pedra Fineu e todos os que o apoiavam. O casamento agora podia realizar-se.

Dentro de um ano, Andrômeda deu à luz seu primeiro filho, Perses. Perseu então retornou a Sérifo, levando consigo a mulher, mas deixando o filhinho para ser criado por Cefeu, que não tinha um herdeiro homem para sucedê-lo. Perses viria a dar seu nome aos persas e se tornou ancestral dos reis da Pérsia.

De volta a Sérifo, Perseu soube que sua mãe e Díctis estavam sendo cruelmente perseguidos por Polidectes. Mais uma vez, a cabeça da Medusa entrou em ação. Perseu encontrou-o junto de sua corte em um banquete no palácio e transformou todos em pedra. Depois colocou Díctes no trono no lugar de Polidectes. Então, cumprida finalmente a missão, devolveu as sandálias aladas e os demais equipamentos a Hermes e deu a cabeça da górgona a Atena. A deusa então a colocou no centro de sua couraça como ameaça aos inimigos.

Perseu retornou a Argos com Andrômeda e Dânae, com a intenção de se estabelecer em sua terra natal e tornar seu feito conhecido pelo avô. Acrísio, porém, sabendo da iminente chegada do neto, havia fugido, pois ainda temia ser assassinado, como o sinistro oráculo previra. Algum tempo depois, Perseu foi a Larissa, na Tessalônica, para competir em alguns jogos fúnebres; quis o destino que Acrísio também lá se encontrasse e, ao lançar um disco, Perseu acidentalmente atingiu e matou o avô. A previsão do oráculo se realizou (como sempre).

Depois de causar a morte do avô, Perseu se sentiu constrangido em sucedê-lo no trono de Argos, como seria de direito. Por isso trocou Argos por Tirinto, o reino de Megapentes, filho de Preto. Perseu também fundou Micenas e pediu aos ciclopes que construíssem as enormes (ciclópicas) muralhas na região, semelhantes às que haviam construído em Tirinto para Preto. Andrômeda lhe deu mais herdeiros: uma filha, Gorgófone (significa "Morte da górgona", para celebrar o maior feito de Perseu) e mais cinco filhos, Alceu, Estênelo, Electríon, Mestor e Helio. Um bisneto do casal viria a ser o poderoso herói Héracles.

Depois de mortos, Perseu e Andrômeda foram imortalizados nas estrelas como constelações com os seus nomes, assim como Cefeu e

Cassiepeia (mais frequentemente Cassiopeia) e até o monstro marinho, Ceto. Cassiopeia, com sua forma de "W", é uma das constelações mais fáceis de reconhecer no céu noturno. Imagina-se que a rainha fique sentada em uma cadeira, e passe metade do tempo de cabeça para baixo, para praticar a humildade.

Belerofonte e a Quimera

A história de Belerofonte, o maior dos heróis de Corinto, é uma história de virtude e coragem recompensadas, e de presunção punida. Ele era neto do espertíssimo Sísifo e de sua mulher, Mérope (uma das sete plêiades), e filho de Glauco, rei de Corinto, embora às vezes se diga que era filho de Poseidon. Bastante conhecido pela maneira horrível como morreu, Glauco tinha o hábito de alimentar seus cavalos com carne humana, para que se tornassem mais agressivos nas corridas. Certa vez, porém, quando os levou para Ioleo a fim de participar dos jogos funerários do rei Pélias, os animais foram privados de seu alimento usual, então despedaçaram Glauco e o devoraram. Por várias gerações, o fantasma de Glauco, conhecido como Taraxipo ("Assustador de cavalos"), assombrou o estádio de Corinto, onde os Jogos Ístmicos se realizavam, aterrorizando os cavalos durante as corridas.

Belerofonte, porém, não se tornou rei de Corinto no lugar do pai, pois foi obrigado a deixar a cidade natal depois de matar acidentalmente um homem (seu nome significa "Matador de Belero"). Sua história aparece pela primeira vez na *Ilíada* de Homero (6.144-211) quando Glauco, líder dos lícios (e bisneto do primeiro Glauco), fala sobre seus ancestrais ao herói grego Diomedes no campo de batalha em Troia, começando com um símile que ficou famoso:

> Assim como as gerações das folhas são as gerações dos homens.
> O vento espalha as folhas pela terra, mas as árvores, vivas,
> renovam-se novamente a cada primavera.
> Assim uma geração de homens nasce enquanto a outra se vai.

Glauco prossegue relatando a história de Belerofonte, que, em visita a Preto, rei de Tirinto, despertou a paixão da desafortunada rainha. Homero a chama de Anteia, embora o nome mais popular seja Estenebeia, encontrado em todos os relatos posteriores. Ela tentou seduzir Belerofonte, mas o jovem virtuoso repeliu todos os avanços da anfitriã. Irada e vingativa, a rainha o acusou de tentar violentá-la, esperando que Preto o matasse. Não há dúvida de que ele desejava fazê-lo, mas teve medo de provocar a ira dos deuses ao matar um hóspede e, então, enviou Belerofonte à casa do sogro, Ióbates, rei da Lícia. Junto enviou uma carta lacrada, com instruções para que o sogro matasse o mensageiro. "Terríveis e destruidores símbolos" é como Homero se refere à mensagem, em sua única alusão conhecida à arte da escrita.

Durante nove dias, Ióbates festejou a chegada de Belerofonte e somente no décimo abriu a malfadada carta do genro. Mas Ióbates também hesitou em assassinar diretamente um hóspede, por isso deu a ele uma tarefa que lhe parecia fatal: matar a mortífera Quimera, filha de dois monstros enormes e assustadores, Equidna e Tífon. É Hesíodo (*Teogonia* 319-25) quem melhor a descreve:

> Ela lançava pelas narinas um fogo mortífero, aquela criatura enorme e terrível, forte e de patas velozes. Tinha três cabeças — uma de um leão ameaçador, a segunda de uma cabra (*chimaira*) e a terceira de uma poderosa serpente. A de leão ficava na frente, a de cobra, atrás, e a de cabra, no meio, todas lançando enormes rajadas de fogo.

Belerofonte, poderoso herói, conseguiu matar a Quimera, mas Ióbates deu-lhe mais duas missões: lutar, sozinho, contra a tribo dos hostis sólimos e em seguida enfrentar as amazonas, uma poderosa tribo de mulheres guerreiras. Belerofonte retornou vitorioso de ambas as batalhas. Ióbates, então, fez uma última tentativa de levá-lo à morte: preparou uma emboscada com os homens mais fortes da Lícia, mas o guerreiro matou todos. Finalmente, Ióbates reconheceu que seu hóspede deveria ter sangue divino nas veias e capitulou, dando-lhe metade de seu reino e a mão da filha em casamento. Filonoé, que era a irmã mais nova de Anteia/Estenebeia, deu a Belerofonte dois filhos — Hipóloco (pai de Glauco) e Isandro, que foi morto lutando contra os sólimos — e uma filha, Laodâmia. Ela foi amada por Zeus, a quem deu um filho, Sarpédon (comandante de Glauco em Troia, logo morto por Pátroclo). Laodâmia "foi morta pela ira de Ártemis".

Homero não explica como Belerofonte conseguiu completar essas tarefas com sucesso, mas em todos os relatos posteriores o guerreiro o faz voando em seu cavalo alado imortal, Pégaso, e atacando seus oponentes do alto. Pégaso, como já vimos, nasceu do pescoço da Medusa górgona quando Perseu a decapitou. Píndaro (*Ode olímpica* 13.60-92) descreve o modo como Belerofonte o capturou e domou. O herói o viu pela primeira vez quando o maravilhoso cavalo pastava perto da fonte Pirene, em Corinto, e desejou-o para si. A conselho do vidente Poliido, dormiu uma noite no santuário de Atena. Lá, sonhou que a deusa lhe dava rédeas de ouro e lhe dizia que sacrificasse um touro a Poseidon, Domador de Cavalos. Ao acordar, o herói viu as rédeas a seu lado, fez o sacrifício apropriado e dedicou um altar em agradecimento a Atena. Depois "domou o cavalo alado, colocando as belas rédeas mágicas em seu focinho", e montou facilmente em seu dorso.

Com a ajuda de Pégaso, ele foi capaz de realizar as difíceis tarefas que lhe deu Ióbates. A luta contra a Quimera era uma das cenas mais reproduzidas da arte antiga, e a partir das primeiras décadas do século VII a.C. vemos Belerofonte montado em Pégaso, atacando a criatura a princípio de frente, depois, voando acima dela para matá-la. De certa maneira, porém, a Quimera continuou viva, pois também foi muito representada na arte pós-clássica, sempre de maneiras fantásticas, muitas vezes com asas, e a palavra "quimera" passou a significar "produto de imaginação exacerbada".

Os eventos posteriores da vida de Belerofonte foram dramatizados por Eurípides em duas tragédias, das quais só chegaram até nós alguns fragmentos. Em *Estenebeia*, Belerofonte retorna a Tirinto para se vingar da mulher que ordenou que o matassem. Convenceu-a a montar em Pégaso junto a ele e levou-a para bem alto, acima do mar, atirando-a para a morte. Seu próprio fim trágico também foi dramatizado em *Belerofonte*: ele tentou cavalgar Pégaso até o Olimpo, morada dos deuses, cena parodiada com grande efeito cômico na comédia *Paz*, de Aristófanes, em que Trigeu tenta fazer o mesmo montado em um besouro. Furioso com a ousadia de Belerofonte, Zeus enviou um moscardo para picar o corcel alado. Pégaso derrubou seu cavaleiro e deixou o mundo mortal para sempre, passando a viver, daí em diante, com os deuses no Olimpo, onde puxava a carruagem que transportava os trovões e os raios de Zeus. Em homenagem ao corcel alado, o deus colocou-o na constelação que leva seu nome.

Belerofonte sobreviveu à queda e reapareceu no palco de Eurípides aleijado e maltrapilho. (Aristófanes parodiou também essa cena, na comédia *Acarnenses*.) É provável que ele tenha morrido no fim da tragédia. Homero, como vimos, não faz menção alguma a Pégaso, tampouco à tentativa do herói de chegar ao Olimpo. Sobre o triste fim de Belerofonte, diz apenas: "Odiado por todos os deuses, ele vagou só pela planície Aleia, definhando de tristeza e mantendo-se distante dos caminhos por onde passavam os homens."

Meleagro e o javali de Cálidon

A caça ao javali de Cálidon, assim como a busca ao tosão de ouro, foi uma das grandes façanhas do mundo antigo, da qual participaram muitos heróis da geração anterior à Guerra de Troia. Tudo começou quando Eneu, rei dos etólios de Cálidon, ofereceu os primeiros frutos da colheita a todos os deuses, mas se esqueceu de Ártemis. Por causa desse esquecimento, a vingativa deusa enviou a Cálidon um gigantesco javali selvagem, que arrasou os campos, destruiu as plantações e matou gado e homens.

Em relatos antigos da caça ao javali, o animal parece tornar-se cada vez mais terrível com o passar do tempo. A história aparece pela primeira vez em Homero (*Ilíada* 9.529-99), e aqui o javali não parece tão assustador: "(...) um javali feroz, de presas brancas, que, como os outros da sua espécie, causou grandes prejuízos aos pomares de Eneu, arrancando muitas árvores altas e atirando-as ao chão, com raízes, maçãs e tudo." O animal se torna bem mais assustador quando a história é contada por Baquílides (*Ode* 5.93-154): "(...) um formidável javali selvagem, cruel lutador que, no ápice de sua força, derrubava árvores frutíferas com suas presas e matava carneiros e quaisquer mortais que se pusessem em seu caminho." Quando chegamos a Ovídio, o javali já se tornou um monstro (*Metamorfoses* 8.284-9):

> Seus olhos ardiam como o fogo, seu pescoço era duro e peludo, os espinhos do seu pelo furavam como pontas de lanças. O som que emitia era gutural e saliva espumante e quente escorria pelo peito largo. Suas presas eram do tamanho das de um elefante. De sua boca saíam chamas e seu hálito queimava as folhas.

O filho de Eneu e de sua mulher Alteia era Meleagro, embora às vezes se diga que ele era filho do deus da guerra Ares. Meleagro tinha viajado com Jasão e os argonautas e vencera a competição de arremesso de dardos nos jogos fúnebres de Pélias. Para enfrentar o enorme javali, reuniu um grande grupo dos melhores homens de toda a Grécia. De acordo com a lista de Apolodoro (1.8.2), faziam parte desse grupo de heróis os dióscuros, Castor e Polideuces; Idas e Linceu, filhos de Afareu; o grande herói ateniense Teseu e seu amigo Pirítoo; Jasão, o líder dos argonautas; Admeto, de Feras; Anceu e Cefeu, filhos de Licurgo, da Arcádia; Íficles, meio-irmão de Héracles; os dois filhos de Éaco, Peleu e Télamon; Erítion, rei da Ftia; o filho de Pélias, Acasto; o vidente Anfiarau; e a caçadora Atalanta. Tão logo se reuniram, junto de seus cães caçadores, a caça ao javali começou.

Foi o próprio Meleagro quem matou o javali. Homero não dá pormenores da caçada em si, pois sua atenção está voltada para o que aconteceu depois, quando Ártemis, ainda irada, provocou uma briga por causa da cabeça e do couro do javali. Isso levou a uma violenta batalha entre os etólios de Cálidon e os curetes de Pleuron, clã ao qual Alteia, mãe de Meleagro, pertencia. Tudo ia bem para os etólios enquanto Meleagro estava lutando, pois sob seu comando venciam facilmente, mas a situação mudou quando, no calor da batalha, Meleagro matou os irmãos de sua mãe. Alteia o amaldiçoou, invocando Hades e Perséfone para levá-lo à morte (e, agourenta, "a fúria, que vagueia na escuridão, ela, de coração impiedoso, ouviu-a do Érebo, onde se encontrava"). Por causa disso, Meleagro se retirou da batalha, irado, e recusou-se a continuar lutando.

Com o líder rival fora de ação, os curetes atacaram Cálidon mais e mais violentamente. Em vão os anciãos da cidade ofereceram presentes a Meleagro para que ele voltasse ao campo de batalha. Seu pai, sua mãe, suas irmãs e seus camaradas mais queridos alternaram-se em súplicas. Ele se recusava a voltar, apesar de todos os pedidos, e só reconsiderou quando sua esposa, Cleópatra, lhe pediu que retornasse à luta. (Cleópatra era filha de Idas e Marpessa e em outros relatos é chamada de Alcíone.)

Meleagro lutou e conquistou a vitória para seu povo — mas, como disse Homero, já era tarde demais para receber os presentes prometidos. Homero não conta como foi a sua morte, mas em outras versões antigas do mito, o épico perdido *Mínias* e o fragmentado *Catálogo das mulheres* hesiódico, ele teve uma morte tipicamente épica, nas mãos do deus Apolo, que lutava do lado dos curetes.

Relatos posteriores nos dão mais alguns detalhes da caça ao javali. Muitos cães de caça foram atacados e mortos pela fera, assim como muitos homens foram feridos e alguns perderam a vida. Um deles foi Eurítion, morto acidentalmente por um dardo lançado por Peleu. Outro foi Anceu, que foi para a caçada vestido com uma pele de urso e armado com um machado de duas cabeças, o mesmo equipamento usado na viagem dos argonautas. Ele sobreviveu àquela perigosa expedição, mas nessa não teve tanta sorte. Quando se lançou sobre o enorme javali, agitando seu grande machado, teve a virilha perfurada pela fera e morreu.

A arte arcaica é uma boa fonte de informação para esse mito, pois a caça ao javali foi um tema muito popular entre os pintores de vasos. O episódio aparece primeiro no vaso François Krater (*c.* 570 a.C.), no qual a maioria das figuras, inclusive os cães, são nomeadas. Meleagro e Peleu, lado a lado, enfrentam o enorme javali, com Atalanta e seu amante Melânion logo atrás, enquanto, sob o javali, Anceu (aqui identificado como Anteu) e um cão dilacerado jazem mortos. A partir daí, Anceu tornou-se uma figura sempre presente nesse tipo de cena, bem como Atalanta, frequentemente em destaque.

Meleagro estava apaixonado pela bela caçadora, por isso ficou empolgado ao ver que, com uma seta, Atalanta foi a primeira do grupo a fazer o animal sangrar, nas costas. Foi Meleagro quem finalmente matou a fera com uma estocada no flanco, mas recusou os troféus da caça, a cabeça e a pele do javali. Preferiu dá-las a Atalanta em reconhecimento por sua destreza, mas isso causou ressentimento entre os demais caçadores. Mais uma vez começou a briga, durante a qual Meleagro matou os irmãos de sua mãe, acidentalmente ou irado por terem os tios tomado os troféus de Atalanta. Nessa versão ele também perde a vida — mas de forma bem mais patética do que nos antigos épicos.

Pouco depois do nascimento de Meleagro, sua mãe, Alteia, soube, pelas parcas, que o filho viveria enquanto uma determinada tora de lenha, que então ardia no fogo, não se queimasse por completo. Alteia imediatamente apagou o fogo do pedaço de lenha e guardou-o em uma arca, mantida em segurança por muitos anos. Veio então a caça ao javali. Ao ver que Meleagro matara os tios durante a briga pelos troféus da caçada, Alteia tirou a tora de arca e atirou-a ao fogo. Tão logo a madeira se queimou por completo, seu filho morreu.

Ainda em consequência da caça ao javali, Alteia e a esposa de Meleagro, Cleópatra, puseram fim às próprias vidas, Alteia por remorso, e Cleópatra, por tristeza. As irmãs de Meleagro choraram tanto a sua morte que Ártemis, penalizada, transformou-as em galinholas (*Meleagrides*) — mas não Djanira, que viria a se casar com Héracles. Baquílides descreve o encontro entre a sombra de Meleagro, no Hades, com Héracles, que tentava capturar o monstruoso cão de guarda Cérbero. Meleagro contou ao visitante a história da caçada e falou-lhe de seu destino infeliz, morto pelas mãos da mãe. Diante do relato, Héracles perguntou se Meleagro não teria alguma irmã virtuosa como ele, para torná-la sua esposa. Foi quando o herói soube de Djanira, dando início, desta maneira, a acontecimentos que resultariam em sua morte.

O viajante Pausânias (8.46.1,5) registra no século II d.C. que as presas do javali haviam sido preservadas originalmente no templo de Atena em Tegeia, na Arcádia, mas que Augusto as tinha levado para Roma, onde uma delas ainda podia ser vista, com sua extensão aproximada de 90 centímetros. O próprio Pausânias (8.47.2) teria visto o corpo do javali em Tegeia, embora àquela altura ele já estivesse se desintegrando e houvesse perdido todo o pelo.

7. Héracles

O maior de todos os heróis foi Héracles (Hércules, para os romanos), personagem mitológico imensamente popular, homem de força, coragem e resistência sobre-humanas. Sua fama é também a de um homem de paixões violentas, apetite exacerbado e enorme voracidade para comida, vinho e sexo. Levou uma vida árdua, realizando trabalhos e enfrentando provações, e recebeu o título de *Alexikakos*, "Aquele que afasta o mal", por livrar o mundo de muitos monstros e indivíduos maléficos. Graças a seus grandiosos feitos, foi recompensado depois da morte com a imortalidade entre os deuses, embora na *Odisseia* de Homero Odisseu veja a sombra de Héracles ainda no Hades — testemunho, sem dúvida, de uma época anterior àquela na qual sua apoteose tornou-se parte estabelecida na lenda. Héracles é uma figura solitária, e impõe medo e respeito mesmo depois de morto (11.605-12):

> À sua volta os mortos gritavam como assustados pássaros,
> fugindo em todas as direções. Como a noite escura ele chegou,
> levando o arco em riste, uma seta na corda tensa,
> olhando ferozmente o entorno, sempre pronto a atirar.

Uma assustadora espada em uma correia enviesada no peito,
um boldrié com fantásticos ornamentos —
ursos e selvagens javalis, leões de olhos coriscantes,
lutas, batalhas, mortes e chacinas de homens.

Infelizmente, nenhum grande épico das façanhas de Héracles chegou até nós, porém narrativas de sua vida nos foram dadas em prosa por Apolodoro (2.4.8-2.7.8) e por Diodoro Sículo (4.9-4.39), e seus fabulosos feitos foram representados em muitos milhares de vasos pintados na Antiguidade. Seus atos heroicos são tradicionalmente divididos em três categorias principais. Os primeiros e mais importantes foram os doze trabalhos, realizados para Euristeu; *athloi*, em grego, que significa disputa, competição — usualmente por um prêmio — e consequentemente lutas árduas ou provações. A lista canônica desses trabalhos parece ter sido estabelecida no século V a.C., quando todos os doze foram representados nas métopas do templo de Zeus em Olímpia, datadas de cerca de 460. Havia também o que se chamava de *parerga*, feitos incidentais de Héracles enquanto ele realizava seus trabalhos; e por fim as realizações de iniciativa própria, ou *praxeis*. A cronologia desses vários atos varia um pouco e o que se segue é uma série de eventos registrados por Apolodoro, com ligeiras adaptações.

Prelúdio ao nascimento de Héracles

Héracles foi o mais grandioso filho de Zeus com uma mulher mortal. Sua mãe foi Alcmena, filha de Electríon, rei de Micenas que havia subido ao trono com a morte do pai, Perseu, o responsável pela morte da Medusa górgona. Alcmena era casada com seu primo Anfitrião, filho de Alceu, outro filho de Perseu. Por muito tempo, entretanto, ela permaneceu virgem, porque Electríon havia decretado que o casamento da filha não poderia ser consumado até que se houvesse cumprido a vingança contra os táfios (também chamados de telébeas), povo vizinho que, em um ataque violento, tinha roubado seu gado e matado os nove irmãos de Alcmena.

Primeiro, Anfitrião recuperou o gado do sogro e o levou em segurança de volta para Micenas, mas, quando o devolvia ao rei, deu-se um acidente: uma das vacas o atacou e um porrete que ele atirou bateu no chifre da vaca e voltou, matando Electríon. O irmão de Electríon, Estênelo, imediatamente baniu Anfitrião da Argólida e tomou o trono para si. Anfitrião partiu com Alcmena para Tebas, onde foi purificado de seu crime involuntário por Creonte, rei da cidade.

As mortes dos nove irmãos de Alcmena ainda precisavam ser vingadas, e Creonte concordou em ajudar Anfitrião se antes obtivesse ajuda para se livrar da raposa Teumessiana — uma enorme e feroz raposa, destinada a nunca ser apanhada, que havia sido enviada pelos deuses para atormentar a vida dos tebanos. Todos os meses, para acalmar a fera, o filho de um cidadão de Tebas era oferecido como vítima. Anfitrião valeu-se de um cão de caça chamado Lélaps ("Furacão"), que pertencia a Céfalo, filho de Díon, rei da Fócia. Como Lélaps estava destinado a jamais perder sua presa, foi posto para caçar a raposa que não se deixava apanhar — até que Zeus interveio e colocou um ponto final naquela caçada interminável, transformando os dois animais em pedra.

Depois desse sucesso, Creonte ajudou Anfitrião em sua vingança contra os táfios, povo que vivia em um grupo de ilhas logo à saída do golfo de Corinto. Junto com mais alguns aliados, Creonte e Anfitrião fizeram um ataque triunfal à maioria daquelas ilhas, mas não conseguiram dominar a ilha de Tafos, devido à resistência de seu rei, Pterelau. Ele parecia invencível porque seu avô, Poseidon, havia posto entre seus cabelos um único fio de ouro que o faria imortal enquanto lá permanecesse. Anfitrião, porém, foi auxiliado por Cometo, filha do rei, que havia se apaixonado pelo invasor: ela arrancou o fio de ouro da cabeça de Pterelau, ocasionando a sua morte. Anfitrião pôde então subjugar todas as ilhas, mas, se Cometo esperava alguma gratidão, não a recebeu; Anfitrião matou-a por ter traído o pai.

Vingados os filhos de Electríon, Anfitrião pôde então voltar para casa com o direito de, por fim, consumar seu casamento. Zeus, porém, havia chegado primeiro. O grande deus aguardava uma oportunidade para deitar-se com a bela Alcmena e, quando Anfitrião já estava chegando à casa coberto de glória e carregado de riquezas, Zeus viu o momento de agir. Foi, então, até Alcmena disfarçado de Anfitrião e contou-lhe sua vitória sobre os táfios. Feliz ao saber que seus irmãos haviam sido vingados, a moça, completamente enganada, recebeu de bom grado o deus em sua cama. Zeus chegou a prolongar aquela noite, tornando-a três vezes mais longa para melhor desfrutar Alcmena.

Tão logo Zeus partiu, Anfitrião chegou e ficou perplexo quando descobriu, ao ir para a cama, que a esposa já sabia de tudo sobre sua vitória e estava certa de ter dormido com ele. Sem entender o que se passava, consultou o vidente tebano cego Tirésias, que lhe contou o acontecido, explicando o truque de Zeus e a inocência de Alcmena.

Passado o tempo, Alcmena deu à luz dois gêmeos: Héracles, filho de Zeus, e Íficles, filho de Anfitrião. Zeus sabia muito bem que Héracles viria a ser seu filho mais poderoso e pretendia que se tornasse rei da Argólida, que incluía Micenas e Tirinto. No entanto foi o próprio Zeus que, inadvertidamente, destruiu esse futuro prestigioso no dia em que seu filho nasceu. Homero conta essa história (*Ilíada* 19.95-133). Quando Alcmena estava prestes a dar à luz, Zeus pôs-se a se gabar, de maneira imprudente, de que naquele mesmo dia nasceria um menino da sua linhagem que, ao crescer, governaria toda a terra à sua volta. Hera, tomada de ciúmes pelo nascimento daquele filho de seu marido com uma mortal, fez que Zeus jurasse que assim não seria. Então desceu do Olimpo para a Terra e, com a ajuda da deusa do parto, Ilítia, retardou o nascimento de Héracles e antecipou, prematuramente, o de Euristeu, filho do rei de Micenas, Estênelo. Zeus foi obrigado a cumprir sua palavra e dar o reino da Argólida a Euristeu, e não a Héracles.

Triunfante, Hera retornou ao Olimpo:

> E ela disse a Zeus, filho de Crono: "Pai Zeus,
> senhor dos raios, tenho uma notícia para alegrar teu coração.
> Hoje nasceu um homem ilustre que governará
> todos os argivos: Euristeu, filho de Estênelo,
> descendente de Perseu, portanto da tua linhagem.
> Ele está destinado a governar todos os argivos."
> Assim falou ela, e grande tristeza atingiu Zeus,
> no fundo de seu coração (...) E a partir de então
> ele sofreria ao ver seu amado filho
> labutar para cumprir as terríveis tarefas para Euristeu.

Essas tarefas seriam os doze trabalhos, realizados enquanto Héracles serviu a Euristeu durante doze anos. Além disso, Héracles viria a sofrer perseguições ao longo de toda a sua vida, por causa dos infindáveis ciúmes e ressentimentos de Hera.

Ovídio descreve o nascimento de Héracles com alguns pormenores (*Metamorfoses* 9.280-323): por sete dias e sete noites Alcmena sofreu as infrutíferas dores do parto, enquanto Ilítia, sentada à porta do quarto com pernas e dedos cruzados, murmurando palavras mágicas, a impedia de dar à luz. Por sorte, Alcmena tinha uma jovem escrava fiel, chamada Galântis, que pensou em um jeito de ajudar sua senhora. Ela enganou Ilítia, anunciando que o bebê havia nascido, o que fez que a deusa se pusesse de pé, surpresa, descruzando as pernas e as mãos. Nesse momento de desatenção, Héracles nasceu, logo seguido por Íficles. Ilítia puniu Galântis transformando-a em uma doninha (*gale* em grego).

Os primeiros anos

Assim, apesar da intervenção de Hera, Alcmena finalmente deu à luz seus filhos gêmeos. Quando os bebês tinham oito meses de idade, tornou-se evidente qual dos dois era filho de Zeus. Duas enormes serpentes subiram na cama dos meninos e Íficles pôs-se a gritar aterrorizado, enquanto Héracles agarrou as cobras logo abaixo das cabeças e as sufocou com suas mãozinhas de bebê, até matá-las. Dizem alguns que foi Hera quem mandou as cobras por causa da hostilidade que sentia contra Héracles, mas dizem outros que foi Anfitrião quem lá as colocou para descobrir qual dos dois meninos era seu filho.

Conforme Héracles foi crescendo, passou a ser instruído pelos melhores especialistas nas artes que deveriam ser dominadas pelos jovens. Com Anfitrião, aprendeu a dirigir uma carruagem; com Autólico, grande pregador de peças, praticou a luta corpo a corpo; com Êurito, da Ecália, neto do deus arqueiro Apolo, aprendeu a manejar o arco. Castor, um dos dióscuros, ensinou-lhe as artes marciais, e o maravilhoso músico Lino, irmão do ainda mais maravilhoso Orfeu, mostrou como tocar a lira — embora sem grande sucesso. Um dia o mestre, irritado, deu um tapa no mau aluno e Héracles revidou, matando Lino com sua própria lira.

Ao completar dezoito anos, Héracles já havia se tornado um magnífico espécime de homem e estava pronto para começar sua vida adulta de trabalhos e de glórias. Estava bem equipado para tanto, pois dispunha de arco e setas que recebera de Apolo, uma espada presenteada por Hermes, uma placa de ouro para usar no peito oferecida por Hefesto, cavalos dados por Poseidon e uma túnica como presente de Atena; ele mesmo havia cortado para si uma grande clava em Nemeia.

O primeiro dos seus muitos feitos perigosos foi a caça ao feroz leão que estava devorando os rebanhos de ovelhas no monte Citéron. Héracles levou cinquenta dias nessa caçada, e dormiu todas as noites na casa de Téspio, rei de Téspias, que ficava perto. Téspio estava ansioso para ter o maior número possível de netos que fossem filhos de tal herói, por isso mandou suas cinquenta filhas para a cama do hóspede, mas não se sabe se uma por noite, se as cinquenta durante sete noites, ou se todas numa só noite. Héracles fez filhos homens em todas elas, e gêmeos na mais velha e na mais nova.

No caminho de volta para Tebas, encontrou os arautos de Ergino, rei dos mínios de Orcômeno, Beócia, que viajavam para Tebas a fim de coletar um tributo anual. Alguns anos antes, o pai de Ergino, Climeno, havia sido mortalmente ferido por uma pedra atirada por um tebano, e em suas últimas palavras deixou ao filho um pedido de vingança. Ergino marchou então para Tebas, matando muitos tebanos e impondo um tributo de cem cabeças de gado por ano, durante vinte anos. Héracles resolveu livrar a Terra desse peso, e então decepou as orelhas, os narizes e as mãos dos arautos, pendurou-as em seus próprios pescoços e lhes disse para levar aquele tributo para o seu senhor. Ergino, furioso, marchou novamente sobre Tebas, mas, desta vez, contra um exército chefiado por Héracles. Ergino foi morto e seus homens fugiram em debandada. Héracles então impôs ao povo de Orcômeno um tributo de duzentas cabeças de gado por ano.

Creonte, agradecido, recompensou Héracles com a mão de sua filha Mégara. Foi um casamento feliz e o casal teve vários filhos, mas a união terminou em tragédia quando Hera fez que Héracles tivesse um ataque de loucura homicida durante o qual matou os filhos e, segundo algumas fontes, também Mégara. (Como sempre, há variações; segundo a poderosa tragédia de Eurípides *A loucura de Héracles*, ele foi tomado de loucura ao final dos doze trabalhos, de maneira que Hera teria aniquilado o herói no auge da sua glória.)

Ao recuperar a sanidade, coberto de tristeza e remorso, Héracles condenou-se ao exílio. Voltou a Téspio para o necessário ritual da purificação e em seguida foi aconselhar-se com o oráculo de Delfos. A Pitonisa disse-lhe que fosse viver em Tirinto e servisse o rei da Argólida, Euristeu, durante doze anos, como expiação de seu crime. O herói deveria realizar todas as tarefas impostas pelo rei, por mais impossíveis que parecessem. Se conseguisse completá-las — se sobrevivesse — ele se tornaria imortal. Essas tarefas vieram a ser seus célebres doze trabalhos.

Os doze trabalhos

Os seis primeiros trabalhos foram estabelecidos ao norte do Peloponeso, não muito longe de Micenas, e os outros seis levaram-no muito mais longe: a Creta, à Trácia, à Ásia Menor e, finalmente, aos limites últimos do mundo, e até mesmo à terra dos mortos, no Mundo Inferior. "Eu era um filho de Zeus," diz a sombra de Héracles a Odisseu em Homero, "mas infinito era meu sofrimento; pois eu era escravo de um homem muito inferior, e pesados foram os trabalhos que impôs a mim" (*Odisseia* 11.620-23).

1. O leão de Nemeia

O primeiro trabalho de Héracles foi matar o leão de Nemeia e levar sua pele para Euristeu. Não se tratava de um leão comum: o feroz animal tinha uma pele invulnerável a armas e era um monstro nascido de monstros. Segundo Hesíodo, a mãe do leão era a serpente Equidna ou a Quimera, que lançava fogo (*Teogonia* 326-32, na qual o texto é ambíguo), e o pai foi Orto, o cão de caça de duas cabeças pertencente a Gerião. Já Apolodoro afirma que o pai foi o terrível monstro Tífon. Foi Hera quem amamentou o leão, com o propósito de fazer mal a Héracles. A deusa o colocou na extremidade noroeste da Argólida, e lá ele passou a aterrorizar a vizinhança, matando homens e animais.

A caminho da Nemeia, Héracles se hospedou em Cleonas, na casa de um pobre camponês chamado Molorco, cujo filho havia sido morto pelo leão. Molorco quis oferecer um sacrifício em homenagem a seu bravo hóspede, mas Héracles lhe disse que esperasse trinta dias e então fizesse o sacrifício a Zeus, o Salvador, se retornasse a salvo da caçada, ou a ele próprio como herói, se fosse morto.

Quando, por fim, Héracles encontrou o leão, logo se deu conta de que aquele era um animal invulnerável, pois as setas apenas resvalavam sua pele. A fera se refugiou em seu covil, uma caverna com duas entradas. Héracles bloqueou uma delas e dirigiu-se à outra. Lá, agarrou o leão pelo pescoço e o estrangulou usando apenas as mãos. Depois levou o cadáver da fera para Euristeu, em Micenas. Em sua viagem de retorno, passou novamente em Cleonas. Era o último dos trinta dias do prazo e Héracles chegou bem a tempo de impedir que o camponês fizesse um sacrifício a ele, como herói morto. Molorco então homenageou Zeus, o Salvador.

Euristeu era um homem medroso e quando viu o cadáver do leão ficou tão assustado com seu tamanho e com a força demonstrada por Héracles que ordenou que o herói nunca mais entrasse em Micenas e que deixasse seus troféus do lado de fora dos portões da cidade. O rei tinha, inclusive, um grande jarro de bronze fixo no chão, para que pudesse se esconder quando Héracles se aproximava. A partir de então, nunca mais deu ordens diretamente ao herói: mandava-as através de um arauto, Copreu, filho de Pélops. Esse homem, assim como seu senhor, era visto na Antiguidade como um personagem desprezível.

Héracles usou as próprias garras do leão para tirar sua pele, que seria, de outra forma, impenetrável. A partir de então utilizou a pele como troféu, ao amarrar as patas dianteiras com um nó em torno de seu pescoço e fazer o escalpo de elmo. (Esse era o traje com o qual o personagem costumava ser representado na arte antiga, a partir do século VI a.C.). O leão foi imortalizado nas estrelas por Zeus na forma de constelação, uma homenagem eterna ao primeiro grande trabalho de seu filho.

2. A hidra de Lerna

O segundo trabalho de Héracles foi matar a hidra de Lerna, outro monstro nutrido por Hera em sua ira contra o herói. Também filha de pais monstruosos, Equidna e Tífon, a hidra era uma cobra-d'água venenosa e de muitas cabeças, cuja quantidade varia, na arte e na literatura, de umas poucas até cinquenta ou cem. Tal criatura vivia à espreita de suas vítimas nos pântanos de Lerna, ao sul de Argos, e atacava os rebanhos de carneiros das cercanias.

Héracles encontrou a Hidra no covil perto da Fonte de Amimone e forçou sua saída atirando setas incendiárias no local. Assim o herói pôde enfrentar o monstro, mas logo descobriu que, toda vez que destruía uma cabeça com sua grande clava, duas novas nasciam no lugar. Um gigantesco caranguejo tornou a luta ainda mais difícil ao surgir em defesa da Hidra, mordendo, até ser morto, os pés de Héracles. Hera ficou tão satisfeita com os esforços do caranguejo que o imortalizou nas estrelas como a constelação de Câncer.

Por fim Héracles matou a Hidra com a ajuda de seu sobrinho Iolau, filho de seu meio-irmão Íficles. Iolau havia se tornado o cocheiro de Héracles e viria a ser seu fiel companheiro durante a realização dos trabalhos e em muitas de suas expedições. Tão logo Héracles cortava uma das cabeças da Hidra, Iolau queimava o toco do pescoço com uma lança incandescente para evitar que mais cabeças surgissem. Assim, aos poucos, a criatura perdeu forças. Apolodoro (2.5.2) acrescenta que uma das (aqui nove) cabeças era imortal, e que Héracles a decepou e enterrou ao lado da estrada que ia de Lerna a Elaios. Sobre ela colocou uma pesada pedra.

Quando a Hidra finalmente morreu, Héracles deu um talho no corpo do monstro e retirou o sangue venenoso, que, a partir de então, seria usado nas pontas de suas setas. Nos anos que se seguiram, o veneno matou muitos de seus inimigos, mas viria também a causar a morte do herói, quando sua esposa Djanira, inadvertidamente, lhe deu uma veste impregnada com o sangue do centauro Nesso, morto por uma das setas envenenadas.

3. A CORÇA CERINEIA

O terceiro trabalho de Héracles, ao contrário dos dois primeiros, não foi violento nem perigoso. Em vez disso, a missão tornou-se uma prova de resistência. Ele deveria capturar a corça de chifres de ouro, consagrada à deusa Ártemis, que vivia junto ao rio Cerinite (ou no monte Cerineu) no nordeste da Arcádia, e levá-la viva para Euristeu.

O jovem passou um ano inteiro tentando capturá-la, o que acabou conseguindo perto do rio Ladon, na Arcádia, ao derrubá-la com uma cuidadosa seta enquanto a criatura tentava atravessar o rio. Héracles a colocou nos ombros e a levou viva para Micenas, mas no caminho encontrou Ártemis e Apolo. Ártemis, colérica, quis tomar de volta a corça, mas, ao ouvir que aquela era uma missão em obediência devida a Euristeu, permitiu que seguisse caminho. Depois de mostrar a corça ao rei, ele a deixou livre novamente.

Na versão de Píndaro (*Ode Olímpica* 3.28-32), que difere das demais, a criatura havia sido dedicada a Ártemis, por gratidão, pela plêiade Taígete, depois que a deusa a transformou em corça durante algum tempo, para salvá-la de ser estuprada por Zeus. Nessa versão do mito, Héracles teve que perseguir seu alvo até a extremidade norte da terra, onde viviam os hiperbóreos, além da morada do Vento Norte.

Calímaco atribui ao animal uma origem diferente (*Hino a Ártemis* 98-109). Segundo esse relato, a deusa havia encontrado em Parrásia, na Arcádia, cinco corças com chifres de ouro, maiores do que touros. Quatro delas foram presas à sua carruagem, mas a quinta fugiu com a ajuda de Hera e refugiou-se no monte Cerineu. Mais uma vez Hera criou uma tarefa para seu inimigo Héracles.

4. O javali do Erimanto

O quarto trabalho de Héracles foi capturar e levar para Euristeu outra fera viva, desta vez uma bem perigosa: o javali do Erimanto, um feroz animal selvagem que vivia no monte Erimanto, no noroeste da Arcádia, e devastava as regiões vizinhas.

Na jornada à procura do javali, Héracles teve um violento encontro com os centauros no monte Fóloes. Os centauros eram uma raça de criaturas brutais, parte homem, parte cavalo, e nasceram quando o filho de Íxion, Centauro, copulou com éguas selvagens da Magnésia nas encostas do monte Pélion, na Tessalônica. Expulsos de suas terras pelos lápitas, depois da famosa briga entre lápitas e centauros durante o casamento de Pirítoo e Hipodâmia (p. 252-53), eles viajaram até o Peloponeso e se estabeleceram no monte Fóloes.

Os centauros eram formados por corpo e pernas de cavalo, e tronco, cabeça e braços de homem. Sua natureza combinava com a forma monstruosa, pois eram selvagens, brutais e lascivos — com exceção de dois centauros que tinham ascendência diferente. Eram eles o civilizado e hospitaleiro Folo — filho de uma ninfa Nélia com o sátiro Sileno, principal companheiro do deus Dioniso — e o sábio e humano Quíron — o imortal filho de Crono, que havia assumido a forma de cavalo para se unir àquela que seria mãe de Quíron, a oceânide Filira. Seu filho era exímio arqueiro, médico, caçador e talentoso artista, principalmente na música, e foi o educador de muitos heróis famosos, inclusive Jasão e Aquiles.

Foi Folo quem primeiro encontrou Héracles no monte Fóloes. O centauro deu-lhe boas-vindas e se pôs a assar carne para o hóspede. Héracles, com o apetite voraz de sempre, pediu vinho também. Folo hesitou em abrir um grande jarro que pertencia a todos os centauros, mas Héracles não tinha esses escrúpulos e abriu, ele mesmo, o recipiente. O odor da bebida logo atraiu outros centauros, que chegaram a galope, armados de pedras e galhos de árvores, e desejosos por tomar do vinho. Uma briga irrompeu, na qual Héracles matou alguns dos monstros com suas setas certeiras, cujas pontas haviam sido mergulhadas no veneno fatal da Hidra. Os demais fugiram para a Mália, no Peloponeso meridional, com Héracles a persegui-los.

Em Mália as criaturas se refugiaram junto ao bondoso centauro Quíron. Héracles aproximou-se, ainda disparando suas setas, e para seu pesar uma delas atingiu acidentalmente o joelho de Quíron. Por causa do veneno mortal de Hidra, a ferida era incurável, embora não pudesse matar o imortal Quíron. Sua agonia, porém, era tanta que ele desejava morrer. Seu sofrimento foi finalmente aliviado quando Zeus permitiu que abrisse mão de sua imortalidade. Quíron, poupado do eterno sofrimento, pôde então sucumbir à bem-vinda morte. Ainda assim ele alcançou a imortalidade, pois Zeus o colocou entre as estrelas como a constelação de Sagitário.

Os centauros sobreviventes espalharam-se por vários lugares. Alguns foram para o monte Málias; outros foram para Elêusis, onde Poseidon, deus dos cavalos, deu-lhes um refúgio secreto em uma montanha. Dois deles voltariam a ser adversários de Héracles no futuro: Eurítion, que retornou a Folos, e Nesso, que foi para o rio Eueno, na Etólia, onde trabalhava atravessando os viajantes de uma margem à outra. Ambos viriam a ser vítimas de Héracles, embora Nesso acabasse por vingar-se do herói, pois, de certa forma, foi causador de sua morte.

Depois do triste acidente envolvendo Quíron, Héracles retornou ao monte Fóloes e lá tomou conhecimento de outra má notícia. Em sua ausência, Folo havia arrancado uma seta do cadáver de um dos centauros, intrigado com a capacidade de uma ponta tão pequena matar uma criatura tão grande e, acidentalmente, deixou que a seta caísse em seu pé. Assim ele também morreu por causa do veneno da Hidra, e Héracles teve que enterrar o amigo antes de seguir caminho para completar sua tarefa para Euristeu.

Ele encontrou o javali em seu covil no monte Erimanto e o perseguiu pelas montanhas até bem longe. Finalmente o agarrou, depois de forçar a fera exausta a fugir para um lugar onde a neve era profunda. Héracles o pôs nos ombros e partiu de volta para Micenas. Quando soube que o herói se aproximava, o aterrorizado Euristeu escondeu-se novamente em seu grande jarro — como vemos frequentemente em antigas pinturas de vasos, nas quais Héracles, gigantesco, aparece diante do rei acovardado erguendo o javali e ameaçando jogá-lo sobre sua cabeça.

5. Os estábulos de Áugias

O quinto trabalho de Héracles foi totalmente diferente dos quatro anteriores: sua missão era a de limpar os "estábulos de Áugias". Filho de Hélio, o deus-sol, e rei da Élida, no Peloponeso, Áugias possuía muitos rebanhos de gado mantidos em um estábulo que nunca havia sido limpo. O trabalho de Héracles era limpar em um só dia todo o esterco acumulado durante muitos anos. Héracles pediu a Áugias que o recompensasse, se fosse bem-sucedido, com a décima parte do rebanho, e o rei concordou, achando que a tarefa era impossível. Mas depois descobriu ter subestimado o herói, que abriu uma passagem nos muros dos estábulos e desviou os dois principais rios da área, o Alfeu e o Peneu, para que passassem pelos pátios e construções, lavando assim toda a sujeira. Áugias, porém, recusou-se a pagar o combinado. Seu filho Fileu, que havia testemunhado o trato, ficou a favor de Héracles, e o rei, irado, baniu os dois de suas terras. Héracles, porém, vingou-se no devido tempo.

Fineu foi viver em Dulíquio e Héracles foi hospedado por Dexâmenos, rei de Oleno, na Acaia. Lá chegou no momento certo e prestou um grande serviço a seu anfitrião. O centauro Eurítion estava importunando a família, tentando forçar a filha do rei, Mnesímaque, a se casar com ele. Dexâmenos pediu ajuda a Héracles, que, em seu segundo encontro com o centauro, deu fim ao pretenso noivo.

6. As aves estinfalianas

O sexto trabalho de Héracles foi expulsar uma grande quantidade de pássaros que infestavam os densos bosques ao redor do lago Estínfalo, no nordeste da Arcádia. Pausânias ecoa uma antiga tradição quando diz (8.22.4) que os pássaros tinham bicos de bronze, comiam homens e eram do tamanho de cegonhas. Na história mais conhecida, porém, os pássaros não eram assim tão perigosos: eles simplesmente importunavam por sua grande quantidade. Segundo Apolodoro (2.56), tais aves se refugiavam nas árvores para se protegerem dos lobos. Héracles não teve dificuldade em lidar com elas: espantou-as de lá com o ruído assustador de um par de címbalos de bronze, feitos por Hefesto e dados a ele por Atena. Quando os pássaros saíram em revoada, ele os abateu com suas setas.

7. O touro de Creta

Para seu sétimo trabalho, Héracles teve que deixar a Grécia continental e viajar até Creta, de onde deveria levar de volta, vivo, um magnífico touro branco que Poseidon havia enviado do mar para o rei de Creta, Minos. O rei tinha prometido sacrificar o presente do deus do mar, mas não suportou a ideia de ter de matar um touro tão belo, e sacrificou outro em seu lugar. Poseidon, irado com a quebra da promessa, fez que a esposa do rei, Pasífae, se apaixonasse pelo touro, e dessa união nasceu o Minotauro.

    O deus também enlouqueceu o enorme touro, portanto a tarefa de Héracles era difícil e perigosa. Foi necessário lutar muito com o animal para subjugá-lo, e a tarefa foi feita com tanto sucesso que Héracles foi capaz de atravessar o Peloponeso carregando-o nas costas. Depois de exibido a Euristeu em Micenas, o touro, liberto, foi então para a planície de Maratona, na Ática, onde passou a ameaçar os habitantes da área. Lá deixou de ser o "touro de Creta", e se tornou o "touro de Maratona". Dar fim a esse touro viria a ser tarefa do herói ateniense Teseu.

8. As éguas de Diomedes

O oitavo trabalho de Héracles levou-o à terra da Trácia, a leste da Macedônia, entre o mar Egeu e o mar Negro. A Trácia sempre foi considerada pelos gregos uma região bárbara e cruel. Os mitos ligados a tal lugar são, com frequência, violentos e sangrentos, e este trabalho solicitado a Héracles exemplifica isso. Diomedes, filho do deus da guerra Ares, era rei dos bistônios, uma das beligerantes tribos da Trácia, e possuía quatro éguas mantidas acorrentadas a manjedouras de bronze com correntes de ferro. Ele as alimentava com carne humana, e a tarefa de Héracles era capturar essas éguas e levá-las para Euristeu.

    A caminho desse novo desafio, Héracles se hospedou com Admeto, rei de Feras, na Tessalônica, onde salvou da morte Alceste, esposa do rei (p. 531-32). Ao chegar à Trácia, ele amansou as famigeradas éguas dando-lhes para comer o corpo do próprio dono, Diomedes: elas o dilaceraram e refestelaram-se com sua carne. Depois disso, ficaram curadas do gosto por carne humana. Héracles as atrelou a uma carruagem e assim as levou para Euristeu, que as dedicou à deusa Hera e as pôs para procriar. Seus descendentes, diz a lenda, viveram até a época de Alexandre, o Grande.

Apolodoro (2.5.8) apresenta uma versão bem diferente dessa história. Héracles teria dominado os empregados da cocheira e levado as éguas para a beira do mar, onde as teria deixado aos cuidados de seu jovem amante Abdero, filho de Hermes. Enquanto lutava contra os bistônios e matava Diomedes, as ferozes éguas arrastaram Abdero para a morte. Héracles enterrou o rapaz e junto a seu túmulo fundou a cidade de Abdera, em sua memória, antes de levar os animais capturados para Euristeu. Nesta versão o rei solta as éguas, que ficam a vagar pelo monte Olimpo até serem dilaceradas por feras selvagens.

9. O cinturão de Hipólita

Para realizar seu nono trabalho, Héracles teve de viajar para as praias do sul do mar Negro. Ali, junto ao rio Termodonte, vivia uma tribo de guerreiras amazonas cuja rainha, Hipólita, possuía um cinturão (às vezes chamado de "cinta") que era um símbolo de sua autoridade real. Héracles tinha que ir buscar esse cinturão, a pedido da filha de Euristeu, Admete.

Assim, pôs-se ao mar, levando consigo um grupo de aliados, dentre os quais Télamon, rei da Salamina, e (dizem alguns) o herói ateniense Teseu. Quando o grupo chegou à terra das amazonas, Hipólita o recebeu amavelmente e prometeu lhe dar o cinturão, mas Hera, a antiga inimiga de Héracles, achou a vitória fácil demais. Disfarçada de local, ela insuflou as outras dizendo que sua rainha havia sido sequestrada. As amazonas, em seus cavalos, atacaram o barco de Héracles, que ainda estava ancorado, e ele, supondo tratar-se de traição, matou Hipólita e tomou seu cinturão; depois, com seus companheiros, enfrentou e derrotou todo o exército das amazonas.

A caminho de casa, Héracles passou por Troia, onde salvou Hesíone, filha do rei Laomedonte, de um monstro marinho (p. 294). Laomedonte prometera recompensá-lo com os cavalos divinos dados por Zeus em troca de Ganimede, mas voltou atrás e se recusou a entregá-los. Mais tarde isso lhe custou caro, pois Héracles deixou Troia de mãos vazias, mas prometendo vingança.

10. Os bois de Gerião

O décimo trabalho consistiu em levar a Euristeu os Bois de Gerião, o monstruoso filho da oceânida Calírroe e de Crisaor (o filho de Poseidon e da Medusa, nascido do pescoço decapitado pela fúria de Perseu). Para realizá-lo, Héracles precisou viajar para a ilha chamada Erítia, "a Terra Vermelha", situada, como o nome sugere, no extremo oeste, no lugar onde o sol se põe, além do rio Oceano. Era lá que Gerião mantinha grandes rebanhos de gado vermelho, cuja guarda estava a cargo do feroz boiadeiro Eurítion e de Ortos, seu cão de duas cabeças, nascido dos monstros Equidna e Tífon e irmão, portanto, de dois outros monstros contra os quais Héracles lutou, Cérbero e a Hidra de Lerna. Gerião, segundo Hesíodo (*Teogonia* 981), era o mais forte de todos os homens — o que não surpreende, pois, embora Hesíodo lhe atribuísse apenas três cabeças, em outros lugares na literatura e na arte ele tem três corpos unidos pela cintura. Geralmente, nas representações artísticas sua figura tem três troncos e três pares de pernas, e só ocasionalmente a forma tríplice vai da cintura para cima, com apenas duas pernas.

Sem dúvida, Gerião seria um formidável adversário, já que Héracles teria que enfrentar cada um dos três corpos individualmente para poder derrotá-lo inteiro. Chegar até a Erítia também seria um problema, pois seria necessário descobrir uma forma de atravessar o grande rio Oceano que circundava a terra. Isso ele conseguiu graças a um confronto com o deus-sol Hélio. Héracles havia viajado pelo norte da África, livrando os lugares por onde passava das feras e, nos limites ocidentais da Terra, havia erigido os Pilares de Héracles, promontórios nos lados norte e sul do estreito de Gibraltar, Calpe (a rocha de Gibraltar) e Abila (Ceuta). Cogita-se que ele tenha separado os continentes para abrir o estreito, ou tornado mais estreita a passagem já existente para que os monstros do Atlântico não invadissem o Mediterrâneo. Esses pilares marcavam o limite ocidental do mundo conhecido, além do qual somente um herói da grandeza de Héracles poderia viajar. (Como diz Píndaro na *Ode Olímpica* 3.44-5: "Todos os lugares além dali são inacessíveis aos homens, sábios ou tolos.")

Foi depois desse portentoso feito que Héracles, exausto pelo calor implacável do sol africano, ousou puxar seu arco e ameaçar o deus-sol — que, impressionado pela ousadia, emprestou-lhe sua maravilhosa taça para que viajasse até Erítia. Era na grande taça de ouro que Hélio navegava com seus cavalos e sua carruagem solar todas as noites, flutuando ao longo do rio Oceano, afastando-se do lugar onde se punha no Ocidente e seguindo para o Oriente, de onde saía para levar sua luz matinal para o mundo. Héracles, feliz, tomou a taça emprestada e viajou para Erítia. Oceano enviou enormes ondas para balançar a nave, mas Héracles ameaçou-o também com suas setas e, assustado, o deus acalmou as águas.

Quando Héracles se aproximou do gado que pastava, Orto, o monstruoso cão de guarda de Gerião, correu para atacá-lo. Ele abateu o cão com seu bastão e fez o mesmo com o pastor Eurítion, que acorreu logo depois. Outro pastor, Meneites, que cuidava do gado do Hades, próximo dali, viu o que havia acontecido e correu para contar a Gerião. Quando Héracles já se afastava levando o gado, Gerião chegou, decidido a impedir o roubo, e, após uma luta feroz, foi morto.

Esse encontro foi descrito por Estesícoro em um longo poema lírico chamado *Gerioneida*, cuja maior parte da versão original se perdeu. Por sorte, um certo número de papiros fragmentários chegou aos nossos dias e revelam algo sobre essa antiga versão do mito. Nela, Gerião possui não apenas um corpo triplo, com três torsos, seis pés, seis mãos e asas. Na cena, relatada do seu ponto de vista, ele parece (o que é justo, considerando-se a situação) um simpático e aparentemente inocente defensor de sua propriedade ameaçada. Sua mãe, Calírroe, suplica que não arrisque a vida, mas Gerião está heroicamente decidido a enfrentar Héracles. Ele argumenta que ou é imortal e imune ao tempo, e portanto não pode ser ferido, ou é mortal, e nesse caso é melhor, como filho de Crisaor, que tenha uma morte nobre naquele momento de glória do que sobreviver até a odiosa velhice.

Uns poucos versos descrevendo o combate fatal sobreviveram. Ao que parece, Héracles atacou uma das cabeças de Gerião com uma clava. De outra, tirou o capacete, talvez com uma pedra, e então disparou uma de suas setas envenenadas com o sangue da Hidra. "Por desígnio de um deus, ela atravessou a carne e o osso e ficou presa no alto da cabeça, de onde jorrou o sangue que manchou a couraça e cobriu seus membros de vermelho intenso. Gerião então pendeu o pescoço para um lado, como uma papoula que subitamente deixa cair suas pétalas, arruinando assim sua terna beleza (...)"

Morto o dono, Héracles embarcou o gado na taça de ouro e atravessou de volta o rio Oceano. Aportou no sul da Espanha, devolveu a nave a Hélio e levou o gado por terra, em uma longa viagem de volta, atravessando os Pireneus e o sul da Europa até chegar à Grécia. No caminho passou por várias aventuras, quase sempre porque as pessoas ficavam tentadas a roubar seu esplêndido gado. Quando passava pela Ligúria, no sul da França, por exemplo, foi atacado por um grande número de belicosos nativos justamente com essa intenção. Héracles atirou neles todas as suas setas. Forçado a ficar de joelhos, em desespero, pediu a Zeus, seu pai, que mandasse do céu uma chuva de pedras. Ainda de joelhos, Héracles apedrejou os inimigos até que recuassem. As pedras ainda podem ser vistas, em grande quantidade, na planície a oeste de Marselha (Estrabão 4.1.7).

Um mito romano, encontrado pela primeira vez na *Eneida* de Virgílio (8.193-272), apresenta Caco, um terrível monstro que cospe fogo, filho de Vulcano (o Hefesto romano), como ladrão de gado. Em idade avançada, Evandro é quem conta a história. Caco vivia em uma caverna do Aventino, no futuro local de Roma, para terror de todos os que viviam perto, pois a criatura se alimentava de carne humana e pendurava a cabeça de suas vítimas ao redor da entrada de sua caverna. Na jornada para casa, tendo feito um desvio pela Itália, Héracles parou para que o gado pudesse pastar perto da caverna de Caco. O monstro viu os esplêndidos animais e, enquanto Héracles dormia, roubou furtivamente oito cabeças, quatro touros e quatro vacas, arrastando-os pela cauda para que não deixassem pegadas indicando o lugar onde estariam escondidos. O furto quase passou despercebido, não fosse, pelo fato de, na partida, os animais começarem a mugir de tristeza por terem que deixar um pasto tão suculento. Uma das vacas escondidas no fundo da caverna mugiu em resposta e, tomado de ira, Héracles partiu para a montanha a fim de encontrar os animais furtados.

"Nunca antes", diz Evandro, "pessoa alguma tinha visto Caco com medo, nunca antes houve terror em seus olhos. Mas então ele correu de volta para sua caverna mais ligeiro do que o vento, o medo emprestando asas a seus pés".

Uma vez em seu refúgio, jogou um enorme pedregulho para bloquear a entrada, e por isso seu rival teve que remover a grande pedra que formava o telhado da caverna. Com seu covil aberto por cima, o monstro vomitou fogo e fumaça sobre o perseguidor, enquanto era bombardeado de cima com pesados galhos de árvore e pedras do tamanho de mós de moinho. Por fim, perdendo a paciência, Héracles saltou para dentro da caverna, procurando o lugar onde o fogo e a fumaça eram mais intensos. Quando conseguiu agarrar Caco, apertou-lhe o pescoço até os olhos saírem das órbitas. Por ter livrado a área daquele flagelo, o povo erigiu-lhe a Ara Máxima (o Altar Maior), e ele passou a ser homenageado naquele lugar desde então.

Com seu rebanho completo novamente, o filho de Zeus seguiu caminho, mas em Regium, no sul da Itália, um touro se separou da boiada e nadou até a costa oeste da Sicília, onde se juntou ao gado do rei local, Érix, filho de Poseidon. Héracles partiu atrás dele para recuperá-lo, deixando o restante dos animais aos cuidados de Hefesto.

Ele localizou o touro sem maiores dificuldades, mas Érix recusou-se a entregar-lhe o magnífico animal, a não ser que fosse derrotado em uma luta corpo a corpo. Héracles aceitou o desafio, derrubou Érix no chão três vezes e por fim o matou.

Recuperado o touro, a viagem para casa pôde ser retomada, mas ainda houve uma última dificuldade antes da chegada a Micenas e o fim do seu décimo trabalho. Hera afligiu os animais com um moscardo que os fez sair em debandada, espalhando-os até as montanhas da Trácia, o que obrigou Héracles a realizar a cansativa tarefa de juntar todo o gado novamente. Alguns não puderam ser encontrados, e estes se tornaram os ancestrais do gado selvagem da Trácia. Outros foram levados finalmente para Micenas, onde Euristeu os sacrificou a Hera.

11. As maçãs das Hespérides

O décimo primeiro trabalho também levou Héracles até os confins da terra, para colher as maçãs de ouro no jardim das hespérides. As hespérides eram um grupo de ninfas cantoras, filhas da Noite, e em seu jardim nasciam as belas maçãs de ouro que Gaia (Terra) dera certa vez de presente de casamento a Zeus e Hera. A árvore que tinha tais maçãs como frutos era vigiada por uma serpente gigantesca chamada Ladon, "a terrível serpente que guarda as maçãs de ouro em uma região secreta da terra escura, na extremidade mais remota do mundo", diz Hesíodo (*Teogonia* 333-6), considerando Ladon, assim como as górgonas, filha de Fórcis e Ceto. Apolodoro (2.5.11) diz que, como os monstros Cérbero, Hidra e Orto, o cão de Gerião, Ladon era filha de Tífon e de Equidna, acrescentando que a serpente tinha cem cabeças e muitas vozes diferentes. Ladon, juntamente com as hespérides, mantinha as maçãs em segurança.

A primeira tarefa de Héracles foi descobrir o caminho para essa terra remota e misteriosa, e ele sabia que poderia forçar Nereu, antigo deus do mar, geralmente conhecido como Velho do Mar, a lhe dar essa informação. Então saltou sobre Nereu, enquanto o Velho dormia, e provocou uma luta, enquanto o deus marinho — que, como outras divindades do mar, tinha o poder da metamorfose — assumira várias formas distintas. Héracles teve que lutar contra todas essas formas e não soltou o Velho até descobrir o que precisava saber.

A localização da terra das hespérides era incerta até mesmo na Antiguidade. De modo geral, acreditava-se que as ninfas viviam em uma ilha no oeste, além do lugar onde o sol se põe, como o seu nome sugere (*hespera*, "noite"). Apolodoro as situa no extremo norte, entre os hiperbóreos, o povo que vivia além da morada do Vento Norte; já Apolônio as situa no noroeste da África, perto do monte Atlas. O que se sabe ao certo é que Héracles fez uma viagem longa e árdua para chegar a tais ninfas, e que no percurso (qualquer que tenha sido) teve várias aventuras que puseram à prova sua força e sua coragem.

Na Líbia, o filho de Zeus se defrontou com Anteu, filho de Poseidon e Gaia (Terra). Anteu era um gigante que convocava todos os estranhos que por lá passavam a uma luta corpo a corpo. Como sua força era constantemente renovada com o contato com a terra, sua mãe, era fácil derrotar e matar seus oponentes. Em seguida, usava os crânios das vítimas para cobrir o templo de seu pai, Poseidon. Anteu, todavia, cometeu o erro de desafiar Héracles, que logo descobriu o segredo de sua força, e então ergueu-o no ar para apertá-lo em seus braços até matá-lo.

No Egito, Héracles encontrou outro filho de Poseidon, Busíris, que lá reinava havia muitos anos. Certa vez, depois de nove anos de escassez de alimentos, Busíris, desesperado, consultou Frásio, um sábio vidente de Chipre. Ao ouvir que a terra ficaria fértil novamente se todos os anos se sacrificasse um forasteiro a Zeus, o ingrato Busíris começou por sacrificar o próprio Frásio e continuou a matar todo e qualquer visitante que fosse a seu país. Quando Héracles lá chegou, foi também capturado e arrastado para o altar de sacrifícios, mas conseguiu arrebentar as correias que o amarravam e matou Busíris, com seu filho e muitos dos que o cercavam.

O historiador Heródoto conta a história, acrescentando seus próprios comentários racionais (2.45):

> Os gregos contam muitas histórias inacreditáveis. Uma dessas tolices é a história que relata como Héracles, ao chegar ao Egito, recebeu do povo uma coroa de flores e foi levado em solene procissão para ser sacrificado a Zeus. Ele se submeteu tranquilamente até que foram iniciados os procedimentos para seu sacrifício, no altar, quando reagiu e matou todos. Ora, ao dizerem isso os gregos me parecem completamente ignorantes em relação ao caráter do povo egípcio e seus costumes, pois é contra sua religião matar animais para fazer sacrifícios, exceto gansos, carneiros e determinados touros e bezerros considerados adequadamente limpos. Seria plausível, então, que sacrificassem seres humanos? Além do mais, se Héracles estava, como dizem, absolutamente só, como poderia matar dezenas de milhares de egípcios? Que os deuses e heróis me perdoem por dizer tais coisas!

Nas montanhas do Cáucaso, Héracles passou pelo lugar onde o titã Prometeu havia sido acorrentado eras antes por Zeus, como castigo por ter dado a dádiva do fogo para a humanidade. Todos os dias, ano após ano, uma águia dilacerava o fígado do titã, que toda noite se recuperava para que a tortura pudesse continuar. Héracles matou a águia e libertou Prometeu — e Zeus permitiu, satisfeito ao pensar que tal façanha aumentaria a fama e a glória de seu filho. Quando soube da missão de Héracles, o titã, agradecido, revelou-lhe que seria fácil conseguir os pomos de ouro ao mandar Atlas apanhá-los no jardim das hespérides.

Atlas era outro titã que estava sendo punido por Zeus. Sua ofensa havia sido participar ao lado dos titãs da batalha de dez anos travada contra Zeus e os outros deuses olímpicos (p. 57), e seu castigo era permanecer de pé no lugar onde a terra terminava e sustentar o céu por toda a eternidade. Ao encontrá-lo, Héracles seguiu o conselho de Prometeu, oferecendo-se para segurar o céu enquanto o gigante ia buscar as maçãs. Atlas cedeu alegremente seu cansativo encargo e foi pegar os frutos de ouro.

Com a intenção de não mais voltar a sustentar o céu, Atlas então disse a Héracles que entregaria, pessoalmente, as maçãs a Euristeu. Héracles, porém, enganou facilmente o ingênuo titã. Pediu a Atlas que segurasse o céu por um instante enquanto colocava uma almofada na cabeça para ficar mais confortável. Tolo, o gigante voltou a sustentar sua carga e nunca mais pôde deixá-la. Héracles pegou as frutas e fugiu. Depois que Euristeu viu as maçãs, Atena as levou de volta para o jardim das hespérides, pois aqueles frutos eram sagrados demais para ficar em mãos mortais.

De acordo com alguns relatos, Héracles enfrentou e matou Ladon antes de colher as maçãs pessoalmente. Apolônio (*Argonáutica* 4.1383-449) descreve como os argonautas encontraram a serpente morta pelas mãos brutais de Héracles, cercada pelas hespérides, que choravam sua morte:

> A serpente estava caída junto ao tronco da macieira. Apenas a ponta de sua cauda ainda se mexia, mas da cabeça até o fim de seu corpo assustador ela jazia inerte. Nos pontos de seu corpo onde as setas haviam deixado o terrível veneno da Hidra de Lerna, as moscas também jaziam mortas junto às fétidas feridas. Perto dali, as hespérides pranteavam, aos gritos, os braços prateados acima das cabeças douradas (...) "Aquele homem sem coração tirou a vida da nossa serpente guardiã e levou consigo as maçãs de ouro das deusas. Amarga é a dor que ele nos deixou."

Depois de morta, Ladon foi imortalizada no céu como a constelação do Dragão, curvando-se entre a Ursa Maior e a Menor, e com Héracles, a clava erguida, bem a seu lado.

12. Cérbero

O décimo segundo e último trabalho de Héracles foi descer à terra dos mortos e de lá voltar com o filho de Equidna e de Tífon, Cérbero, o monstruoso cão de muitas cabeças que vigiava a entrada do Hades e assegurava que aqueles que haviam entrado jamais sairiam (p. 119). Quem tentava sair de lá era devorado por Cérbero.

Esse foi, certamente, o mais difícil e mais desafiador de todos os trabalhos. Acompanhado por Hermes, o deus que escolta as almas dos mortais até o Hades, Héracles lançou-se nessa assustadora missão ao atravessar a caverna sombria e profunda em Tenaron, no Peloponeso. Em sua descida ao Mundo Inferior, foi preciso passar por portões fortemente vigiados pelo inimigo que teria de enfrentar.

Enquanto Héracles atravessava o Hades, as sombras dos mortos fugiam aterrorizadas ante a visão daquele formidável mortal ao seu redor — todas, exceto a sombra da górgona Medusa, morta por Perseu, e o herói Meleagro, matador do javali de Cálidon. Héracles puxou sua espada contra Medusa, mas Hermes explicou que se tratava apenas de um inofensivo fantasma. Depois de ouvir a história da triste morte de Meleagro (p. 187-88), o filho de Zeus, movido por admiração e compaixão, ofereceu-se para se casar com uma de suas irmãs, se ainda houvesse alguma viva. Meleagro lhe falou de Djanira, quem, de fato, veio a se tornar mulher de Héracles, mas também quem, inadvertidamente, causaria sua morte.

Em seguida Héracles se encontrou com os heróis Teseu e Pirítoo, presos às suas cadeiras como castigo por tentarem sequestrar Perséfone, rainha do Hades, para se casar com Pirítoo. Ele tomou a mão de Teseu e colocou-o de pé, pronto para retornar à terra dos vivos, mas, quando tentou levantar o segundo prisioneiro, o chão tremeu e foi preciso soltá-lo.

O herói teve também um segundo encontro com o pastor Menetes, o homem que tinha alertado Gerião sobre o furto de seu gado. Quando Héracles sacrificou uma das vacas de Hades para dar sangue aos fantasmas, Menetes o desafiou para uma luta e acabou com as costelas quebradas. Teria sofrido mais ainda se Perséfone não interviesse para salvá-lo.

Por fim, Héracles viu-se face a face com o próprio Hades, Senhor do Mundo Inferior, que lhe deu permissão para levar Cérbero de volta à terra por um breve tempo, desde que conseguisse dominá-lo sem usar armas. Então Héracles venceu o cão apenas com a força bruta, apesar de ter sido terrivelmente mordido pela serpente que formava a cauda do monstro. O filho de Zeus arrastou o cão dominado, que, enlouquecido de ódio, continuou a lutar por todo o caminho, rosnando e latindo com suas três bocas enormes, até chegar à brilhante luz do dia. Os salpicos de espuma que caíam das mandíbulas do cão transformaram-se em acônito, uma planta de veneno mortífero. (Foi esse veneno que Medeia posteriormente usou para tentar matar Teseu.) Em Micenas, Euristeu mais uma vez se escondeu, aterrorizado, dentro de seu enorme jarro. Héracles, então, devolveu Cérbero ao seu devido lugar no Hades, e finalmente sua servidão ao ignóbil rei terminou.

Feitos posteriores

Agora que voltara a ser dono do seu tempo, Héracles decidiu casar-se novamente e ser pai de mais filhos. Êurito, rei da Ecália, o homem que havia ensinado a Héracles o uso do arco, estava oferecendo sua bela filha Iole em casamento a quem conseguisse derrotá-lo, junto a seus filhos, em uma competição de arco e seta. Todos os competidores haviam falhado até Héracles aceitar o desafio e sair, naturalmente, vitorioso. Ainda assim Êurito recusou-lhe Iole, temendo que algum dia voltasse a ficar louco e matasse todos os filhos que tivesse, assim como havia matado seus filhos com Mégara. O rei manteve-se irredutível em sua decisão durante a inevitável discussão, e Héracles deixou a Ecália jurando vingança.

Pouco depois, doze éguas que pertenciam a Êurito (ou vacas, segundo Apolodoro) sumiram. Teriam sido ou levadas por Héracles, como vingança, ou vendidas a ele após serem roubadas pelo grande ladrão Autólico. O filho mais velho de Êurito, Ífito, dava-se bem com Héracles e havia ficado do seu lado na briga por causa de Iole; o jovem tinha certeza de que seu amigo era inocente em relação ao furto e foi visitá-lo em Tirinto para mostrar sua boa vontade. Mas Héracles foi novamente tomado por uma fúria maníaca: levou Ífito para o topo da muralha de seu palácio e atirou-o de lá para a morte.

Por causa desse vergonhoso assassinato, Héracles passou a sofrer de uma terrível doença, o que o levou a buscar purificação junto a Neleu, rei dos Pilos, na Messênia. Neleu negou-lhe ajuda por causa da sua velha amizade com Êurito e, mais uma vez, Héracles saiu de uma cidade enraivecido, jurando vingança.

Ele procurou o oráculo de Delfos para aconselhamento, mas, ao ver que a sacerdotisa negou-se a atendê-lo devido à sua mancha, Héracles tomou-lhe, enfurecido, a trípode sagrada, declarando que criaria seu próprio oráculo. Apolo interveio e tentou tomar o tripé de suas mãos. Antes que a violência aumentasse, Zeus lançou um raio entre seus dois filhos e os separou. A paz foi restabelecida e a Pítia então disse que Héracles ficaria curado se fosse vendido como escravo por três anos. Ele então foi comprado por Ônfale, rainha da Lídia.

Servidão a Ônfale

Ônfale governava a Lídia desde a morte de seu marido, Tmolos. Enquanto teve Héracles como escravo, diz a lenda, a rainha usava a pele de leão e brandia a clava do guerreiro, que se vestia de mulher e ajudava a rainha a tecer, junto das damas reais. Talvez ele tenha sido forçado a fazer isso, mas é possível que tenha se submetido de boa vontade aos caprichos da rainha por estar apaixonado. Ela certamente lhe deu um filho, Lamos (ou Agelau, segundo Apolodoro 2.7.8), antes de libertá-lo.

Ele pode ter assumido o papel feminino com Ônfale, mas também realizou várias façanhas corajosas durante seu período de servidão. Matou uma cobra gigantesca que flagelava o país e saqueou a cidade onde viviam os inimigos de Ônfale, os itones. Além disso, livrou-a do bandido Sileu, que tinha o hábito de obrigar os passantes a trabalhar em seu vinhedo. Héracles assassinou-o com sua própria enxada, pôs fogo nas vinhas e também matou sua filha, Xenodice. Em uma história posterior, no entanto, ele se tornou amante da jovem, que morreu de tristeza ao vê-lo partir.

Outro rufião que se aproveitava dos passantes era Litierses, filho bastardo do rei Midas da Frígia: ele obrigava os viajantes a enfrentá-lo na colheita e sempre ganhava. Quando suas vítimas perdiam as forças, eram chicoteadas e no fim do dia tinham a cabeça decepada com uma foice. Não satisfeito, Litierses amarrava os corpos sem cabeça a feixes de cereal enquanto cantava uma alegre canção. Héracles aceitou o desafio da colheita, mas foi seu oponente quem levou as chicotadas e foi decapitado.

Outro famoso encontro, desta vez com desfecho cômico, foi com dois irmãos simiescos conhecidos como cércopes. Um fragmento de um antigo épico (*Os cércopes*) descreve-os como "embusteiros e mentirosos, bem versados em todo tipo de trapaça, perfeitos velhacos", e acrescenta: "Pelos cantos mais longínquos da terra andavam sempre enganando as pessoas que encontravam." Sua mãe os havia prevenido para que tomassem cuidado com um certo *Melâmpigo*, "Traseiro Negro", que acabou por ser Héracles, embora os irmãos só tenham se dado conta disso tarde demais. Eles o encontraram dormindo e tentaram roubar suas armas, mas Héracles acordou e os pegou, pendurou-os pelos tornozelos em uma vara e colocou-a nos ombros. Daquela posição, por causa do traseiro bronzeado e peludo de Héracles, eles identificaram o *Melâmpigo* contra quem sua mãe os prevenira. Mas nada de mau lhes aconteceu, as piadas indecentes que contavam sobre Héracles fizeram-no rir tanto que acabou por libertar os cércopes.

A VINGANÇA POR ANTIGOS RESSENTIMENTOS

Terminada a servidão a Ônfale, Héracles decidiu que era chegada a hora de resolver algumas questões antigas. Primeiro organizou um exército e partiu para Troia, a fim de se vingar de Laomedonte por não ter recebido a recompensa prometida ao salvar Hesíone do monstro marinho. Héracles e seu exército tomaram a cidade e mataram

Laomedonte e a maioria dos filhos. Um amigo de Héracles, Télamon, rei da Salamínia e pai do grande Ájax, foi o primeiro a romper as muralhas de Troia e entrar na cidade. O líder teria se aborrecido com essa ofensa a sua supremacia se o perspicaz Télamon não tivesse recolhido prontamente algumas pedras e construído um altar para "Héracles, o Glorioso Vencedor" (*Kallinikos*).

Depois de conquistar a cidade, Héracles recompensou Télamon dando-lhe a filha de Laomedonte, Hesíone, como concubina (ela viria a lhe dar um filho, Teucro, que lutaria ao lado do grande Ájax na guerra de Troia). O único filho de Laomedonte a sobrevier foi Podarces, renomeado Príamo, que aconselhara o pai a pagar a recompensa combinada. Héracles deixou Príamo como o novo rei de Troia e partiu.

Hera não havia esquecido seus ciúmes e ressentimentos em relação a Héracles e a essa altura mandou grandes tempestades contra seus barcos, que desviaram para a distante ilha de Cós, ao sul. Ao aportar, o grupo foi atacado pelos nativos, que os tomaram por piratas. Tudo terminou bem, pois o herói e seus homens conquistaram a principal cidade e Héracles não apenas matou o rei como também fez em sua filha Astíoque um filho, que se chamaria Tíssalo. A partir de então a ilha foi governada por seus descendentes. Zeus, porém, ficou tão irado com o último ato de despeito de Hera contra seu querido filho que a deixou suspensa por algum tempo do Olimpo, com as mãos amarradas por uma corrente de ouro e bigornas presas aos pés. Pouco depois Héracles prestou um serviço inestimável aos deuses: Atena foi buscá-lo em Cós para que os ajudasse a vencer a grande batalha contra os monstruosos gigantes (p. 63).

A campanha seguinte de Héracles foi contra Áugias, rei da Élida, que havia se recusado a pagar-lhe o combinado pela limpeza dos estábulos de Áugias. O rei ouviu dizer que o filho de Zeus estava a caminho e convocou um exército sob a liderança dos irmãos siameses Êurito e Ctéato, filhos de Poseidon e Molione (esposa de Actor, irmão de Áugias). Frequentemente chamados apenas de Moliônidas (ou Moliones) em homenagem à mãe, imaginava-se que cada um tivesse duas cabeças, dois braços e duas pernas, compartilhando, porém, o mesmo tronco. Os locais reuniam, de início, adversários à altura de Héracles, tendo matado na batalha seu meio-irmão Íficles. As grandes baixas o forçaram a recuar, mas, sem se deixar abater, Héracles matou os gêmeos em uma emboscada em Cleona e, depois disso, não teve problemas para dominar a cidade de Élida. Ao matar Áugias e seus filhos, trouxe Fileu de volta do exílio em Dulíquio e o fez rei no lugar do pai. Antes de deixar a Élida, Héracles instituiu os Jogos Olímpicos, o maior dos festivais gregos, realizado de quatro em quatro anos em homenagem a Zeus.

Ainda havia contas a acertar, e o ataque seguinte foi contra Neleu, que havia se recusado a purificá-lo pelo assassinato de Ífito. Héracles liderou uma força armada até Pilos, no sudoeste do Peloponeso, e lá matou Neleu e onze de seus doze filhos na luta. (O filho mais novo, Nestor, sobreviveu porque estava fora da cidade na ocasião. Ele viria a assumir oportunamente o trono e governar Pilos até bem depois da Guerra de Troia.)

O filho mais velho, Periclímeno, representou um problema especial para Héracles, já que recebera do avô Poseidon o dom de mudar de forma quando quisesse. Relata o *Catálogo das mulheres* hesiódico (fr. 33): "Num instante ele aparecia entre os pássaros como uma águia e no instante seguinte era uma formiga, algo espantoso de se ver, e logo se transformava em um cintilante enxame de abelhas, depois em uma inquieta serpente." Periclímeno mudou de forma repetidamente durante a batalha com Héracles, tornando-se, segundo Apolodoro (1.9.9), um leão, uma serpente e uma abelha, mas a forma que assumiu quando foi morto não sabemos. O fragmento hesiódico diz que o filho mais velho de Neleu morreu depois de se aproximar da carruagem de Héracles com a intenção de derrubá-lo, e, por alerta de Atena, levar uma flechada certeira do herói — mas o nome do animal gerado por essa transformação em particular não está no fragmento de papiro que conta a história. Uma águia, uma mosca e uma abelha foram sugeridas. É mais provável que tenha sido um inseto, já que Atena precisou chamar a atenção de Héracles, mas uma águia parece ser uma opção mais interessante, como na versão de Ovídio (*Metamorfoses* 12.556-72), na qual Periclímeno lança-se contra o rosto de Héracles com suas garras e em seguida sai voando. É nesse momento que Héracles atira a seta.

    A vingança contra Neleu foi total, mas trouxe em seu rastro outro dissabor, dessa vez relacionado a Hipocoonte. O rei de Esparta, junto de seus doze ou vinte filhos, havia lutado do lado de Neleu na grande batalha e, além disso, tinha matado Eano, primo de Héracles, ao vê-lo atirar uma pedra em seu selvagem e gigantesco cão de caça molossiano. Tais ofensas foram vingadas com a morte de Hipocoonte e todos os seus filhos. Como Tíndaro, rei de Esparta por direito, havia sido deposto anteriormente por Hipocoonte, Héracles o fez rei novamente, colocando-o no lugar do usurpador.

    Héracles havia pedido a Cefeu, rei de Tegeia, na Arcádia, que se unisse, com seus vinte filhos, à expedição contra Esparta. A princípio Cefeu negou-se a ir, temendo que Tegeia fosse atacada por inimigos de Argos em sua ausência, mas Héracles o tranquilizou, confiando à sua filha Estérope um jarro de bronze contendo um cacho dos cabelos da Medusa górgona, que lhe havia sido dado por Atena. Aquela mecha, disse ele, poria todos os inimigos em fuga se a jovem erguesse o jarro do alto das muralhas da cidade. Afastados os seus temores, Cefeu juntou-se à campanha com os filhos, e Tegeia, de fato, permaneceu a salvo dos inimigos. Na luta contra Hipocoonte, porém, Cefeu e todos os seus filhos foram mortos.

    Héracles teve mais um encontro com a família de Cefeu antes de deixar Tegeia — com a irmã do rei, Auge. Seu pai, Aleu, havia nomeado Auge sacerdotisa virgem do templo de Atena, mas Héracles seduziu ou estuprou a moça e a deixou grávida. No tempo devido, a jovem teve um filho, mas fez segredo desse nascimento e escondeu o menino no templo. Infelizmente a terra foi atingida por uma peste e pela escassez de alimentos por causa desse sacrilégio, e, quando Aleu soube, por meio de um oráculo, que o templo havia sido profanado, fez uma busca no lugar e encontrou o bebê. O segredo de Auge foi assim revelado. Seu pai, irado, obrigou-a a abandonar o bebê no monte Partenon para que lá morresse, e entregou Auge ao navegador e traficante de escravos Náuplio, a fim de que fosse afogada ou vendida além-mar. Náuplio, porém, com pena, deu a jovem a Teutras, rico rei da Mísia, que com ela se casou. O bebê também sobreviveu, pois foi amamentado por uma corça até ser encontrado por alguns pastores, que o levaram para casa e o criaram, dando-lhe o nome de Télefo, provavelmente por ter sobrevivido graças à teta (*thele*) de uma corça (*elaphos*).

Ao chegar à idade adulta, Télefo questionou o oráculo de Delfos a respeito de seus verdadeiros pais, e foi-lhe dito que fosse até a Mísia, onde se reuniu à mãe. Teutras o adotou e até mesmo o transformou em seu sucessor no trono da Mísia. Télefo viria a desempenhar um papel crucial na Guerra de Troia (p. 308). Segundo Pausânias (10.28.8), de todos os muitos filhos de Héracles, era o que mais se assemelhara ao pai.

Casamento com Djanira

A essa altura, os pensamentos de Héracles voltaram-se novamente para o casamento. A bela Iole lhe havia sido negada por Êurito, e ele ainda pretendia se vingar daquele desaforo, mas partiu para cortejar Djanira, filha de Eneu, rei de Cálidon, e irmã do herói Meleagro. Djanira tinha outro pretendente, o deus do rio Aqueloo, que corria ao longo da fronteira ocidental da Etólia. Era o maior dos rios gregos (Homero o chama de "rei dos rios" na *Ilíada* 21.194), e, no entanto, deixava Djanira aterrorizada, pois, assim como outras divindades da água, o deus-rio tinha o dom de mudar de forma e a cortejava em três monstruosas manifestações. "Ele veio em três formas diferentes para pedir minha mão a meu pai", diz Djanira na tragédia *As traquinianas*, de Sófocles (10-17), nossa fonte mais pormenorizada dessa última parte da vida de Héracles.

> Ora ele se apresentava como um touro, ora como uma serpente luzidia e enroscada, ora com corpo de homem e cabeça de touro, e da barba peluda fluíam correntes de água de suas fontes. Com um pretendente assim, eu estava sempre rezando, pobre de mim, para morrer antes de me aproximar de sua cama.

Pouco surpreende que Djanira tenha se sentido profundamente aliviada quando um pretendente bem mais normal apareceu. Héracles precisou lutar com Aqueloo pela mão de Djanira enquanto ela, sentada, temia que o combatente errado vencesse.

Mas tudo deu certo. Embora o deus-rio lutasse com todas as forças e mudasse de forma a cada instante, Héracles o derrotou, partindo um de seus chifres. Para recuperá-lo, Aqueloo deu-lhe em troca o precioso chifre de Amalteia, a "cornucópia da fortuna", que provia alimentos e bebidas sem fim a quem o possuísse (sem dúvida um bom presente para um homem com o apetite de Héracles).

Assim, Djanira se casou com Héracles. Com o passar do tempo, ela lhe deu vários filhos, inclusive Hilo, o mais velho, e uma filha, Macária. A família morou em Cálidon até que um desafortunado acidente os forçou a procurar um novo lar. Durante um banquete no palácio, Êunomo, o copeiro de Eneu, causou a Héracles um aborrecimento trivial quando o servia, e levou uma pancada como punição. Héracles não tinha intenção de machucá-lo, mas tamanha era sua força que Êunomo caiu morto. Depois desse homicídio acidental, o casal deixou Cálidon e foi morar com um grande amigo, Céix, rei de Tráquis.

No caminho foi preciso atravessar o rio Eueno, onde se depararam com um dos centauros que haviam fugido de Mália diante da ira de Héracles. Era o centauro Nesso, que trabalhava como carregador para viajantes que precisavam ir de uma margem à outra. Héracles não necessitava dos serviços dele para atravessar, mas pagou para que Djanira fosse carregada nas costas do centauro. Durante a travessia, Nesso tentou (e por sorte falhou) estuprá-la, por isso Héracles o matou com uma das suas setas certeiras cuja ponta havia sido mergulhada no sangue venenoso da Hidra de Lerna.

Enquanto agonizava, Nesso planejou vingar-se de Héracles. Disse a Djanira que recolhesse um pouco do sangue do lugar onde a seta o ferira, assegurando que funcionaria como um potente sortilégio amoroso. Se ela o usasse em Héracles, ele jamais amaria outra mulher.

(E isso era verdade, porque ele morreria.) A crédula Djanira fez o que Nesso disse, sem saber que, misturado ao sangue do centauro, havia o sangue letal da Hidra. A jovem guardou aquela "poção do amor" em seu novo lar durante muitos anos, para o caso de necessitar alguma vez de seu uso.

Héracles e Djanira viveram em Tráquis o resto de suas vidas. Durante esse tempo, o filho de Zeus livrou o mundo de um dos últimos e maiores malfeitores que afligiam a humanidade. Era Cicno, filho do deus da guerra Ares, um bandido sanguinário que atacava de surpresa os viajantes a caminho do templo de Apolo em Pagasas, na Tessalônica, com suas oferendas. Ele sempre os desafiava para uma luta, e sempre vencia. Depois, não apenas roubava os preciosos presentes que as vítimas levavam, como também cortava as cabeças dos vencidos e usava os crânios para construir um templo dedicado a seu pai, Ares.

Cicno finalmente encontrou um adversário à altura em Héracles. O episódio dos dois é descrito no poema hesiódico *O escudo de Héracles*. Depois de espreitar o herói e o condutor da carruagem, Iolau, no bosque de Apolo, fez o desafio de sempre, planejando tomar seu esplêndido armamento. Héracles, incitado por Apolo, gostou da oportunidade de matar o vilão e o fez atravessando-lhe o pescoço com uma lança. Ares, que ali estava para apoiar o filho, avançou contra Héracles a fim de vingar aquela morte, mas o deus da guerra foi levado ao chão, e teve a coxa atravessada por uma lança. Ares fugiu para o Olimpo, mas outras versões afirmam que os dois teriam lutado até que Zeus lançou um raio para separá-los.

Céix cuidou do enterro de Cicno, pois ele havia sido seu genro, casado com sua filha Temistonoé. Apolo, porém, estava ressentido por causa das oferendas perdidas e fez que o túmulo fosse destruído em uma enchente do rio Anauro.

Morte e apoteose

A essa altura, Héracles decidiu que era chegada a hora de se vingar de Êurito por ter lhe recusado Íole. Voltou, então, à Ecália com um exército, saqueou a cidade, matou Êurito e os filhos sobreviventes, e levou a bela Íole consigo, como concubina.

O que se passou após essa vingança fatídica foi dramatizado por Sófocles em *As traquinianas*, tragédia que trata da época em que Héracles está prestes a voltar para casa triunfante, depois de saquear Ecália. À sua frente, envia um grupo de escravos, inclusive Íole. Djanira, ao ver a beleza da jovem e sabendo-se já envelhecida, teme que o marido não mais a ame e finalmente tira a "poção do amor" de Nesso do esconderijo. Ela o espalha o sangue em uma bela túnica e a envia a Héracles, na esperança de reconquistar seu amor, sem suspeitar de que seu presente está coberto com um veneno mortal.

Antes da famosa dramatização de Sófocles no século V a.C., Djanira era vista, pelo que se depreende de outras fontes, como uma mulher corajosa e decidida. Pistas de seu caráter original existem apenas em comentários como o de Apolodoro (1.8.1): "Ela dirigia uma carruagem e praticava as artes da guerra." É também verossímil que essa antiga Djanira tenha matado Héracles intencionalmente, com ciúmes e raiva por sua infidelidade, sabendo muito bem o que a veste envenenada causaria. Mas em Sófocles tudo é bem diferente, pois sua Djanira é uma mulher gentil, tímida e amorosa, cujo único objetivo era recuperar o amor do marido.

O arauto Licas leva a túnica para Héracles, que, juntamente com seu filho Hilo, está preparando um sacrifício para Zeus no cabo Ceneon, na Eubeia. Héracles põe imediatamente a túnica e logo o veneno começa a corroer sua pele como um ácido. Em sua aflição, o filho de Zeus agarra Licas pelo pé e o atira para a morte de encontro a uma rocha que se projetava do mar. A agonia do herói na túnica envenenada forneceu aos poetas futuros uma alusão à dor insuportável: em *Antônio e Cleópatra*, de Shakespeare, Marco Antônio, cuja família se dizia descendente de Héracles (também conhecido como Alcides, por ser neto de Alceu), exclama, quando tudo está perdido (IV.xii.43-7):

> The shirt of Nesso is upon me. Teach me,
> Alcides, thou mine ancestor, thy rage.
> Let me lodge Lichas on the horns o' th' moon,
> And with those hands that grasp'd the heaviest club
> Subdue my worthiest self.*

Hilo leva para casa o pai agonizante sem saber, naturalmente, das boas intenções de Djanira. Por simplesmente ver os horríveis efeitos do presente letal da mãe, diz a ela que Héracles está morrendo e a amaldiçoa cruelmente pelo assassinato. Djanira, ao se dar conta de que matou o marido que tanto amava e de que é odiada pelo filho, recolhe-se a seus aposentos e sobre o leito conjugal, no mais profundo desespero, mata-se com uma espada. Tarde demais, Hilo fica sabendo do verdadeiro motivo para a mãe ter feito o que fez e, amargurado, censura a si mesmo amargamente pela colérica e impensada reação.

Héracles, carregado pelo palco em agonia, instrui Hilo a fazer que o levem ao monte Eta e lá o queimem em uma pira funerária. A peça termina com a cena na qual o corpo em sofrimento é levado para sua pira. Suas palavras finais demonstram a extraordinária coragem e a resignação que demonstrou por toda sua árdua vida (1259-63):

> Vem, minha dura alma,
> feita de ferro e pedra,
> Vem, cessa teu lamento,
> realiza tua relutante tarefa
> como um ato de júbilo.

---

* A túnica de Nesso está sobre mim. Ensina-me,/ Alcides, tu que és meu ancestral, a tua cólera./ Permite-me lançar Licas nos cornos da lua,/ E com estas mãos que brandiram a clava mais pesada/ Extingue a melhor parte de mim.

É profundamente irônico ver que Héracles, aquele que sempre foi capaz de vencer qualquer ser vivo, homem ou monstro, finalmente morre pelas mãos de uma mulher, por amor.

E assim o filho de Zeus, moribundo, fez construir sua pira fúnebre no monte Eta e nela subiu, pronto para a morte. Ninguém quis acender o fogo, mas nesse momento o argonauta Peas, rei da Mália, que por lá passava à procura de seus carneiros, concordou em acender a pira. Héracles o recompensou dando-lhe seu grande arco e as setas certeiras (que Peas depois passaria para seu filho, Filoctetes, que com tal arma desempenharia importante papel na conquista de Troia pelos gregos). A pira ardeu, ouviu-se o ribombar de um trovão vindo do céu, e Héracles foi levado ao Olimpo, onde tornou-se imortal entre os deuses.

Por fim, Hera desistiu do rancor e os dois se reconciliaram. Ela até mesmo lhe deu a filha Hebe, deusa da juventude, para ser sua esposa imortal. Em homenagem ao filho, Zeus colocou entre as estrelas a constelação que tem seu nome, representando Héracles como um homem ajoelhado, que comemora a vitória na batalha contra os ligúrios, na qual, em situação desesperadora, caiu de joelhos mas continuou lutando bravamente.

O retorno dos heráclidas

Embora tivesse nascido em Tebas, na Beócia, Héracles teria reinado em Micenas e Tirinto, reinos de seus antepassados, não fosse pelo impedimento de Euristeu. Ele considerava essas cidades peloponésicas como direito de herança de Héracles e sabia que seus descendentes, chamados de "heráclidas", poderiam reclamar a posse daquelas terras. Para evitar que isso acontecesse, Euristeu decidiu matar todos os filhos de Héracles, que não contavam mais com a proteção do invencível pai. Juntamente com sua avó Alcmena, os herdeiros viviam com Céix, rei de Tráquis, que se sentia fraco demais para se opor ao cruel Euristeu e à sua ameaça de guerra. Por isso, enviou todos para Atenas, sob a proteção do poderoso Teseu (ou de seus filhos Ácamas e Demofonte).

Euristeu perseguiu-os com seu exército argivo e descobriu que os atenienses estavam dispostos a lutar pelos heráclidas contra os invasores.

Quando um oráculo proclamou que Atenas só sairia vencedora naquela guerra se uma virgem de origem nobre fosse sacrificada a Perséfone, Macária, a filha de Héracles, se ofereceu. "Estou pronta para me dar em sacrifício e morrer", diz a jovem no drama de Eurípides *Os filhos de Héracles* (501-32):

> O que mais podemos dizer quando Atenas se apresenta para enfrentar um grande perigo por nossa causa, se nós, que pusemos tal peso sobre seus ombros, fugimos da morte quando temos o poder de levá-la à vitória? Nunca! Seríamos merecedores de desprezo se nós, filhos do grande Héracles, nos mostrássemos covardes. (...) Levem-me ao lugar onde devo morrer. Adornem-me e cumpram o ritual, se desejarem. Derrotem seus inimigos. Por vontade própria e sem hesitação, ofereço minha vida e entrego-me à morte em benefício de meus irmãos.

Assim foi que Macária foi sacrificada e os atenienses derrotaram os argivos, matando todos os filhos de Euristeu, que fugiu do campo de batalha, mas foi também capturado e morto. Segundo essa mesma peça, Iolau, o velho companheiro de Héracles, pediu a Zeus e a Hebe, deusa da juventude, que por um só dia lhe fosse concedida a chance de ser jovem novamente para se vingar dos tormentos de Euristeu. Sua prece foi ouvida. Ele perseguiu e capturou seu velho inimigo e o levou acorrentado de volta para Atenas, onde Alcmena, com profundo rancor pelo mal causado à sua família, exigiu que fosse morto. Na versão de Apolodoro (2.8.1), foi Hilo quem o capturou, cortou a sua cabeça e a levou para Alcmena, que furou os olhos de Euristeu com a agulha de fiar.

Findo o domínio de Euristeu sobre os heráclidas, pareceu-lhes oportuno se estabelecer no Peloponeso. Ao serem levados por Hilo para o sul, os heráclidas conquistaram muitas cidades peloponésicas. Um ano depois, porém, uma praga se alastrou e um oráculo declarou que a invasão havia sido prematura. Os herdeiros daquelas terras retiraram-se, então, e consultaram o oráculo de Delfos, que lhes disse para voltar somente "na terceira colheita". Todos aguardaram, obedientes, durante três anos. Infelizmente, o oráculo quisera dizer não três anos, mas três gerações, então o ataque seguinte também foi um fracasso. Mais uma vez Hilo conduziu uma tropa ao Peloponeso, e Equemo, rei de Tegeia, na Arcádia, se ofereceu como campeão das forças arcádias de defesa. Ele matou Hilo, forçando os heráclidas a recuar novamente.

O líder assassinado havia se casado com Íole, atendendo a um dos últimos desejos do pai, e ela lhe dera um filho, Cleodeu, o que possibilitou que a linhagem familiar continuasse. Cem anos depois, três bisnetos de Hilo — Temeno, Cresfonte e Aristodemo — consultaram o oráculo novamente e por fim compreenderam o verdadeiro significado de "terceira colheita". Assim, outra expedição foi lançada. Superadas várias dificuldades iniciais, inclusive a morte de Aristodemo, atingido por um raio, os heráclidas partiram pela última vez para conquistar o Peloponeso. Dessa vez foram acompanhados pelos dórios (descendentes de Deucalião através de seu filho Heleno), que haviam se tornado seus aliados em gratidão pela ajuda que Héracles lhes prestara na disputa contra os lápitas.

O oráculo os havia aconselhado a levar como guia "aquele que tem três olhos", e assim, ao encontrarem um etólio chamado Óxilo, que montava um cavalo ou uma mula de um olho só, os heráclidas viram naquela combinação a realização da profecia. Óxilo concordou em guiá-los através do Peloponeso, mas cuidou de mantê-los afastados das terras férteis da Élida, que queria para si, e os fez atravessar a montanhosa Arcádia.

Dessa vez a invasão foi bem-sucedida, e os heráclidas se apossaram das principais cidades peloponésicas. Depois de dar a terra da Élida a Óxilo, como ele desejava, em reconhecimento por seus serviços, os líderes concordaram em decidir a posse das terras restantes por sorteio. O primeiro a ser sorteado ficaria com a Argólida, o segundo, com Esparta e com a Lacônia, e o terceiro, com a Messênia. Cresfonte desejava muito as terras férteis da Messênia e conseguiu-as por meio de trapaça: enquanto os demais atiraram pedrinhas em uma jarra com água, ele jogou um torrão de terra, que se dissolveu, e assim os outros dois tiraram a sorte primeiro. Temeno recebeu a Argólida; os dois filhos de Aristodemo, Procles e Euristenes, ficaram com a Lacônia, onde viriam a fundar as duas casas reais de Esparta; e Cresfonte conseguiu a terra que queria. Os heráclidas haviam recuperado as terras que julgavam suas por direito de nascimento — mas lutas internas pelo poder resultaram na morte de dois dos líderes da expedição.

Temeno tinha tão grande apreço pelo heráclida Deifonte que, além de lhe dar como esposa Hirneto, sua filha predileta, o tornou também seu principal conselheiro. Isso levou os filhos de Temeno a temer por sua herança, e por este motivo mataram o próprio pai e tomaram o trono. O casal se refugiou em Epidauro, mas os filhos de Temeno ainda se sentiam ameaçados e tentaram ferir Deifonte, persuadindo Hirneto a deixá-lo. Ela se recusou, pois o amava. Com o marido tivera três filhos e uma filha, e estava grávida do quinto filho. Os irmãos, então, a sequestraram e trataram-na com tanta brutalidade que, na tentativa de resgate de Deifonte, Hirneto e o bebê morreram. Deifonte enterrou-a em um bosque de oliveiras em Epidauro, onde rituais foram feitos em sua homenagem. Ele acabou por se tornar rei, pois os argivos o preferiram aos filhos de Temeno.

Cresfonte também teve morte violenta. Ele se casou com Mérope, filha de Cípselo, rei da Arcádia, e juntos tiveram três filhos, mas os dois mais velhos foram mortos, com o pai, por Polifonte, um heráclida rival que liderou uma revolta contra o reinado e tomou o trono. Por sorte seu filho mais novo, também chamado Cresfonte, foi salvo por Mérope e criado por Cípselo. A sequência dos acontecimentos foi dramatizada por Eurípides em *Cresfonte*, e, embora a peça tenha se perdido, a história pode ser reconstituída a partir de fragmentos (com o auxílio da *Fábula 137* de Higino).

Polifonte obrigou Mérope a ser sua esposa, mas nunca deixou de temer que o enteado voltasse para vingar o assassinato do pai, e por isso prometeu uma grande recompensa a quem matasse Cresfonte.

Conforme os receios de Polifonte, o menino cresceu e retornou à Messênia para vingar o pai e os irmãos. Sem ser reconhecido, se apresentou com um nome falso, disse que tinha matado Cresfonte e reclamou a recompensa. Polifonte, grato e sem desconfiar de nada, acolheu-o com hospitalidade. Entretanto, no meio da noite, Mérope, pensando que o visitante havia mesmo matado seu filho, dirigiu-se sorrateiramente ao quarto com um machado para matá-lo. (Esta cena, altamente dramática, pode muito bem ter sido representada na peça de Eurípides.)

Felizmente Cresfonte foi reconhecido por um velho servo que deteve Mérope bem a tempo. Mãe e filho se sentiram felizes por estarem novamente juntos, e planejaram a vingança contra Polifonte. Mérope, fingindo ter se resignado a aceitar a morte do filho, sugeriu que se fizesse um sacrifício em agradecimento aos deuses, cerimônia para a qual o jovem estrangeiro deveria ser convidado. O rei, feliz, concordou. Durante o ritual, Cresfonte recebeu a arma com a qual deveria sacrificar a vítima, mas em vez disso matou Polifonte, recuperando o trono e o reino de seu pai.

8. Teseu, Atenas e Creta

Teseu foi o grande herói nacional de Atenas. Assim como Héracles, ele teve um ciclo de feitos heroicos, e suas histórias guardavam muitos episódios semelhantes. Teseu também livrou o mundo de monstros e bandidos, lutou com as amazonas e desceu ao Mundo Inferior. Esses feitos são regularmente representados nos vasos áticos dos últimos anos do século VI a.C. em diante. É bem provável que tenha existido um poema épico mais antigo que celebrava os feitos heroicos de Teseu, mas, se existiu, está totalmente perdido. Nossa fonte mais completa de sua lenda foi escrita bem depois e com detalhes por Plutarco a *Vida de Teseu*, data do início do século II d.C.

Antes, porém, de concentrarmos a atenção no maior herói ateniense, precisamos traçar a história mítica de Atenas e de seus primeiros reis.

Os reis de Atenas

Os atenienses se orgulhavam de ser autóctones (literalmente "nascidos da terra") — um povo nativo que habitava aquelas terras desde tempos imemoriais. Seu rei mais antigo foi Cécrops, que mostrava sua origem ctônica por ter o corpo normal de um homem, mas com uma cauda de serpente em vez de pernas humanas.

Durante seu reinado houve uma disputa entre Atena e Poseidon para decidir quem seria a divindade protetora da Ática. Como demonstração dos poderes divinos que possuíam, Poseidon enterrou seu tridente na Acrópole e produziu uma fonte de água do mar, enquanto Atena fez nascer uma oliveira na colina e levou Cécrops para testemunhar seu feito. A dádiva de Atena foi considerada a de maior valor (e de fato a azeitona tornou-se a base da economia da Ática). Assim o país passou a ser dela e a cidade recebeu o nome de Atenas por sua causa. Poseidon ficou tão colérico que mandou uma enchente cobrir a maior parte da terra, mas depois reconciliou-se com a cidade quando tornou-se também uma entidade cultuada na Acrópole. Em tempos históricos, como registra o viajante Pausânias (1.26.5, 1.27.2), a marca do tridente de Poseidon em uma pedra ainda podia ser vista no Erecteion, bem como o poço de água do mar que emitia o som das ondas sempre que o vento soprava do sul. A oliveira de Atena também continuava lá. A árvore foi destruída quando os persas incendiaram Atenas em 480 a.C., mas conta a lenda que, milagrosamente, cresceu cerca de um metro novamente no mesmo dia em que foi queimada.

Eram três as filhas de Cécrops: Aglauro, Herse e Pandroso. Aglauro foi amada pelo rei da guerra Ares e deu-lhe uma filha, Alcipe. Ares a defendeu de uma tentativa de estupro cometida por um filho de Poseidon, Halirrótio, que foi morto na hora. O deus da guerra foi então acusado de assassinato por Poseidon e julgado por um tribunal de deuses, que o declarou inocente. Este julgamento, o primeiro por derramamento de sangue, ocorreu na colina a oeste da Acrópole, e o local a partir de então passou a se chamar Areópago (a "Colina de Ares"), no qual os assassinatos eram julgados nos tempos históricos.

As três filhas de Cécrops são mais lembradas pelo papel que tiveram na história de Erictônio. Ele era filho de Hefesto e (em certo sentido) de Atena, embora, como Cécrops, tenha nascido da terra. Atena foi à oficina do deus-ferreiro para adquirir algumas armas e quando Hefesto a viu esqueceu-se de seu ofício, tomado por uma incontrolável paixão.

Tentou abraçá-la, mas a deusa virgem não quis saber dele e fugiu. Apesar de manco, o deus conseguiu alcançá-la e fez o possível para possuí-la, mas em vão. Na luta, seu sêmen caiu nas coxas de Atena, que se limpou com um pedaço de lã e atirou-o ao chão, enojada. No lugar onde o tecido caiu, o sêmen engravidou a terra. Quando chegou a hora, a criança foi entregue por Gaia (Terra) a Atena, que assim se tornou sua mãe adotiva.

Atena deu ao bebê o nome de Erictônio (de *eris*, "luta", ou de *erion*, "lã", e *chthon*, "terra"). Ela o colocou em uma arca e confiou-a às três filhas de Cécrops, ordenando expressamente que não a abrissem. As jovens, naturalmente, ficaram muito curiosas e, embora as fontes não cheguem a um consenso quanto a quem teria aberto a arca, e se uma ou mais o fizeram, o fato é que todas as três pagaram o preço da desobediência. Aterrorizadas com o que viram — uma serpente enrolada em um bebê, ou um bebê que era metade serpente — elas enlouqueceram e se atiraram do alto da Acrópole, morrendo ao caírem nas pedras ao pé da colina. Dizem alguns que a serpente as matou.

Ovídio (*Metamorfoses* 2.708-832) conta uma história diferente, provavelmente de origem helenística, na qual as jovens continuaram a viver depois de desobedecer a Atena. Herse voltava para casa depois de um festival quando Hermes a viu e ficou tão encantado que foi ao local onde a jovem morava para cortejá-la. Aglauro o impediu de vê-la, mas prometeu ajudá-lo a conquistar a irmã em troca de uma fortuna em ouro. Atena, porém, ainda estava aborrecida com Aglauro por sua desobediência ao abrir a arca, e por isso fez a jovem ter inveja da boa sorte de Herse. Quando Hermes voltou, encontrou-a impedindo que fosse aos aposentos da irmã. Sem se deixar deter, o deus abriu a porta com sua vara mágica e transformou Aglauro em pedra, uma pedra negra por causa de seus sombrios pensamentos. Ovídio nada mais diz sobre a união de Hermes com Herse, mas segundo outras fontes ela deu ao deus um filho, Céfalo. Ele era tão bonito que Eos, deusa da aurora, levou-o consigo e dele teve um filho, Faéton, que se tornou sacerdote do templo de Afrodite. (Mais tarde, Eos levou consigo outro Céfalo, mais famoso, para ser seu amante: p. 516.)

Nada se sabe sobre o modo como Cécrops reagiu a esses acontecimentos. Para os atenienses, ele foi simplesmente uma figura ancestral arquetípica à qual eram creditados, entre outras coisas, a introdução das primeiras leis, a construção de cidades, o estabelecimento do casamento monogâmico e o reconhecimento da supremacia de Zeus dentre os deuses.

Cécrops foi sucedido por dois outros reis nascidos da terra, Cranau e Anfiction, ambos pouco mais do que nomes em uma lista de reis. Cranau, que governou no tempo do Dilúvio, teria dado àquela terra o nome de Ática em homenagem a sua filha Átis. Tal rei foi deposto pelo cunhado Anfiction, que, por sua vez, foi deposto doze anos depois por Erictônio, agora adulto, criado pela própria Atena na Acrópole.

Durante seu reinado, Erictônio promoveu o culto a Atena, colocando sua antiga imagem de madeira na Acrópole e instituindo a Panateneia, o principal festival em sua devoção. Seu filho Pandion o sucedeu. Foi durante esse reinado que o culto a Dioniso foi introduzido na Ática, e o próprio Dioniso deu um galho de vinha a um humilde lavrador chamado Icário, e o ensinou a fazer vinho. Desejoso de compartilhar os prazeres dessa gloriosa dádiva, Icário deu algum vinho a um grupo de pastores que o beberam puro, com grande deleite. Logo, porém, ficaram bêbados e, ao pensar que Icário os tivesse envenenado, mataram-no a pauladas e enterraram seu cadáver sob uma árvore. Sua filha Erígone procurou-o por toda parte, sem sucesso, até que seu cão Maira a conduziu a tal árvore e cavou a terra. Ao ver o pai morto, Erígone enforcou-se na árvore. O cão, também não suportando tanta dor, saltou em um poço e se afogou.

Dioniso ficou tão irado com essas mortes que amaldiçoou as jovens de Atenas com uma loucura que fez que elas, como Erígone, se enforcassem em árvores. Com o passar do tempo, os atenienses descobriam, pelo oráculo de Delfos, a causa daquela loucura, e logo saíram à procura dos pastores assassinos para enforcá-los. Também instituíram um festival anual na época da colheita da uva, o *Aiora* ("Balanço"), durante o qual as jovens se balançavam em cordas penduradas em árvores, com os pés sobre pequenas plataformas, e assim foram inventados os balanços. Dioniso imortalizou seus seguidores colocando Icário no céu como a constelação Boötes, ou Boieiro, Erígone como a de Virgem e o fiel cão Maira como a Cão Menor.

Pandion teve filhos gêmeos, Erecteu e Butes, e duas filhas, Procne e Filomela. (A terrível história a respeito dessas duas jovens e de Tereu, rei da Trácia, está na p. 439-40.) Quando o pai morreu, os dois filhos dividiram a herança entre si: Butes recebeu o sacerdócio de Atena e de Poseidon, enquanto Erecteu tornou-se rei. O rapaz era frequentemente confundido com seu avô, Erictônio, e é bem possível que se tratasse da mesma pessoa. Homero, por exemplo (*Ilíada* 2.546-51), diz que Erecteu nasceu da terra e que Atena o criou e instalou em seu santuário — fatos que se aplicam mais apropriadamente a Erictônio.

Erecteu teve três filhos, Cécrops, Pandoro e Metião, e sete filhas. Sabemos os nomes de quatro delas: Orítia, Prócris, Ctônia e Creúsa. Todas as quatro se casaram. Orítia tornou-se esposa de Bóreas, deus do violento e gelado Vento Norte, que a princípio a cortejou, achando que a conquistaria com delicadeza. Ao ver que isso não daria certo, enfureceu-se e assumiu seu temperamento normal, violento, e precipitou-se sobre a moça no momento em que dançava nas margens do rio Ilisso. Bóreas a envolveu em um redemoinho e a carregou dali para sua casa, na Trácia. Lá ela lhe deu vários filhos, inclusive os gêmeos Zetes e Cálais, conhecidos como os Boréades e, alados como o pai, eram os homens mais ligeiros da terra. Segundo algumas fontes, suas asas cresciam dos ombros, mas outras afirmam que os irmãos tinham asas nas têmporas e nos pés, e que seus longos cabelos negros ondulavam em suas costas quando voavam, escuros como as nuvens de tempestade do pai. Como vimos antes, os Boréades participaram da viagem dos argonautas e, com suas asas ligeiras, enxotaram as monstruosas harpias (p. 154).

Quanto às outras moças, Prócris casou-se com Céfalo (p. 516), Ctônia com seu tio Butes, e Creúsa com Xuto (ver adiante); de acordo com uma famosa lenda ateniense, dramatizada por Eurípides na tragédia *Erecteu* (da qual só nos chegaram alguns fragmentos), havia também três outras irmãs solteiras de nome desconhecido, que morreram para salvar sua cidade quando Atenas estava em guerra com a vizinha Elêusis. Erecteu ficou sabendo, através de um oráculo, que deveria oferecer uma de suas filhas aos deuses se desejasse que seu lado fosse vitorioso, e assim uma delas foi escolhida. A jovem foi devidamente sacrificada, mas duas de suas irmãs se mataram, pois tinham jurado morrer juntas. Os atenienses derrotaram os eleusianos e mataram seu rei Eumolpo, filho de Poseidon. O deus ficou colérico com a morte do filho e assim, infelizmente para Atenas, Erecteu também foi morto: após receber um golpe fatal do tridente de Poseidon, seu corpo foi tragado pela terra.

Diz-se em geral que Erecteu foi sucedido por seu filho, um segundo Cécrops, mas na versão pouco convencional do mito na tragédia *Íon*, de Eurípides, foi o marido de Creúsa, Xuto, que se tornou rei. Quando a peça começa, Xuto e Creúsa, casados havia muitos anos, vão a Delfos consultar o oráculo sobre o fato de não conseguirem gerar filhos. Xuto não sabe que Creúsa já teve um filho com Apolo antes de seu casamento.

Ela estava colhendo flores perto da Acrópole quando Apolo a viu. "Vieste a mim com teus cabelos de ouro", recorda-se Creúsa (887-8), a imagem do belo e cruel deus para sempre gravada em sua memória. Depois de ser arrastada para uma caverna próxima e estuprada, ela nada disse aos pais sobre sua gravidez, e na época devida deu à luz um filho, sozinha e em segredo, naquela mesma caverna. Lá, com profunda tristeza, deixou seu bebê enrolado em um xale e deitado em um berço. Mais tarde, ao voltar à caverna, Creúsa descobriu que o bebê havia desaparecido, e desde então passou a sofrer com a perda, certa de que o filho tinha sido devorado por feras selvagens.

Contudo, Apolo havia cuidado do menino sem que a mãe soubesse. Mandara que Hermes levasse o bebê e o berço para seu templo em Delfos, e lá suas sacerdotisas o encontraram e o criaram para o serviço do deus. Ele recebeu o nome de Íon e cresceu acreditando ser órfão.

Na peça de Eurípides, Xuto consulta o oráculo e é informado de que já possui um filho, a primeira pessoa que encontrará ao sair do templo. Ele se depara com Íon e, com absoluta fé nas palavras do oráculo, o saúda alegremente como filho. Íon a princípio pensa que aquele estranho é um louco, mas os dois acabam por se entender e chegam à conclusão de que Íon devia ser um filho bastardo de Xuto, nascido de alguma aventura da juventude. Concordam os dois que devem dar a notícia a Creúsa com muito tato.

Antes de o fazerem, porém, Creúsa fica sabendo, através de suas aias, que Xuto pretende levar para a família um filho bastardo. Esse rapaz, no devido tempo, suplantaria a linhagem de Erecteu no trono de Atenas, portanto Creúsa decide matá-lo. Manda então uma serva envenenar o vinho de Íon em um banquete de comemoração dado pelo marido, mas o vinho é derramado, e, ao ver um pombo beber o líquido e morrer em agonia, o rei se dá conta de que alguém tentou matá-lo.

Depois de obrigar a serva a dizer a verdade, Xuto parte para matar Creúsa, e está prestes a executar a ação quando a sacerdotisa intervém. Ao vê-la carregando o berço no qual Íon foi encontrado quando bebê, Creúsa o reconhece de imediato. Para ter certeza, ela descreve cada uma das pequenas coisas que deixou no berço com seu bebê: um pedaço de tecido, um colar de ouro e uma coroa de folhas de oliveira. A sacerdotisa as ergue uma a uma, para que Íon as veja. Mãe e filho enfim se reúnem com grande júbilo. Ela tem seu filho de volta e ele, finalmente, encontra a mãe que nunca conheceu. Xuto continua satisfeito, acreditando ser o pai de Íon, e no fim da peça a família retorna feliz a Atenas.

Após o reinado do segundo Cécrops, seu filho governou Atenas. O segundo Pandion, contudo, foi deposto pelo tio Metion e se refugiou em Mégara, onde se casou com a filha do rei Pilas e no devido tempo pôde se tornar rei. O casal teve quatro filhos: Egeu, Niso, Lico e Palas. Niso sucedeu ao pai, após sua morte, no trono de Négara, enquanto os outros três irmãos partiram para Atenas e de lá expulsaram os filhos de Metion. Egeu então se tornou rei do local. Casou-se duas vezes, mas de nenhum dos casamentos teve filhos. Preocupado com quem o sucederia no trono, foi se aconselhar com o oráculo de Delfos. Nesse ponto, finalmente, chegamos a Teseu.

Teseu

O oráculo de Delfos, como sempre, respondeu em forma de charada à pergunta de Egeu sobre a falta de um herdeiro: "Não abras a boca de teu protuberante cantil de vinho, bom homem, até chegares às alturas de Atenas." Egeu não soube como interpretar a resposta do oráculo, por isso foi visitar um amigo que era famoso por sua sabedoria: Piteu, filho de Pélops e Hipodâmia, e então rei de Trezena. Piteu compreendeu que o cantil de vinho era um símbolo fálico e decifrou imediatamente o que o oráculo quisera dizer: Egeu não deveria fazer amor com mulher alguma antes de voltar para sua esposa em Atenas, pois na próxima vez em que fizesse sexo conceberia o filho desejado.

Mas, como não tinha filhos homens, apenas uma filha, Etra, Piteu viu aí sua oportunidade de ter um neto com o sangue real de Egeu nas veias. O sábio homem fingiu não ter compreendido o oráculo e, depois de embebedar seu hóspede, levou-o para dormir com Etra. Na manhã seguinte, Egeu partiu para Atenas. Antes de ir, porém, escondeu sua espada e um par de sandálias sob uma grande pedra e disse à moça que, se gerasse um filho, e, ao chegar à idade adulta, ele fosse capaz de erguer aquela pedra, deveria ser enviado para Atenas com as provas da paternidade.

No devido tempo, Etra deu à luz um filho, Teseu, embora alguns digam que o verdadeiro pai de Teseu era o deus Poseidon, que visitou a cama da jovem na mesma noite que Egeu. (Outros dizem que essa história foi inventada por Piteu para salvar a reputação da filha.) Mas quer seu pai fosse um mortal ou um deus, Teseu nasceu em Trezena e lá foi criado pela mãe e pelo avô.

Sabe-se de apenas uma história de sua infância, e esse relato prenuncia seu futuro heroísmo. Certo dia seu parente Héracles foi jantar em sua casa e, antes de se sentar para comer, despiu sua enorme pele de leão e a colocou no chão. As crianças do palácio, ao verem-na, pensaram que fosse um leão de verdade e fugiram aos gritos. Teseu, ao contrário, pegou um machado e a atacou.

Quando Etra achou que era chegada a hora, contou ao rapaz sobre seu pai Egeu e mostrou-lhe a pedra. Após erguê-la com facilidade,

Teseu partiu para Atenas com a espada e as sandálias do pai. A mãe e o avô, sabendo que a estrada estava cheia de assaltantes e arruaceiros de todo tipo, suplicaram que fizesse a viagem por mar, meio bem mais seguro, mas ele se recusou. Sempre havia adorado Héracles por seu heroísmo e agora, tomado de um grande desejo de adquirir renome igualando suas valorosas façanhas, ansiava pela oportunidade de enfrentar desafios e perigos.

Na estrada para Atenas

Suas esperanças se realizaram, pois a caminho de Atenas Teseu deu fim a uma série de bandidos usando seus próprios métodos de matar. Encontrou seu primeiro desafio antes mesmo de se afastar muito de Trezena. Em Epidauro espreitava um bandido chamado Perifetes, filho de Hefesto e conhecido como o "Portador da Clava", porque sempre levava consigo uma clava de bronze com a qual matava com pancadas qualquer viajante que por ali passasse. Apolodoro (3.16.1) menciona que Perifetes era fraco das pernas e usava a clava como muleta; assim, se aproximava mancando de suas vítimas, que de nada suspeitavam. Então, com uma súbita bordoada, eram derrubadas. Ao cometer o erro de atacar Teseu, porém, ele teve a clave roubada e sofreu, com a arma, uma rachadura no crânio. Teseu gostou do objeto e o manteve para uso próprio. Assim como Héracles sempre usava a pele do leão de Nemeia como lembrança de seu primeiro trabalho, Teseu carregava a clava de Perifetes como recordação de sua primeira prova de fogo.

O desafio seguinte o viajante encontrou ao chegar ao istmo de Corinto, onde se deparou com Sínis, o "dobrador de pinheiros", assim chamado devido à maneira como matava os viajantes que por lá passavam. Ou ele dobrava dois pinheiros adjacentes, amarrava os braços da vítima em um deles e as pernas em outro e soltava as árvores, que, ao voltarem à posição normal, dilaceravam o corpo que estava preso, ou forçava a vítima a dobrar com ele um pinheiro e o soltava subitamente, fazendo que fosse catapultada bem alto e depois se espatifasse no chão. Teseu sobrepujou Sínis e o matou com seus próprios pinheiros. A bela filha do bandido, Perigune, escondera-se com medo entre arbustos e moitas de aspargos selvagens prometendo nunca destruir essas plantas se conseguissem protegê-la. Mas Teseu prometeu não fazer-lhe mal, e a moça saiu por conta própria. Ele a levou para a cama e, na época devida, nasceu seu filho, Melanipo (um herói ático menor que tinha um santuário em Atenas). Seus descendentes sempre reverenciaram as plantas que haviam protegido sua ancestral.

O feito seguinte de Teseu em sua viagem foi matar Fea, a feroz porca selvagem de Crômion. Como tantas criaturas que Héracles matou, era filha dos monstros Tífon e Equidna e chamada de Fea, a "Encanecida", em homenagem à velha que a havia criado. Uma tradição posterior e racionalizada modifica um pouco a história, sugerindo que Fea não era uma fera selvagem, mas sim uma bandida de Crômion, uma mulher assassina e depravada que era chamada de porca por causa da maneira como vivia. Seja como for, ela encontrou a morte nas mãos de Teseu.

Ao atravessar o istmo de Corinto, ele passou ao lado de penhascos muito altos, que se erguiam do mar, e então encontrou Círon, um bandido que forçava todos os viajantes que passavam a lavar-lhe os pés. Quando os desavisados se curvavam para fazê-lo, eram empurrados do alto do penhasco e caíam no mar, onde eram devorados por uma tartaruga gigante. Ao tentar aplicar esse golpe em Teseu, Círon teve o mesmo destino de suas vítimas, pois o recém-chegado curvou-se como se fosse obedecer-lhe, mas o que fez foi pegá-lo pelo pé e atirá-lo ao mar, onde a tartaruga o devorou.

Ao passar pela Ática, Teseu defrontou-se com Cércion, filho de Poseidon e rei de Elêusis, que obrigava todos os passantes a enfrentá-lo até a morte. Como os outros malfeitores daquela estrada, ele havia matado todas as pessoas que abordara até então — até cometer a imprudência de desafiar Teseu, que o ergueu bem alto e o jogou no chão, com tanta força, que o matou.

Outra lenda relativa a Cércion demonstra também sua crueldade. Higino (*Fábula* 187) conta a triste história de sua filha Alope, provavelmente extraída da tragédia de Eurípides *Álope*, agora perdida. Ela foi amada por Poseidon e engravidou, e, como temia a ira do pai, manteve a gravidez em segredo, mas, por fim, seu filho nasceu. Amedrontada, a mãe vestiu o bebê com roupas quentes e o deixou no campo para morrer. Contudo, a criança sobreviveu graças a uma égua que a amamentou — sem dúvida enviada por Poseidon para cuidar de seu filho.

Logo um pastor encontrou-a, levou-a para casa e deu-a a outro pastor, mas os dois brigaram pela posse das belas roupas que o bebê vestia. Como não chegaram a um acordo, pediram a Cércion que arbitrasse a disputa. Ele reconheceu os tecidos, que eram de roupas de sua filha, e a verdade veio à tona. Alope foi trancafiada pelo pai, que esperava que a jovem morresse. Quanto ao bebê, foi abandonado no campo novamente. Outra vez uma égua o amamentou e, de novo, alguns pastores o encontraram e o levaram para casa. Dessa vez, porém, ele foi criado até a idade adulta. Deram-lhe o nome de Hipotoon, "Cavalo-Rápido", em homenagem à égua que o amamentou e a seu pai Poseidon, deus dos cavalos. Mais tarde, quando Teseu assumiu o poder em Atenas, fez de Hipotoon o rei de Elêusis.

Teseu teve ainda que enfrentar um último desafio antes de chegar a seu destino. Pouco depois de deixar Elêusis, encontrou Procrustes, o "Espancador", assim chamado pela maneira como tratava os viajantes desavisados que aceitavam sua hospitalidade. Em sua casa havia duas camas, uma comprida e uma curta; o anfitrião forçava suas vítimas a deitarem em uma delas, depois as ajustava ao tamanho da cama, cortando as extremidades do corpo ou esticando-o à custa de marteladas. Também Teseu foi convidado a se hospedar na casa de Procrustes, que tentou dar-lhe o mesmo tratamento. (Não há registro do tipo de morte que enfrentou, e em cenas de vasos Teseu aparece às vezes brandindo um machado, às vezes um martelo.)

Pouco depois ele chegou a Atenas.

Pai e filho

A essa altura Egeu já estava velho. A cidade andava agitada e em desordem, e o próprio rei vivia em estado de constante temor porque seu irmão Palas e seus cinquenta filhos ameaçavam tomar o trono.

Quando chegou ao palácio do pai, Teseu não mostrou imediatamente a Egeu as provas de sua paternidade, e o rei não tinha motivos para reconhecê-lo. Uma pessoa, porém, adivinhou sua identidade: a feiticeira Medeia, que vivia com Egeu desde que fora banida de Corinto e tinha lhe dado um filho, Medos. Medeia viu em Teseu uma ameaça a suas perspectivas, por isso decidiu que o recém-chegado deveria morrer.

Dados os temores de Egeu quanto a conspirações, Medeia não teve dificuldade em encher sua mente de suspeitas em relação ao jovem estrangeiro. Egeu achou melhor dar a Teseu uma tarefa da qual não pudesse sair vivo, por isso mandou que fosse lidar com o feroz touro de Maratona, que estava devastando os campos. O animal era conhecido originalmente como touro de Creta, quando foi capturado por Héracles no sétimo de seus trabalhos para Euristeu e levado a Micenas (p. 203). Ele havia escapado de lá e ido para Ática, onde logo se tornou uma ameaça para os habitantes. Teseu ficou feliz em receber uma tarefa que traria muitos benefícios ao povo de Ática e, sem dúvida, ainda mais feliz com a possibilidade de tentar uma façanha de força e coragem realizada por Héracles tempos antes.

A caminho de Maratona, Teseu foi abrigado por uma velha chamada Hécale, que o tratou bondosamente e prometeu oferecer um sacrifício de agradecimento a Zeus se o hóspede voltasse vivo de sua missão no dia seguinte. Teseu dominou o touro, como Héracles havia feito, e levou-o para a cidade. Ao passar pela casa de Hécale para anunciar o sucesso de sua missão, ficou triste ao encontrá-la morta. Em agradecimento à sua hospitalidade e à sua bondade, mais tarde instituiria uma cerimônia local para honrar sua memória.

De volta a Atenas, Teseu desfilou pela cidade com o touro vivo, para que todos os vissem, depois o sacrificou a Apolo e retornou, triunfante, ao palácio do pai. Medeia não havia desistido de suas intenções assassinas, por isso preparou uma taça de veneno feito com o mortal acônito e convenceu Egeu a oferecê-la a Teseu no banquete. No instante em que o jovem, que de nada suspeitava, ia tomar a bebida, Egeu reconheceu a espada que o visitante portava e arrancou-lhe a taça dos lábios. Pai e filho, felizes, comemoraram o encontro, e Medeia, vendo seus planos revelados, fugiu de Atenas para sempre. Passado algum tempo, a feiticeira retornou com Medos à sua terra natal, a Cólquida, onde colocou seu pai, Eetes, novamente no trono, de onde havia sido deposto pelo irmão Perses. Presume-se que Medeia tenha vivido lá até o fim da vida. Não há registro de sua morte.

Egeu anunciou publicamente que Teseu o sucederia no trono de Atenas. Palas e seus cinquenta filhos, que esperavam receber o reino quando Egeu morresse sem deixar herdeiro, iniciaram uma rebelião, mas Teseu, com o apoio do pai, esmagou a revolta.

Pouco depois, chegou a época de Atenas pagar o tributo devido a Minos, rei de Creta, pela morte de seu filho Androgeu. O jovem havia sido um excelente atleta, muitas vezes vitorioso no festival ateniense das Panateneias, mas infelizmente isso o levara à morte. Há várias versões para seu fim. Em uma delas, rivais derrotados o teriam matado em uma emboscada; em outra, Egeu ficou impressionado com a bravura e a destreza do rapaz e o enviou para matar o touro de Maratona, que o chifrou até a morte; em uma terceira versão, Androgeu teria feito amizade com os filhos de Palas, e Egeu, temendo uma aliança que poderia ameaçar seu trono, mandou que o assassinassem. Qualquer que tenha sido a causa de sua morte, o resultado foi o mesmo: seu pai, Minos, queria vingança e exigiu que Atenas pagasse um tributo de sete rapazes e sete moças que seriam enviados periodicamente a Creta para alimentar o Minotauro no Labirinto.

Dessa vez Teseu era um dos rapazes do grupo, e pretendia matar o Minotauro para acabar com aquele tributo para sempre. Antes de levarmos essa história até seu desfecho, no entanto, devemos nos voltar para a história anterior de Creta, de Minos e de sua esposa Pasífae.

Creta: Europa, Minos e Pasífae

Essa história começa, como tantas outras, com um caso amoroso de Zeus. Como vimos (p. 169), Agenor, filho de Poseidon e Líbia, deixou seu lar no Egito e migrou para a Fenícia, onde fundou o próprio reino. Nas novas terras formou uma família com vários filhos e uma filha, Europa, cuja beleza atraiu o olhar sempre atento de Zeus. Um belo dia, quando o jovem colhia flores com as amigas perto do mar, o deus desceu à terra disfarçado de um belo touro, branco como a neve não pisada, e com chifres reluzentes como joias. A princípio as moças tiveram medo, mas, ao verem como o touro era manso, alimentaram-no com flores, acariciaram-lhe o pelo e penduraram guirlandas em seus chifres. Quando o animal, por fim, deitou-se na areia, Europa, já sem medo, subiu em seu dorso. No mesmo instante ele se levantou e mergulhou no mar, levando Europa, através do oceano, para longe. Suas amigas nunca mais a viram.

Zeus levou Europa para Creta e a moça teve três filhos: Minos, Radamante e Sarpédon. Depois, se casou com Astério, rei de Creta, que criou os filhos de Zeus como se fossem seus. Sarpédon mais tarde migrou para a Lícia e Radamante se tornou rei das ilhas do Egeu meridional. Tão grande era sua reputação de sabedoria e senso de justiça que, depois de morto, passou a ser um dos juízes do Hades. Minos sucedeu a Astério no trono de Creta (embora não sem enfrentar oposição, como veremos adiante). Quanto ao touro cuja forma Zeus assumiu para raptar Europa, foi imortalizado no céu como a constelação de Touro, e Europa deu nome ao continente — com propriedade, pois os minoicos, assim nomeados em homenagem a Minos, formariam a primeira grande civilização da história europeia (p. 252).

Minos casou-se com a filha do deus-sol Hélio, Pasífae, que lhe deu quatro filhos: Catreu, Deucalião, Glauco e Androgeu, e cinco filhas, Ariadne e Fedra (ambas amadas por Teseu), Acácalis, Xenodice e Euríale (que viria a ser, por intermédio de Poseidon, mãe do grande caçador Órion). Dois dos filhos de Minos morreram: Androgeu, que, como vimos, foi morto em Atenas, e Glauco, que depois foi milagrosamente devolvido à vida pelo sábio vidente Poliido. Ainda bem pequeno, Glauco caçava um camundongo quando caiu em um grande jarro cheio de mel e se afogou. Seus pais, desolados, procuraram-no por toda parte em vão até que Poliido, interpretando corretamente o que dizia uma coruja (*glaux*) empoleirada perto da despensa e importunada por abelhas, descobriu o cadáver do menino no grande jarro de mel.

Minos exigiu, fora de si, que seu filho voltasse à vida, e trancou o vidente com o cadáver até que conseguisse ressuscitá-lo. A princípio Poliido ficou perdido, mas por acaso uma cobra passou por perto e ele a matou, temendo algum perigo. Uma segunda cobra apareceu, levando uma erva. Ao colocá-la sobre o cadáver da primeira, para sua surpresa, fez o animal voltar à vida. Poliido não perdeu tempo e usou a erva em Glauco, que imediatamente reviveu e foi devolvido aos pais.

Assim essa tristeza transformou-se em alegria, mas a vida de Pasífae teve muitas outras tristezas. Seu marido mostrou-se constantemente infiel e, além de ter vários filhos ilegítimos, tentou até mesmo estuprar Britomartis, a equivalente cretense da deusa Atena. A certa altura, Pasífae ficou tão zangada com a promiscuidade de Minos que o enfeitiçou (ela era, afinal, irmã da feiticeira Circe): deu-lhe drogas perniciosas que o fizeram ejacular serpentes e escorpiões sempre que tinha uma relação sexual, e isso o tornou bem menos atraente para as mulheres. Porém ainda mais traumáticos para Pasífae foram os eventos que resultaram da morte de Astério e a subsequente disputa pelo reino.

Astério morreu sem deixar filhos e, como Minos não tinha seu sangue, não herdaria automaticamente o trono. Ele, no entanto, declarou a seus rivais que os deuses apoiavam sua reivindicação e, para provar, assegurou que todas as suas preces eram atendidas. Pediu então a Poseidon que lhe enviasse um touro saído do mar, prometendo sacrificá-lo quando aparecesse. O deus atendeu o pedido e um magnífico touro branco saiu do mar — assim Minos ganhou seu reino.

Infelizmente o touro era tão belo que o rei não conseguiu sacrificá-lo: colocou-o junto a seu rebanho para reprodução e sacrificou outro. Essa promessa não cumprida deixou o deus do mar tão irado que provocou em Pasífae uma paixão irresistível pelo touro. Nada a satisfaria a não ser copular com o animal — e havia no palácio o homem certo para ajudá-la a satisfazer seus desejos.

Esse homem era o brilhante inventor e mestre-artesão Dédalo, o ateniense forçado a deixar Atenas depois de matar Perdix, que além de ser seu sobrinho era também seu aprendiz. Perdix tinha mostrado ser ainda mais talentoso do que seu mestre. Ao jovem são atribuídas três invenções: o serrote de ferro, inspirado em uma espinha de um peixe ou uma dentadura de serpente como modelo, o compasso dos geômetras e a roda dos ceramistas. Dédalo ficou com tanta inveja das invenções do sobrinho que acabou por matá-lo, atirando-o do alto da Acrópole.

Atena, que amava Perdix por sua engenhosidade, teve pena dele e o transformou em uma perdiz (*perdix*). Ovídio (*Metamorfoses* 8.236-59) explica que é por isso que a perdiz, lembrando-se de sua terrível queda, sempre voa baixo e faz ninhos no chão. Anos mais tarde, quando Dédalo, muito triste, enterrava seu filho Ícaro, também morto em uma queda, uma perdiz passou batendo as asas e deu gritos de alegria.

Dédalo foi julgado por seu crime na corte de Areópago e em seguida foi exilado, por isso estava em Creta na hora certa para ajudar Pasífae. Ao ouvir o relato de sua paixão pelo touro, o artesão criou uma vaca oca de madeira, cobriu-a com pele de verdade e a colocou em uma campina. Pasífae, encolhida dentro da vaca, esperou até que o touro, enganado por aquela imitação perfeita, copulasse com ela. O fruto dessa união recebeu o nome de Astério, mas é mais conhecido como Minotauro ("Touro de Minos"), um monstro com corpo de homem e cabeça de touro.

É possível dizer que Pasífae não teve culpa, já que tudo foi consequência da promessa não cumprida de Minos a Poseidon. De fato, foi essa a argumentação de Eurípides na tragédia *Os cretenses*, agora perdida, que dramatizou a paixão de Pasífae e o nascimento do Minotauro. Em um fragmento da peça que chegou aos nossos dias, Pasífae defende seu comportamento, argumentando que tão extraordinária luxúria só poderia ter sido infligida por algum deus irado com Minos. "Que posso eu ter visto em um touro que pudesse consumir meu coração com tão vergonhosa aflição?", pergunta, com sarcasmo. "Teria sido por suas belas vestes, ou pela luz brilhante de seus cabelos ruivos e de seus olhos, ou por suas faces rosadas? Não era ele um noivo lindo?" Não, prossegue, a culpa foi toda de Minos, que provocou a ira de Poseidon. Pasífae era inocente, e seu crime, involuntário.

Horrorizado com a façanha da esposa e com o resultado monstruoso que foi gerado, Minos encarregou Dédalo de construir um enorme labirinto subterrâneo tão bem-feito que quem nele entrasse jamais conseguiria encontrar a saída: o Labirinto, onde o Minotauro ficaria preso para sempre.

O tempo passou. O Minotauro cresceu, alimentado por carne humana. A certa altura, Androgeu foi morto em Atenas e Mino reagiu declarando guerra. Sua primeira atitude foi a de capturar a aliada de Atenas, Mégara, cidade da qual Niso, irmão de Egeu, era rei. Niso tinha em seus cabelos uma trança vermelha, ou um único fio, do qual sua vida dependia. Sua filha Cila o traiu (dizem alguns que a jovem estava apaixonada por Minos; outros, que ele a subornou com um colar de ouro cretense) e cortou o precioso cabelo enquanto o pai dormia. Niso morreu imediatamente e Mégara pôde ser conquistada. Cila, sem dúvida, esperava a gratidão de Minos, mas o rei, desgostoso com a traição cometida pela filha contra o pai, amarrou-a na popa de seu barco e a arrastou para que se afogasse. Ovídio nos conta (*Metamorfoses* 8.6-151) que Niso se transformou em uma águia marinha, e Cila, em uma ave marinha, para sempre perseguida pelo pai vingativo

Apesar da captura de Mégara, a guerra contra Atenas se prolongava. Minos pediu então a seu pai, Zeus, que o ajudasse a se vingar de outra maneira. Zeus então assolou Atenas com a fome e a peste, e um oráculo disse aos atenienses que para serem salvos era necessário dar a Minos o que ele desejasse. O rei, então, optou pela exigência de um tributo regular de sete rapazes e sete moças a serem enviados periodicamente para Creta (as fontes divergem quanto à periodicidade do tributo, ora anual, ora a cada nove anos), a fim de servirem de alimento para o Minotauro.

Dois pagamentos do tributo haviam sido feitos e o terceiro estava para vencer quando Teseu partiu para Creta como um dos jovens oferecidos ao Minotauro. Dizem alguns que Minos foi pessoalmente a Atenas para escolher as vítimas, e que Teseu foi o primeiro a ser escolhido por causa de sua força e beleza. Na versão mais difundida, porém, a seleção era feita por sorteio e Teseu se ofereceu para participar do grupo, pois achava justo participar do destino de seus concidadãos, mesmo sendo filho do rei e herdeiro do trono. Como quer que tenha sido incluído no grupo, o certo é que Teseu partiu com a firme intenção de matar o Minotauro e acabar com o cruel tributo para sempre.

Teseu e o Minotauro

O barco que levava as catorze vítimas escolhidas tinha uma vela negra para sinalizar sua triste missão, e Teseu prometeu ao pai que, se sobrevivesse à perigosa aventura, trocaria a vela negra da tristeza por uma branca ou vermelha, como sinal do seu retorno a salvo. Dessa maneira, quando o barco se aproximasse de Atenas, Egeu saberia de imediato se seu filho ainda estava vivo.

Na viagem para Creta, Minos, com sua usual inclinação amorosa, tomou-se de encantos por uma das moças, Eribeia, e pôs-se a acariciar seu rosto. Baquílides (*Ode* 17) relata como Teseu a defendeu, afirmando ser filho de Poseidon e, portanto, igual a Minos, com todo o direito de se opor às suas ações. Minos pediu a seu pai, Zeus, que mandasse um sinal, e logo surgiu um raio. O rei então atirou seu anel de ouro ao mar, domínio de Poseidon, desafiando Teseu a provar sua paternidade recuperando-o. Sem hesitar, Teseu mergulhou na água, enquanto o barco seguia adiante (92-116):

> Os jovens atenienses tremeram quando o herói mergulhou e lágrimas rolaram de seus olhos ternos, esperando o pior, porém golfinhos que habitavam o mar rapidamente levaram Teseu ao palácio do pai, o deus dos cavalos. Lá ele viu, admirado, as gloriosas filhas do abençoado Nereu. De seus braços e pernas saía uma luz brilhante como fogo, e à volta de seus cabelos havia fitas de ouro enroladas. Elas dançavam alegremente com seus pés ligeiros. E naquele lindo palácio ele viu a esposa amada do pai, a bela Anfitrite, em toda a sua majestade. Em volta dos ombros do visitante a rainha colocou um manto escarlate, e, em seus abundantes cabelos, uma lindíssima guirlanda de rosas que a habilidosa Afrodite lhe dera em seu casamento.

Os golfinhos rapidamente levaram Teseu de volta ao barco e, para perplexidade de Minos, ele saiu do mar sem estar molhado e com suas dádivas divinas. Teseu sobrevivera à provação com honra, mas sabia que um desafio muito maior o aguardava no Labirinto de Creta.

Por sorte, Ariadne, filha de Minos, apaixonou-se por Teseu — assim como Medeia havia se apaixonado por Jasão — e o ajudou a alcançar seu objetivo. Dédalo, o construtor do Labirinto, ainda vivia no palácio, e a jovem lhe suplicou que dissesse como Teseu poderia escapar se sobrevivesse ao encontro com o Minotauro. Dédalo deu-lhe em resposta um grande novelo, uma bola de fio que o guiaria de volta para o mundo lá fora. Teseu amarrou bem uma das extremidades do novelo à entrada e desenrolava o fio enquanto caminhava para o centro do Labirinto.

Lá ele encontrou o Minotauro. Os dois lutaram, até que a criatura morresse, mas a maneira como Teseu a matou difere de acordo com as fontes. Apolodoro diz que o jovem usou apenas os punhos, e essa versão parece ser a mais provável, já que certamente o teriam enviado sem armas, mas em muitas pinturas de vasos dos séculos VII e VI a.C., quando o mito estava no auge de sua popularidade, Teseu luta com uma espada, uma clava ou uma lança, enquanto o Minotauro às vezes usa pedras para se defender. É melhor ficarmos com a versão de Apolodoro e imaginarmos um combate corpo a corpo, difícil e sangrento, na quente escuridão do Labirinto.

Como quer que tenha sido a luta, o resultado do encontro é sempre o mesmo, com o Minotauro morto e o cruel tributo a Minos terminado. Teseu escapou do Labirinto, seguindo o fio de volta até a entrada, e embarcou para Atenas com os outros jovens atenienses, mas antes abriu rombos nos cascos dos barcos cretenses para impedir que os perseguissem. Ariadne foi levada a bordo, pois o rapaz havia prometido casar-se em retribuição por sua inestimável ajuda.

Mas não foi isso o que aconteceu, pois, ao chegarem à ilha de Dia, mais tarde chamada de Naxos, Teseu a abandonou. Dizem algumas fontes que o rapaz fez isso porque quis, talvez por ter se apaixonado por outra moça; um fragmento de Hesíodo (298) menciona Egle, filha de Panopeu, herói da Fócia. Versões posteriores concordam que Teseu assim agiu em obediência aos deuses, porque Dioniso queria Ariadne como esposa.

A jovem acordou de manhã sozinha, a tempo de ver o barco do amado desaparecer no horizonte, mas sua tristeza durou pouco. Dioniso chegou em sua carruagem puxada por panteras, acompanhado de alegre *entourage* de sátiros e de mênades, e a carregou para o Olimpo, onde a fez imortal. Como presente de casamento, deu-lhe uma coroa de ouro, feita por Hefesto, que viria a ser colocada entre as estrelas como a constelação da Coroa Boreal. Ariadne deu quatro filhos a Dioniso: Enópion, Estáfilo, Toas e Papareto.

Teseu seguiu adiante e parou na ilha de Delos para fazer sacrifícios a Apolo em agradecimento pelo sucesso de sua missão em Creta. O grupo comemorou o fato de ter sobrevivido realizando a dança da cegonha, cujos movimentos intrincados imitavam as passagens sinuosas do Labirinto. Essa dança se tornou tradicional em Delos e ainda era executada na ilha bem depois do início do período histórico. Teseu voltou para Atenas, mas se esqueceu de içar uma vela branca ou vermelha para mostrar ao pai que estava vivo. Egeu, perscrutando o horizonte, ansioso, da ponta de um promontório, viu despontar ao longe uma vela negra, e, desesperado, atirou-se ao mar — que, a partir de então, passou a ter seu nome: mar Egeu.

Enquanto isso, em Creta, Minos estava tão furioso com a ajuda de Dédalo a Teseu e com a subsequente perda da filha, que aprisionou o artesão no Labirinto, junto de seu jovem filho Ícaro, nascido de escrava do palácio. Eles conseguiram fugir, pois Dédalo inventou asas de cera cobertas de penas com as quais puderam voar para a liberdade longe de Creta. O artista deu ao filho cuidadosas instruções sobre como voar em segurança: seria necessário manter-se a meio caminho entre o céu e a terra, nem tão baixo que as asas ficassem pesadas demais por causa do vapor de água do mar, nem alto demais, pois a cera poderia ser derretida pelo calor do sol.

Partiram, e Dédalo observava ansiosamente o filho como um pássaro observa o primeiro voo de sua cria. A princípio tudo saiu bem e os dois voaram para muito longe, sobre o mar, mas Ícaro se deixou levar pelo prazer do voo, esqueceu-se das recomendações do pai e voou cada vez mais alto, em direção ao sol. Por fim, chegou tão perto que a cera de suas asas se derreteu e ele caiu no mar, chamando pelo pai enquanto as águas o engoliam. Desolado, Dédalo recuperou o corpo do filho e o enterrou em uma ilha próxima, que passou a se chamar Icária, e o mar foi renomeado para se chamar mar Icário, em homenagem ao jovem morto. Ainda hoje permanece esse nome.

Talvez a aventura tenha valido a pena para Ícaro. Ele fez o que a humanidade, ao ver o voo fácil dos pássaros, sempre ansiou fazer. Um poeta moderno, W. B. Yeats, foi quem captou o que Ícaro pode, por uma breve eternidade, ter sentido, em *"An Irish Airman Foresees his Death"* [*Um aviador irlandês prevê a sua morte*] — um contexto bem diferente, mas que ecoa a exaltação de Ícaro em seu voo em direção ao sol:

> Nor law, nor duty bade me fight,
> Nor public men, nor cheering crowds,
> A lonely impulse of delight
> Drove to this tumult in the clouds;
> I balanced all, brought all to mind,
> The years to come seemed waste of breath,
> A waste of breath the years behind.
> In balance with this life, this death.*

Ovídio escreve sobre pessoas que teriam visto Dédalo e Ícaro voando sobre o mar (*Metamorfoses* 8.217-20):

> Quiçá um pescador, manejando uma vara tremulante, ou um pastor apoiando-se em um cajado, ou um lavrador descansando encostado ao cabo de sua enxada os tenha conseguido enxergar e ficado perplexo, pensado serem eles deuses voando pelo ar.

---

* Nem lei, nem dever me obrigaram a lutar,/ Nem homens públicos, nem multidões a aplaudir,/ Um solitário impulso de deleite/ Trouxe-me a este torvelinho entre as nuvens;/ Tudo sopesei, em tudo pensei,/ Os anos por vir pareceram-me um desperdício de fôlego,/ Um desperdício de fôlego os anos que se foram/ Em comparação com esta vida, esta morte.

Quando Pieter Brueghel, o Velho, pintou *Paisagem com a queda de Ícaro* (1567), colocou na tela o pescador, o pastor e o lavrador, mas mostrou-os dirigindo-se ao trabalho, indiferentes à minúscula figura de Ícaro desaparecendo no mar: como diz o provérbio, nem sequer um arado para por causa de um homem que morre. Esse mito sempre foi uma poderosa fonte de inspiração para os artistas e tem muitas interpretações diferentes, mas todas têm no voo de Ícaro um poderoso símbolo das aspirações do homem a elevar-se às alturas. Como o poeta francês do século XVIII Phillippe Destouches escreveu:

> Le ciel fut son désir, la mer son sépulture:
> Est-il plus beau dessein ou plus riche tombeau?*

Dédalo viajou para a Sicília e refugiou-se na corte de Cócalo, rei de Camico. Minos partiu à sua procura e viajou até muito longe, levando uma concha em espiral e prometendo uma grande recompensa a quem conseguisse passar um fio através do objeto, porque acreditava (e não sem razão) que ninguém, a não ser o esperto Dédalo, seria capaz de encontrar a solução para o problema. Quando a concha foi levada à corte de Cócalo, Dédalo, talvez lembrando-se da saída de Teseu do Labirinto, fez um minúsculo furo no calcário, depois amarrou um fino fio a uma formiga e a induziu a passar pela espiral. O rei então entregou a concha com o fio transpassado a Minos, que soube, imediatamente, que Dédalo estava lá e exigiu que o artesão lhe fosse entregue. Cócalo prometeu que o faria, mas naquela noite suas filhas mataram Minos durante seu banho. Encantadas com Dédalo, que as enchia de deleite com as habilidades artísticas exibidas, que não queriam perdê-lo, por isso escaldaram Minos até a morte com água fervente (dizem algumas fontes que foi com piche), que chegou ao seu banho por um sistema de tubos instalado pelo próprio Dédalo.

A despeito de seu fim inglório, Minos havia sido um grande rei, respeitado e famoso por exibir poderosa frota. É bem possível que essa

---

* O céu foi seu desejo, o mar sua sepultura:/Haverá sonho mais belo ou túmulo mais rico?

história faça parte da memória popular da gloriosa cultura da Idade do Bronze, centrada em Creta (cerca de 3500-1100 a.C.), que é chamada de minoica em sua homenagem, termo cunhado por Sir Arthur Evans depois de fazer escavações em Cnossos a partir de 1900. Como seu irmão Radamante, Minos era famoso por exibir sabedoria e senso de justiça ao legislar, e por isso, depois de morrer, tornou-se, assim como o irmão, um dos juízes das almas dos mortos no Hades.

Depois da morte, Dédalo também foi muito honrado, e para os antigos seu nome era sinônimo de genialidade e capacidade artística. Viam evidências de sua criatividade em muitas construções e obras de arte notáveis por todo o mundo grego, e até mesmo no Egito. Homero (*Ilíada* 8.590-92) é o primeiro a mencioná-lo como o construtor de uma pista de dança para Ariadne em Cnossos; e talvez a referência de Virgílio seja a mais interessante (*Eneida* 6.14-33), ao dizer que foi o artesão quem construiu o grande templo de Apolo em Cumas e o adornou com cenas do nascimento e da morte do minotauro. "E tu também, Ícaro", acrescenta Virgílio, "terias desempenhado um importante papel nessa esplêndida obra, não fosse a tristeza de Dédalo. Por duas vezes ele tentou modelar tua queda em ouro, mas por duas vezes suas mãos, as mãos de um pai, caíram inertes".

Teseu, rei de Atenas

Ao retornar a Atenas, Teseu encontrou a cidade em luto pelo rei morto e viu-se diante das obrigações pessoais de preparar os rituais fúnebres para o pai. Era também o início de seu reinado em Ática, marcado por suas virtudes de estadista e por sua sabedoria como o governante que estabeleceu as bases da democracia. Sua maior realização política foi a unificação de muitas pequenas comunidades independentes da região em um único Estado cujo centro político era Atenas. Podemos vê-lo em ação em tragédias do século V, nas quais aparece como heroico defensor da justiça, o forte e sensível governante de uma grande cidade. Em *Édipo em Colona*, de Sófocles, ele recebe Édipo já velho e cego, bem como suas filhas, dando-lhes acolhida e proteção. Em *As suplicantes*, de Eurípides, que dramatiza os eventos que se seguiram ao ataque dos sete contra Tebas, Teseu obriga os tebanos a entregar os cadáveres dos argivos para sepultamento. Em *A loucura de Héracles*, também de Eurípides, o rei ajuda Héracles em seu desespero por ter assassinado tragicamente a mulher e os filhos, e lhe oferece refúgio em Atenas.

Como qualquer grande herói de sua geração, Teseu estava entre os participantes convocados para a expedição dos argonautas e a caça ao javali de Cálidon. Ao seu lado teria ido seu amigo mais dileto, Pirítoo, filho de Íxion e rei dos lápitas, no norte da Tessalônica. Os dois haviam se conhecido quando Pirítoo atacava uma boiada de Teseu, que o perseguiu com a intenção de lutar com o ladrão. Porém, ao se verem face a face, sentiram tal empatia e admiração um pelo outro que se deram as mãos e juraram ser amigos para sempre.

Os dois enfrentaram juntos muitos momentos difíceis ao logo dos anos. Um deles foi na ocasião do casamento de Pirítoo com Hipodâmia, quando ocorreu a famosa batalha entre os lápitas e os centauros. Os centauros, como vimos (p. 200), eram uma tribo de criaturas desordeiras e perigosas e, logo que Pirítoo se tornou rei dos lápitas, desafiaram seu reinado, reivindicando, como netos de Íxion, o direito a uma parte do reino. A disputa foi resolvida de maneira pacífica, e o monte Pélion passou a ser território dos centauros. Na época de seu casamento, Pirítoo convidou tais criaturas para o banquete, juntamente com outros convivas, entre os quais Teseu.

Tudo correu bem a princípio, enquanto os centauros, que não conheciam o vinho, bebiam leite. Ao sentirem a fragrância nova e convidativa do vinho, porém, começaram a tomá-lo com sofreguidão. Logo ficaram embriagados e abusados. Agarraram as mulheres lápitas — um dos centauros, Eurítion, tentou até mesmo levar consigo a noiva — e então uma batalha violenta e sangrenta irrompeu.

Ambos os lados sofreram muitas baixas. Muitos centauros foram mortos por Teseu, que lutava junto de Pirítoo. Um dos lápitas mortos foi Ceneu, que havia sido originalmente uma mulher, Cenes, famosa por sua beleza. Ela rejeitara seus muitos pretendentes e, certo dia, quando vagava sozinha por uma praia deserta, foi abordada por Poseidon, que saiu do mar e a estuprou. Depois disso, o deus ofereceu-se para lhe dar o que quisesse, e a moça pediu que fosse transformada em homem a fim de nunca mais sofrer tal ultraje. O deus concedeu-lhe o desejo e, como dádiva adicional, tornou seu corpo invulnerável a armas e prometeu que jamais morreria pela espada. Assim Cenes tornou-se Ceneu, que chegou a se casar e ter um filho, Corono.

Na festa de casamento de Pirítoo, Ceneu lutou e matou vários centauros. Os rivais fizeram de tudo para matá-lo com suas lanças e espadas, mas as armas não tinham efeito algum sobre seu corpo invulnerável e, com as lâminas cegas, caíam no chão. Por fim conseguiram matá-lo atingindo-o com um tronco de pinheiro, como se fosse um martelo, até o enterrarem no chão.

Ao final de uma batalha longa e selvagem, os lápitas saíram vitoriosos. Esse embate viria a ser um dos temas favoritos da arte antiga e é representado com mais vigor em esculturas, como as das métopas do Partenon, as do frontão oeste do templo de Zeus em Olímpia, e as do friso do templo de Apolo em Bassas. Ao que parece, essa vitória simbolizou o triunfo da civilização grega sobre a bestialidade e as forças da barbárie. Os lápitas expulsaram da Tessalônica os centauros restantes, que foram para o Peloponeso, onde lutaram depois com Héracles e também foram derrotados (p. 200).

Pirítoo também acompanhou Teseu em uma expedição contra as amazonas, tal como Héracles havia feito. Teseu levou Antíope (às vezes chamada de Hipólita), rainha das amazonas, para Atenas, como sua amante, e foi ferozmente perseguido pelo restante das mulheres guerreiras. Uma grande horda delas cercou até mesmo a Acrópole, mas Teseu e seu exército as venceram em uma batalha violenta, na qual a maioria delas morreu. Antíope ficou com Teseu e lhe deu um filho, Hipólito.

Alguns anos depois, Teseu se casou com Fedra, filha do rei Minos e, portanto, irmã da abandonada Ariadne. Àquela altura, Minos já havia morrido e o casamento foi acertado com seu herdeiro Deucalião, que presumivelmente teria perdoado Teseu por ter deixado sua irmã.

Antíope ficou tão ressentida com esse casamento que interrompeu a cerimônia nupcial, junto de suas companheiras amazonas, armadas para a luta, e ameaçou matar os convidados ali reunidos. Na luta que se seguiu, Antíope foi morta.

Fedra deu dois filhos a Teseu — Ácamas e Demofonte — que viriam a se tornar reis de Atenas. Os cinquenta filhos de Palas viram desaparecer suas esperanças de ocupar de forma legítima o trono de Atenas, e por isso fizeram uma última tentativa desesperada de depor Teseu. O rei e seus aliados mataram todos.

Por derramar sangue de familiares, Teseu foi exilado de Atenas durante um ano. Junto da esposa e dos filhos, mudou-se para seu outro reino, o de Trezena, herdado do avô Piteu. Fedra se apaixonou pelo enteado que lá vivia e tentou seduzi-lo, mas Hipólito repeliu seus avanços. Como vingança, ela mentiu para o marido dizendo que o jovem havia tentado estuprá-la, o que fez Teseu amaldiçoar o filho e chamar Poseidon para matá-lo. O deus enviou um touro que saiu do mar e aterrorizou os cavalos de Hipólito, que foi então derrubado de sua carruagem e arrastado, preso nas rédeas, até a morte. Fedra, ao ver exposta sua traição, enforcou-se. (Para uma abordagem mais pormenorizada dessa lenda, ver p. 452.) O viajante Pausânias (1.22.1-2, 2.32.1-4), ao visitar os túmulos de Fedra e de Hipólito em Trezena, viu, bem próximo, um mirto com folhas cheias de buracos. Dizia-se que foi Fedra quem fez aqueles furos nas folhas com seu prendedor de cabelos quando, dia após dia, em sua agonia pelo amor frustrado, observava Hipólito se exercitar na pista de corridas próxima dali.

Pirítoo também, àquela altura, já era viúvo, e os dois amigos planejaram o que viria a ser sua última empreitada juntos: puseram-se de acordo para se ajudarem mutuamente a conquistar novas esposas. Mas não queriam esposas quaisquer, pois sonhavam alto: ambos desejavam se casar com uma filha de Zeus. Primeiramente raptaram Helena, a bela filha de Zeus e Leda, mulher do rei de Esparta. A sorte foi tirada para decidir quem ficaria com Helena, e Teseu ganhou. Deixaram-na aos cuidados da mãe de Teseu, Etra, em Afidnas, na Ática, e partiram em seguida à procura de uma noiva para Pirítoo.

Por imprudência, a escolhida foi Perséfone, filha de Zeus e Deméter e esposa de Hades, rei do Mundo Inferior. Na ausência deles, Helena foi resgatada por seus dois irmãos, Castor e Polideuces, que a levaram de volta para Esparta, juntamente com Etra, mãe de Teseu, transformada em escrava de Helena.

Assim Teseu e Pirítoo perderam uma das esposas que haviam escolhido e não se saíram melhor com a outra. Desceram ao Mundo Inferior pela entrada de Tenaro, no Peloponeso, e a princípio tudo parecia ir bem, pois Hades os recebeu amistosamente e convidou-os a sentar. Ao se sentarem, descobriram que aquelas não eram cadeiras normais, pois não conseguiam mais se levantar. Os assentos aderiram à sua carne, e seus corpos foram imobilizados por serpentes. Além disso, aqueles eram assentos do esquecimento e os dois perderam até a vontade de se mover.

Assim ficaram, e continuariam assim para sempre se Héracles não tivesse ido ao Mundo Inferior com a missão de buscar o cão de guarda Cérbero e realizar seu décimo segundo trabalho para Euristeu. Ao encontrar seus dois amigos presos aos assentos, ele segurou Teseu pela mão e o puxou, pondo-o de pé (diz-se, porém, que parte de suas nádegas ficou presa no assento e que era por isso que os atenienses, seus descendentes, tinham nádegas pequenas, herdadas de seu antigo rei). Mas, quando Héracles tentou libertar Pirítoo, o chão tremeu e não foi possível continuar. Assim, Teseu retornou à terra dos vivos e Pirítoo teve que ficar preso a seu assento no Mundo Inferior para sempre. Mas poderia ter sido pior: há vestígios de uma versão segundo a qual seu corpo teria sido devorado por Cérbero.

Ao finalmente retornar a Atenas, Teseu descobriu que Menesteu, bisneto de Erecteu, havia sido feito rei em seu lugar, e que seus dois filhos, Ácamas e Demofonte, tinham se refugiado junto a Elefenor, rei dos abantes, da Eubeia. Teseu encontrou um novo lar junto ao rei da ilha de Ésquiros. Mas Licomedes, que fingia ser amigo de Teseu, era, na verdade, um inimigo, fosse por temor ou porque apoiava Menesteu secretamente. O anfitrião levou o hóspede até o ponto mais alto de sua ilha e de lá o empurrou para a morte.

Dessa maneira Teseu, assim como seu inimigo Minos, teve um fim um tanto ignóbil, porém — também como Minos — passou a ser reverenciado desde então. Teseu foi, sem dúvida, o maior herói de Atenas e, para os atenienses, ele se equiparava a Héracles, o maior de todos os heróis gregos. Durante as guerras persas, os atenienses tinham certeza de que sua alma estava presente, trajada com armadura completa e lançando-se à frente das tropas contra os bárbaros em sua vitoriosa batalha de Maratona (490 a.C.). Em 475 a.C., o general ateniense Címon foi a Ésquiros e resgatou o que julgava ser a ossada de Teseu, um esqueleto de tamanho gigantesco que encontrara enterrado com uma lança de bronze e uma espada. As peças foram novamente enterradas, cerimonialmente, em um santuário especial, o Teseion, no coração de Atenas.

Acontecimentos posteriores

Reis posteriores de Creta

O rei Minos de Creta foi sucedido pelo herdeiro mais velho, Catreu, que teve quatro filhos — um menino, Altaimenes, e três meninas, Apemosine, Aérope e Clímene. Quando Catreu perguntou a um oráculo como sua vida terminaria, descobriu que um de seus filhos o mataria. Por esse motivo, Altaimenes e Apemosine emigraram para Rodes, enquanto Aérope e Clímene foram dadas a Náuplio, o navegador e traficante de escravos, para serem vendidas no exterior. Náuplio lhe desobedeceu e poupou as duas moças. Casou-se com Clímene e deu Aérope como esposa a Atreu.

Em Rodes, Altaimenes fundou uma cidade à qual deu o nome de Cretínia, em homenagem à sua terra natal, e também um santuário para Zeus Atabírios no alto do monte Atabírio, do qual, em dia claro, era possível ver Creta. Não muito depois, ele matou sua irmã Apemosine. Hermes a desejou, mas ela corria rápido demais para que ele a alcançasse. O deus então se valeu de um truque: espalhou peles de animais ainda frescas no caminho por onde a moça passava, para esperar que ela escorregasse e caísse e assim fosse estuprada. (Essa é uma história estranha, porque Hermes costumava ser visto como um deus gentil.) Apemosine contou a Altaimenes o que lhe havia acontecido, mas o irmão pensou que ela estivesse escondendo uma ligação amorosa com algum amante mortal e matou-a a pontapés.

Altaimenes havia decidido nunca mais voltar a Creta para não correr o risco de matar o pai. Mas o que um oráculo prediz sempre acontece. Assim, em idade avançada, Catreu foi a Rodes para encontrar o filho. Ao aportar em uma praia deserta, junto a seus homens, foi atacado por vaqueiros que os tomaram, por piratas. O velho tentou explicar, mas os latidos dos cães abafaram sua voz, e os vaqueiros o apedrejaram até que Altaimenes chegou. Ele não reconheceu o pai e o matou com um dardo, cumprindo, assim, a previsão do oráculo. Quando se deu conta do que havia feito, orou aos deuses e foi engolido pela terra.

Catreu foi sucedido por seu irmão Deucalião (que acertou o casamento entre Teseu e Fedra), e Deucalião foi sucedido por seu filho Idomeneu. Ele é visto em ação na *Ilíada*, ao liderar um contingente cretense de oitenta navios para a Guerra de Troia, com seu sobrinho Meriones como segundo no comando. Idomeneu é mais velho do que a maioria dos outros líderes gregos e seus cabelos são salpicados de prata, mas ele ainda é um grande guerreiro, resistente e corajoso no campo de batalha (13.470-76):

> Nenhum medo infantil dominava Idomeneu,
> mas ele se mantinha firme, como um grande javali da montanha
> que, confiante em sua força, enfrenta
> uma grande turba de homens vindo contra ele
> em um lugar ermo. O pelo de suas costas se arrepia,
> seus olhos brilham como fogo; ele range os dentes
> ansioso por enfrentar cães e homens.
> Assim é que Idomeneu, o da famosa lança, se mantém firme,
> e ele não desiste...

Idomeneu sobreviveu à guerra e foi um dos guerreiros no cavalo de Troia. Depois da queda de Troia, navegou em segurança. Diodoro (5.79) diz que seu corpo foi enterrado em Cnossos, dividindo o túmulo com Meríones, e que os cretenses tinham os dois heróis em alta estima, oferecendo-lhes sacrifícios e invocando-os em tempos de guerra.

Outras lendas falam de seu exílio de Creta. Apolodoro (*Epitome* 6.10) conta que sua esposa, Meda, tinha um amante chamado Leuco, que a matou juntamente com sua filha e tomou o poder como tirano. Foi tão bem-sucedido que, quando Idomeneu retornou a Creta, Leuco o exilou.

Servius, o comentador de Virgílio, é nossa principal fonte de uma história ainda mais trágica sobre o retorno de Idomeneu ao lar. Ao ser atingido por uma violenta tempestade na viagem de volta, jurou que se chegasse a salvo sacrificaria a Poseidon a primeira criatura viva que encontrasse ao desembarcar. Essa criatura veio a ser seu próprio filho, que o aguardava para lhe dar as boas-vindas. Quando sacrificou o filho para cumprir sua promessa, uma peste irrompeu em Creta e seu povo, julgando ser um castigo divino, baniu-o, e ele se estabeleceu na Itália. Idomeneu foi o último descendente de Europa a governar Creta.

Os últimos reis de Atenas

Menesteu, que havia usurpado o trono de Teseu, chefiou o contingente ateniense de cinquenta navios na Guerra de Troia. Ácamas e Demofonte foram à guerra também, e seu principal objetivo era resgatar sua avó Etra, que havia sido levada para Troia como escrava de Helena. Quando Troia finalmente caiu diante dos gregos, Etra foi levada de volta para Atenas por seus netos, que reivindicaram o reino.

Outra lenda conta que um dos irmãos envolveu-se no caminho de volta com uma princesa da Trácia, Fílis, que entregou como dote de casamento o reino do pai. Em uma das versões, Ácamas (ou Demofonte) se cansou da Trácia depois de algum tempo e quis voltar para casa. Fílis suplicou que ficasse, mas apesar de seus pedidos seu marido partiu, prometendo voltar dentro de determinado tempo. No momento da partida, ela lhe deu um cesto, dizendo-lhe que continha objetos sagrados da Grande mãe, e que jamais deveria ser aberto, a não ser que tivesse perdido a esperança de voltar.

O tempo passou e Ácamas não voltou. Ao perder as esperanças de voltar a ver seu amado marido, Fílis se matou. Ácamas, nesse meio-tempo, havia se estabelecido em Chipre. Um dia ele abriu o cesto e o que viu lá dentro deixou-o tão aterrorizado que o fez saltar em seu cavalo e sair a galope, sem destino. Ácamas caiu do cavalo e morreu ao se ferir em sua própria espada.

O neto de Demofonte, Tímete, foi o último rei da linhagem de Teseu a governar Atenas, e foi suplantado por Melantos, um descendente de Nestor, rei de Pilos, na Messênia. O filho de Melantos, Codros, sucedeu-lhe e se tornou o último rei de Atenas. Durante esse reinado os dórios invadiram a Ática porque um oráculo havia prometido a vitória, desde que deixassem Codros vivo. Os invasores tomaram muito cuidado para não o machucar, mas o rei soube da predição e se sacrificou por seu país: disfarçando-se de lenhador, provocou uma briga com alguns soldados inimigos e foi morto. Quando os dórios se deram conta do que haviam feito, marcharam de volta para casa, certos de que seriam derrotados. Ninguém foi considerado digno de suceder a um rei tão nobre, e a monarquia de Atenas foi substituída pelo arcontado.

9. A saga tebana

Vimos como um ramo da família de Ió, nascido a partir de seu bisneto Belo, estabeleceu-se em Argos (Capítulo 5). Os descendentes de seu outro bisneto, o rei fenício Agenor, deram início à linhagem real da grande cidade de Tebas.

    Tebas era a principal cidade da Beócia, a área de terras planas da Grécia central, cercada por uma cadeia de montanhas, entre as quais Parnasso, Hélicon e Citéron, todas de importância mitológica. Parnasso e Hélicon eram refúgios prediletos das musas, e Parnasso, local onde ficavam Delfos e seu famoso oráculo, foi importante tanto em termos reais quanto mitológicos. Citéron foi onde Actéon e Penteu foram esquartejados, o primeiro por um de seus próprios cães ferozes, e o outro, pelas mênades, lideradas pela própria mãe do homem perseguido. Foi lá também que o bebê Édipo, o condenado filho de Laio e Jocasta, foi supostamente abandonado para morrer. E, embora historicamente Tebas e Atenas fossem com frequência mutuamente hostis, os mitos de Tebas foram grande fonte de inspiração para os dramaturgos atenienses e serviram de enredo para muitas tragédias gregas, inclusive duas das mais famosas: *Édipo rei* e *Antígona*, de Sófocles.

Cadmo e a fundação de Tebas

O lendário fundador de Tebas foi Cadmo, um dos filhos de Agenor. Quando a irmã de Cadmo, Europa, foi levada por Zeus, que havia tomado a forma de um touro (p. 242), Agenor enviou seus filhos mundo afora em sua busca. Nenhum deles a encontrou e nenhum voltou para casa: depois de procurar a irmã por toda a terra, desistiram de suas buscas mal-sucedidas e se estabeleceram em outros lugares.

A busca de Cadmo o levou até Delfos, onde consultou o oráculo que tudo sabia para obter um conselho. Foi-lhe dito que não era mais necessário que se preocupasse com a irmã, mas que deveria seguir uma vaca marcada em ambos os lados do flanco com manchas brancas em forma de lua cheia. Ele deveria ir aonde ela fosse e fundar uma cidade no primeiro lugar em que o animal deitasse para descansar. Cadmo vagou pela Fócia à procura da vaca da profecia e, quando por fim a encontrou, seguiu-a por toda a Beócia até que, por fim, cansada, ela caiu no chão. Seria ali, então, o local da cidade.

Cadmo queria sacrificar a vaca a Atena, e por isso mandou alguns de seus companheiros buscarem água fresca em uma fonte próxima, sem saber que era consagrada ao deus da guerra, Ares, e que um monstruoso dragão, dito como filho do próprio Ares, lá espreitava tal qual um guardião ameaçador. Segundo Ovídio (*Metamorfoses* 3.32-45):

> Ele tinha uma imponente crista dourada, seus olhos lançavam fogo, seu corpo era inchado de veneno e sua língua de três pontas agitava-se entre três fileiras de dentes. (...) Ele era tão grande quanto a Serpente que fica entre os dois Ursos no céu.

Como era de se esperar, o dragão matou a maioria dos homens. Cadmo ficou tão irado com isso que, tomado de fúria, se lançou sobre a besta e lutou duramente por longo tempo até que a criatura caiu morta. A conselho de Atena, foram semeados alguns dentes do dragão na terra, mas Cadmo viu, alarmado, uma hoste de guerreiros armados sair da terra e lançou pedras neles, de maneira que cada um pensou ter sido atacado pelos outros, e todos acabaram lutando entre si. Apenas cinco sobreviveram, e estes são conhecidos como os *Spartoi*, os "homens semeados", que se tornaram ancestrais das famílias nobres de Tebas.

Para expiar a morte do dragão de Ares, Cadmo teve que servir o deus por oito anos. Ao término desse período, construiu sua cidade no lugar onde a vaca havia se deitado para descansar e deu-lhe o nome de Cadmeia (o local mais tarde viria a se chamar Tebas). Zeus homenageou Cadmo dando-lhe uma deusa por esposa: Harmonia, filha de Ares e Afrodite. Todos os deuses compareceram ao casamento e levaram presentes para celebrar a união entre uma deusa e um mortal, assim como mais tarde fariam no casamento da deusa marinha Tétis com o mortal Peleu. Cadmo presenteou Harmonia com uma bela túnica e um colar feito por Hefesto, coisas que se tornaram valiosas relíquias de família e que viriam a ter papel crucial na história posterior de Tebas. Sabemos por meio de Pausânias (9.12.3) que no seu tempo (século II d.C.) os tebanos ainda indicavam não apenas o lugar da acrópole de Tebas onde um dia a casa de Cadmo existiu, mas também as ruínas do quarto nupcial de Harmonia e o local preciso onde as musas cantaram durante a festa do casamento.

A união dos dois foi longa e feliz, o que se considerava uma verdadeira bênção, já que alianças entre mortais e divindades eram, em geral, carregadas de sofrimento — para o mortal. Isso, porém, não livrou o casal de muitas tristezas, pois foram grandes as tragédias que se abateram sobre sua família. Harmonia e Cadmo tiveram cinco filhos: quatro filhas, Sêmele, Ino, Autonoé e Agave, e um filho, Polidoro. Sêmele foi amada por Zeus e o fruto de sua união foi o deus Dioniso. Mas a jovem foi enganada pela ciumenta Hera, que a levou a pedir ao amante que aparecesse diante dela em toda a sua divina glória — o que foi feito, e ela morreu queimada pelas chamas do relâmpago (p. 112). No instante da morte da moça, Zeus tirou de seu ventre a criança que estava por nascer e colocou-a em um talho na própria coxa, onde o bebê cresceu até a hora de nascer.

Zeus então confiou o bebê Dioniso à irmã de Sêmele, Ino, e ao cunhado, Átamas, rei de Orcômeno. O casal tinha dois filhos, Learco e Melicertes, e aceitou de bom grado o bebê órfão de mãe. Apesar de vestirem-no como uma menina para escondê-lo de Hera, a deusa acabou descobrindo a farsa e puniu o casal com a loucura. Átamas, tomando Learco por um veado, caçou e matou o próprio filho. Ino lançou Melicertes em um caldeirão de água fervente, depois se atirou ao mar com o cadáver do filho e morreu afogada. Algo de bom resultou da tragédia, pois Ino e Melicertes foram transformados, respectivamente, nas divindades do mar Leucoteia ("Deusa branca") e Palêmon. Passaram então a viver com as nereidas e a prestar socorro a navegantes em perigo. Mas para Cadmo e Harmonia eles estavam perdidos para sempre.

A terceira filha do casal, Autonoé, casou-se com Aristeu, filho de Apolo e da ninfa Cirene. O casal teve um filho, Actéon, cujo destino trágico, com vimos (p. 98), foi ser transformado em veado por Ártemis e em seguida dilacerado pelos próprios cães de caça. Mas esse não foi o único neto de Cadmo e Harmonia a ter uma morte medonha. Sua filha Agave casou-se com Equíon, um dos homens semeados, e com ele teve um filho, Penteu. Quando Cadmo se sentiu velho demais para governar, entregou o reino a Penteu, então um jovem, e foi a essa altura que Dioniso retornou a Tebas, cidade de seu primeiro "nascimento". O recém-chegado descobriu que Agave e suas irmãs não reconheciam sua divindade e recusavam-se a crer que ele era filho de Zeus. Diziam que Sêmele havia sido seduzida por um mortal qualquer e que depois teria inventado uma relação com Zeus para encobrir a vergonha de sua gravidez. Dioniso puniu-as com a loucura e estendeu a punição a todas as mulheres de Tebas, que deixaram suas casas e suas famílias e foram viver no monte Citéron, passando a adorar o deus como mênades.

Quando Penteu também recusou-se a reconhecer aquele novo deus, apesar dos insistentes avisos do velho Cadmo e do vidente cego Tirésias, Dioniso o castigou também com a loucura e o atraiu para a montanha, vestido de bacante (p. 454). Lá as mulheres o fizeram em pedaços, iludidas, pensando que fosse um leão da montanha. Sua mãe, Agave, foi a primeira a atacá-lo violentamente com as próprias mãos e levou a cabeça do filho para casa, como troféu, acreditando ainda que fosse de um leão. Coube a Cadmo a triste tarefa de reunir os pedaços do corpo do neto e conduzir delicadamente sua filha de volta à sanidade e à tristeza.

Depois da trágica morte de Penteu, Cadmo e Harmonia deixaram Tebas para sempre e foram viver na Ilíria, no noroeste da Grécia, local onde, segundo algumas fontes, tiveram um último filho, Ilírio. Lá também Cadmo levou o povo a uma vitória após a outra nas guerras tribais, até que, por fim, passou a governar toda a Ilíria. Harmonia, apesar de sua condição de deusa, teve o mesmo destino que o marido, pois no final da vida ambos foram transformados em serpentes. Isso pode parecer estranho, mas também pode ser visto como uma honra e um símbolo de *status* heroico, já que se acreditava que as almas dos heróis passavam a viver no corpo de serpentes benévolas. O casal foi enviado por Zeus para os Campos Elísios e ambos tiveram para sempre uma vida abençoada. Após morto, Cadmo foi reverenciado por toda a Grécia como o homem que levou a civilização ao povo grego, dando-lhe o alfabeto, inventado pelos fenícios, e, portanto, a arte da escrita.

Governantes posteriores: Lábdaco, Anfíon, Zeto e Laio

Depois que Cadmo deixou Tebas, seu filho Polidoro governou a cidade, mas morreu quando seu único herdeiro, Lábdaco, era ainda uma criança. Então dois filhos de Ctônio, um dos "homens semeados", se apresentaram: Nicteu e Lico. Polidoro havia se casado com a filha de Nicteu, Nicteide, quando Lábdaco perdeu o pai, era natural que seu avô Nicteu assumisse o comando de Tebas como regente.

Nicteu tinha outra filha, Antíope, cuja história foi dramatizada na famosa tragédia de Eurípides, *Antíope*, da qual restam apenas fragmentos. A menina cresceu e ficou tão linda que até Zeus a desejou. O deus foi ao seu encontro disfarçado de sátiro e a estuprou, deixando-a grávida de gêmeos. Antíope fugiu da ira do pai e foi para Sícion, cujo rei, Epopeu, a acolheu e se casou com ela. Nicteu se matou de vergonha e de tristeza, mas antes de morrer incumbiu seu irmão Lico de punir Antíope e Epopeu.

Após assumir o trono de Tebas, Lico partiu para realizar o último desejo de Nicteu. Foi a Sícion à frente de um exército, matou Epopeu e levou Antíope de volta como prisioneira. Na viagem de volta a Tebas, ela deu à luz dois filhos gêmeos ao pararem na morada de um pastor, no monte Citéron. Lico deixou-os lá para que morressem, mas o pastor criou os bebês, e deu-lhes os nomes de Anfíon e Zeto.

De volta a Tebas, Lico deu Antíope como escrava a Dirce, sua esposa, que a manteve presa e a tratou com crueldade durante muitos anos. Nesse meio-tempo, Lábdaco chegou à idade adulta e assumiu o trono de Tebas. O rei, contudo, também morreu jovem, deixando um filho de um ano de idade, Laio. Assim, Lico tornou-se regente outra vez.

Certo dia as correntes que prendiam Antíope arrebentaram milagrosamente e a prisioneira conseguiu fugir. Foi então até a morada do pastor, onde encontrou seus filhos e implorou que a acolhessem, mas eles não a reconheceram e ordenaram que se fosse dali. Sozinha e desprotegida, ela foi recapturada por Dirce, que estava no monte Citéron cultuando Dioniso. Dirce, em seu frenesi de mênade, já estava amarrando Antíope a um touro selvagem por seus longos cabelos quando Anfíon e Zeto chegaram, no último instante. O pastor lhes dissera que aquela era, de fato, sua mãe. Então, os irmãos amarraram Dirce, no lugar de Antíope, ao touro, que a matou dilacerada e pisoteada. Seu cadáver foi atirado em um rio que desde então se chama Dirce.

Ao chegarem a Tebas, os irmãos expulsaram Lico (dizem alguns que o mataram) e também Laio, o legítimo herdeiro do trono na linha sucessória de Cadmo. Laio buscou refúgio junto a Pélops, rei de Pisa, na Élida. Os irmãos Anfíon e Zeto então assumiram, juntos, o trono de Tebas.

Embora fossem gêmeos, tinham naturezas bem distintas. Zeto era um homem pragmático, com talento para a agricultura, a criação de gado e a guerra. Anfíon era um músico brilhante que tocava divinamente a lira que ganhara de Hermes, a ponto de animais terrestres, pássaros e até mesmo pedras o seguirem. Os dois se puseram a trabalhar e cada um usou os próprios talentos para fortificar Tebas com muralhas. A força e as habilidades práticas de Zeto foram de grande valor, mas o talento musical de Anfíon foi ainda mais importante, pois, quando tocava sua lira, as pedras se encaixavam nas muralhas. Os dois irmãos fizeram sete portões nas muralhas da cidade, um para cada corda da lira de Anfíon, e mudaram seu nome de Cadmeia, em homenagem a Cadmo, para Tebas, em homenagem à esposa de Zeto, Tebe.

Anfíon casou-se com Níobe, filha de Tântalo, rei da Lídia, e essa união foi abençoada com muitos filhos. A sua quantidade varia de autor para autor, mas quase sempre o número de filhos é igual ao de filhas. Homero, por exemplo, disse que o casal teve doze filhos, seis meninos e seis meninas; sete e sete disseram Ésquilo, Sófocles, Eurípides, Apolodoro e Ovídio; já Safo afirmou que foram nove e nove, e Baquílides e Píndaro, dez e dez. Hesíodo ora dizia que tinham sido nove e nove, ora dez e dez. Contudo, apesar de as quantidades variarem, o que lhes aconteceu é sempre igual em todos os relatos: Níobe gabava-se de ser superior à deusa Letó, que tinha apenas dois filhos, até o momento que ela, ofendida, enviou seus filhos à terra para que vingassem o insulto. Apolo matou todos os filhos de Níobe enquanto caçavam no monte Citéron, e Ártemis matou todas as filhas dentro de casa. Níobe, desolada, voltou para a terra do pai e lá foi transformada em uma rocha no monte Sípilo, imagem de eterna tristeza, com água a escorrer pelas faces como lágrimas. A rocha permanece, até hoje, como um símbolo de perda e sofrimento.

Anfíon também morreu, não se sabe se junto dos filhos ou se cometeu suicídio pela tristeza ou, ainda, se tentou vingar-se de Apolo e levou uma flechada do deus quando atacava seu templo. A essa altura, Zeto também tinha morrido. Em uma das versões do mito, o irmão de Anfíon havia se casado não com Tebe, mas com Aedon, filha de Pandáreo, que lhe dera um filho, Ítilo. Aedon era tão invejosa da quantidade de filhos da cunhada Níobe que tentou matar o mais velho deles durante a noite. Na escuridão, porém, enganou-se de cama e assassinou o próprio filho, Ítilo. Enlouquecida com o que havia feito, pediu aos deuses que a transformassem em um pássaro e foi atendida. Aedon se tornou um rouxinol, para poder cantar, noite e dia, sua interminável tristeza pelo filho morto. Zeto morreu de tristeza.

Mortos os dois irmãos, Laio, filho de Lábdaco e herdeiro legítimo do trono, pôde voltar de Pisa e se tornar rei de Tebas. Infelizmente, porém, ele havia provocado que uma maldição fatídica fosse lançada sobre sua casa. Quando estava em Pisa, Laio ensinava o jovem filho de Pélops, Crisipo, a dirigir uma carruagem e se apaixonou pelo menino. Ao retornar a Tebas, levou-o consigo para transformá-lo em seu menino-amante. Crisipo, porém, ficou tão envergonhado que se matou com a própria espada. Pélops, que amava muito o filho, lançou sobre Laio uma maldição que o levou à morte, pois Zeus, ao ouvir o que dizia, determinou que, como castigo, Laio seria morto pelo próprio filho.

Laio casou-se com Jocasta, filha do tebano Meneceu. Por muito tempo não tiveram filhos por isso, naturalmente, o oráculo de Delfos foi consultado. Em vez de receber um conselho que o ajudasse, foi-lhe feita a terrível predição: se tivesse um filho, esse filho o mataria. Durante algum tempo Laio se manteve afastado do leito da esposa, mas uma noite, excitado pelo vinho, esqueceu-se do aviso do oráculo e fez amor com Jocasta. Na época devida seu filho nasceu, mas antes que o bebê completasse três dias Laio amarrou seus pés e deu-o a um pastor com instruções de levá-lo para o monte Citéron e lá deixá-lo para morrer.

Laio então se sentiu seguro; mas, embora nunca viesse a saber, seu filho continuava vivo. O pastor teve pena do bebê indefeso e o entregou a um outro homem que também pastoreava suas ovelhas naquela montanha. Esse homem levou a criança para sua cidade natal, Corinto. Lá o rei e a rainha, Pólibo e Mérope, que não tinham filhos, o adotaram e lhe deram o nome de Édipo ("Pé inchado"), por causa das feridas em seus tornozelos. Édipo cresceu pensando que era filho legítimo de Pólibo e Mérope.

A TRAGÉDIA DE ÉDIPO

A história de Édipo é uma das mais conhecidas de todas as lendas. A partir da tragédia grega do século V, nós o conhecemos como o homem que, involuntariamente, matou o próprio pai e casou-se com a mãe, com quem teve quatro filhos. Quando o incesto foi descoberto, a mulher cometeu suicídio e Édipo cegou a si mesmo, passando a vagar pelo mundo como um pária até morrer.

Originalmente, porém, essa história era bem diferente. No antigo épico, Édipo matou o pai e se casou com a mãe — essa é a base imutável da história — mas a verdade veio à tona logo depois do casamento e Jocasta se matou. E, até onde podemos saber pelas referências fragmentadas do mito, Édipo continuou a governar Tebas, casou-se novamente e teve quatro filhos com a segunda esposa, Euriganeia. Ele teria morrido no campo de batalha, quando ainda estava ativo e no poder, e esplêndidos jogos fúnebres foram organizados para assinalar o respeito devido a um grande herói. Assim, originalmente não teria havido filhos nascidos do incesto, nenhuma cegueira autoinfligida, nenhum exílio. Tudo isso é muito diferente da lenda conhecida por meio da tragédia seminal de Sófocles, *Édipo rei* (*Oedipus Tyrannos*, mais conhecida por seu título em latim, *Oedipus Rex*), que apresenta a versão canônica da história.

Houve, é claro, muitos outros relatos feitos por outros autores. Entre essas diferentes versões da lenda, há uma tetralogia da autoria de Ésquilo, produzida em 467 a.C., que consiste em três tragédias — *Laio*, *Édipo* e *Sete contra Tebas* — e um drama satírico, *A esfinge*. Apenas os originais da terceira tragédia foram conservados. A peça dramatiza os efeitos da maldição de Édipo sobre seus filhos, que culminam com o trágico e fatal conflito dos dois irmãos em disputa pelo trono de Tebas. Existem fragmentos das outras peças, por intermédio dos quais sabemos, por exemplo, que o oráculo disse que Laio, para o bem de sua cidade, jamais deveria ter filhos, mas que certa noite, vencido pela luxúria, gerou seu filho marcado pelo destino. No *Édipo* de Eurípides, agora perdido, Édipo ficou cego não pelas próprias mãos, mas pelos servos de Laio. Em *As fenícias*, também de Eurípides, Jocasta não se mata ao tomar conhecimento do casamento incestuoso, mas continua viva e tenta convencer Etéocles e Polinices, que brigam pelo trono de Tebas, a fazerem as pazes. Ela morre apenas depois que os filhos se matam; tomada pela tristeza, a mãe se suicida sobre os cadáveres.

Por mais interessantes que essas variações possam ser, foi a versão de Sófocles que se tornou o relato definitivo da história de Édipo. Seu *Édipo rei* é, sem dúvida, uma das mais celebradas peças de todos os tempos, citada por Aristóteles em sua *Poética* como modelo de criação dramática. Essa abordagem do mito se impõe sobre todas as demais, tanto anteriores quanto posteriores. (E também inspirou Freud a propor o nome "complexo de Édipo" — para a atração de um menino por sua mãe e a hostilidade reprimida em relação ao pai, visto pela criança como um rival na disputa pelo amor da mãe, o que pode causar problemas psicológicos mais tarde.)

Embora a peça comece quando Édipo já governa Tebas há muitos anos, os antecedentes essenciais à ação dramática são esclarecidos à medida que a tragédia se desenrola. Édipo cresceu em Corinto, absolutamente certo de que Pólibo e Mérope eram seus pais verdadeiros. Um dia, porém, enquanto ainda era um rapaz, foi provocado por um bêbado que dizia que aqueles não eram de fato seus pais. O casal o tranquilizou, mas a dúvida que continuava a atormentá-lo o levou a consultar o oráculo de Delfos, na esperança de saber a verdade. Assim como a consulta inocente de Laio desencadeou uma terrível predição, a pergunta de Édipo ficou sem resposta, e o que o oráculo lhe revelou foi que seu destino era matar o pai e fazer sexo com a mãe.

Édipo resolveu nunca mais voltar a Corinto e partiu em outra direção, rumo a Tebas. Perto de Dáulis, em uma passagem estreita na qual três estradas se encontravam, um homem em uma carruagem tentou forçá-lo a sair do caminho brandindo uma lança. Édipo reagiu, matou o homem e em seguida quase todos os que o acompanhavam, exceto um servo, que conseguiu escapar com vida. O homem da carruagem era o verdadeiro pai de Édipo, Laio, de novo em viagem ao oráculo de Delfos para novamente consultá-lo. Nem pai nem filho se reconheceram.

Édipo seguiu viagem para Tebas, onde encontrou a terrível esfinge afligindo os cidadãos. Era um monstro com cabeça de mulher, corpo de leão e asas de pássaro, que se postava no monte Fíquion, nas cercanias da cidade, e desafiava os passantes a solucionar seu famoso enigma, dado pelas musas. "Há na terra uma criatura de um só nome que tem dois pés, quatro pés e três pés; e somente ela, entre todos os seres que se movem na terra, no ar ou no mar, modifica sua forma. Quando usa o maior número de pés, é quando se move com menos força." Quem não decifrasse o enigma era devorado pela esfinge.

Dizia-se que tal criatura havia sido enviada por um dos deuses — mais comumente por Hera, pois os tebanos a haviam desrespeitado como deusa do casamento ao deixar de punir Laio pelo rapto de Crisipo. Um oráculo declarou que os tebanos jamais se livrariam da Esfinge enquanto o enigma não fosse decifrado e por esse motivo muitos homens haviam tentado, falhado e sido devorados. Por fim, já desesperado, Creonte, irmão da viúva de Laio, Jocasta, fez saber que aquele que desse a resposta correta ao enigma seria recompensado com o trono de Tebas e com a mão de Jocasta em casamento.

Foi então que Édipo chegou a Tebas e impetuosamente enfrentou o monstro. Sófocles não dá detalhes desse encontro, por isso, para imaginá-lo, nos voltamos para Sêneca, cujo *Édipo* tem por base a tragédia de Sófocles. Sêneca põe na boca de Édipo uma descrição tipicamente terrível e emotiva do episódio (91-102):

> Enfrentei aquela bruxa abominável, embora de sua boca pingasse sangue e o chão abaixo estivesse branco de ossos acumulados. Estava sentada nas patas traseiras no alto do penhasco, com as asas abertas, pronta para lançar-se sobre sua presa, agitando a cauda como um leão, selvagem em sua ira, quando perguntei pelo enigma. Um som terrível do alto rasgou o silêncio e ela fechou violentamente a mandíbula, triturando pedaços de pedra, impaciente por arrancar-me o coração ainda vivo, e então enunciou suas obscuras palavras, preparando a armadilha. Mas o terrível enigma do monstruoso pássaro eu decifrei.

A resposta era "o homem", que engatinha de quatro na primeira infância (quando é mais fraco), caminha ereto com duas pernas quando cresce e usa um cajado como uma terceira perna na velhice. A Esfinge, derrotada, lançou-se para a morte no despenhadeiro, e Édipo foi saudado como herói e recompensado com o trono de Tebas. Casou-se então com a rainha viúva, que na verdade era sua mãe — e os dois tampouco se reconheceram. Édipo e Jocasta viveram felizes por muitos anos e tiveram dois filhos, Etéocles e Polimices, e duas filhas, Antígona e Ismene. Passado algum tempo, uma terrível peste alastrou-se por Tebas.

É nesse ponto que começa *Édipo rei*. Édipo estava determinado a livrar sua cidade da peste, e já tinha enviado Creonte para consultar o oráculo de Delfos. Creonte retornou com a resposta: a peste só acabaria quando o homem que matara Laio fosse morto ou banido de Tebas. Édipo se propôs de imediato a descobrir quem era o assassino. Lançou uma solene maldição contra o matador desconhecido e fez perguntas a Creonte para saber mais sobre a morte de Laio. Édipo também fez perguntas ao vidente cego Tirésias, em uma cena repleta de ironia. O vidente, apesar de fisicamente cego, sabia que o próprio Édipo era o causador da peste de Tebas, o homem procurado. Édipo, cujos olhos enxergavam, estava contudo mentalmente cego para a verdade. Além disso, estava perturbado demais para ouvir o que Tirésias lhe disse e convenceu-se de que Creonte e o vidente planejavam que seu governo fosse deposto.

Para tentar apaziguar a todos e acalmar Édipo, Jocasta mencionou o fato de Laio ter sido morto em um lugar próximo a Dáulis onde três caminhos se encontravam. Édipo se lembrou de seu encontro casual com o viajante desconhecido e ficou chocado ao se dar conta de que podia ter sido o assassino do rei. Para descobrir a verdade, mandou buscar o único servo de Laio que sobrevivera ao massacre e que, desde então, vivia no campo, próximo à cidade.

Jocasta rezou para Apolo, pedindo que Édipo encontrasse a paz e, como resposta à sua prece, chegou um mensageiro de Corinto anunciando que Pólibo morrera de velhice. A princípio essa pareceu ser uma boa notícia, pois significava que, apesar do que dissera o oráculo, Édipo não poderia ter matado o pai. "Ó profecias dos deuses", exclamou Jocasta (946-7), "onde estão vocês agora?"

O mensageiro, no entanto, era o mesmo homem que, muitos anos antes, havia levado Édipo ainda bebê para Corinto. Quando Édipo expressou seu temor de ainda vir a fazer sexo com a mãe, o velho procurou tranquilizá-lo dizendo que Pólibo e Mérope não eram seus verdadeiros pais e que apenas o haviam adotado. O próprio mensageiro tinha recebido o bebê, com os pobres tornozelinhos machucados, de outro pastor, no monte Citéron — um dos homens de Laio.

A partir desse momento, Édipo deixou de lado o assassinato de Laio e passou a procurar descobrir quem eram seus verdadeiros pais. Jocasta já havia se dado conta da verdade e implorou desesperadamente a Édipo que não procurasse mais saber coisa alguma. Mas o rei não faz caso de suas súplicas, pensando que a esposa tinha medo de que descobrisse que sua origem era humilde. Jocasta foi então para dentro do palácio, onde, profundamente envergonhada, se enforcou.

Chegou outro velho, a única testemunha do assassinato de Laio. Descobriu-se então que ele não era outro senão o pastor que havia levado o bebê Édipo do palácio de Tebas para ser abandonado e morrer, mas que, por piedade, o salvara. Édipo extraiu do visitante toda a verdade e no último momento adivinhou que estava prestes a ouvir a pior coisa que alguém poderia lhe contar. "Estou à beira de dizer palavras tenebrosas", exclama o pastor. "E eu, de ouvir palavras tenebrosas", responde Édipo. "Mesmo assim devo ouvi-las" (1169-70). Isso o consagra como um dos grandes heróis: não a força física para combater monstros, como Héracles, mas suas qualidades mentais e sua determinação — a inteligência para decifrar o enigma da Esfinge, em primeiro lugar, e a decisão inabalável de descobrir a verdade e a coragem de enfrentá-la, qualquer que fosse.

Por fim, Édipo fica sabendo que é mesmo o assassino desconhecido que procurava e, pior do que isso, que a profecia do terrível oráculo de Apolo havia se realizado. Desvairado, entra no palácio e encontra

Jocasta morta pelas próprias mãos. Édipo não se mata, pois isso o levaria imediatamente para a companhia dos pais mortos no Mundo Inferior — e não suportaria encarar a mãe, com quem compartilhou a cama, nem o pai que ele havia matado. Então, arranca longos alfinetes de ouro da veste de Jocasta e, desesperado, perfura os próprios olhos — olhos que podiam ver, mas que não haviam enxergado a verdade. No final da peça, cego e acabado, Édipo está de partida para o exílio, deixando Tebas para sempre, em obediência às ordens de Apolo. Creonte assume o poder em seu lugar.

A sequência desses eventos está registrada na tragédia de Sófocles *Édipo em Colono*, escrita pouco antes da morte do dramaturgo, aos 90 anos de idade, em 406-405 a.C. Nesse relato Édipo finalmente encontra o fim de seu longo sofrimento quando, com uma morte comovente e misteriosa, é levado da terra pelos deuses, depois de ter vagado por muitos anos, cego e miserável, como um pária, guiado por Antígona, sua filha fiel. Cansado de viver, Édipo chega a Colono, na Ática (terra natal do próprio Sófocles), e entra no recinto sagrado das eumênides, o lugar que foi revelado, por um oráculo de Apolo, como o da sua morte. O rei Teseu lhe oferece refúgio, protegendo-o de Creonte e de seu próprio filho Polinices, que tentam em vão fazê-lo retornar a Tebas para ajudar na disputa pelo trono (ver a seguir). Em retribuição a Teseu, Édipo faz uma profecia: o local de sua morte trará para sempre bênçãos dos deuses para a Ática.

No fim da peça, a morte iminente de Édipo é anunciada pelo ribombar de trovões. Já sem necessidade de guia, o velho cego caminha, confiante, para dentro do bosque sagrado e de lá a voz de um deus se faz ouvir: "Édipo, Édipo, por que nos demorarmos? Muito o fizemos esperar" (1627-8). Em um lugar conhecido apenas por Teseu, Édipo desaparece misteriosamente da vista humana e finalmente encontra a morte tão ansiada.

Os sete contra Tebas

A expedição dos sete contra Tebas foi uma das grandes campanhas mitológicas do mundo antigo, sem dúvida bem menor do que a dos gregos em Troia, imortalizada por Homero na *Ilíada*, mas ainda uma jornada da qual participaram também muito heróis e seus seguidores. Infelizmente o épico *Thebais*, que relatava toda essa história, se perdeu, e dos originais restam apenas minúsculos fragmentos. O mito, portanto, precisa ser reconstituído a partir de outras fontes. Apolodoro (3.6), como tantas outras vezes, é útil. E, como essa história dramática era uma das prediletas dos dramaturgos gregos, temos também a sorte de contar com várias outras peças relevantes que chegaram até nós.

Tudo começou quando dois filhos de Édipo, Etéocles ("Verdadeira glória") e Polinices ("Muita contenda"), brigaram pelo trono de Tebas. Creonte havia sido regente enquanto os dois não tinham idade para governar, mas, ao se tornarem adultos, ambos desejaram ocupar o trono. São várias as versões de como a questão foi resolvida. Segundo uma delas, os irmãos concordaram em se alternar no poder; cada um assumiria a coroa por um ano, e se exilaria no outro. Etéocles, porém, assumiu o trono no primeiro ano e recusou-se a desocupá-lo no ano seguinte. Já outra versão dá conta de que Etéocles simplesmente ocupou o trono e expulsou Polinices de Tebas. Um terceiro relato diz que os irmãos fizeram um trato segundo o qual um deles seria o rei e o outro partiria de Tebas para sempre, levando consigo uma boa parte da fortuna real. Quando tiraram a sorte, Etéocles ficou com o reino e Polinices partiu de Tebas com muitas riquezas (entre as quais o belo colar e a túnica da esposa de Cadmo, Harmonia, que viriam a ter importância fatídica na história subsequente). Infelizmente, Polinices mudou de ideia e decidiu que ainda queria ser rei. Quaisquer que tenham sido os detalhes, o resultado foi o mesmo: Polinices, exilado de sua terra, resolveu conquistar o trono de Tebas pela força.

Ele havia se refugiado junto a Adrasto, rei de Argos, lá chegando ao mesmo tempo que outro exilado, Tideu, filho de Eneu, que tinha sido banido de Cálidon por assassinato. Em uma noite fatídica, Adrasto foi acordado pela briga dos dois jovens por uma cama no pórtico do palácio e imediatamente se lembrou de um oráculo que lhe dissera que casasse as duas filhas com um leão e com um javali. É possível que os dois estivessem lutando como essas feras, ou que em seus escudos houvesse, respectivamente, o emblema de um leão (Polinices) e de um javali (Tideu), ou que estivessem vestidos com a pele desses animais, ou, ainda, que fosse uma referência ao fato de que esses animais eram símbolo de suas respectivas terras natais: o leão representaria a esfinge de Tebas, com corpo de leão, e o javali representaria o javali de Cálidon. Independentemente do motivo, Adrasto se lembrou do oráculo e casou suas filhas com os dois rapazes — Argeia com Polinices e Deípile com Tideu.

Os casais se estabeleceram em Argos, mas Adrasto prometeu a seus novos genros que os ajudaria a restituir o poder perdido em seus reinos. Primeiro, para auxiliar Polinices a recuperar Tebas, organizou um grande exército com sete campeões e seus seguidores, os "sete contra Tebas" — embora não exista uma lista canônica dos sete. Apolodoro (3.6.3) menciona nove campeões cujos nomes constavam em diferentes fontes, a maioria com alguma relação de parentesco com Adrasto: seus genros Polinices e Tideu; seu irmão Mecisteu; seu cunhado, o vidente Anfiarau; seu irmão (ou sobrinho) Hipomedonte; seu sobrinho Capaneu; o cunhado de Capaneu, Etéoclo; Partenopeu, que em um épico antigo aparece como irmão de Adrasto e que mais tarde foi chefe de um clã da Arcádia, e era filho da caçadora Atalanta; e, naturalmente, o próprio Adrasto.

Todos aderiram à expedição com entusiasmo, menos Anfiarau, o maior vidente de seu tempo, que previu que a expedição estava destinada ao fracasso e seus líderes, à exceção de Adrasto, à morte. Como seria de se esperar, ele se recusou a participar da aventura e tentou desencorajar os outros. O velho Ífis, pai de Etéoclo, disse a Polinices que tudo ficaria bem se conseguisse subornar Erífile, esposa de Anfiarau e irmã de Adrasto, para obter seu apoio na campanha. Antes disso, em um antigo desentendimento, Anfiarau havia concordado que qualquer disputa sua com Adrasto seria resolvida pela esposa. Sabedor disso,

Polinices ofereceu-lhe, em troca de sua ajuda, o maravilhoso colar dado pelos deuses à sua ancestral Harmonia. Erífile, gananciosa, ficou com o colar e forçou o marido a participar da expedição. Antes de deixar o lar pela última vez, também encarregou os dois filhos, Alcméon e Anfíloco, de vingar o vidente prometido de morte.

O exército partiu para Tebas e parou em Nemeia a fim de se reabastecer de água; lá o grupo encontrou uma escrava, Hipsípile, rainha da ilha de Lemnos na época em que Jasão e os argonautas passaram pela região (p. 149). As mulheres de Lemnos haviam matado todos os homens de suas famílias, enquanto Hipsípile tinha poupado o pai, que era o rei do local, mandando-o secretamente para um lugar seguro. Ao descobrirem essa traição, as indignadas mulheres de Lemnos venderam-na como escrava para Licurgo, rei de Nemeia. Hipsípile cuidava do filho do rei, um bebê chamado Ofeltes, e, quando Adrasto e seus homens lhe pediram água, a escrava deixou o bebê deitado em um canteiro de salsa enquanto lhes mostrava o caminho para a fonte.

Ao voltarem, encontraram a criança morta, picada por uma cobra que se enrolava em seu corpinho. O vidente Anfiarau interpretou isso como um agouro que indicava o fracasso da expedição. Os visitantes mataram a cobra e enterraram a criança com o nome de *Archemoros*, "o que dá início à sina". Em sua homenagem foram instituídos os Jogos Nemeus, nos quais os juízes usavam roupas escuras em sinal de luto por Ofeltes e os vencedores recebiam coroas de salsa. No primeiro desses festivais, conta Apolodoro, Adrasto venceu a corrida a cavalo, Etéoclo, a corrida a pé, Tideu, a luta de boxe, Anfiarau, a prova de saltos e o arremesso de disco, Laódoco (que não se sabe quem foi), o arremesso de dardos, Polinices, a luta corpo a corpo, e Partenopeu, a disputa de arco e seta.

A despeito desse presságio de desgraça, o exército seguiu em frente. (Quanto ao destino de Hipsípile, segundo a tragédia parcialmente preservada de Eurípides, seus dois filhos, Euneu e Toas, livraram-na da escravidão e a levaram de volta para Lemnos.) Quando o exército se aproximou de Tebas, Tideu foi enviado à frente para exigir que Etéocles entregasse o trono a Polinices. Tideu passou a mensagem e em seguida deu aos tebanos uma prova de sua bravura desafiando quem quisesse enfrentá-lo em uma luta. O recém-chegado venceu todos os oponentes. Apesar dessa demonstração, Etéocles não deu atenção às exigências de Tideu e mandou que cinquenta homens armados o esperassem em uma emboscada quando deixasse a cidade. Tideu matou todos os seus oponentes, exceto Maion, filho de Hemon e neto de Creonte.

O exército argivo então se lançou contra Tebas. Adrasto designou sete de seus campeões para atacar cada um dos sete portões da cidade, e Etéocles lá colocou seus melhores homens para defendê-los. Esse prelúdio da batalha foi dramatizado com grande emoção no *Sete contra Tebas*, de Ésquilo, no qual a tensão é crescente quando Etéocles, ao saber que o inimigo está atacando cada portão, designa seus melhores guerreiros para defendê-los. Por fim o rei ouve que no sétimo portão, aquele que cabe a ele mesmo defender, Polinices o aguarda. Os irmãos então se encontram em um combate mortal, e um deles deve morrer — ou mesmo os dois.

Na tragédia de Eurípides *As fenícias*, que também dramatiza o ataque argivo a Tebas, Etéocles pede conselho ao cego Tirésias sobre como vencer o inimigo. O vidente prediz que Tebas só será salva se for feito um sacrifício a Ares, deus da guerra. A pessoa sacrificada tem que ser um jovem virgem descendente dos "homens semeados". O único jovem que cabe nessa descrição é Meneceu, filho solteiro de Creonte. Meneceu prontifica-se a se sacrificar pela vitória da cidade, mas Creonte não suporta a ideia de perdê-lo, nem mesmo por Tebas, e por isso tenta persuadi-lo a deixar a cidade. Meneceu concorda em partir, mas vai secretamente até o ponto mais alto de Tebas e de lá se atira, depois de cruzar a espada na própria garganta. Após esse nobre ato, os tebanos se lançam à luta, confiantes.

Os tebanos tinham razão para acreditarem que venceriam. Embora os relatos da batalha variem e a ordem dos acontecimentos durante a luta seja confusa, o resultado nunca foi posto em questão: os invasores foram decididamente derrotados. Alguns morreram em combate corpo a corpo. Partenopeu foi esmagado por uma enorme pedra, lançada da muralha por Periclímeno. Capaneu escalou a muralha por uma longa escada, gabando-se de que nem mesmo Zeus com seus clarões seria capaz de detê-lo, mas ao chegar ao alto da muralha foi atingido por um raio que o matou instantaneamente.

Tideu, um dos favoritos da deusa Atena, matou seu oponente Melanipo, mas na luta foi ferido mortalmente. Atena foi ao encontro do moribundo, com a intenção de fazê-lo imortal, mas o vidente Anfiarau soube da intenção da deusa e fez o que pôde para impedi-la. Ele ainda tinha grande ressentimento pelo fato de Tideu ter sido um dos idealizadores daquela calamitosa expedição, e então decapitou Melanipo e deu a cabeça ao moribundo. Tideu, em um ato de selvageria, partiu a cabeça do inimigo e pôs-se a comer seu cérebro. Ao ver tamanha barbárie, a deusa, horrorizada, desistiu de conceder a imortalidade ao seu favorito e deixou que perecesse como um mortal.

Anfiarau teve um fim inusitado ao tentar fugir em sua carruagem: Periclimeno estava a ponto de atirar uma lança nas costas do vidente quando Zeus, tomado de pena, com um raio abriu um enorme buraco na terra à frente de Anfiarau, que foi tragado, com carruagem, cavalos e tudo, e assim desceu para o Mundo Inferior.

Por fim, todo o propósito da expedição deu em nada quando Polinices e Etéocles se defrontaram em uma luta corpo a corpo e um foi morto pela espada do outro. Em *As fenícias*, de Eurípides, a mãe dos rivais, Jocasta (que nessa versão da história não havia se matado ao descobrir o incesto), tenta promover a paz entre a família, mas em vão. Os irmãos lutam e se matam, e só então Jocasta se suicida — não por vergonha, como nas outras versões, mas por tristeza (1455-9):

> E, quando a mãe os viu mortos, não pôde mais suportar. Pegou uma espada caída junto aos cadáveres e fez algo terrível: enterrou na própria garganta a temível lâmina de ferro e agora jaz entre seus amados filhos, abraçando cada um com um braço inerte.

Como Anfiarau havia previsto, dos sete campeões somente Adrasto sobreviveu. Sua montaria, na expedição, era o cavalo divino Aríon, filho de Poseidon *Hippios* (Poseidon Cavalo) e de Deméter, nascido depois que a deusa foi vista por Poseidon enquanto vagava pela terra à procura da filha Perséfone. Deméter se transformou em uma égua para fugir das intenções amorosas do deus e se escondeu no meio de uma tropa de cavalos, mas o deus se transformou em um garanhão e subiu em seu dorso. Aríon era um cavalo fabulosamente ligeiro, que salvou a vida de seu dono levando-o para longe do campo de batalha.

Morto Etéocles, o trono de Tebas coube novamente a Creonte, que, desta feita, contrariando os costumes, não permitiu que Adrasto e os argivos sobreviventes enterrassem seus mortos. As consequências dessa ordem são dramatizadas em *As suplicantes*, de Eurípides, em que Adrasto, as viúvas e os filhos dos heróis mortos vão a Atenas suplicar a Teseu que intervenha em seu favor. Teseu conduz um exército de atenienses contra os tebanos e os força a entregar os cadáveres dos inimigos mortos.

Os corpos são levados de volta a Elêusis a fim de serem cremados e enterrados. É nesse ponto que, em um ousado *coup de théâtre*, Eurípides faz Euadne, esposa de Capaneu, se atirar nas chamas da pira funerária do marido. "Morrer com aquele a quem se ama é a mais doce das mortes", grita a esposa desesperada do alto da pira, "e que os deuses isso me concedam!" Seu velho pai, Ífis, não consegue alcançá-la a tempo e ainda tenta dissuadi-la, mas em vão. "Deixo que meu corpo se vá", diz ao pai, "meu fim é triste para ti, mas para mim e para meu marido, neste fogo, é uma alegria". E, ao dizer tais palavras, Euadne se atira nas chamas.

Outra tragédia grega, uma das mais famosas, também dramatiza as consequências do ataque argivo a Tebas, e narra o decreto de Creonte em relação aos dois filhos de Édipo: que a Etéocles seja dado um enterro honrado de herói, mas que o traidor Polinices não seja sepultado, para que as aves o devorem. O título dessa tragédia é *Antígona*, de Sófocles.

A TRAGÉDIA DE ANTÍGONA

Antígona desempenha papéis menores em várias tragédias gregas do século V. Sua primeira aparição é em *Sete contra Tebas*, de Ésquilo (467 a.C.), lamentando, ao lado da irmã Ismene, a morte de seus dois irmãos, um pela mão do outro. Em *Édipo rei*, de Sófocles (data desconhecida), as duas, ainda meninas, não têm falas: entram apenas no final da peça e ficam ao lado do pai, desolado e cego. No final de *As fenícias* de Eurípides (409 a.C.), Antígona conduz Édipo para o exílio. E em *Édipo em Colono*, de Sófocles, como já vimos, a jovem cuida do pai durante muitos anos enquanto vaga sem destino no exílio, um pária cego, até que finalmente chegam a Atenas e ao lugar onde Édipo encontrará a mística libertação final de seus sofrimentos, levado para os deuses. Mas é na seminal *Antígona*, de Sófocles (possivelmente de 442 a.C.), que a personagem alcança seu papel definitivo, duradouro e inspirador como a voz da consciência individual e da lealdade familiar em desafio à lei e ao Estado.

Quando a peça começa, a batalha que devastou Tebas já terminou e o exército argivo partiu. Polinices e Etéocles estão mortos, e Creonte, que é agora o rei, acaba de decretar que a Etéocles, defensor da cidade, será dado um enterro condigno, enquanto o cadáver de Polinices, invasor de Tebas e traidor de seu país, será deixado no campo para ser devorado pelas aves. A penalidade para quem desobedecesse a esse decreto seria a morte.

Entretanto, para Antígona, os dois são seus irmãos, a despeito de suas ações políticas, e ambos merecem ser enterrados. Decidida a sepultar Polinices, tenta persuadir Ismene a ajudá-la. Ismene serve de contraponto para a destemida e determinada Antígona: é a irmã cautelosa e tímida, que simpatiza com a resolução de enterrar Polinices, em desafio ao édito de Creonte, mas se considera fraca demais para participar da tarefa. "Precisamos nos lembrar de que somos mulheres", diz, "e de que não nos cabe lutar contra os homens. Lembre-se também de que somos governadas por quem é mais forte do que nós, por isso devemos obedecer a esse decreto e a outras ordens ainda mais dolorosas (...) Eu obedecerei a quem tem autoridade, pois não há sentido em ações que excedam as nossas forças" (61-8).

"Faça o que quiser", responde Antígona (71-7), "mas eu o enterrarei. E, se eu morrer ao fazer isso, estará tudo bem. Morrerei por um crime que não é crime; uma irmã amada ao lado de um irmão amado (...) Mas, se sua escolha for outra, você desonrará o que os deuses consideram mais caro".

E então, sozinha, espalha sobre o corpo do irmão um pouco de terra, o suficiente para um enterro simbólico. Apanhada no ato, Antígona é levada à presença de Creonte e, a despeito da ameaça de morte, proclama a eterna validade de seus princípios, em desafio ao édito do rei (450-69):

> Teu édito não veio de Zeus, e a justiça que habita com os deuses não criou tal lei para os homens. Não considero tuas ordens fortes o bastante para se sobreporem às leis infalíveis e não escritas dos deuses, posto que és apenas um homem. Essas leis não são de hoje, nem de ontem, mas eternas (...) Eu sabia que morreria por isso, é claro, mesmo sem teus éditos. E, se eu tiver que morrer antes do tempo que me foi dado, tanto melhor (...) Enfrentar o meu destino não me será doloroso. Mas, se eu tivesse deixado o filho de minha mãe insepulto, aí sim eu teria motivo para me lamentar, o que não tenho agora.

Embora tenha sido sua própria sobrinha quem desafiou seu édito, Creonte ainda está determinado a levar adiante a pena de morte, por isso ordena que a emparedem viva em um túmulo. Ismene, apesar de não ter participado do enterro simbólico de Polinices, pede para morrer com a irmã, que não aceita. "Não tente compartilhar minha morte", diz, "e não reivindique aquilo que não fez" (546-7). Ela então é levada sozinha para ser enterrada viva.

Por mais equivocado que possa estar na obstinação de fazer cumprir seu édito, Creonte se esforça ao máximo por governar sua cidade dentro da lei. Suas intenções são boas, e o rei acredita plenamente estar agindo para o bem de Tebas — o que, em seu entendimento, é o que há de mais importante. "O homem que considera um amigo mais importante do que o próprio país", diz, "para mim nada vale" (182-3). Contudo, comete o erro de enterrar uma pessoa viva, assim como é um erro negar sepultamento a um morto. Seu filho Hemon, noivo de Antígona, lhe diz o quão errado está e que toda a cidade o censura por seus atos, mas Creonte se recusa a dar ouvidos ao filho e se enfurece por não receber apoio de Hemon. O cego Tirésias diz a Creonte que os deuses o desaprovam e que estão rejeitando todos os sacrifícios oferecidos pelos tebanos, mas o rei, obstinado, permanece firme. Somente quando o coro de anciãos tebanos lembra que Tirésias nunca falhou em suas profecias é que ele desiste.

Tarde demais. Creonte vai libertar Antígona e, no caminho, se detém para enterrar Polinices, mas, quando chega à tumba de Antígona, encontra-a enforcada. Hemon está caído junto à noiva que se matou. Acabou de encontrar o corpo e agora só sente pelo pai um terrível ódio. Um mensageiro descreve a cena (1231-41):

> Com olhos furiosos, o rapaz fita o pai e, sem lhe dizer palavra, cospe em sua face, puxando então sua espada de lâmina dupla. O pai dá um salto para trás e escapa. Então o desgraçado jovem, com raiva de si mesmo, enterra metade da espada no próprio corpo. Ainda com vida, mas já sem forças, abraça a moça e, ao tossir, mancha o rosto lívido com um jato de sangue. Jazem os dois abraçados, um cadáver sobre o outro, e assim ele realiza seu casamento, pobre rapaz, na morada de Hades.

Mas a tragédia, para Creonte, não termina aí: sua esposa, Eurídice, ao ouvir o relato do mensageiro sobre a morte de Hemon, põe fim à própria vida, amaldiçoando o marido com suas últimas palavras. Creonte continua vivo no fim da peça, desolado, para lamentar, tarde demais, a sequência de catástrofes e perdas provocadas pela própria obstinação.

Tirésias, o profeta cego de Tebas

Tirésias é uma figura recorrente na saga tebana — o que não é de surpreender, pois consta que teria vivido ao longo de sete gerações. Cabem aqui, portanto, algumas palavras sobre o mais famoso vidente cego da cidade antes que o relato dessa saga chegue ao fim. Tirésias descendia de Udeu, um dos "homens semeados" originais, e da ninfa Cáriclo. Várias histórias explicam sua cegueira. Algumas dizem que os deuses o cegaram como castigo por ter revelado segredos divinos aos homens. Outras dizem que, sedento e cansado depois de uma caçada, Tirésias bebeu em uma fonte no monte Hélicon e lá, inadvertidamente, viu Atena a banhar-se, nua, em companhia de sua mãe, que era a companhia que a deusa mais apreciava. Atena gritou de raiva e o cegou; depois, atendendo às súplicas aflitas de Cáriclo, deu, em compensação, o dom da profecia, a capacidade de compreender a linguagem dos pássaros, e um bastão com o qual seria possível andar pelo mundo como se pudesse ver. Prometeu também uma vida longa e, depois da morte, a continuação de seus poderes adivinhatórios. (Assim, Homero fez Odisseu consultar o grande vidente no Mundo Inferior, viajando até a terra dos mortos para se aconselhar a respeito de sua longa e perigosa viagem de volta ao lar — p. 388).

Em outra versão ainda (embora os pormenores variem), Tirésias viu duas cobras copulando, talvez no monte Citéron, perto de Tebas, ou no monte Cilene, na Arcádia. Ao atacá-las, foi imediatamente transformado em mulher. Passado algum tempo, encontrou as mesmas cobras copulando novamente e, outra vez, as atacou. Dessa vez foi transformado de novo em homem. Essas experiências lhe deram uma capacidade ímpar de compreender a natureza masculina e a feminina; por isso, quando Zeus e Hera discutiram ao indagar se era o homem ou a mulher quem tinha mais prazer no ato sexual, consultaram Tirésias. Sua resposta afirmava que o prazer da mulher era nove ou dez vezes maior do que o do homem, o que fez Zeus vencer a discussão. Hera, enfurecida, prontamente puniu Tirésias com a cegueira, mas, em compensação, Zeus lhe concedeu o dom da profecia e uma vida longa.

A EXPEDIÇÃO DOS EPÍGONOS ("NASCIDOS DEPOIS")

Dez anos depois do ataque dos sete contra Tebas, ocorreu outra expedição: instigados por Adrasto, os filhos dos primeiros sete, chamados de epígonos, reuniram-se para vingar os pais. Dessa vez o ataque a Tebas foi bem-sucedido.

Os guerreiros que com Adameto chefiaram o segundo exército foram Egialeu, filho de Adrasto, Tersandro, filho de Polinices, Diomedes, filho de Tideu, Alcméon e Anfíloco, filhos de Anfiarau, Estênelo, filho de Capaneu, Prômaco, filho de Partenopeu, Euríalo, filho de Mecisteu, Polidoro, filho de Hipomedonte, e Medon, filho de Etéoclo.

Os jovens consultaram o oráculo de Delfos, que lhes prometeu a vitória se fizessem de Alcméon seu líder. A princípio os filhos de Anfiarau não queriam participar, assim como seu pai na expedição anterior, mas novamente Erífile foi subornada para intervir na decisão dos filhos. Após mandar o marido, Anfiarau, para a morte, ciente de que o fazia a fim de ganhar o colar de Harmonia com o qual Polinices a subornara, dessa vez foi Tersandro, filho de Polinices, quem lhe ofereceu a bela túnica de Harmonia. Erífile aceitou-a e convenceu os filhos a participarem da campanha, apesar de saber que estavam arriscando suas vidas. (Mas dessa vez a mulher gananciosa teve o que merecia: seus filhos retornaram vitoriosos e Alcméon vingou a morte do pai ao matar a mãe — portanto, de pouco lhe valeram suas preciosidades.)

Sob a liderança de Alcméon, o exército marchou sobre Tebas. Os tebanos, tendo à frente Laodamante, filho do falecido Etéocles, tentaram defender sua cidade, mas foram derrotados pelos argivos. Disse que apenas um dos epígonos morreu pelas mãos de Laodamante: Egialeu, filho de Adrasto, único sobrevivente da primeira expedição. (Dessa vez Adrasto também morreria, mas de tristeza pela morte do filho.) Laodamante foi morto por Alcméon. Os tebanos correram para a segurança do interior da cidade e, a conselho de Tirésias, fugiram protegidos pela noite. O velho vidente os acompanhou, mas, na fuga, parou perto de Haliarto, junto à fonte Telfusa, bebeu de sua água e morreu.

Dez anos depois de seus pais haverem sido ali derrotados e mortos, os epígonos fizeram sua entrada triunfal em Tebas. Puseram abaixo as muralhas e pilharam a cidade, enviando parte das riquezas para Apolo, em Delfos. Essa oferenda incluiu a filha de Tirésias, Manto, posto que haviam prometido ao deus reservar-lhe "o mais belo dos espólios" se saíssem vitoriosos.

Tersandro assumiu então o trono que o pai, Polinices, tanto almejara, mas Tebas jamais voltaria a ser poderosa como antes. Homero, ao se referir às forças gregas que participaram da Guerra de Troia (*Ilíada* 2.505), menciona apenas *Hypothebai*, a "Baixa Tebas", e não a grande cidadela que um dia existiu.

Entretanto este não é ainda o fim da história. Falta relatar o que aconteceu a Alcméon, bem como o fim que levaram as preciosidades tebanas de mau agouro — a túnica e o colar de Harmonia.

A túnica e o colar de Harmonia

Após a queda de Tebas, Alcméon e Anfíloco retornaram em segurança para Argos, onde Alcméon, induzido pelo oráculo de Delfos, matou sua mãe, a traiçoeira Erífile. Anfiarau foi assim vingado. Infelizmente, porém, Alcméon foi levado à loucura pelas fúrias vingadoras daqueles que eram mortos por alguém do mesmo sangue. Foi esse também o destino de Orestes depois de matar a mãe, Clitemnestra.

Alcméon vagou sem destino até ser recebido e purificado por Fegeu, rei de Psófis, no norte da Arcádia. O homem errante se casou então com Arsinoé, filha de Fegeu, que presenteou o casal com a túnica e o colar de Harmonia, recuperados após a morte de Erífile. Mas os dois não viveram felizes para sempre, pois as terras de Psófis tornaram-se estéreis por darem abrigo a um matricida. Alcméon, portanto, voltou a vagar, chegando até à foz do rio Aqueloo, onde o deus-rio não só o purificou como também o casou com sua filha Calirroé ("A que flui lindamente"). O casal teve dois filhos: Acarnan, que deu nome à Acarnânia, e Anfótero.

Tudo correu bem, até que Calirroé ouviu falar do colar e da túnica magníficos de Harmonia e os desejou para si, ameaçando deixar Alcméon se não os conquistasse. Relutante, seu marido retornou a Psófis e obteve de volta as preciosidades, mentindo para Fegeu ao dizer que só ficaria curado de sua loucura se as ofertasse em Delfos. Quando um de seus servos revelou a verdade, Fegeu ordenou a seus filhos que matassem o mentiroso. Seu corpo foi enterrado em um bosque de ciprestes. Quando o viajante Pausânias viu o túmulo de Alcméon naquele desolado lugar, disse (8.24.7) que à sua volta tais árvores eram tão altas que lançavam sombras na colina próxima, e que o povo do local se recusava a cortá-las, já que eram consagrados a Alcméon.

Apesar de Alcméon estar morto, a sequência de assassinatos continuou, pois Calirroé, ao saber da morte do marido, pediu a Zeus que seus filhos crescessem rapidamente para que logo pudessem vingar o pai. Zeus, que a amava, atendeu o pedido e imediatamente os meninos se formaram homens. Mataram, então, os filhos de Fegeu, bem como sua esposa. Por fim, cumprindo ordens de Aqueloo, dedicaram em Delfos a túnica e o colar fatídicos de Harmonia e finalmente esses belos objetos não puderam mais causar danos aos homens.

10. A Guerra de Troia

Uma cidade rica e poderosa no canto noroeste da Ásia Menor, a poucos quilômetros da entrada meridional para o Helesponto, Troia foi local onde ocorreu a maior guerra da mitologia clássica, iniciada porque Páris, príncipe troiano, sequestrou Helena, esposa do rei Menelau, de Esparta, e a levou para sua casa. Um enorme exército grego, chefiado pelo rei Agamêmnon, de Micenas, partiu para Troia a fim de recuperar Helena. O cerco durou dez longos anos, ao final dos quais a cidade foi capturada e incendiada.

Nos tempos antigos, um ciclo de oito longos poemas épicos relatou os acontecimentos da Guerra de Troia, do início ao fim. Desses oito, apenas a *Ilíada* e a *Odisseia*, de Homero, foram conservadas; a *Ilíada* relata a cólera de Aquiles no décimo ano da guerra, e a *Odisseia* conta a viagem de Odisseu para Ítaca e a derrota que lhe impôs, ao chegar em casa, aos pretendentes de sua esposa, Penélope. Os seis poemas restantes — do Ciclo Épico, escritos por autores outros que não Homero — narravam todos os outros eventos relativos à guerra. Os *Cantos cíprios* cobriam os anos que antecederam a ação da *Ilíada*; a *Etiópida*, a *Pequena Ilíada* e o *Saque de Troia* tratavam dos eventos posteriores à queda de Troia. *Retornos* falava da volta para casa dos heróis gregos após Odisseu, e a *Telegonia*, o que aconteceu a Odisseu depois de suas aventuras relatadas na *Odisseia*.

Esses outros épicos não mais existem, a não ser em fragmentos. No entanto, nem tudo está perdido quando juntamos o que sabemos da guerra como um todo, pois os breves resumos de Proclo sobre tais poemas são muito úteis. Ajudam-nos também as narrativas de Apolodoro, e podemos conhecer muitos detalhes a partir de uma variedade de fontes (inclusive as próprias *Ilíada* e *Odisseia*, que relatam também eventos anteriores e posteriores aos períodos em que se centram.)

Uma das mais interessantes histórias da arqueologia é a de Heinrich Schliemann e de sua determinação em provar que as histórias contadas na *Ilíada* sobre a Guerra de Troia de fato aconteceram. Na segunda metade do século XIX, esse pesquisador fez grandes escavações em Hisarlik, na moderna Turquia, redescobrindo Troia. Dos nove níveis que Schliemann definiu, Troia VI e VII são as cidades que datam da Era Micênica. Pedaços de alvenaria e sinais de incêndio indicam que Troia VI foi violentamente destruída por volta de 1270 a.C., e Troia VII, onde foram encontrados também traços de ossos humanos em ruas e casas, por volta de 1190 a.C.

Outros escavadores sucederam Schliemann, e as pesquisas em Troia continuam até os dias atuais, apesar de sempre ter havido — e, sem dúvida, de sempre continuar a haver — aqueles que negam a existência de Troia. Damos a última palavra a Byron, que escreveu em *Don Juan* (C. IV. ci): *"I've stood upon Achilles' tomb,/ And heard Troy doubted; time will doubt of Rome."* [Eu estive no túmulo de Aquiles,/ e ouvi duvidarem de Troia; tempo haverá em que duvidarão de Roma."]

Os reis de Troia

Antes de nos concentrarmos na Guerra de Troia, devemos nos voltar do fim dessa cidade para seu início, com um breve levantamento dos seus reis e dos primórdios de sua história.

O primeiro da linhagem não muito extensa de Troia foi Teucro, filho do deus-rio Escamandro, principal rio da planície troiana, e de Ideia, uma ninfa do monte Ida. Teucro casou sua filha Batia com Dárdano, filho de Zeus e Electra, uma das sete plêiades. Dárdano viera da ilha de Samotrácia e fundara uma vila no sopé do monte Ida, dando a ela o nome de Dardânia. Sucedeu-lhe seu filho Erictônio, que, segundo Homero, era o mais rico dos mortais graças a seus esplêndidos cavalos. De fato, Troia sempre foi famosa por seus cavalos: Homero a chama de "terra dos belos cavalos" e se refere aos troianos, em geral, e ao grande herói troiano, Heitor, em particular, com o epíteto "domadores de cavalos". Os cavalos de Erictônio, porém, eram especialmente maravilhosos (*Ilíada* 20.221-9):

> Três mil éguas possuía ele, que pastavam nos campos,
> éguas que se rejubilavam com seus jovens potros. Enquanto pastavam,
> Bóreas, o Vento Norte, as desejou, e tomou a forma
> de um garanhão de crinas negras, e acasalou-se com doze éguas,
> e elas, concebendo, deram a ele doze potros.
> Estes, quando corriam, alegres, pelas terras férteis em grãos,
> galopavam pelas plantações de milho, sem partirem um único pé,
> e, quando brincavam nas ondas do grande mar,
> galopavam sobre suas cristas cinzentas e salgadas.

Erictônio casou-se com Astíoque, filha de outro deus-rio da planície troiana, Simoente. Seu filho Trós viria a dar o nome a Troia, à região da Tróade e aos troianos.

Trós casou-se com Calirroé, filha do deus-rio Escamandro, e com ela teve três filhos. Um deles, Ganimede, era tão belo que foi levado para o Olimpo pelos deuses para ser copeiro de Zeus. Um elemento sexual entra posteriormente no mito, quando o interesse de Zeus por Ganimede se torna erótico e o rapaz é arrebatado por uma águia que servia a Zeus, ou quiçá mesmo o deus disfarçado. No antigo *Hino homérico a Afrodite*, porém, não há sinal algum desse elemento erótico.

Ganimede é carregado para o Olimpo por um tufão, e seu pai fica sem saber para onde o filho havia sido levado (207-17):

> (...) e uma tristeza inconsolável encheu o coração de Trós,
> e ele chorou por seu amado filho, para sempre, por tempos sem fim,
> até que Zeus apiedou-se dele e deu como recompensa
> cavalos de trote alto, da espécie que carrega os deuses.
> Esses ele os deu de presente, e a seu comando
> Hermes, o deus mensageiro, disse que o jovem
> seria imortal e sempre jovem como os deuses.
> E, quando Trós ouviu essas boas novas enviadas por Zeus,
> não mais chorou pelo filho, mas rejubilou-se em seu coração
> e, contente, cavalgou seus cavalos ligeiros como a tempestade.

Esses eram "os melhores dentre todos os cavalos sob a aurora e o sol", diz Homero (*Ilíada* 5.265-7). Segundo a *Pequena Ilíada*, do Ciclo Épico, outro presente foi uma vinha de ouro, feita por Hefesto, objeto que mais tarde viria a desempenhar um papel na Guerra de Troia (p. 358). Zeus imortalizou Ganimede entre as estrelas como a constelação de Aquário, o carregador de água.

O segundo filho de Trós foi Assáraco, que permaneceu na Dardânia e se tornou o progenitor dos romanos, pois seu neto Eneias navegaria para a Itália depois da queda de Troia e lá daria início à raça romana (Capítulo 14). O terceiro filho de Trós, Ilo, deixou a Dardânia e fundou a cidade de Troia. Antes, porém, participou de jogos organizados pelo rei da Frígia e venceu o torneio de luta. O prêmio eram cinquenta rapazes e cinquenta moças, mas o rei, em obediência a um oráculo, deu ao vencedor também uma vaca malhada e disse-lhe que fundasse uma cidade no lugar onde o animal se deitasse para descansar. Ilo seguiu a vaca até chegarem a uma colina que era consagrada à deusa Ate, e se erguia a partir da ampla planície entre o monte Ida e o mar. Lá, por fim, a vaca se deitou para descansar e naquele local Ilo fundou sua cidade. Ela seria chamada de Ilios/Ilion, em sua homenagem, ou de Troia, em homenagem a seu pai. Quando Ilo orou pedindo um sinal de aprovação de Zeus, uma estátua de madeira de Palas Atena caiu milagrosamente a seus pés, vinda do céu. Por isso, naquele exato lugar, foi erigido o grande templo de Atena em Troia, para abrigar a imagem, que passou a ser conhecida como *Paládio* e tinha a fama de tornar inexpugnável a cidade que a possuísse. Assim, enquanto a estátua estivesse segura no templo de Atena, Troia jamais cairia.

Ao morrer, Ilo foi enterrado na planície troiana e seu túmulo se tornou um famoso marco de referência perto de Troia. O rei foi sucedido pelo filho Laomedonte, que, como o avô Trós, casou-se com uma filha do deus-rio Escamandro, Estrimo. Tal qual o avô, também Laomedonte perdeu um filho para os deuses, tamanha a beleza do rapaz: Titono foi desejado por Eos, amorosa deusa da aurora, que o carregou para sua morada na Etiópia, no extremo Oriente, perto do rio Oceano. Lá o casal teve dois filhos, Mêmnon e Emátion, que se tornaram reis, respectivamente, da Etiópia e da Arábia. E todas as manhãs "a Aurora se levantava do leito onde dormia com o orgulhoso Titono a fim de levar luz para os imortais e para os homens", como conta Homero (*Ilíada* 11.1-2, *Odisseia* 5.1-2).

É novamente o *Hino homérico a Afrodite* (218-38) que relata a continuação da história: por causa de seu amor por Titono, Eos pediu a Zeus que concedesse ao amante a imortalidade, e foi atendida. Mas a desafortunada deusa havia se esquecido de também pedir a eterna juventude. Com o passar dos anos, Titono ficava cada vez mais velho, encanecido e encarquilhado. Quando os primeiros fios brancos começaram a despontar na cabeça e no queixo de seu marido, Eos abandonou sua cama, embora continuasse a tratá-lo com cuidado, dando-lhe alimentos, ambrosia e belas vestes.

> Mas, quando a abominável velhice se abateu de todo sobre ele,
> E ele já não podia mover mais os membros,
> foi este o plano que, em seu coração, lhe pareceu mais sábio:
> ela o deitou em um aposento e trancou ao seu redor
> as brilhantes portas, e lá, sem as forças
> que outrora haviam sido suas,
> ele balbucia eternamente.

Mais tarde um final diferente e mais feliz foi dado à história e registrado por antigos estudiosos: Eos transformou Titono em uma cigarra, o mais ruidoso dos insetos, para ter o prazer de ouvir, para sempre, a voz do amado em seus ouvidos. Contudo, ao que parece, o final mais triste é o que tem maior apelo para os poetas, e é esse o que Tennyson adota em seu antigo poema *Tithonus*, escrito ainda em sua juventude. No poema foi criada uma música oral com letra para o longo envelhecimento de Titono:

> The woods decay, the woods decay and fall,
> The vapours weep their burthen to the ground,
> Man comes and tills the field and lies beneath,
> And after many a summer dies the swan.
> Me only cruel immortality
> Consumes: I wither slowly in thine arms,
> Here at the quiet limit of the world,
> A white-hair'd shadow roaming like a dream
> The ever-silent spaces of the East,
> Far-folded mists, and gleaming halls of morn...*

Nada sabemos, na literatura antiga, sobre a tristeza de Laomedonte pela perda do filho, o que talvez não surpreenda, por se tratar de um homem famoso, acima de tudo, por sua arrogância e pelo costume de trair a confiança de deuses e mortais, sem distinção. Em seu reinado, Troia foi fortificada e Laomedonte teve a sorte de contar com dois deuses para construir as grandes muralhas para a cidade: Apolo e Poseidon, que desceram à Terra disfarçados de homens. Cogita-se que tenham feito isso por terem recebido a punição, por desafiarem Zeus, de trabalhar para um mortal por um ano, ou porque queriam testar

---

* Os bosques apodrecem, as árvores apodrecem e caem,/ Os vapores lacrimejam seus pesares até o solo,/ O homem surge e lavra a terra e jaz abaixo,/ E depois de muitos verões morre o cisne./ A mim apenas a cruel imortalidade/ Consome: definho lentamente em seus braços,/ Aqui no solitário limite do mundo,/ Uma sombra de cabelos cinzentos a vagar como um sonho/ Pelos espaços sempre silenciosos do Oriente,/ Névoas vindas de longe, e a luzidia morada das manhãs...

a fama de má-fé de Laomedonte. Uma coisa é certa: o rei provou ser um homem de mau caráter, pois quando os muros ficaram prontos recusou-se a pagar o salário previamente combinado. Em Homero podemos ver esse rei traidor e violento em ação, quando Poseidon descreve o fim daquele duro e longo ano de trabalho (*Ilíada* 21.450-7):

> Mas, quando a mudança das estações nos trouxe a época feliz do pagamento, o ultrajante Laomedonte nos roubou todo o salário e nos mandou embora com intimidações, ameaçando nos acorrentar as mãos e os pés e nos vender como escravos para ilhas distantes. Disse ele até que deceparia nossas orelhas com um cutelo. Então partimos com ódio em nossos corações, raivosos pelo pagamento que havia prometido e se recusava a dar.

Para punir Laomedonte, Apolo enviou uma peste que assolou sua terra, e Poseidon, uma inundação e um assustador monstro marinho que atacou a população. Os oráculos disseram que só haveria salvação se o rei desse sua filha Hesíone para ser devorada pelo monstro. Ao saber disso, ele a acorrentou a uma pedra à beira-mar e lá a deixou à espera do monstro. Por sorte, naquele momento, Héracles passou em seu barco a caminho de casa, vindo da terra das amazonas, e se ofereceu para matar o monstro marinho em troca dos cavalos divinos dados a Trós pela perda de Ganimede. Laomedonte concordou.

Héracles cumpriu sua parte da barganha. Segundo Helânico, o herói saltou, completamente armado, dentro da boca do monstro, entrou em sua barriga e o matou, cortando e rasgando suas entranhas. Morto o monstro, porém, Laomedonte mais uma vez voltou atrás em sua palavra. Recusou-se a entregar os cavalos imortais, e Héracles se foi de mãos vazias, jurando vingança.

Passado algum tempo, ele voltou com um exército, rompeu as muralhas de Troia e matou Laomedonte e todos os seus filhos, exceto Podarces, o único que havia aconselhado o pai a honrar o acordo. Héracles deu Hesíone como prêmio a seu aliado Télamon, rei de Salamínia, por ter sido o primeiro a romper as muralhas da cidade.

A jovem teve permissão para escolher que um dos prisioneiros fosse libertado, e preferiu seu irmão Podarces, envolvendo-o com seu véu. A partir de então, o filho de Laomedonte passou a se chamar Príamo (do verbo grego *priamai*, "comprar"), que se tornou rei de Troia. Príamo reconstruiu a cidade, tornando-a maior e mais forte do que antes, e reinou em paz por muitos anos.

Príamo foi o mais famoso, o mais poderoso — mas também o último — rei da linhagem dos que amavam cavalos. No final de seu longo e próspero reinado, enfrentou a Guerra de Troia e, apesar de todo o favorecimento dos deuses de que os troianos haviam desfrutado, ao final da guerra a cidade caiu diante dos gregos e foi incendiada. Príamo foi morto no altar de Zeus, no pátio de seu próprio palácio. Àquela altura, seus muitos filhos já haviam morrido, inclusive Heitor, o grande defensor dos troianos. O pequeno Astíanax, filho de Heitor, foi lançado do alto das muralhas da cidade, e com ele se encerrou a linhagem real de Troia.

A história da Guerra de Troia precisa ser contada com detalhes. Antes de a guerra começar, porém, o nascimento de três pessoas precisaria acontecer: o da bela Helena, filha de Zeus, a mulher mais linda do mundo; o de Páris, que, ao raptar Helena, deflagrou o conflito; e o de Aquiles, que foi o maior guerreiro da batalha.

O nascimento de Helena, filha de Zeus

Zeus tinha os próprios motivos para provocar a Guerra de Troia, como explica um fragmento remanescente dos *Cantos cíprios*, a primeira obra do Ciclo Épico:

> Um tempo houve em que as muitas tribos de homens, embora espalhadas pelo mundo, pesavam demais à ampla e farta terra. Zeus viu isso, teve pena e, em sua sabedoria, resolveu aliviar aquela que a todos alimenta, provocando a portentosa luta que foi a Guerra de Troia, a fim de que a enorme quantidade de mortos esvaziasse o mundo. E assim os heróis morreram em Troia, e o plano de Zeus foi realizado.

O nascimento de Helena fez parte desse plano.

Consta que sua mãe foi Leda, esposa de Tíndaro, rei de Esparta. Zeus assumiu a forma de um cisne e, ardilosamente, voou para os braços de Leda, como se quisesse proteger-se de uma águia que o perseguia. O resultado dessa união foi um ovo, do qual nasceu a bela Helena. Três outros filhos teve Leda — Castor e Polideuces, conhecidos como os dióscuros ("Rapazes de Zeus"), e Clitemnestra, que veio a se casar com Agamêmnon, rei de Micenas, a quem, posteriormente, matou. Helena e Polideuces eram filhos imortais de Zeus, ao passo que Castor e Clitemnestra, filhos mortais de Tíndaro.

A peça *Helena*, de Eurípides, datada de 412 a.C., é nossa fonte mais antiga da história de Leda e do cisne. A própria Helena explica sua origem (16-21): "Minha terra natal é a famosa Esparta, e meu pai, Tíndaro. Mas a história que se conta é que Zeus tomou a forma de um cisne, voou para o colo da minha mãe fingindo fugir de uma águia que o perseguia, e assim usou sua astúcia com ela. Isto é," acrescenta ela, "se essa história for verdadeira".

Na mais antiga tradição registrada, no entanto, a mãe de Helena não teria sido Leda, mas Nêmesis, a deusa da retribuição, como relata outro fragmento dos *Cantos cíprios*:

> Helena, uma maravilha para os homens, nasceu de Nêmesis, a dos lindos cabelos, depois de ela ser cruelmente forçada a aceitar uma união amorosa com Zeus, o rei dos deuses. Nêmesis tentou fugir, pois não desejava deitar-se com Zeus, o Pai, filho de Crono. Com o coração aflito de vergonha e de rancor, ela fugiu e percorreu toda a terra e os mares escuros com Zeus em seu encalço, pois ele desejava em seu coração possuí-la. Ela então assumiu a forma de um peixe e partiu a toda velocidade pelas ondas do mar bravio, chegando ao rio Oceano, na extremidade mais remota da terra, onde assumiu a forma de um pássaro e saiu a voar sobre as terras sulcadas, sempre a se transformar em criaturas assustadoras que habitam os terrenos inférteis, para poder escapar.

Esse fragmento dos *Cantos cíprios* nada mais nos diz, e é Apolodoro quem registra o que se seguiu (3.10.7): quando Nêmesis por fim se transformou em um ganso, Zeus tomou a forma de cisne e a possuiu. Na época devida, Nêmesis pôs um ovo e o abandonou em um bosque, onde um pastor o encontrou e o levou para Leda. Assim o ovo foi colocado cuidadosamente em uma arca até que se partisse e dele nasceu Helena, que Leda criou como se fosse sua filha. Essa é provavelmente a história conhecida por Safo, já que ela diz, em um de seus fragmentos (fr. 166): "Dizem que, há muito tempo, Leda achou um ovo, azul como um jacinto."

Quem quer que tenha sido a mãe de Helena, Leda ou Nêmesis, foi sempre Leda quem cuidou do ovo até ele rachar. O famoso ovo de Helena ainda podia ser visto em Esparta no século II da Era Cristã, como conta Pausânias. Em sua visita ao templo das Leucípides, o viajante registrou que o ovo estava pendurado por fitas no teto do templo.

E foi Leda quem sempre criou Helena, no palácio real de Esparta. Os anos se passaram, e a fama de sua beleza e de seu nascimento divino foi se espalhando mundo afora. Ainda menina, talvez com sete ou oito anos de idade, ela foi raptada pelo rei de Atenas, Teseu, e seu companheiro Pirítoo, pois ambos desejavam casar-se com uma filha de Zeus (p. 255). Por sorte, Helena foi logo resgatada por seus irmãos, Castor e Polideuces, e levada de volta para sua casa em Esparta.

Quando Helena chegou à idade de se casar, os maiores heróis de toda a Grécia enviaram presentes de noivado a Tíndaro, na esperança de conquistar a mão de sua filha. O *Catálogo das mulheres* hesiódico apresentava uma lista dos que a cortejaram, e é possível saber de alguns nomes por meio dos fragmentos que chegaram aos nossos dias. Entre eles, estavam Protesilau de Fílace, Idomeneu de Creta, Menesteu de Atenas, Alcméon e Anfíloco, filhos do vidente Anfiarau, Toas da Etólia, Elefenor da Eubeia, Podarces da Tessalônica e Menelau, irmão de Agamêmnon. Ájax, filho de Télamon (o "Grande Ájax"), não tinha presentes para dar, mas prometeu grandes rebanhos de ovelhas e vacas que roubaria de seus vizinhos. O arguto Odisseu não deu presente algum porque achava que não tinha chance de ganhar Helena — e assim evitou a despesa. (Além disso, tal pretendente estava de olho em outra noiva, Penélope, sobrinha de Tíndaro.) Dois outros grandes heróis não participaram da disputa: Agamêmnon, por já estar casado com Clitemnestra, a irmã de Helena, e Aquiles, por ser jovem demais.

Podemos supor que quase todos os líderes gregos citados na *Ilíada* por terem lutado em Troia tentaram conquistar a mão de Helena. Tíndaro temia a reação dos candidatos decepcionados ao conhecerem o escolhido, e por isso, a conselho de Odisseu, fez que todos jurassem respeitar sua escolha e defender o marido felizardo no caso de uma futura ameaça ao casamento. Todos fizeram o juramento sobre pedaços de um cavalo sacrificado, conta-nos Pausânias (3.20.9), para que seu juramento os comprometesse de fato — e foram esses juramentos que mais tarde os obrigaram a lutar em Troia quando Helena foi levada por Páris.

Menelau foi o pretendente escolhido, por ter dado a maior quantidade de presentes, diz o *Catálogo*. (Certamente seu rico e poderoso irmão Agamêmnon o ajudou.) Assim se casou com Helena, e Tíndaro adotou o novo genro como seu sucessor no trono de Esparta. O casal teve uma filha, Hermíone, que tinha "a beleza da dourada Afrodite", segundo Homero (*Odisseia* 4.14). Os anos foram passando e Helena vivia tranquilamente em Esparta, mas os deuses já haviam interferido nos assuntos humanos e ela esperava, sem o saber, por Páris.

O nascimento de Páris, filho de Príamo e Hécuba

Príamo, por ser um monarca oriental, tinha várias esposas e muitos filhos. Já quase no fim da *Ilíada*, ele diz, pateticamente, a Aquiles (24.493-7):

> Eram meus os melhores filhos da vasta Troia,
> mas digo que nenhum deles me restou.
> Cinquenta eram os meus filhos no dia em que os gregos aqui chegaram,
> dezenove nascidos para mim de uma só mãe,
> e os demais de mulheres do meu palácio.

Essa única mãe, a principal esposa de Príamo, era Hécuba, e a maioria dos heróis troianos que tiveram papel importante na guerra eram seus filhos. Entre seus nomes se destacam Heitor, o maior guerreiro do lado troiano, Troilo, que morreria muito jovem, o vidente Heleno e Deífobo. Hécuba teve filhas também, entre as quais Cassandra (que, como seu irmão gêmeo Heleno, tinha o dom da profecia), Polixena, Laódice e Creúsa. A Guerra de Troia e suas consequências causaram a morte de todos esses herdeiros, com exceção de Heleno. E, havia ainda outro filho, o que motivou a guerra: Páris, também conhecido como Alexandre.

Durante a gravidez de Páris, Hécuba sonhou que dava à luz uma tocha flamejante que iluminou toda Troia, ou, no mais antigo relato remanescente, o *Peã* 8, de Píndaro, a uma fúria de cem mãos que lançava fogo e arrasava a cidade. Isso claramente indicava que o filho que estava por nascer procuraria a destruição completa de Troia. Por esse motivo, após seu nascimento, Páris foi entregue por Príamo a um de seus pastores, Agelau, para que o bebê fosse abandonado no monte Ida, onde morreria exposto ao tempo ou seria devorado por animais selvagens. Esse poderia ter sido efetivamente seu destino, pois uma ursa o encontrou. Entretanto, em vez de devorar o bebê, a ursa amamentou-o durante cinco dias. Quando, passado esse tempo, Agelau o encontrou vivo e bem, concluiu que os deuses o desejavam vivo. Levou o menino para sua casa e o criou como se fosse seu filho. Páris cresceu e se tornou um pastor no monte Ida.

Foi essa mesma ocupação, no entanto, que o levou de volta a Troia e à sua família. Um dia Príamo mandou que os empregados fossem buscar no campo seu touro favorito para oferecê-lo como prêmio nos jogos fúnebres em honra de um filho morto havia muito tempo (que, por ironia do destino, era o próprio Páris). Sem querer perder aquele touro, Páris foi a Troia a fim de competir nos jogos e ganhá-lo de volta. O jovem forte e atlético obteve sucesso. Venceu todos os concorrentes, inclusive os próprios irmãos. A vitória de um desconhecido, aparentemente um simples rapaz do povo, naturalmente causou algum ressentimento, e um dos irmãos de Páris, Deífobo, ficou tão irado que puxou a espada para atacá-lo. Páris refugiou-se no altar de Zeus, e, lá, Cassandra, graças a seus poderes de vidente, reconheceu-o como o irmão que todos julgavam morto.

Cassandra havia recebido o dom da profecia do deus Apolo, que, apaixonado, lhe prometera tais poderes em troca de favores sexuais. Ela concordou, e Apolo cumpriu sua promessa. A moça, então, voltou atrás e rejeitou as propostas amorosas do deus. Para se vingar, ele a deixou com a capacidade de prever o futuro, mas transformou o dom em maldição, fazendo que ninguém acreditasse nela. Quando Cassandra reconheceu Páris, previu que se ele voltasse para a família levaria desgraça à cidade, mas suas palavras foram ignoradas.

Eurípides, em sua tragédia perdida *Alexandros*, apresentou uma versão do reconhecimento de Páris que deve ter sido bem comovente. Sabemos, a partir de fragmentos remanescentes da peça, que Hécuba, ainda inconsolável tantos anos depois da morte de seu bebê, instigava Deífobo a matar Páris quando, no último instante, de alguma forma reconheceu nele o herdeiro perdido. Mãe e filho então se reuniram, felizes.

Príamo e Hécuba receberam Páris de braços abertos, sem se lembrar do terrível sonho. Agora, o príncipe de Troia, e não mais um humilde pastor, poderia ir a Esparta e conquistar o amor de Helena, a ela prometido por Afrodite (p. 302).

O nascimento de Aquiles, filho de Peleu e Tétis

Tétis era uma deusa do mar, uma nereida, uma das muitas filhas de Nereu, o Velho do Mar. Era tão linda que o próprio Zeus a desejou, mas suas propostas amorosas foram rejeitadas pela moça em respeito aos sentimentos de Hera, esposa dele. Poseidon também desejou o amor de Tétis, mas, quando descobriram uma profecia segundo a qual Tétis estava predestinada a dar à luz um filho que seria maior do que o pai (p. 139), ambos os deuses desistiram de lhe fazer a corte e acharam mais seguro casá-la com um mortal.

O escolhido foi o filho de Éaco, rei da ilha de Egina: Peleu. Ele era o rei da Ftia, na Tessalônica, um grande herói que havia participado da caça ao javali de Cálidon e da expedição dos argonautas. Era forte, corajoso e decidido — e precisaria mesmo ser, pois Tétis, por vontade própria, não se casaria com um mortal. Foi necessário vencê-la pela força, lutando longa e duramente até conquistá-la. Peleu se pôs à espreita na costa da Tessalônica e a apanhou de surpresa quando saía do mar. Então a prendeu com firmeza entre seus braços e a possuiu. Por ser uma deusa do mar, Tétis era capaz de mudar de forma à vontade, e assim se transformou, segundo várias fontes, em fogo, água, vento, árvore, pássaro, tigre, leão, cobra e polvo. Peleu, decidido, não a largou ao longo de todas essas transformações, até que Tétis finalmente cedeu, voltando à forma original e concordando em se tornar sua esposa.

O casamento da deusa com o mortal foi celebrado no monte Pélion. As musas cantaram e todos os deuses compareceram levando presentes — embora não tenha sido convidada por ser muito desagradável, Éris, a deusa da discórdia, foi até lá e, cheia de despeito, atirou no meio dos convidados o "pomo da discórdia", uma maçã de ouro com a inscrição "Para a mais bela". As deusas Hera, Atena e Afrodite reivindicaram o fruto, e essa disputa, em determinado momento, levou ao "julgamento de Páris" e à Guerra de Troia.

Peleu e Tétis tiveram um filho, Aquiles, que, de fato, viria a ser mais poderoso do que o pai. Tétis queria torná-lo imortal, por isso pôs-se a queimar a parte mortal herdada do pai, enfiando o bebê no fogo à noite e untando seu corpo com ambrosia durante o dia. Infelizmente, uma noite Tétis foi interrompida por Peleu. O pai, da criança gritou, horrorizado, ao ver o que a esposa estava fazendo, e ela, enraivecida pela interferência, abandonou o bebê e o marido e voltou a viver no mar com as outras nereidas. Uma história diferente, mais tardia, contava que o bebê Aquiles foi mergulhado pela mãe nas águas do rio Styx, o que tornou o corpo do menino invulnerável, exceto no calcanhar pelo qual ela o segurava (o "calcanhar de Aquiles"). Uma única flechada naquele local seria, mais tarde, a causa de sua morte.

Na época devida, Peleu entregou Aquiles a Quíron para ser educado. O amável centauro que vivia na floresta do monte Pélion era exímio no uso do arco, bem como na medicina, na caça e nas artes, principalmente na música, e treinou o jovem sob sua responsabilidade em todas essas habilidades. Alimentado pelo tutor com a carne e as entranhas de leões e javalis selvagens, sob a justificativa de ter força e coragem estimuladas, o menino se tornou um jovem forte, belo e destemido, e tão rápido que era capaz de caçar veados sem a ajuda de cães — *podarkes Achilleus* é como Homero o chama, "Aquiles de pés ligeiros".

Apesar de ter abandonado seu lar na Tessalônica, Tétis nunca deixou de cuidar do filho. Com o passar do tempo, a deusa percebeu a iminência da Guerra de Troia e pressentiu que se Aquiles fosse lutar naquela guerra estaria predestinado a morrer. Decidida a fazer todo o possível para evitar tal destino, a mãe o vestiu como uma jovem e mandou-o viver entre as mulheres da corte de Licomedes, na ilha de Ésquiros.

O ardil acabou por ser descoberto e, quando chegou a hora, Odisseu foi a Ésquiros, revelou o disfarce de Aquiles e o recrutou para o exército grego. Na verdade, Aquiles ansiava por participar daquela guerra e, sem se importar com seu trágico destino, partiu levando consigo alguns dos esplêndidos objetos dados a Peleu como presentes de casamento: uma belíssima armadura; uma resistente lança dada por Quíron, polida por Atena e com a ponta feita por Hefesto; e os imortais corcéis Xanto e Bálio, presentes de Poseidon, deus dos cavalos. Assim, Aquiles viria a se tornar não apenas um herói mais glorioso do que seu pai, mas também o maior guerreiro que lutou em Troia.

O julgamento de Páris

Quando Éris lançou o pomo de ouro com a inscrição "Para a mais bela" entre os convidados da festa de casamento de Peleu e Tétis, três deusas o reivindicaram: Hera, esposa de Zeus e rainha do céu, Atena, deusa da guerra, e Afrodite, deusa do amor. Como nenhuma das três estava disposta a ceder, Zeus mandou que Hermes levasse-as ao monte Ida. Lá, Páris cuidava de seu rebanho e, por ordens do deus, deveria conceder o pomo à mais bela. As três deusas tentaram suborná-lo: Hera prometeu-lhe poder imperial, Atena, vitória nas batalhas, e Afrodite, o amor da mais bela mulher do mundo, Helena de Esparta. Páris escolheu Afrodite.

Nossas fontes mais antigas oferecem poucos detalhes sobre esse concurso de beleza. Homero faz breve referência ao evento quando diz (*Ilíada* 24.27-30) que Hera, Atena e Poseidon eram irredutíveis em seu ódio a Troia e aos troianos "por causa da cega insensatez de Alexandre (Páris), que ofendeu as deusas (i.e., Hera e Atena) ao preferir aquela que lhe ofereceu o triste amor carnal" (Afrodite, obviamente). A referência pode parecer um tanto obscura, mas não temos motivo para duvidar de que se refere à conhecida história do julgamento de Páris, principalmente se considerarmos a implacável hostilidade de Hera e Atena em relação a Troia em todo o desenrolar da *Ilíada*, em contraste com o afeto de Afrodite pelos troianos e seu continuado interesse na relação amorosa entre Páris e Helena.

A competição foi também descrita nos *Cantos cíprios*, segundo a síntese do poema feita por Proclo:

> Éris chega quando os deuses estão se banqueteando no casamento de Peleu e provoca uma disputa entre Hera, Atena e Afrodite pelo título de mais bela. As três são levadas por Hermes, a mando de Zeus, até Alexandre no monte Ida, para que ele decida, e, levado pela promessa de casar-se com Helena, Alexandre decide a favor de Afrodite.

Fragmentos do poema contam que Afrodite se preparou para o concurso usando vestes perfumadas feitas pelas graças e pelas estações, e tingidas com flores da primavera — açafrões, jacintos, violetas, rosas, narcisos-dos-prados e lírios. Na cabeça, usava uma coroa feita de flores perfumadas.

Essas referências mais antigas são bastante concisas, e é somente na tragédia do século V que toda a história se torna um tema familiar, como em *As troianas*, de Eurípides (924-32), em que Helena diz:

> Páris julgou o grupo das três deusas. O presente de Atena a Alexandre seria a vitória sobre a Grécia à frente do exército troiano. Hera prometeu que, se decidisse a seu favor, seria rei de toda a Ásia até os confins mais remotos da Europa. Afrodite elogiou minha beleza e prometeu-lhe que eu seria dele se ela brilhasse mais do que as outras deusas no concurso de beleza. O resultado não poderia ser outro: Afrodite venceu.

Foi assim que Páris escolheu Afrodite como a mais bela e lhe entregou o pomo de ouro. O destino do responsável pela decisão — juntamente com o de Troia — estava selado. O "julgamento de Páris" sempre foi uma poderosa fonte de inspiração para a literatura e para a arte, mas talvez as mais pungentes representações dessa história sejam as encontradas em algumas das mais antigas pinturas de vasos, nas quais Páris é mostrado quando tentava fugir, assustado, ante a chegada das deusas. E deveria mesmo ter fugido, porque a guerra que resultou de sua escolha viria a destruir sua cidade, causar a morte de sua família e, por fim, a dele próprio.

Prelúdio à guerra

O sucesso de Páris com Helena estava agora assegurado pela promessa da toda poderosa deusa do amor. Naturalmente ele estava ansioso para receber seu prêmio — e estava apto a fazer isso em sua nova condição de príncipe de Troia. O resumo dos *Cantos cíprios* citado continua e conta que, para levá-lo à Grécia, novos barcos foram construídos. Cassandra e Heleno previram o futuro desastroso e tentaram dissuadi--lo, mas Páris não lhes deu atenção e, assim que possível, partiu para o Peloponeso.

A essa altura Menelau e Helena já estavam casados havia muitos anos e sua filha Hermíone tinha nove anos de idade. Menelau deu boas-vindas a Paris e o recebeu com grande hospitalidade. O recém-chegado, por sua vez, deu ricos presentes a Helena, esperando a hora de agir. Durante nove dias a visita decorreu tranquilamente, mas no décimo dia Menelau viajou para Creta a fim de enterrar seu avô, Catreu. Ao partir, disse a Helena que cuidasse do bem-estar do visitante e que não deixasse nada lhe faltar. Essa foi a oportunidade esperada. Páris cortejou Helena, que, influenciada por Afrodite, não tardou a se apaixonar. Os dois se deitaram juntos, consumaram seu amor, deixaram Esparta e partiram no meio da noite, os barcos de Páris carregados de tesouros do palácio. Em Troia, Helena foi aceita como a esposa escolhida por Páris e o casal celebrou formalmente seu matrimônio.

Quando Menelau voltou para casa e descobriu que sua filha havia fugido com o hóspede troiano, foi imediatamente pedir ajuda a Agamêmnon. Os irmãos mandaram mensageiros por toda a Grécia, lembrando aos antigos pretendentes de Helena a promessa que cada um havia feito de defender os direitos maritais de Menelau e convocando-os para a guerra. Dessa maneira um enorme exército foi reunido para recuperar Helena à força, e cada um dos ex-pretendentes liderou um contingente de navios e guerreiros. Agamêmnon, que levou o maior grupo, de cem navios, era o comandante supremo da expedição.

Nem todos foram de boa vontade. Odisseu àquela altura estava casado com Penélope e tinha um filho bebê, Telêmaco. Por isso o rei da ilha de Ítaca relutou muito em ir para aquela guerra, principalmente depois de saber por um vidente que se fosse para Troia só retornaria vinte anos mais tarde, e após muito sofrimento. Quando o enviado de Agamêmnon foi recrutá-lo, Odisseu fingiu que enlouquecera, e foi encontrado por Palamedes usando um gorro de louco e arando a terra com dois tipos diferentes de animais no mesmo arado — um cavalo e um boi, ou um boi e um asno — e semeando a terra com sal, em vez de sementes. Mas Palamedes, que era famoso por toda a Grécia por sua inteligência, logo percebeu que Odisseu estava fingindo. Para provar que o homem estava são, o enviado ameaçou o pequeno Telêmaco com uma espada (ou teria colocado o bebê na frente do arado). Odisseu imediatamente saltou para salvar o filho, demonstrando que nada tinha de louco. Viu-se então obrigado a ir para a guerra. Mas jamais perdoou Palamedes, por forçá-lo a deixar sua família e sua amada Ítaca, e mais tarde se vingou.

Depois de aceitar seu destino, Odisseu ajudou a recrutar outros líderes. Sua tarefa foi buscar Aquiles na corte de Nicomedes e Ésquiros, onde, como vimos, Aquiles se fazia passar por uma jovem devido aos receios de sua mãe. O astuto Odisseu usou de uma artimanha para fazer que Aquiles revelasse, sem querer, sua identidade. Ao chegar ao palácio, exibiu uma coleção de presentes, objetos de uso feminino misturados com armas militares. As mulheres imediatamente pegaram os presentes femininos, e Aquiles se traiu ao escolher as armas. Em outra versão, ele foi inteligente demais para cair nessa armadilha e escolheu objetos de uso feminino, como as mulheres. Odisseu, não menos esperto, ordenou que uma trompa tocasse o aviso de um ataque iminente, e Aquiles, pensando se tratar de um inimigo que se aproximava, imediatamente despiu as roupas femininas e pegou escudo e lança. De qualquer modo, seu disfarce acabou. O jovem então foi impacientemente para a guerra, acompanhado de seu querido camarada Pátroclo e liderando seus homens, os mirmidões — e deixando para trás, em Ésquiros, seu filho Neoptólemo (também chamado de Pirro, "Ruivo"), nascido da filha de Licomedes, Deidamia.

Outro importante guerreiro na ofensiva contra Troia foi Ájax, filho de Télamon e rei da Salamina, homem gigantesco, de força e coragem imensas, cujo escudo mais parecia uma torre, feito com o couro de sete bois e recoberto de bronze. Sua fama só era inferior à de Aquiles, e Homero o chama de "o baluarte dos gregos" (*Ilíada* 3.229). Ájax levou para a guerra doze naus e foi acompanhado de seu meio-irmão Teucro, exímio arqueiro, filho de Télamon e de sua concubina Hesíone. Ájax era conhecido como o Grande Ájax, para distingui-lo de seu xará, o Pequeno Ájax, filho de Oileu e rei de Lócrida, na Grécia central. O Pequeno Ájax liderou um contingente de quarenta naus com guerreiros que usavam armamento leve, como arco e seta, em vez de armamento pesado. Pequeno e ágil, era, fisicamente, o oposto do outro Ájax. Além de exímio no uso da lança e famoso por sua capacidade de perseguir o inimigo em fuga, diferia muito também no caráter, pois era arrogante, brigão e ímpio. Assim, apesar das qualidades de guerreiro, não era apreciado por seus camaradas. O Pequeno Ájax costumava lutar ao lado do Grande Ájax, e Homero se refere aos dois juntos como os *Aiantes* (Ájaxes).

Outro excelente guerreiro era Diomedes, filho de Tideu e rei de Argos, que havia participado do vitorioso ataque dos epígonos a Tebas, quando os filhos dos sete marcharam sobre a cidade para vingar a morte de seus pais. Diomedes comandou oitenta naus que partiram de Argos, tendo como subordinados Estênelo e Euríalo.

O velho Nestor, rei de Pilos, partiu do sudoeste do Peloponeso com noventa naus, acompanhado de seus filhos Antíloco e Trasímedes. De idade bastante avançada àquela altura, era de longe, o mais velho dos chefes gregos e respeitado não só por ainda ser um valente guerreiro, mas, acima de tudo, por seus sábios conselhos — que estava sempre pronto a dar, em qualquer ocasião, e que costumavam ser exaustivos. "De sua língua fluíam palavras mais doces do que o mel", diz Homero (*Ilíada* 1.249). Nestor também gostava de contar infindáveis histórias de seu passado distante e de seus feitos de antigamente, e, por mais arrastadas que fossem essas histórias, seus companheiros sempre o ouviam com afeto e respeito. "Pelo pai Zeus, e Atena e Apolo", diz Agamêmnon na *Ilíada* (2.371-4), "eu gostaria de ter dez conselheiros assim entre os gregos, pois a cidade de Príamo logo cairia em nossas mãos, cativa e saqueada".

Outro herói importante era filho do tio de Peleu, Menécio. Pátroclo foi o eterno companheiro de Aquiles, e os dois meninos haviam crescido juntos na casa de Peleu, na Ftia. Quando os jovens foram juntos para a Guerra de Troia, Aquiles tentou consolar Menécio pela partida dizendo que levaria o amigo Pátroclo de volta coberto de glória (18.324-8). "Uma promessa vã", diz Homero. Os conselhos que Menécio deu a Pátroclo nessa ocasião lançam alguma luz sobre a natureza do relacionamento entre os dois camaradas (11.786-9): "Meu filho, Aquiles tem origem mais nobre do que a tua, mas tu és o mais velho; e ainda, em força, ele de longe te supera. Deves dizer-lhe palavras sábias, aconselhá-lo e guiá-lo bem." No entanto, foi um conselho de Pátroclo ao amigo que causaria a própria morte e, em consequência, a morte de Aquiles também.

Esses guerreiros e muitos outros reuniram suas naus e seus homens na costa leste da Grécia, em Áulis, na Beócia. O catálogo das naus e de líderes de Homero na *Ilíada* (2.494-759) registra uma frota com 29 contingentes totalizando 1.186 naus, com 44 líderes oriundos de 175 cidades e outros locais. O total seria, segundo uma estimativa plausível, de cerca de 100.000 homens.

Em Áulis, enquanto o grupo oferecia sacrifícios aos deuses para obter o favor divino para a expedição, um grande portento ocorreu. Uma cobra deslizou do altar de sacrifícios, "uma terrível serpente com o dorso vermelho-sangue, criatura que o próprio Zeus deu à luz", diz Homero (*Ilíada* 2.308-9). A criatura subiu rapidamente até o galho mais alto de um plátano, onde devorou oito filhotes de pardal em um ninho. A mãe pardal, ao ouvir os terríveis piados de seus filhos, ficou batendo as asas à sua volta, aflita, até que a serpente a pegou pela asa e a devorou também. No mesmo instante a serpente foi transformada por Zeus em pedra, e Calcas, o vidente que acompanhava a expedição a Troia, interpretou o portento: a guerra prestes a iniciar duraria nove anos, e no décimo Troia seria capturada.

Então a grande frota partiu.

A primeira tentativa de chegar a Troia

Os gregos não sabiam qual era a localização exata de Troia, e depois de atravessar o Egeu desembarcaram longe demais, ao sul, na vizinha Mísia. Acreditando estar em Troia, os recém-chegados puseram-se a saquear a terra. Os mísios os atacaram, chefiados por Télefo, seu rei, e os obrigaram a voltar para seus barcos, matando muitos dos invasores

O próprio Télefo matou Tersandro de Tebas, filho de Polinices e líder do contingente dos beócios, mas foi logo posto em fuga por Aquiles. Ao fugir, Télefo prendeu o pé em um emaranhado de galhos e caiu. Aquiles então perfurou sua coxa com a lança.

Os gregos logo se deram conta do engano e, como não tinham por que lutar com os mísios, lançaram-se novamente ao mar. Infelizmente uma violenta tempestade dispersou a frota e os barcos tiveram que voltar separadamente para a Grécia, a fim de reunir novamente e preparar uma segunda expedição. Nesse ínterim, o ferimento de Télefo recusava-se a sarar. Por fim, um oráculo informou que só seria curado pela arma que o causara, e então o rei da Mísia embarcou para a Grécia a fim de pedir ajuda a Aquiles.

Télefo encontrou Aquiles em Argos, onde os gregos estavam reagrupando as forças. Em uma famosa cena de *Télefo*, tragédia perdida de Eurípides (rica fonte de comédias para o dramaturgo Aristófanes e deliciosamente parodiada em sua *As mulheres nas Tesmofórias*), o protagonista da peça chegou à Grécia disfarçado de mendigo, em andrajos. Para conseguir o que queria, tomou Orestes, o filho pequeno de Agamêmnon, como refém, ameaçando matá-lo se os gregos lhe recusassem ajuda e prometendo mostrar-lhes o caminho para Troia se Aquiles fosse curado de acordo com o que dissera o oráculo. Aquiles não sabia o que fazer, até que Odisseu chamou sua atenção para o fato de o oráculo se referir à arma e não ao homem que a usara. Assim, Aquiles raspou um pouco da ferrugem de sua grande lança e a aplicou na ferida, e logo Télefo estava milagrosamente curado. Agora o mísio tinha condições de guiar os gregos até Troia.

A frota se reuniu em Áulis pela segunda vez, mas foi obrigada a lá permanecer por causa dos ventos, desfavoráveis, ou de calmaria. Calcas fez então uma segunda profecia: a deusa Ártemis estava irada e só se acalmaria com o sacrifício da filha virgem de Agamêmnon, Ifigênia. Em nossa fonte mais antiga, os *Cantos cíprios* (Homero não faz referência à morte de Ifigênia), o motivo da ira da deusa foi o fato de Agamêmnon ter flechado uma corça e se gabado de ser melhor caçador do que a própria Ártemis. Fontes posteriores dão outros motivos:

Agamêmnon teria descumprido a promessa de sacrificar à deusa a mais bela coisa nascida no ano em que Ifigênia nasceu — coisa essa que seria a própria menina (*Ifigênia em Táuris*, de Eurípides). Ou então Atreu, pai de Agamêmnon, teria descumprido a promessa de sacrificar a ela o mais belo animal de seu rebanho, um cordeiro com velo de ouro (Apolodoro). Qualquer que fosse o motivo da ira de Ártemis, a consequência era sempre a mesma: Ifigênia tinha que morrer.

E morreu. Agamêmnon a atraiu a Áulis com a promessa de que Aquiles a estaria esperando para se casarem. A jovem foi acompanhada da mãe, Clitemnestra. O resultado dessa trama é dramatizado de maneira comovente por Eurípides na *Ifigênia em Áulis*, na qual vemos o desespero de Agamêmnon ante a necessidade de matar a filha, a cólera de Clitemnestra ao saber do plano do marido e a bravura de Aquiles, decidido a salvar, a qualquer custo, a jovem amedrontada. Por fim, a própria Ifigênia resolve esse conflito dramático oferecendo-se, voluntariamente, em sacrifício e assegurando o sucesso da expedição. Ela diz ao pai (1552-60):

> Aqui estou porque me chamastes; mas é por vontade própria que ofereço meu corpo por minha terra natal e por toda a Grécia, para ser levada ao altar da deusa e lá sacrificada, se é esta a sua determinação. Que meu sacrifício possa se fazer próspero e vitorioso e que te traga de volta em segurança. Não deixes nenhum argivo pôr a mão em mim: silenciosa, inabalável, eu ofereço meu pescoço.

E assim foi — mas no momento crucial, quando a faca lhe descia sobre o pescoço, Ifigênia desapareceu e no altar, em seu lugar, surgiu uma corça agonizante. Na maioria das versões de sua morte, a começar pela dos *Cantos cíprios*, Ártemis substitui Ifigênia pela corça no altar de sacrifício e leva a jovem consigo para ser sua sacerdotisa em Táuris.

Mas na tragédia *Agamêmnon*, de Ésquilo, a história é outra. O coro descreve o angustiante sacrifício: Ifigênia é amordaçada, erguida e mantida na horizontal no altar para que seu pescoço seja oferecido à faca. Embora não possa falar, seus olhos suplicam por piedade. Mas não há substituição alguma, não há corça nem salvação miraculosa. Ifigênia é apenas uma menina que morre — e que assim se transforma em fonte de ressentimento e tristeza para sua mãe. Dez anos mais tarde, Clitemnestra vinga-se de Agamêmnon de maneira feroz e impiedosa, matando-o em seu retorno de Troia (p. 431).

Mas a vingança aconteceu bem depois. Por hora, Ifigênia foi sacrificada, os ventos passaram a soprar de maneira favorável e a frota partiu novamente para Troia, agora guiada por Télefo.

Os nove primeiros anos da guerra

Depois de atravessar em segurança o mar Egeu, os gregos aportaram em Tênedo, uma ilha perto de Troia onde Tenes era rei. O governante tinha sangue divino nas veias, pois seu pai Cicno, rei de Colonas, perto de Troia, era filho do deus marinho Poseidon — apesar de certas fontes dizerem que Tenes era filho de Apolo. Sua mãe foi a primeira esposa de Cicno, Procleia, filha de Laomedonte. Pai e filho tiveram sérios desentendimentos quando a segunda esposa de Cicno, Filonome, apaixonou-se pelo enteado Tenes e tentou seduzi-lo. Ao ser rejeitada, ela se vingou acusando Tenes de tentar conquistá-la. Apresentou até mesmo uma falsa testemunha, o flautista Eumolpo.

Cicno acreditou nas mentiras da esposa e colocou Tenes em uma arca, juntamente com sua irmã Hemiteia, e a lançou no mar. A arca foi parar em uma praia da ilha de Leucofres, e lá os dois irmãos se estabeleceram. Quando os habitantes da ilha o transformaram em rei, o lugar foi renomado como Tênedo, em sua homenagem.

Passado algum tempo, Cicno soube a verdade acerca da suposta sedução, e, como vingança, matou o flautista a pedradas e enterrou viva a esposa, partindo então para Tênedo a fim de pedir perdão ao filho. O ressentido Tenes não quis saber do pai e cortou com um machado a corda que prendia ao cais o barco que o levara. Cicno ficou à deriva pelo mar, como o próprio Tenes ficara.

Quando as naus gregas tentaram aportar em Tênedo, Tenes tentou impedir isso bombardeando-as com pedras. Aquiles tirou sua vida, apesar dos avisos de Tétis de que não o atingisse mortalmente por motivo algum, pois se o fizesse acabaria morto pelas mãos de Apolo. Uma profecia divina jamais deixa de se cumprir e, como veremos, Apolo viria a participar da morte de Aquiles.

Foi nesse ponto da expedição que Filoctetes, rei da Mália e chefe do contingente maliano de sete naus, foi abandonado por seus companheiros. O líder havia sido mordido no pé por uma cobra e a ferida, que não cicatrizava, tinha um odor insuportável de carne podre, o que o levava a dar gritos lancinantes e o fez ser deixado na ilha deserta de Lemnos. Mas Filoctetes era o guardião do grande arco de Héracles e de suas setas sempre certeiras, e dez anos mais tarde seus camaradas iriam precisar de sua presença em Troia para que a cidade fosse tomada. Nesse meio-tempo o rei da Mália se alimentou de pássaros e de animais selvagens.

Dessa vez os gregos conseguiram chegar a Troia, mas antes de se lançarem à guerra fizeram uma última tentativa de recuperar Helena por meios pacíficos. Menelau e Odisseu foram a Troia para pedir que ela fosse devolvida, juntamente com os tesouros que haviam sido roubados em sua fuga junto a Páris — mas a tentativa fracassou. Páris havia subornado alguns troianos para que se opusessem a qualquer pedido daquele tipo, e os mais agressivos do grupo até sugeriram que os gregos fossem mortos ali mesmo. Antenor, um dos anciãos troianos, interveio para salvá-los, e assim Menelau e Odisseu saíram de lá com vida — mas sem Helena. A guerra agora era inevitável, e o mais exaltado dos troianos, Antímaco, viveria para lamentar esse fato, pois todos os seus três filhos morreriam durante o combate.

Um oráculo havia predito que o primeiro guerreiro grego a tocar o solo troiano seria o primeiro a morrer, por isso todos os gregos hesitaram em desembarcar. Por fim Protesilau, chefe, com seu irmão Podarces, do contingente de quarenta naus de Fílace, tomou a iniciativa e saltou para a praia corajosamente. E matou muitos inimigos antes de ser morto por Heitor, filho mais velho de Príamo e chefe dos guerreiros troianos. Protesilau deixara na Grécia, diz Homero (*Ilíada* 2.700-701), uma casa inacabada e uma esposa com o rosto dilacerado pela tristeza.

Essa jovem esposa era Laodameia, que ficou inconsolável com a morte do marido. Ao verem seu grande sofrimento, os deuses se penalizaram, e Hermes levou Protesilau de volta à Terra para estar com a esposa por algumas horas, mas, quando retornava ao Hades, Laodameia se matou para acompanhá-lo. Na tragédia perdida de Eurípides *Protesilau*, os dois estavam casados havia apenas um dia no momento da convocação para a expedição a Troia. Ainda segundo essa fonte, é Protesilau quem, depois de morto, apela aos deuses para que lhe concedam apenas mais um dia com a jovem esposa; e nela também Laodameia se mata quando seu marido é levado para o Hades pela segunda vez.

Depois do assassinato de Protesilau, a luta foi ficando mais violenta, e muitos troianos foram mortos. Um dos aliados de Troia que tentaram se opor ao desembarque dos gregos foi Cicno, filho de Poseidon, e provavelmente o mesmo Cicno que era pai de Tenes. Poseidon havia tornado o corpo do filho invulnerável às armas humanas; por isso, quando Aquiles o atacou com lança e espada, as armas não tiveram efeito algum sobre ele. Por fim Aquiles o matou com uma pedrada na cabeça, ou, em outra versão, forçando-o a cair no chão e enforcando-o com as correias do próprio capacete.

Ao se darem conta de que não poderiam sair vitoriosos ante aquele enorme exército grego, principalmente por terem à frente o jovem e invencível Aquiles, os troianos se retiraram para a segurança de sua cidade. Os gregos se estabeleceram na planície troiana, e durante nove anos mantiveram Troia sitiada, atacando em pequenos combates ocasionais qualquer troiano que ousasse ultrapassar as maciças muralhas.

Como são escassas as nossas fontes, sabemos apenas de uns poucos eventos dignos de nota que ocorreram durante esses nove anos. Um deles foi a morte de Troilo, filho de Príamo e Hécuba. Dizia-se que Troia estava predestinada a jamais ser conquistada se Troilo chegasse à idade de vinte anos. Era inevitável, portanto, que os gregos resolvessem matá-lo. As referências são poucas na literatura que chegou até nós e nenhuma delas é explícita, mas dispomos de cenas de vasos que nos ajudam a obter detalhes, uma vez que a partir do século VII a.C. esse foi um dos temas favoritos da arte. Apesar das lacunas literárias, essa história era claramente muito popular.

Ao que parece, Aquiles ficou à espreita de Troilo do lado de fora da muralha até que surpreendeu-o e matou-o em um santuário consagrado a Apolo. Em *Troilo*, tragédia perdida de Sófocles, sabemos que o jovem estava exercitando seus cavalos perto do santuário de Apolo quando Aquiles o apanhou em uma emboscada. Troilo, como bom troiano, amava cavalos e, na única referência que Homero faz à sua história, Príamo simplesmente informa que seu filho está morto e o descreve como alguém que "amava cavalos" (*Ilíada* 24.257).

Nas pinturas podemos ver Aquiles à espreita junto à fonte onde a irmã de Troilo, Polixena, vai buscar água acompanhada do irmão, que, na maioria das vezes, está montado em um cavalo e puxando outro. Aquiles se lança sobre o rapaz, que foge a galope, e a jarra d'água cai no chão e se quebra enquanto Polixena também foge assustada. O ligeiro Aquiles corre mais do que o cavalo de Troilo e consegue alcançá-lo — em algumas representações, o jovem é retirado do cavalo pelos cabelos — para então matá-lo no altar de Apolo. Algumas cenas mostram Troilo sendo brutalmente decapitado, e muitas outras exibem o grande contraste entre o enorme guerreiro e o garoto pequeno e indefeso, pouco mais do que uma criança. Por fim, os troianos atacam Aquiles por cima do corpo mutilado do jovem. Talvez a morte de Troilo fosse necessária para que os gregos vencessem, mas esse assassinato parece ter sido particularmente brutal.

Outra morte — na verdade, outro assassinato — foi daquele que havia provocado a implacável inimizade de Odisseu ao forçá-lo a ir para a guerra. Em nossa versão mais antiga, a dos *Cantos cíprios*, Palamedes se afogou durante uma pescaria, e sua morte é, de alguma forma, causada por Odisseu e por Diomedes. Segundo uma história posterior e mais difundida, Odisseu escreveu uma carta falsa em nome de Príamo, prometendo uma grande quantia em ouro se Palamedes traísse seus companheiros gregos, e depois enterrou essa mesma quantia em ouro sob a tenda de sua vítima. A carta foi deixada em algum lugar do acampamento ou enviada a um prisioneiro troiano como isca. Logo Agamêmnon tomou conhecimento da mensagem, e, depois de descobrir o ouro escondido, entregou o aparente culpado ao exército para ser punido. O jovem então morreu apedrejado, como traidor.

O pai de Palamedes, Náuplio, jamais perdoou os gregos pela morte do filho. De acordo com *Palamedes*, tragédia perdida de Eurípides (parodiada, como *Télefo*, na comédia de Aristófanes *As mulheres que celebram as Tesmofórias*), foi o irmão de Palamedes, Éax, que também lutava em Troia, quem mandou a notícia da execução ao pai. Ele inscreveu a história em muitos remos e os jogou no mar, na esperança de que flutuassem até a Grécia. Por mais improvável que pareça, um desses remos foi parar na Eubeia, onde Náuplio o encontrou, leu o relato e jurou vingar a morte do filho. Anos depois, quando a frota grega retornava após a queda de Troia, o pai de Palamedes se vingaria atraindo muitos dos barcos para a destruição nas cruéis rochas do cabo Cafereu.

Nos nove anos durante os quais Troia esteve sitiada, os gregos fizeram muitas incursões na região e em algumas cidades e ilhas mais distantes, para obter alimentos e fazer saques. Em geral Aquiles chefiava esses ataques. Um deles foi contra Tebas Hipoplácia, uma cidadezinha perto de Troia. Esse ataque é mais conhecido do que os demais porque o rei de Tebas era Eécion, pai da esposa de Heitor, Andrômaca, que na *Ilíada* relata, ela mesma, o que aconteceu (6.414-24):

> Foi mesmo o divino Aquiles quem matou meu pai
> E saqueou a fortemente construída cidade dos silicianos,
> Tebas de gigantescos portões. Ele matou Eécion,
> mas honrando-o em seu coração deixou sua armadura:
> queimou-o em uma pira com seus esplêndidos paramentos de guerra
> e construiu para ele um túmulo. As ninfas da montanha,
> filhas de Zeus, portador do escudo, fizeram crescer olmos ao seu redor.
> E meus sete irmãos que viviam no palácio

> foram todos em um só dia para a morada de Hades,
> massacrados juntos pelo divino Aquiles de pés rápidos
> enquanto cuidavam de seus carneiros de lã branca e de seu gado
> [sonolento.

Os rebanhos de carneiros e bois certamente constituíram boa alimentação para o exército grego. A esposa de Eécion também foi aprisionada, e Aquiles a libertou em troca do pagamento de um resgate. Porém, com o marido e os sete filhos mortos, logo também morreu.

Lirnessos, perto de Troia, foi outra das cidades saqueadas — importante porque, como parte do espólio, Aquiles recebeu a bela escrava Briseida, que nos remete à *Ilíada* de Homero, a qual ilumina com brilho o décimo e último ano da guerra.

A ira de Aquiles no décimo ano

> Canta, musa, a ira do filho de Peleu, Aquiles,
> a amaldiçoada ira que tantas penas trouxe
> aos gregos, que lançou ao Hades as almas
> de tantos bravos heróis, e deixou seus cadáveres como repasto
> para os cães e para todas as aves...

Assim começa a *Ilíada*, cuja primeira palavra em grego é *menin*, "ira", a fúria de Aquiles que vai reverberar por toda a obra: a princípio é a ira contra Agamêmnon por uma ofensa à sua honra, e então — depois da morte de Pátroclo pelas mãos de Heitor — um ódio ainda maior pelos troianos em geral, Heitor em particular. Somente no final do poema, depois da morte de Heitor, esse ódio torna-se aceitação e compaixão, quando o velho Príamo vai ao acampamento grego e implora que o deixem levar o cadáver do filho.

Essa ira começa com uma violenta discussão entre Aquiles e Agamêmnon por causa de um espólio de guerra. Assim como Aquiles recebeu a cativa Briseida como recompensa, Agamêmnon foi premiado com Criseida, filha de Crises, sacerdote do deus Apolo. Desolado com a perda da filha, Crises levou presentes para Agamêmnon e implorou que lhe devolvesse a jovem. Agamêmnon, porém, com sua arrogância, expulsou o velho, ameaçando-o com violência. Na abertura da *Ilíada*, Apolo está irado pela maneira como seu sacerdote foi tratado e, descendo à terra, lança uma praga sobre o acampamento grego (1.44-53, esplêndida descrição desse impressionante deus em ação):

> Com cólera no coração ele desceu dos picos do Olimpo,
> levando nos ombros seu arco e sua aljava coberta,
> e as setas se entrechocavam nas espáduas do deus irado,
> a mover-se em fúria. Ele chegou ao cair da noite.
> Longe das naus, disparou uma seta,
> e terrível foi o som que saiu de seu arco de prata.
> Ele matou primeiro as mulas e os cães vadios,
> e então disparou suas setas penetrantes contra os homens,
> e as piras fúnebres arderam, densas, e continuaram a arder.
> Por nove dias as setas do deus caíram sobre o exército.

No décimo dia os gregos se reuniram em assembleia e o vidente Calcas explicou o motivo daquela praga e da ira de Apolo. Agamêmnon, relutante, concordou em devolver Criseida para apaziguar a cólera do deus, mas isso o deixaria sem sua parte do espólio, o que representaria perda de prestígio. De forma insensata, então, Agamêmnon diz que, como compensação, tomará para si o espólio de guerra de outro homem, quiçá do próprio Aquiles. Tomado de cólera, Aquiles reage a essa injustiça ameaçando deixar Troia e partir de volta para a Ftia com suas naus e seus homens. Agamêmnon, furioso, responde, então (1.177-86):

> As lutas sempre a ti foram tão caras, e as guerras e batalhas,
> e embora sejas forte, este é um dom dos deuses.
> Retorna a teu lar, então, com tuas naus e teus camaradas,
> para seres rei dos mirmidões. Teu destino não me importa,
> não me importa tua ira. Mas aqui está minha ameaça:

> já que Febo Apolo levou minha Criseida,
> (...) vou eu mesmo à tua tenda e levarei comigo
> a bela Briseida, teu prêmio, e assim saberás
> quão maior do que tu eu sou.

Aquiles amava Briseida profundamente: a jovem, a quem chamava de "amada esposa" (9.336) era sua prometida para o casamento (19.297-9). Quando Briseida é arrebatada por Agamêmnon, Aquiles diz: "todo homem ama a mulher que é sua, e dela cuida, assim como amo esta com todo o coração, apesar de tê-la conquistado com minha lança" (9.342-3). Mas o problema não era só esse: o prestígio heroico de um guerreiro baseava-se não apenas em feitos e palavras, mas também em suas posses visíveis e nos espólios conquistados, portanto Aquiles se sentiu desonrado pela perda de seu prêmio, além de triste com a perda da mulher amada.

O guerreiro reagiu recusando-se a lutar e declarou que Agamêmnon lamentaria a perda de seu melhor homem. "Juro que haverá um tempo em que um profundo desejo da presença de Aquiles será sentido pelos filhos dos aqueus (os gregos), e por cada um de vós", exclama (1.240-44), "e nesse dia, para desalento de todos, nada poderão fazer quando forem muitos a cair mortos ante Heitor, matador de homens. Nesse dia comerão os próprios corações de ódio por não terem honrado o melhor dos aqueus".

Ele se retira da luta, levando consigo seus mirmidões e seu camarada Pátroclo, e vai para sua tenda. Quando Briseida é levada, Aquiles vai até a beira do mar e chora. Sua mãe, Tétis, ouve seu pranto e sai das profundezas do oceano para consolá-lo. A deusa concorda em interceder pelo filho junto a Zeus, pedindo que assegure o sucesso dos troianos em sua ausência, para que os gregos sintam a falta de seu supremo guerreiro. O grande deus promete atendê-la (1.528-30):

> O filho de Crono falou, e acenou com as escuras sobrancelhas,
> e os divinos cachos balançaram na cabeça do rei imortal,
> e o grande Olimpo tremeu.

Assim, ficamos sabendo que logo a maré da batalha se voltou a favor dos troianos — embora isso não tenha acontecido imediatamente.

Os gregos reúnem suas forças e marcham com todo o seu poder bélico em direção a Troia, atravessando os prados do rio Escamandro (1.455-8):

> Como num devastador incêndio na grande floresta
> no alto da montanha a chama se vê de longe,
> assim era o brilho ofuscante de seu esplêndido bronze, enquanto
> [marchavam,
> o lampejo ofuscante atravessava o ar em direção ao céu.

Ao se dar conta do ataque iminente, os troianos, liderados por Heitor, se reúnem em uma colina fora dos muros de Troia. Mas, antes que os exércitos comecem a guerrear, Páris se oferece para um combate corpo a corpo com qualquer um dos gregos. Menelau aceita o desafio (o que deixa Páris consternado), e os líderes concordam com uma trégua enquanto os dois duelam. O vencedor ficaria com Helena e, sem maiores discussões, a guerra acabaria.

Ao longo de toda a *Ilíada*, Páris aparece como uma figura atraente que circula pelo campo de batalha com o coração leve, trajando uma pele de leopardo, mas seu sisudo irmão Heitor não aprova isso e o cobre de censuras (3.39-55):

> Mau Páris, belo, enganador de loucas mulheres,
> melhor seria que nunca tivesse nascido, ou que morresse solteiro.
> Em verdade, eu queria que assim fosse. Bem melhor
> do que ser uma desgraça e um motivo de escárnio.
> Certamente riem-se agora, e alto, os aqueus de longos cabelos,
> dizendo que és nosso melhor guerreiro por tua beleza,
> enquanto não há força alguma ou bravura em teu coração (...)
> E tu não te posicionarias contra o bravo Menelau?
> Aprenderias que tipo de homem é ele, cuja bela
> esposa tu tomaste. De nada te valerá agora a lira,
> tampouco as dádivas de Afrodite, tampouco teus longos cabelos,
> tampouco tua beleza, quando estiveres caído na poeira.

Páris, no entanto, longe de ser o libertino covarde que essas linhas poderiam sugerir, enfrenta Heitor: "Não me culpes pelas belas dádivas da dourada Afrodite", responde. "Os gloriosos presentes dos deuses jamais devem ser desprezados, ainda que um homem não os aceite por escolha própria." E certamente não faltava coragem a Páris, que está ciente do risco a que se expõe ao se oferecer para lutar com qualquer um dos gregos. De fato, quando o duelo se dá, por pouco o guerreiro não é morto por Menelau, que o arrasta pelo elmo para a linha grega.

Nesse instante Afrodite entra em cena para salvar seu favorito, fazendo-o desaparecer do campo de batalha e deixando-o no quarto de dormir. A implacável deusa chama então Helena para junto de si, que a atende, a contragosto. A jovem recebe seu amante com palavras de desencanto (3.428-9): "Então voltaste da luta. Como eu desejaria que tivesses morrido lá, nas mãos de um homem mais forte, como costumava ser meu marido."

Helena, porém, ainda está sexualmente dominada por Páris, que lhe diz:

> Deitemos em nosso leito e busquemos o prazer no amor,
> pois nunca tanto como agora a paixão envolveu meu peito,
> nem mesmo quando te levei da bela Esparta,
> te levei para longe em minha nau marítima
> e me deitei contigo apaixonado em uma ilha rochosa.
> Nem mesmo ali te amei como agora,
> tampouco foi tão intenso o doce desejo que me dominou (3.441-6).

Helena nada mais diz e vai com ele para a cama. Essa foi, sem dúvida, uma das grandes histórias de amor de todos os tempos, e Helena tem razão quando diz que os dois seriam, "em tempos por vir, tema das canções de futuras gerações" (6.357-8).

Os gregos estavam certos de que Menelau saíra vitorioso do duelo e puseram-se a gritar que devolvessem Helena, mas, antes que os troianos respondessem, a trégua foi quebrada. Inspirado pela deusa

Atena, que queria a continuação da guerra até a total destruição da odiada Troia, Pândaro, aliado dos troianos, dispara uma seta contra Menelau. A ponta afiada o fere superficialmente, o sangue escorre e isso é o suficiente para que os gregos peguem rapidamente suas armas e ataquem os troianos. Vemos então o grande guerreiro Diomedes em ação triunfante, inspirado pela própria Atena (5.2-8):

> Ela lhe deu força e coragem, para ser conspícuo
> entre os gregos e conquistar a glória por sua bravura.
> Ela fez as chamas do destemor arderem em seu escudo
> e seu elmo, como a estrela do outono que, mais do que todas as estrelas,
> ascende brilhante após se banhar no rio Oceano:
> assim era o fogo que ela fez fulgurar de sua cabeça e de seus ombros,
> incitando-o no meio do tropel de batalha.

Diomedes provoca destruição na linha de batalha troiana (5.87-94):

> Ele ataca furiosamente, atravessando a planície, qual uma devastadora
> torrente de inverno que arrasta diques
> e as muralhas e os vinhedos carregados de frutos não o detêm,
> ou controlam a súbita enchente quando a chuva de Zeus
> cai pesada, e muitas são as belas obras dos homens
> que caem diante da destruição. Assim foi que batalhões
> de troianos foram dispersos por Diomedes, e embora
> fossem muitos não puderam resistir a ele.

Diomedes leva uma flechada de Pândaro no ombro, mas só se afasta o tempo suficiente para que seu camarada Estênelo arranque a seta, e então volta à luta com força e ânimo redobrados (5.135-43):

> Seu coração havia se enchido de fúria para atacar os troianos,
> mas agora uma fúria triplicada o dominava, como a de um leão
> que um pastor, para proteger suas ovelhas felpudas,
> feriu enquanto saltava a cerca, sem, porém,
> matá-lo, mas só fez incitar a força da fera,

e já pode proteger suas ovelhas, mas o leão entra
na cerca e as ovelhas desamparadas fogem com medo,
e caem esparramadas, amontoadas umas sobre as outras. É então que,
em fúria, ele salta novamente a cerca, para fora do terreno profundo:
assim foi a fúria do poderoso Diomedes contra os troianos.

Diomedes não só mata muitos troianos, inclusive o homem que o feriu, Pândaro, como também enfrenta até mesmo os deuses. Quando Afrodite vai em socorro de seu filho Eneias, atingido por uma grande pedra, é ferida no pulso por Diomedes, e foge para o Olimpo. Apolo assume a proteção de Eneias, e por três vezes Diomedes avança e se lança para matá-lo, mas o deus o combate com seu escudo reluzente. Quando, pela quarta vez, Diomedes ataca como se fosse mais do que humano, Apolo ordena que desista e é obedecido. Mais tarde ele encontra o deus da guerra, Ares, no campo de batalha, a desnudar um cadáver. Novamente, com a ajuda de Atena, Diomedes se lança contra um deus e o fere na barriga. Os gritos de Ares são como os de nove ou dez mil homens no campo de batalha, e também esse deus, tomado de dor, foge para o Olimpo.

Até aqui, graças em grande parte ao tremendo ataque de Diomedes, os gregos estão em vantagem. Começam novamente a avançar sobre Troia, e Heitor, aflito, retorna à cidade e pede às mulheres que orem para que os deuses os ajudem. Sua mãe, Hécuba, e sua irmã, Laódice, levam uma bela túnica para oferecer a Atena em seu templo, e a sacerdotisa Teano, esposa do ancião troiano Antenor, suplica à deusa que salve Troia. "Mas Palas Atena rejeitou sua oração", diz Homero (6.311). As mulheres, porém, nada sabem sobre a reação de Atena e têm esperanças de que tudo termine bem.

No campo de batalha, Heitor é o maior dos heróis troianos — até mesmo o poderoso Diomedes se intimida ante a aproximação dele e se afasta. Agora vemos Heitor com sua família em Troia — um homem nobre, terno e bom. À procura de sua mulher, Andrômaca, encontra-a junto à muralha da cidade com Escamandro, filho do casal (o nome do principal rio da planície troiana), também chamado de Astíanax ("Senhor da cidade"), "uma criancinha apenas, um bebê, o filho amado de Heitor, adorável como uma estrela brilhante". Andrômaca expressa seus temores pela vida do marido e lhe suplica que não se arrisque a morrer no campo de batalha; que fique em Troia, protegido pelos muros da cidade. A resposta demonstra a honradez e o sentido de dever que o mantêm lutando, ainda que aquela lhe pareça uma guerra perdida (6.441-9):

> Eu me veria envergonhado diante dos cidadãos de Troia
> e das mulheres viúvas troianas, com suas longas túnicas,
> se como um covarde me afastasse da luta.
> Meu espírito não mo permitirá, pois aprendi
> a sempre ser bravo e lutar à frente da tropa,
> conquistando grande glória para mim e para meu pai.
> Porém, bem sei, na mente e no coração:
> o dia virá em que a sagrada Ilion perecerá,
> e Príamo, da temida lança, e o povo de Príamo.

Segue-se então uma das cenas mais famosas da literatura antiga, quando o pequeno Astíanax chora, com medo do assustador elmo de seu pai (6.466-74):

> O glorioso Heitor estende os braços para o filho,
> Mas o infante se encolhe chorando contra os seios
> da jovem aia, temendo a figura do pai,
> assustado com o elmo de bronze e a crina de cavalo
> que viu a balançar mortalmente no cume do capacete.
> Ri-se o pai com ternura, ri-se a bela mãe,
> e de uma vez o glorioso Heitor tira da cabeça
> o elmo, e o coloca, reluzente, no chão,
> e beija o filho, e o embala em seus poderosos braços.

Heitor ora pelo destino de seu filhinho (6.476-81):

> Zeus e vós, todos os outros deuses, permiti que meu filho
> seja como eu, preeminente entre os troianos,
> tão forte e valente quanto eu, um poderoso rei de Troia.
> E que todos digam, quando ele retornar dos combates,
> "Ele é muito melhor do que o pai." E que ele mate
> seu inimigo, e traga para casa os sangrentos espólios,
> e que traga júbilo ao coração da mãe.

Mas sua prece não será atendida, pois Heitor será morto por Aquiles, Troia cairá e Astíanax será assassinado pelos gregos.

Antes de voltar para o campo de batalha, Heitor assegura a Andrômaca que não será derrotado, mas, assim que ele se vai, ainda temendo pelo marido ela e as aias põem-se a chorar como se ele já estivesse morto. Heitor se encontra com Páris nos portões de Troia e os dois deixam a paz da cidade e retornam ao teatro da guerra. Páris está ansioso por lutar (6.506-14):

> Assim como um cavalo, abrigado no estábulo e com trigo na manjedoura,
> rompe a corda que o prende e sai a galope pelo campo
> para onde gosta de se banhar na água fresca do riacho,
> exultante. Ele mantém a cabeça erguida e a crina
> a esvoaçar sobre os ombros; ciente de seu esplendor,
> galopa sobre os velozes joelhos para seu amado pasto;
> assim também chegou Páris, filho de Príamo, de sua alta cidadela,
> brilhando em sua armadura reluzente como o sol brilhante,
> rindo alto enquanto os pés ligeiros o conduziam.

Os irmãos conversam sobre o dia feliz em que a guerra estará terminada e os gregos terão sido expulsos de Troia. Nenhum dos dois viverá para saber que esse dia nunca chegará.

Faz-se uma nova trégua temporária quando Heitor se oferece para lutar em combate singular com qualquer herói grego. A princípio todos os gregos hesitam em aceitar o desafio. Menelau então se apresenta, mas Agamêmnon o dissuade, alertando que certamente seria morto. Por fim, Nestor consegue, com histórias de suas próprias façanhas e glórias da juventude, que nove guerreiros se prontifiquem a lutar com Heitor. Tiram então a sorte para ver qual deles irá, e o Grande Ájax é o sorteado.

Heitor e Ájax se equivalem na luta e seu duelo é inconclusivo: eles lutam com lanças, depois com pedras e, no instante em que puxam suas espadas, os arautos suspendem a luta porque começa a cair a noite. Os combatentes se separam amigavelmente e trocam presentes: Heitor dá uma espada a Ájax e recebe um cinturão de espada. Durante a noite os dois exércitos recolhem os mortos e os cremam. Os gregos, a conselho do velho Nestor, começam a fortificar seu campo com uma barreira de terra e profundas valas com estacas.

Quando a luta recomeça, ao raiar do dia, Zeus finalmente dá a vantagem ao exército troiano. Isso se deve em grande parte à liderança do invencível Heitor, que circula como um tufão pelo campo de batalha em seu carro puxado por quatro cavalos, provocando os gregos, ameaçando queimar-lhes os barcos e, aos gritos, incitando seus quatro cavalos — Xanto, Podarge, Eton e Lampo (Castanho, Pés Brancos, Brasa e Brilhante). Os oponentes são forçados a recuar para seus barcos e, quando a noite cai, os troianos podem acampar na planície pela primeira vez desde que os invasores lá desembarcaram, nove anos antes. Suas fogueiras acesas brilham como estrelas (8.555-65):

> Assim como no céu as estrelas ao redor da lua
> brilham em seu esplendor, quando o ar se queda imóvel
> e os picos das montanhas estão iluminados, e os altos promontórios
> e os bosques densos, o ar cristalino e infindo
> se derrama do alto do céu, e todas as estrelas cintilam claras
> para alegrar o coração do pastor; tantas eram também,
> entre as naus e as correntes revoltas do Xanto,
> as fogueiras troianas diante das muralhas de Troia.

> Mil fogueiras ardiam na planície,
> e junto a cada uma sentavam-se cinquenta homens.
> E seus cavalos, a mastigar aveia e cevada nova,
> aguardavam, cada um ao lado do seu coche, a chegada da aurora.

Os gregos agora estão presos atrás de suas defesas e têm medo. A essa altura Agamêmnon sente, de fato, a falta de seu melhor guerreiro, exatamente como Aquiles previra. Reúnem-se em conselho e, por insistência de Nestor e de outros líderes, Agamêmnon concorda em tentar uma reconciliação. Prometerá devolver Briseida a Aquiles, jurando solenemente jamais se ter deitado com a jovem, e oferecerá a muitos outros finos presentes: sete tripés, dez talentos de ouro, vinte caldeirões reluzentes, doze cavalos premiados e sete mulheres de Lesbos, todas lindas e hábeis. E haverá ainda mais presentes se Troia for conquistada, inclusive doze troianas e até mesmo a mão de uma de suas filhas em casamento, com um grande dote e um reino com sete ricas cidades. Três homens — Odisseu, o Grande Ájax e o velho Fênix, que havia sido preceptor do menino Aquiles — são encarregados de ir à tenda do herói a fim de lhe apresentar a oferta de Agamêmnon para que volte a lutar.

Encontram Aquiles tocando sua lira e cantando, enquanto Pátroclo o ouve. Pátroclo, vulnerável e compassivo, é um dos personagens mais simpáticos da *Ilíada*. Todos que se referem ao seu nome falam de sua bondade, de sua ternura, de sua gentileza. Depois de sua morte, Briseida dirá: "Choro tua morte sem cessar, pois sempre foste bom" (19.300), e Menelau assim se referirá à sua gentileza: "Pobre Pátroclo, que foi gentil e soube ser bondoso com todos os homens enquanto viveu" (17.670-72). Em alguns autores tardios, como Ésquilo em sua tragédia perdida *Os mirmidões*, o laço de afeto entre Pátroclo e Aquiles seria visto como amor homossexual, mas não há nenhuma sugestão disso em Homero. Aqui suas relações sexuais são com mulheres, como em 9.663-8, quando ambos vão para a cama na tenda que compartilham, mas cada um com sua própria mulher. Em Homero seu amor recíproco é a profunda devoção entre dois amigos.

Aquiles recebe bem Odisseu, Ájax e Fênix, e lhes serve comida e bebida, mas recusa-se a voltar a lutar, mesmo quando ouve as dádivas que Agamêmnon oferece. Aquiles deixa claro todo o seu desencanto com aquela guerra (9.318-27):

> O destino é o mesmo para o homem que não vai à luta
> e aquele que na batalha dá tudo de si. A honra
> é a mesma para os covardes e para os bravos.
> A morte ainda chega para o homem que nada faz,
> bem como para aquele que faz muito. Eu nada ganho
> por muito sofrer e por sempre arriscar
> minha vida na guerra. Como um pássaro leva no bico
> para seus filhos implumes o que consegue capturar
> enquanto ele mesmo sofre, assim era eu enquanto passava
> muitas noites sem dormir, e gastava
> muitos dias sangrentos em batalhas (...)

Ainda cheio de ressentimento e com o orgulho ferido, ele rejeita os presentes oferecidos por Agamêmnon (9.378-87):

> Odiosos para mim são seus presentes. Seu valor para mim
> não é mais do que o de um graveto. Ainda que ele me desse
> dez vezes ou vinte vezes mais
> do que agora, e oferecesse mais ainda (...)
> nem mesmo se fossem os presentes tão numerosos quanto grãos de areia,
> nem mesmo assim me convenceria Agamêmnon,
> até que ele tenha pago o preço total do ultraje
> que me impôs, enchendo de dor meu coração.

Aquiles diz que Tétis, sua mãe, lhe contara que poderia escolher entre dois destinos: uma longa vida obscura em sua terra natal, ou a morte em Troia e a eterna glória. E sua decisão era a de voltar imediatamente para casa, porque sua vida vale mais do que toda a riqueza de Troia.

    O velho Fênix tenta então convencê-lo com apelos lacrimosos e veementes, lembrando-lhe os tempos passados, quando amava

Aquiles como a um filho. Com isso consegue persuadi-lo a não ser tão precipitado e decidir pela manhã se embarcará de volta para casa ou se ficará em Troia. Ájax apela para que fique, lembrando a antiga camaradagem entre eles. Aquiles cede um pouco mais e, por fim, diz que ficará em Troia, mas que só voltará ao campo de batalha se os troianos atacarem suas tendas e seus navios. Assim a decisão de não mais participar da guerra torna-se menos inflexível pela insistência dos amigos, mas o orgulho de Aquiles e sua honra ultrajada não lhe permitem ceder o suficiente para evitar a tragédia. O preço a pagar será doloroso.

Durante a noite, Heitor envia um espião troiano, Dólon, para fazer um reconhecimento do acampamento grego. Homero descreve Dólon como "feio, porém ligeiro, e o único varão entre cinco irmãs" (910.316-17) — esse comentário depreciativo parece sugerir que o rapaz era efeminado. Dólon é certamente ganancioso, pois não aceita a missão por patriotismo, mas pela recompensa que Heitor lhe promete: a carruagem e os cavalos imortais de Aquiles. Dólon usa como camuflagem uma pele de lobo e um gorro de pele de doninha, que talvez simbolizem seu caráter pouco atraente, pois esses animais tinham má reputação na Antiguidade.

Dólon se esgueira pelas terras escuras entre os dois acampamentos e é quase imediatamente capturado por Odisseu e Diomedes, que haviam partido em expedição semelhante para espionar os troianos. Tremendo de pavor, Dólon lhes promete um rico resgate se o soltarem e em seguida conta tudo que sabe sobre o acampamento dos troianos e a posição de seus aliados, esperando com isso salvar sua vida. O espião até chama a atenção dos dois para um novo contingente de aliados que acabava de chegar da Trácia, naquela hora dormindo para descansar. Fala-lhes, em especial, dos magníficos cavalos de seu líder, Reso: "São os mais belos cavalos que já vi", diz, "e os maiores. São mais brancos do que a neve e correm com a velocidade do vento" (10.436-70). Mas essa traição a seus camaradas de nada lhe vale, pois, enquanto Dólon suplica por sua vida, Diomedes corta-lhe a cabeça e ela cai no chão ainda falando.

Com o troiano fora do caminho, Diomedes mata treze trácios adormecidos, inclusive o próprio Reso, enquanto Odisseu se apossa de seus esplêndidos cavalos. Os dois então voltam em segurança para o acampamento com seu butim e esse pequeno triunfo anima o espírito dos gregos.

No dia seguinte, os exércitos se defrontam na maior batalha daquela guerra até então. Vários líderes gregos são feridos e postos fora de combate, inclusive Agamêmnon, Odisseu e Diomedes. Aquiles, que tudo observava da proa de um de seus barcos ancorados na praia, vê Nestor carregando um dos feridos e envia Pátroclo para descobrir quem era o aliado resgatado. "E aqui", diz Homero, "começa sua tragédia" (11.603), porque Nestor suplica a Pátroclo que convença Aquiles a lutar ou, pelo menos (e é assim que vai ser), que o próprio Pátroclo vá para o campo de batalha usando a armadura de Aquiles, para que os inimigos troianos, amedrontados, saiam em debandada.

Os troianos, "lutando como fogo vivo", forçam os gregos a recuar para a proteção de seu fosso e de sua muralha. Sarpédon, chefe dos lícios e o mais poderoso guerreiro dentre os aliados de Troia, lidera seus camaradas em um assalto contra a muralha, decidido a rompê-la ou a morrer na tentativa (12.299-308).

> Ele avançou como um leão da montanha,
> um que tenha ficado longo tempo sem carne,
> e agora seu destemido coração o incita a
> entrar no bem-construído cercado
> em busca dos rebanhos de ovelhas. E, mesmo
> que ali encontre pastores que guardam suas ovelhas
> com lanças e com cães, mesmo assim ele não
> será repelido do curral sem atacar alguma vez,
> e ou é bem-sucedido e pega uma ovelha,
> ou é atingido primeiro pela lança de uma rápida mão.
> E agora o espírito incita o divino Sarpédon
> a arremeter contra a muralha e a derrubar as fortificações.

Com êxito, faz a primeira brecha na muralha. "Ele abriu uma passagem para muitos", diz Homero (12.399).

Outro aliado de Troia é Ásio, filho de Hírtaco, rei de Percote, na Tróade. Ásio se orgulha dos grandes e fogosos cavalos que o levaram a Troia e, sem dar ouvidos aos sábios conselhos recebidos, vai com os animais para a frente de batalha, onde os troianos atacavam as defesas gregas. "Pobre tolo", diz Homero (12.113-115) "pois ele não escaparia do seu infeliz destino nem sequer retornaria dos navios para a ventania de Troia para desfrutar dos cavalos e da carruagem". Ásios é logo atingido no pescoço pela lança certeira do líder cretense Idomeneu e morre diante de seus preciosos cavalos, que são então capturados pelos gregos.

Enquanto isso, Heitor põe abaixo os portões dos gregos atirando uma enorme pedra (12.462-71):

> E então o glorioso Heitor salta para dentro, o rosto
> sombrio como a noite que chega. Ele reluzia no terrível bronze
> que protegia sua pele, e brandia duas lanças.
> Ninguém além de um deus poderia enfrentá-lo
> e interromper sua passagem enquanto se arrojava pelos portões,
> os olhos a arder como fogo. Voltando-se, ele gritou
> para a multidão de troianos que escalasse a muralha
> e eles obedeceram a sua ordem. Alguns escalaram a muralha
> e outros entraram pelos fortes portões.
> Os gregos fugiram com medo para seus barcos,
> e o clamor se ergueu sem cessar.

Os gregos estão em situação desesperadora, enquanto os dois exércitos recomeçam a luta, já agora em seu campo, com uma terrível carnificina em ambos os lados. A ajuda divina não tarda, no entanto, pois Poseidon surge entre os gregos para incitá-los a lutar com ainda mais empenho, contra o inimigo. A princípio está disfarçado para que Zeus não o veja, pois seu plano ainda é favorecer os troianos — mas isso é apenas até atearem fogo a um dos barcos gregos. No Olimpo, Hera também planeja atrapalhar Zeus em seu propósito: a deusa o seduz em um canteiro de trevos, açafrões da primavera e jacintos (p. 72), e então faz Hipno, deus do Sono, derramar sobre seu corpo uma doce sonolência. Poseidon pode agora incitar os gregos abertamente, o que faz com grande eficiência. Os exércitos travam uma luta furiosa e os troianos são forçados a recuar, deixando o campo grego. Heitor é ferido quando o Grande Ájax lança sobre ele uma enorme pedra. Vomitando sangue, é carregado por seus companheiros para longe da luta.

Zeus acorda e, ao se dar conta do acontecido, ordena que Poseidon se afaste do campo de batalha. Mais uma vez a sorte muda de lado quando Apolo surge para levar Heitor de volta à batalha e os troianos assaltam as muralhas gregas novamente. Apolo destrói as muralhas — como um menino pequeno a brincar com castelos de areia na praia, diz Homero, derrubando-as com as mãos e os pés (15.362-4). Os gregos são empurrados novamente de volta para as naus ancoradas na praia. Mas o Grande Ájax se esforça muito e luta sem parar, incitando seus homens e passando de um barco a outro, segundo Homero, como um cavaleiro com quatro cavalos em pelo que salta de um para outro enquanto atravessam o campo a galope (15.679-84). Suado e tenso, ele aniquila os inimigos com uma enorme lança, certo de sua morte iminente, mas decidido a lutar até cair.

Nesse momento crucial, quando os troianos triunfantes estão a ponto de incendiar as naus, Pátroclo vai até Aquiles, chorando de compaixão pelos camaradas mortos e moribundos. "Impiedoso és tu", diz ao amigo. "O cavaleiro Peleu jamais foi teu pai, nem Tétis tua mãe. És filho, isso sim, do cinzento mar e dos altos rochedos, tão duros de coração como tu" (16.33-5). Se Aquiles não quiser lutar, acrescenta, que pelo menos permita que ele, Pátroclo, vista sua armadura e leve os mirmidões para a batalha, de modo que o inimigo pense que é Aquiles e fuja com medo. "Assim falou ele", comenta Homero, "suplicando em sua grande ignorância, sem saber que eram a própria morte e seu triste destino que estava pedindo" (16.46-7).

Os troianos conseguem atear fogo a uma das naus gregas e Aquiles cede aos apelos do amigo, dizendo-lhe que jamais pensou em se manter rancoroso para sempre. Diz então a Pátroclo que chefie os mirmidões, lute e salve os barcos — mas que se contente com isso. Em seguida que retorne ao acampamento e em hipótese nenhuma avance contra as muralhas de Troia.

Pátroclo veste-se então com a armadura de Aquiles, prepara seus cavalos, os divinos Xanto e Bálio (Castanho e Malhado) e o mortal Pédaso (Pisa Forte). Aquiles faz uma libação a Zeus, pedindo que encha o coração do amigo de coragem para afastar os troianos das naus gregas; pede também pela segurança de Pátroclo (16.249-52):

> (...) e Zeus, que tudo sabe, o ouviu. O deus supremo
> atendeu uma das preces, mas não a outra: permitiu
> que Pátroclo afastasse dos barcos a guerra e o tumulto,
> mas recusou-se a deixá-lo retornar da luta em segurança.

Pátroclo lidera os mirmidões, que se lançam à batalha como um rio de guerreiros ávidos por lutar (16.259-67):

> Lançaram-se como um enxame de vespas no caminho
> como as que crianças gostam de irritar,
> provocando-as sempre em seus ninhos à beira das estradas,
> em seu desejo infantil, criando perigo para muitos.
> Pois, se algum viajante que ali passa, desavisado,
> roça em seu ninho, as vespas de coração valente
> saem todas em enxame para defender seus filhos.
> Com esse espírito e essa fúria os mirmidões
> saem de suas naus, com enorme alarido.

Ao verem Pátroclo, os troianos acreditam que estão diante de Aquiles, e seus corações se enchem de medo. Fugindo, os troianos deixam as embarcações gregas, e Pátroclo mata muitos deles ao atravessar com seu carro a planície troiana. Sua suprema façanha é atacar e matar o poderoso Sarpédon, herói dos lícios e filho de Zeus. Os dois guerreiros se defrontam: "Como duas grandes aves de rapina de bicos encurvados

e garras em gancho lutam, gritando alto, acima de um pico rochoso,
assim os dois se lançaram um contra o outro" (16.428-30).

Zeus observa a luta. Uma vez antes, afastara da morte Sarpédon, seu filho amado, e agora, sabendo que seu herdeiro está destinado a morrer pelas mãos de Pátroclo, apieda-se e se pergunta se deveria salvá-lo ainda outra vez. Hera o repreende duramente, dizendo que não deveria menosprezar as leis da mortalidade. Zeus aceita com pesar a morte do filho. "E fez cair do céu uma chuva de sangue em homenagem ao amado filho que Pátroclo estava prestes a matar na rica terra de Troia, longe da terra de seus pais" (16.459-61).

Os primeiros arremessos de lança na direção do carro de guerra de Aquiles erram o alvo, matando Trasímelo, o cocheiro que leva Sarpédon, e Pédaso, o cavalo mortal de Aquiles, que galopou longa e corajosamente ao lado da parelha imortal, Xanto e Bálio (16.463-9):

> Pátroclo, atirando primeiro, atingiu o glorioso Trasímelo,
> bravo condutor do grande Sarpédon, e perfurou
> seu baixo-ventre, tirando a força de suas pernas.
> Sarpédon arremessou em seguida e sua rútila lança errou,
> indo enterrar-se no flanco de Pédaso,
> o cavalo, que urrou e deu o último suspiro, caindo
> na terra com um gemido, e seu espírito pairou acima do corpo.

Automedonte, condutor do cavalo de Pátroclo, rapidamente corta os arreios de Pédaso; o carro está de novo pronto para a luta e os dois guerreiros voltam a se enfrentar. Agora o segundo arremesso de Pátroclo alcança seu alvo, o coração de Sarpédon (16.482-91):

> Ele caiu, como cai um carvalho, ou um choupo branco,
> ou um alto pinheiro, que os madeireiros nas montanhas
> cortam na base com machados afiados para ser madeira de barco.
> Assim ficou ele caído, diante dos cavalos
> e do carro, a rugir e a encher as mãos com a poeira ensanguentada.
> Como um touro orgulhoso e feroz que um leão mata

> quando avança sobre o rebanho distraído,
> morre bramindo, derrubado pelas mandíbulas do leão,
> assim, diante de Pátroclo, o senhor dos guerreiros lícios
> morreu a vociferar (...)

Segue-se uma batalha sangrenta pelo corpo de Sarpédon, com os gregos lutando para arrancar-lhe a armadura, e os troianos tentando impedir, até que "não mais era possível, mesmo para alguém sagaz, reconhecer o divino Sarpédon, pois da cabeça aos pés cobriam-no armas, sangue e terra, enquanto uma multidão ainda lutava sobre seu cadáver" (16.638-41). Por fim os gregos conseguem arrancar-lhe a armadura e Zeus decide intervir, dando instruções a Apolo (16.667-75):

> Vai agora, amado Febo, e leva Sarpédon
> para longe do alcance das armas, e purifica-o
> daquele sangue escuro, para então levá-lo para longe
> e lavá-lo em uma correnteza, e untá-lo
> com ambrosia e vesti-lo como se ele fosse um deus.
> Entrega-o então para ser carregado por ágeis mensageiros,
> Sono e seu irmão gêmeo, Morte, que logo
> o depositarão na rica e imensa terra da Lícia,
> onde irmãos e companheiros lhe darão sepultamento
> em túmulo de pedra, homenagem derradeira aos mortos.

Apolo faz o que Zeus pede. Sarpédon é erguido por Hipno (Sono) e Tânato (Morte) e levado para longe do campo de batalha troiano para receber um enterro honrado na Lícia.

Se Pátroclo tivesse parado ali, estaria salvo. Mas desobedece à ordem de Aquiles e segue, matando aqueles que encontra, e ataca ele mesmo as muralhas de Troia (16.702-8).

> Três vezes tentou Pátroclo escalar
> a grande muralha, três vezes Apolo o impediu,
> empurrando seu brilhante escudo com mãos imortais;

> mas quando, pela quarta vez, Pátroclo tentou,
> como se fosse mais do que humano, o deus gritou,
> ameaçador, terríveis palavras de comando:
> "Afasta-te, Pátroclo! Não está destinada esta cidade
> de orgulhosos troianos a cair sob tua lança."

E Pátroclo se afasta. Heitor se aproxima, instado por Apolo, e Pátroclo mata Cebriones, o condutor que o acompanha. Os dois guerreiros então lutam sobre o cadáver (16.756-61):

> Como dois leões que, no alto da montanha,
> famintos ambos, ambos muito destemidos,
> lutam por um veado morto, assim também
> sobre Cebriones os dois guerreiros, ávidos de batalhas,
> Pátroclo, filho de Menécio, e o glorioso Heitor,
> estavam ansiosos para ferir um ao outro com suas lanças de bronze.

Gregos e troianos se juntam à batalha, lutando com lanças, arcos e pedras à volta de Cebriones e, enquanto isso (16.775-6):

> (...) ele jaz, na poeira rodopiante,
> um homem poderoso poderosamente derrubado,
> a habilidade com cavalos totalmente esquecida.

Agora Pátroclo ataca mais troianos. Por três vezes avança, aos gritos, e por três vezes mata nove homens. Quando avança pela quarta vez, Apolo se volta contra o opositor novamente. O deus derruba o elmo de sua cabeça, parte ao meio sua grande lança e arranca seu escudo e sua couraça. Pátroclo, perplexo, fica parado e é atingido, primeiro por uma lança atirada por Euforbo, e então é mortalmente ferido pela lança de Heitor (16.823-8):

> Como um leão que sobrepuja um incansável javali em combate,
> e os dois lutam, orgulhosos e destemidos na alta montanha
> junto a uma pequena fonte de água, ambos ansiosos por saciar a sede,

e o leão subjuga o javali já quase sem fôlego,
assim fez Heitor, filho de Príamo, ao atirar de perto a lança
e tirar a vida do poderoso filho de Menécio,
que tantos havia matado.

Moribundo, Pátroclo profetiza que muito em breve Heitor será morto por Aquiles — pois a seu lado estavam, agora, a morte e o destino (16.855;7):

E, enquanto ele falava, a morte o abraçou,
e sua alma, desprendendo-se do corpo, desceu ao Hades,
lamentando seu destino, deixando para trás juventude e masculinidade.

Menelau vê a morte de Pátroclo e sabe que seu corpo precisa ser protegido para que os troianos não o despojem (17.1-8):

O filho de Atreu, o belicoso Menelau,
atravessou as fileiras que lutavam e, com seu elmo
de bronze polido, postou-se junto ao corpo. Assim como
uma vaca protege seu primeiro bezerro ao nascer,
ela que conheceu filho algum antes,
assim junto a Pátroclo ficou o louro Menelau,
a sua lança em riste e o escudo diante de si
louco para matar qualquer homem que se aproximasse.

Euforbo, que primeiro feriu Pátroclo, desafia Menelau, não apenas porque deseja tomar a armadura da vítima, mas também porque foi o guerreiro quem matou seu irmão Hiperenor. Menelau então mata Euforbo também, perfurando-lhe o pescoço com sua lança (17.50-60):

Com um baque seco caiu seu corpo, em sua pesada armadura,
e seus cabelos, belos como as graças, tingiram-se de vermelho,
aqueles cachos trançados com fios de prata e ouro.
Como uma jovem oliveira plantada e protegida por um homem,
em um lugar ermo, que também lhe dá água abundante
para que cresça bela, e de todos os lados as brisas

> a sacodem e ela se abre em pálidas e abundantes flores;
> mas então uma ventania súbita, que vem com a grande tempestade,
> a arranca pelas raízes e a atira ao chão, assim
> caiu o filho de Pântoo, Euforbo da forte lança cinzenta,
> quando Menelau o matou e se pôs a despojá-lo da armadura.

Heitor se aproxima, "o rosto como um incêndio desvairado". Ele afasta Menelau do corpo de Pátroclo e apodera-se da armadura do homem que matara. Já está prestes a decepar a cabeça de sua vítima quando o Grande Ájax entra em cena. É agora a vez de Heitor se afastar e de Ájax proteger o cadáver despido (17.132-7):

> Ájax cobriu Pátroclo com seu grande escudo,
> e por perto ficou, como um leão em defesa da cria,
> um leão que, ao levar sua prole pela floresta,
> defronta-se com um caçador. Feroz e ciente de sua força,
> ele encara o inimigo, olhos semicerrados.
> Assim fez Ájax ao proteger o herói Pátroclo.

O corpo de Pátroclo torna-se o centro de uma sangrenta batalha: Heitor, que a esta altura veste a armadura de Aquiles, retirada de sua vítima, incita seus homens a arrastar o cadáver do local, enquanto os gregos, reorganizados por Ájax, lutam para protegê-lo. A batalha se prolonga e cadáveres caem sobre cadáveres. "E aquele clangor de metais atravessou o ar rarefeito até chegar aos céus." Fora da batalha, os imortais Xanto e Bálio choram a morte de Pátroclo (17.426-39):

> Os cavalos de Aquiles, de fora da batalha,
> choraram ao saber que seu condutor
> havia caído por terra, nas mãos de Heitor, o matador de homens (...)
> Imóveis ficaram, como lápides acima
> do túmulo de um morto ou de uma morta, assim ficaram
> imóveis, a manter firme o belo carro de guerra,
> cabeças baixas, imóveis, e mornas lágrimas lhes escorreram
> dos olhos para o chão enquanto choravam, saudosos
> de seu condutor, as belas crinas sujas de poeira.

Neste meio-tempo, Antíloco, filho mais velho de Nestor, leva a notícia da morte de Pátroclo para Aquiles, que, transtornado pela dor e pelo remorso, se dá conta do preço que teve de pagar por seu rancor e por seu orgulho. Tétis, sua mãe, ouve seus gritos de agonia nas profundezas do mar e vai, com suas irmãs nereidas, consolá-lo. Tétis o previne de que, se matar Heitor para se vingar, logo morrerá também, pois sua morte está predestinada a ocorrer pouco depois da de Heitor. Aquiles aceita seu destino, já que seu grande amor pelo amigo exige que Pátroclo seja vingado, ainda que isso lhe custe a própria vida (18.98-116):

> Que eu morra, então, de uma vez, já que não pude estar
> ao lado do meu amigo quando ele foi morto. E agora
> longe da terra de seus pais ele morreu,
> sem mim por perto para impedir seu fim.
> Agora, já que tampouco regressarei à minha terra natal,
> pois não fui uma luz de segurança para Pátroclo, nem
> para meus outros companheiros mortos pelo poderoso Heitor
> em grande número, mas me quedo aqui, junto de minhas naus,
> um peso inútil para a boa terra (...)
> agora irei ao encontro do matador daquele ser amado,
> Heitor. E aceitarei minha própria morte
> quando Zeus e os demais deuses imortais
> assim o decidirem.

Aquiles agora anseia por lutar novamente. Seu orgulho ferido não mais importa; pois seu rancor contra Agamêmnon nada representa diante da ira que agora guarda em relação aos troianos em geral e a Heitor em particular.

Aquiles está diante dos barcos gregos e uma chama arde ao redor de sua cabeça, acesa por Atena. Por três vezes o ar reverbera seus gritos de guerra, e os troianos se dispersam em pânico, dando aos gregos tempo suficiente para retirar o corpo de Pátroclo em segurança do campo de batalha. Mas, apesar do reaparecimento do rival, Heitor continua confiante. Acampa novamente com seus homens na planície — sem dar ouvidos aos conselhos do prudente Polidamas, que insistia que os troianos se retirassem para o interior da cidade imediatamente e lá permanecessem no dia seguinte, defendendo Troia do alto de suas muralhas, mantendo distância do inimigo. Polidamas era filho do ancião troiano Pântoo e nasceu na mesma noite que Heitor — enquanto Heitor se tornou o melhor guerreiro, Polidamas se tornou o mais sábio. Heitor lamentaria a impaciente rejeição daqueles conselhos quando Aquiles retornasse à luta e uma quantidade excessiva de troianos tivesse sido morta.

Durante toda a noite os gregos velam o corpo de Pátroclo. Aquiles jura não enterrar o amigo enquanto não levar para os funerais a armadura e a cabeça de Heitor, e ainda doze jovens troianos para serem mortos diante da pira funerária. Mas ele ainda não pode lutar, pois não tem armadura — sua antiga armadura, tomada de empréstimo por Pátroclo, está agora sendo usada por Heitor. Então Tétis encomenda ao deus-ferreiro Hefesto um esplêndido traje para seu filho, algo que jamais se vira antes. O escudo, em especial, é um fantástico trabalho de arte, ricamente decorado, feito em ouro, prata e bronze e coberto de intricadas cenas da vida humana na paz e na guerra, tudo isso cercado pelo grande rio Oceano que circunda a terra.

Ao alvorecer, Tétis leva a nova armadura de Aquiles. Seus homens temem até mesmo olhar diretamente para algo tão extraordinário. Aquiles, porém, a olha com firmeza, imaginando a morte de Heitor. Seus olhos ardem como brasa sob as pálpebras. O guerreiro se põe então a andar de um lado para outro da praia, chamando os gregos para uma assembleia, na qual anuncia formalmente o fim de seu ressentimento contra Agamêmnon, e o rei pede desculpas diante de todos. Os presentes que prometera a Aquiles são devidamente entregues, e Briseida é devolvida, intocada, ao seu homem de direito. Agora os gregos podem se lançar à luta com seu mais poderoso guerreiro à frente da tropa. Apressam, então, os preparativos (19.357-68):

> Como pesados flocos de neve que caem do céu,
> arrastados pelas fortes rajadas do vento norte
> nascido no firmamento brilhante, assim a multidão
> de homens deixou os barcos, elmos a rutilar,

escudos ornados, corseletes laminados
e lanças cinzentas. O brilho ascendeu aos céus,
e um riso ecoou por toda a terra com o cintilar do bronze,
enquanto um trovão se ergueu dos pés dos homens.
E entre eles estava Aquiles, armado para lutar.
Rangiam-lhe os dentes, seus olhos brilhavam
em chamas, e seu coração se encheu
de insuportável pesar. Lançou-se então, furioso, contra os troianos,
vestindo os presentes do deus, forjados pelo trabalho de Hefesto.

Quando Aquiles parte em seu carro, puxado pelos imortais Xanto e Bálio, recomenda a seus cavalos que o levem através do campo de batalha, mas não o deixem lá como deixaram Pátroclo. Xanto recebe de Hera o dom da fala humana por um breve momento e previne seu dono da morte iminente, que os cavalos não terão como evitar (19.408-18):

Nós te manteremos a salvo desta vez, poderoso Aquiles.
Porém o dia da tua morte se aproxima — não causada por nós,
mas por um grande deus e pelo inexorável Destino (...)
Nós dois corremos velozes como o sopro do Vento Oeste,
que, dizem os homens, é de todos os ventos o mais veloz, mas tu
estás fadado a morrer nas mãos de um deus e de um mortal.

Os exércitos se aproximam um do outro, e os troianos sentem os joelhos fraquejarem quando veem Aquiles cintilante em sua armadura completa. O ímpeto que o move é o de matar Heitor, mas pelo caminho vai fazendo tombar uma multidão de troianos. Um dos que morrem é Polidoro, outro filho de Príamo e, ao vê-lo ser morto, Heitor se aproxima para vingar o irmão. Heitor tem plena consciência de que Aquiles é melhor guerreiro e que provavelmente o matará. "Sei que és valente e que sou bem mais fraco do que tu", diz, "mas tudo isso está nas mãos dos deuses e sei que ainda posso, embora mais fraco, tirar tua vida com o arremesso de minha lança, já que minha lança também tem dado provas de ser afiada" (20.434-7).

A lança de Heitor atravessa o ar, mas Atena intervém, e a arma cai no chão, inofensiva. O troiano está agora à mercê de Aquiles, mas

Apolo retarda o momento fatal envolvendo Heitor com uma espessa neblina. Em vão tenta Aquiles atingi-lo, antes de fazer nova carnificina entre os troianos (20.490-94):

> Como um incêndio inumano que devasta os vales profundos
> de uma montanha seca, e a floresta toda se incendeia,
> e o estrondoso vento espalha as chamas
> em todas as direções, assim Aquiles arrasou tudo
> com sua lança, mais parecendo um deus, pilhando os troianos
> enquanto morriam, deixando a terra negra tinta de sangue.

Muitos troianos fogem para o rio Escamandro, e Aquiles se lança atrás deles para continuar seu massacre. Lá encontra outro filho de Príamo, Licáon. Já uma vez havia capturado Licáon e o soltara em troca de um resgate. Agora o captura novamente, desarmado, mas dessa vez, com a fúria contra os troianos a queimar o peito, não pensa em resgate. Licáon cai de joelhos suplicando por sua vida, agarrado à lança que o matará, mas sabendo que suas súplicas são inúteis. "Desta vez a morte virá até mim", diz, "pois creio que não tenho como escapar de tuas mãos, agora que um deus me pôs diante delas". Ainda assim acrescenta: "Não me mates, pois não nasci da mesma mãe que Heitor, que matou teu camarada gentil e bravo" (21.92-6).

Aquiles responde que mudou desde que Pátroclo foi morto: "Agora não há mais ninguém que possa escapar da morte se os deuses o colocarem na minha frente diante de Troia, nem um único troiano, muito menos um filho de Príamo" (21.103-5). A morte de Licaon, porém, não é apenas mais um assassinato brutal, pois Aquiles sabe que está prestes a morrer também e tem profunda consciência de seu destino comum. Diz a Licaon no instante mesmo em que o mata (21.106-19):

> Então, amigo, morres também. Por que tanto lamento?
> Pátroclo também está morto, e era bem melhor do que tu.
> Não vês que espécie de homem eu sou,
> em beleza e estatura, filho de nobre pai
> e com uma deusa por mãe? Contudo também sobre mim

> pairam a morte e o poderoso destino. E chegará
> o alvorecer ou o anoitecer, ou o meio-dia, quando um homem
> me tirará a vida durante a luta, seja
> com lança ou seta do seu arco."
> Assim falou ele, e as forças e o espírito de Licáon
> se perderam. Deixou cair a lança e recostou-se,
> abriu os braços, enquanto Aquiles, erguendo
> a espada afiada, atingiu seu pescoço,
> e a espada de dois gumes mergulhou fundo. Ele caiu
> no chão, a face para baixo, e ficou estendido,
> e o sangue escuro se derramou, encharcando a terra.

Aquiles atira o cadáver de Licaon no rio Escamandro e continua a matar os inimigos. O rio já agora flui vermelho e tão congestionado de cadáveres que o deus do rio exclama, reclamando (21.21-20):

> Minhas lindas correntes estão cheias de cadáveres,
> e já não posso lançar minhas águas no límpido mar,
> entulhadas que estão com os homens que cruelmente matas.

Aquiles continua atacando os troianos como se fosse "mais do que mortal", o que leva Escamandro a romper suas margens e sair em perseguição a Aquiles com ondas que parecem montanhas. Tenta afogá-lo, mas ele foge. (21.251-69):

> Aquiles saltou como uma lança arremessada,
> voou como a águia negra, a grande caçadora,
> que é o maior e mais forte do pássaros.
> Assim se afastou ele, e contra seu peito
> batia terrivelmente a armadura de bronze enquanto fugia,
> escapando do ímpeto das águas.
> Mas o rio foi atrás dele com poderoso bramido (...)
> e cada vez o ligeiro e divino Aquiles
> se voltava e tentava lutar contra o rio (...) muitas vezes
> a grande enchente do rio alimentado pelo céu atingiria,
> de cima, seus ombros.

A ira do deus rio só faz aumentar. Ele pede ajuda a Simoente, seu irmão e tributário, e ameaça Aquiles de morte (21.311-27):

> Vem em meu auxílio, vem depressa, enche tuas corredeiras
> com água de tuas fontes, agita todas as tuas torrentes,
> ergue-te em altas ondas, e faz um poderoso bramido
> de árvores arrancadas e de pedras, para pararmos esse selvagem
> que, com sua força, tem a fúria de um deus.
> Digo que de nada lhe valerá sua força, tampouco
> sua beleza ou sua esplêndida armadura, que no fundo
> de minhas águas jazerão, cobertas com lodo,
> e ele cobrirei de areia, e sobre ele derramarei
> montanhas de cascalho além de qualquer medida,
> para que os gregos jamais encontrem seus ossos,
> tamanha mortalha de lodo porei sobre ele.
> Nas minhas profundezas se erguerá seu túmulo — não precisará
> ele de um monte de terra nem de gregos que o enterrem."
> Assim vociferou, lançando-se em tumulto contra Aquiles,
> furioso, em altas ondas agitadas com espuma e sangue
> e cadáveres. E enorme vaga negra do rio alimentado pelos céus
> se ergue para esmagar Aquiles.

Aquiles foi salvo pela deusa Hera, que manda que Hefesto, deus do fogo, queime o turbulento rio com uma chama e seque suas águas. Escamandro, com as águas a ferver e evaporar, submete-se amedrontado, desiste da perseguição e faz um solene juramento a Hera (21.374-6):

> Nunca mais protegerei os troianos de seu trágico destino,
> nem mesmo quando toda a Troia estiver ardendo nas chamas
> e os gregos estiverem atiçando a queimada.

Isso significará que, quando os gregos por fim entrarem em Troia e saquearem a cidade para, em seguida, a destruírem pelo fogo, Escamandro não desviará suas águas encantadoras para salvar seus descendentes.

Aquiles, livre do rio, segue para Troia, e os troianos se põem a fugir, tentando, desesperadamente, alcançar a segurança das muralhas de sua cidade. A essa altura é Agenor, o bravo filho do ancião troiano Antenor, quem salva seus camaradas, desafiando Aquiles, e o enfrenta mesmo sabendo que provavelmente será morto (21.573-80):

> Como o leopardo que sai da mata densa
> para encarar o homem que caça, e não tem medo
> nem pensa em fugir quando ouve o ladrar
> dos cães, e ainda que o homem seja mais ligeiro do que ele
> e arremesse ou golpeie com sua lança, o leopardo não se intimida
> e luta até morrer; assim também o nobre Agenor
> recusa-se a fugir antes de enfrentar o grande Aquiles.

Agenor atira sua lança e atinge Aquiles na perna, mas sem perfurar sua armadura. Ele agora está à mercê do oponente, mas é salvo por Apolo, que o leva dali antes que se machuque com um arremesso mais certeiro. O deus então se disfarça de Agenor e atrai Aquiles, que o persegue. Isso permite que os troianos fujam para a cidade em segurança — todos, menos Heitor, que agora aguarda sozinho, fora das muralhas da cidade, o confronto mortal com Aquiles. Seus pais suplicam que vá para trás das muralhas, em segurança, mas Heitor mantém-se firme, decidido a se redimir da insensatez que causou a morte de tantos troianos ao mantê-los tempo demais na planície.

Aquiles se aproxima, brandindo sua terrível lança, com a armadura a refulgir como um incêndio ou como o próprio sol. Aquela visão aterrorizante é insuportável para Heitor: o troiano se volta, foge e Aquiles o persegue. Os dois correm, circundando Troia, passam pelas duas fontes "perto das quais há boas pedras de lavar onde as esposas troianas e suas belas filhas costumavam lavar suas finas roupas nos tempos de paz, antes da chegada dos gregos" (22.152-6) — lembrança patética de uma paz para sempre perdida, já que Heitor está prestes a morrer, e, sem Heitor, o grande defensor da cidade, Troia cairá e suas mulheres serão levadas como escravas. No Olimpo, Zeus pesa o destino dos dois homens em sua balança de ouro, e o de Heitor é o mais pesado, afundando em direção ao Hades.

Por três vezes os dois adversários correm em volta de Troia, até que Atena intervém e diz a Aquiles que pare. Assumindo a forma de Deífobo, outro dos filhos de Príamo, a deusa leva Heitor a pensar que o irmão veio em seu auxílio. Ela o incita a lutar contra Aquiles, dizendo que ambos lutarão lado a lado. Heitor então para e confronta o inimigo. Aquiles atira a lança primeiro e erra. Agora é o oponente quem atira, mas sua lança cai, inofensiva, ao bater no escudo, feito por um deus. Heitor pede ao irmão que lhe dê outra lança, mas não há nenhum Deífobo. Só então o troiano se dá conta da verdade (22.297-301):

> Então os deuses de fato me chamaram para a morte.
> Pensei que o herói Deífobo estivesse bem ao meu lado,
> mas ele está dentro das muralhas, e Atena me enganou.
> Agora é a morte cruel que está a meu lado, não mais
> distante, e não há como escapar.

"Meu destino agora me alcançou", acrescenta, "mas que eu pelo menos não morra sem lutar, sem glória, e sim fazendo algo de que os homens no futuro ouvirão falar" (22.303-5). Heitor então caminha bravamente para a morte certa (22.306-12):

> Ele puxou sua afiada espada, enorme e resistente,
> de onde a tinha presa ao cinto, e ao tomar fôlego lançou-se
> como uma águia que, das alturas, lança-se à planície
> através das nuvens escuras para agarrar um terno cordeiro
> ou uma lebre assustada; assim se lançou Heitor
> a brandir sua espada afiada, e Aquiles correu,
> ao seu encontro, o coração transbordando de cólera selvagem.

Eles se encontram e a lança de Aquiles atravessa o pescoço de Heitor, ferindo-o mortalmente. Moribundo, Heitor suplica que seu corpo seja entregue a Príamo, mas Aquiles, ainda cheio de ira, nega-lhe o pedido (22.345-54):

> Não me venhas com súplicas, cão, de joelhos ou falando de teus pais,
> Quisera eu ter uma fúria e um ódio tais que me fizessem
> arrancar tua carne e comê-la crua, pelo mal
> que me causaste. Não, ninguém poupará
> tua cabeça dos cães famintos, nem se trouxessem aqui,
> diante de mim, dez vezes, vinte vezes
> o resgate e prometessem mais; nem se
> Príamo, filho de Dárdano, oferecesse teu peso
> em ouro; nem assim tua mãe
> te colocará no leito de morte e chorará o filho.
> Não, os cães e os abutres vão te devorar completamente.

Assim como Pátroclo, ao morrer, profetizou aquela morte pelas mãos de Aquiles, agora é a vez de Heitor vaticinar, com seu último suspiro, a morte de Aquiles pelas mãos de Páris e de Apolo. As mesmas palavras são usadas por Homero em ambas as mortes (22.361-3):

> E, enquanto ele falava, a morte o abraçou,
> e sua alma desprendendo-se do corpo desceu para o Hades,
> lamentando seu destino, deixando para trás juventude e humanidade.

Aquiles maltrata o corpo de Heitor, perfurando seus tornozelos, amarrando-o com correias a seu carro de guerra e arrastando o cadáver na poeira atrás de si. Quando os troianos, do alto das muralhas, veem que seu defensor está morto, seus gritos de tristeza e dor ecoam por toda a cidade. "Era como se toda Troia estivesse ardendo em chamas de cima a baixo" diz Homero (22.410-11) — em uma imagem do que está por acontecer.

Andrômaca está em casa e não se dá conta, de imediato, da morte do marido (22.440-72):

Ela tecia em seu tear dentro da alta casa
um manto duplo, vermelho e coberto de flores.
Chamou então suas aias de belos cabelos,
para que pusessem no fogo um grande caldeirão e aquecessem água
para Heitor, quando voltasse para casa depois da luta,
pobre inocente, não sabia que o tempo de banhos passara
e que ele estava morto, morto por Aquiles e por Atena, a de olhos cinza.
Então ela ouviu pranto e lamentos nas muralhas,
suas pernas tremeram e a lançadeira caiu de suas mãos (...)
como louca correu de sua casa, o coração
em sobressalto, e as aias correram com ela.
E quando chegou à torre, em meio à multidão,
ela parou na muralha, com olhar fixo, e viu o marido
sendo arrastado diante da cidade, brutalmente arrastado
por cavalos a galope em direção aos navios gregos.
Uma noite escura cobriu seus olhos e ela caiu para trás,
enquanto a vida parecia escapar-lhe e longe caíam
sua reluzente tiara, seus enfeites de cabeça
e o véu, dado a ela certa vez
pela dourada Afrodite, no dia em que
Heitor, com seu elmo brilhante, a levou
da casa de Eécion (...)

Todo o povo de Troia chora a morte de seu grande defensor. Enquanto isso, Aquiles dá início ao funeral de Pátroclo. Ele sacrifica doze troianos cativos diante da enorme pira funerária, como havia prometido, e promove jogos fúnebres em homenagem ao amigo, oferecendo uma grande quantidade de prêmios valiosos aos competidores. Entretanto, apesar de Pátroclo receber todos os ritos fúnebres e de Heitor estar morto, Aquiles ainda queima de cólera. Durante onze dias continua a arrastar o cadáver de seu inimigo na poeira, atrás de sua carruagem, dando voltas ao túmulo de Pátroclo. Os deuses se apiedam de Heitor e mantêm seu corpo intacto, por mais que Aquiles o maltrate. No décimo dia, os deuses intervêm e tomam providências para que o cadáver de Heitor seja resgatado. Zeus envia Tétis a Aquiles para dizer-lhe que já é tempo de o corpo ser devolvido à família para ser enterrado, e manda Íris dizer a Príamo que vá ao acampamento grego à noite, levando presentes, e que suplique a devolução do filho.

Os dois homens obedecem, e a *Ilíada* termina com uma cena profundamente comovente de piedade e reconciliação entre os dois inimigos. Príamo entra corajosamente no acampamento inimigo à noite, levando consigo uma carroça cheia de presentes, puxada por mulas e conduzida por seu arauto Ideu. O deus Hermes, disfarçado de um jovem e simpático mirmidão, indica a Príamo o caminho até a tenda de Aquiles. O velho entra sozinho e lá encontra Aquiles com dois companheiros (24.477-84):

> Aproximando-se de Aquiles, abraçou os seus joelhos,
> beijou suas mãos, aquelas terríveis, assassinas mãos
> que haviam matado tantos filhos seus (...)
> e Aquiles foi tomado de admiração ao ver
> o divino Príamo, e os outros também se admiraram.

Príamo pede a Aquiles que se lembre do próprio pai, Peleu, agora velho como ele, e que logo também estará em luto pelo seu filho arrebatado. Fala, então, de seu próprio destino cruel (24.493-512):

> "Eram meus os melhores filhos da vasta Troia,
> mas digo que nenhum deles me restou.
> Cinquenta eram meus filhos no dia em que os gregos aqui chegaram,
> dezenove nascidos para mim de uma só mãe,
> e os demais de mulheres do meu palácio.
> Ares, cheio de fúria, destruiu-os, um a um,
> mas deixou um deles para guardar minha cidade e meu povo,
> esse que matastes agora, ao defender seu país,
> Heitor. É por ele que venho às naus gregas,
> para recuperá-lo de ti, trazendo portentoso resgate.
> Honra os deuses, Aquiles, e apieda-te de mim,
> ao lembrar-te de teu pai. Mas ainda mais lastimável sou eu,
> e sofro o que nenhum outro homem sofreu:

> Beijei as mãos do homem que matou meu filho."
> Assim falou ele e despertou em Aquiles compaixão
> e profunda tristeza por seu pai. Ele tomou nas suas as mãos do ancião
> e gentilmente as aproximou. Puseram-se os dois então
> a recordar. Príamo, curvado aos pés de Aquiles,
> chorou alto por Heitor, matador de homens, e Aquiles chorou
> pelo próprio pai, e novamente por Pátroclo,
> e a tenda encheu-se com o som de sua dor.

Por fim a ira de Aquiles termina e dá lugar à compaixão ante o sofrimento do velho rei. Choram juntos os dois e então, ao ajudar Príamo a se pôr de pé, senta-o em uma cadeira. Aceita os presentes e manda que preparem o corpo de Heitor para retornar a Troia com o pai. Em seguida os dois inimigos até então, o grego e o troiano, compartilham em paz uma refeição e se recolhem para dormir. Ao acordar, Príamo leva o cadáver do filho para casa. Durante onze dias haverá uma trégua, com a anuência de Aquiles, para que Heitor possa ser enterrado com todas as honras devidas a um herói. A *Ilíada* termina com os funerais de um nobre troiano (24.784-804):

> Durante nove dias reuniram pilhas de madeira,
> e, quando a décima aurora trouxe sua luz aos homens,
> eles levaram o bravo Heitor, enquanto derramavam lágrimas,
> e dispuseram seu corpo em alta pira, e a acenderam.
> Quando a aurora de róseos dedos apareceu no dia seguinte,
> se dirigiram todos à pira do glorioso Heitor.
> E, quando eles lá se reuniram,
> primeiro apagaram o fogo com vinho brilhante,
> onde ainda havia chamas, e então seus amigos
> e irmãos juntaram seus brancos ossos, lamentando,
> lágrimas escorrendo pelas faces. Eles tomaram os ossos
> e os colocaram em uma urna de ouro, cobrindo-os
> com vestes rubras e macias, e imediatamente a depuseram
> em funda sepultura, empilhando grandes pedras,
> bem juntas. Rapidamente fizeram um monte de terra,

olhando para todos os lados, com medo
de que os aqueus de boas grevas pudessem atacar.
Tendo erguido o monte de terra, voltaram
e se encontraram em glorioso festim
no palácio de Príamo, rei instituído pelo deus.
Assim sepultaram Heitor, o domador de cavalos.

Os últimos meses da guerra

Depois da brilhante luz lançada pela *Ilíada* sobre umas poucas semanas do décimo ano da guerra, os poucos meses finais que levaram à queda de Troia parecem imersos em relativa obscuridade. Mais uma vez torna-se necessário juntar pedaços, aqui e ali, de uma variedade de fontes.

Tudo levava a crer que depois da morte de Heitor, o grande defensor de Troia, a cidade cairia nas mãos dos gregos tão logo a luta recomeçasse. Mas a essa altura os troianos, já desesperançosos, receberam a ajuda de poderosos aliados que lhes trouxeram novas esperanças e representaram um desafio genuíno para os gregos. O primeiro a chegar foi um exército de amazonas chefiado por Pentesileia, filha do deus da guerra Ares e da rainha amazona Otrera. Pentesileia matou muitos gregos antes de ser morta por Aquiles. Segundo a história, no momento em que o guerreiro lhe dava o golpe fatal, seus olhos se encontraram e ele se apaixonou; em outra versão, ele teria se apaixonado pelo cadáver da amazona quando a despiu da armadura. De qualquer modo, o amor chegou tarde demais. Térsites zombou dessa tardia emoção, e dizem que ele teria arrancado os olhos do cadáver de Pentesileia com a ponta de sua lança. Aquiles, com um só golpe, matou-o no mesmo momento.

Na *Ilíada*, Térsites é um homem de origem humilde. Segundo Homero (*Ilíada* 2.212-17), ele era o mais feio dos homens de Troia: manco, de pernas tortas, corcunda e com uma cabeça careca e pontuda. O troiano não era popular entre seus companheiros, pois, quando ofendeu Agamêmnon (com certa razão) por ter roubado Briseida de Aquiles, Odisseu deu-lhe uma surra e ameaçou aplicar-lhe outras até que Térsites desfaleceu de dor e de medo, enquanto todo o exército ria dele. Já fontes posteriores lhe atribuíram origem nobre, caracterizando-o como primo do guerreiro Diomedes; o personagem certamente não parece ser um homem do povo na *Etiópida*, do ciclo épico, em que sua morte resulta em séria briga entre os gregos. Em decorrência disso, Aquiles teve que ir a Lesbos fazer sacrifícios a Apolo, Ártemis e Letó para se purificar desse assassinato.

Depois que Aquiles retornou a Troia, mais aliados chegaram: um grande exército de etíopes tendo à frente seu rei, Mêmnon, filho de Eos, deusa da aurora, e do troiano Titono, portanto sobrinho de Príamo. Assim como o pai, Mêmnon era extremamente belo; Odisseu disse certa vez que ele era o homem mais belo que já vira (*Odisseia* 11.522). Então Mêmnon foi a Troia, e, como o também herdeiro divino Aquiles, usava uma armadura feita pelo deus Hefesto.

Seus súditos, os *aithiopes*, ou "faces queimadas", foram identificados por historiadores e geógrafos gregos como negros africanos que viviam ao sul do Egito, mas os etíopes da mitologia viviam em uma terra próxima ao lugar onde o sol nascia, nos confins do mundo, onde sua proximidade do deus-sol ao nascer dava o tom escuro à sua pele. Assim, o reino do recém-chegado era geralmente localizado no oriente. Vários escritores antigos dizem que Mêmnon veio de Susa, a antiga capital da Pérsia, e de lá tomou a direção noroeste até Troia, erguendo, por onde passou, muitas colunas memoriais para marcar o caminho. Isso fez, diz Heródoto (2.106), que o confundissem com Sesóstris, governante egípcio. Mêmnon teve, de fato, outras ligações com o Egito: havia templos (*memnoneions*) tanto em Tebas quanto em Abidos, e "Colosso de Mêmnon" era o nome dado a uma das duas enormes estátuas de Tebas que marcam a localização do já desaparecido templo mortuário de Amenófis III (meados do segundo milênio a.C.). Esse colosso, dizia-se na Antiguidade, emitia sons musicais quando atingido pelos raios do sol nascente, como se Mêmnon estivesse saudando a luz de sua mãe, Aurora.

A chegada de Mêmnon deu novo ânimo aos troianos, principalmente quando, em batalha, matou muitos gregos. Uma de suas vítimas foi Antíloco, o filho mais velho de Nestor. Páris atingiu um dos cavalos de Nestor, e o velho gritou, pedindo ao filho que o salvasse de Mêmnon, que estava perigosamente perto. Ao correr em auxílio do pai, Antíloco sacrificou a própria vida. Desde a morte de Pátroclo, Antíloco havia se tornado o amigo mais próximo de Aquiles, que, novamente cheio de cólera e de dor, foi imediatamente vingar aquela morte.

Aquiles e Mêmnon lutaram em um grande duelo, enquanto suas mães deusas, Tétis e Eos, suplicavam a Zeus que os respectivos filhos saíssem vitoriosos. Essa era uma cena dramatizada na *Psicostasia*, tragédia perdida de Ésquilo na qual Zeus pesava as almas (*psychai*) dos dois heróis, para decidir qual devia morrer, enquanto Eos e Tétis, uma de cada lado da balança do deus, suplicavam pela vida de seus filhos. Embora essa cena possa parecer uma invenção particularmente dramática de Ésquilo, já havia representações em pinturas de vasos de cerca de 540 a.C. em diante. A alma de Mêmnon era a mais pesada, baixando em direção ao Hades, portanto ao final do duelo foi Aquiles quem triunfou.

Eos, tomada de dor, carregou do campo de batalha o cadáver de seu filho Mêmnon e pediu a Zeus que lhe concedesse uma distinção especial. Na *Etiópida*, Mêmnon tornou-se imortal, mas em uma versão posterior o deus transformou a fumaça da pira em pássaros que se puseram a dar voltas ao redor da estrutura funerária, dividindo-se então em dois bandos. Eles lutaram entre si e acabaram todos mortos, caindo nas chamas da pira como oferenda à alma do herói. Desde então, a cada ano, novos bandos de pássaros, chamados de memnônides, vêm todos os anos à tumba de Mêmnon e lutam e morrem de novo, em sua honra. Diz-se também que o orvalho da madrugada é formado pelas lágrimas derramadas por Eos, eternamente inconsolável com a morte do filho.

Mêmnon foi provavelmente o mais formidável de todos os oponentes que Aquiles enfrentou, portanto aquela derrota foi seu maior triunfo — mas Aquiles veio a morrer logo depois, ao se lançar contra os troianos, forçando-os a buscar abrigo no interior da cidade. Infelizmente não dispomos de relatos antigos sobre o que aconteceu exatamente. Sabemos, através do vaticínio de Heitor ao morrer, que Aquiles seria morto "por Páris e Apolo na Porta Ceia", um dos portões de Troia (22.359-60). É provável que Aquiles tenha atravessado, triunfante, essa porta e que Páris tenha lançado uma seta, guiada por Apolo até o ponto fatal.

Assim também Tétis perdeu seu herdeiro. Apesar de ser uma deusa, a *Ilíada* a mostra como qualquer mãe humana a chorar a morte do filho, embora soubesse muito bem que Aquiles estava destinado a morrer cedo. "Dei à luz um filho sem par, um bravo", diz (18.55-60), "que se destacou entre os homens. Ele eclodiu como uma jovem planta e eu o nutri como uma árvore crescida em um rico pomar. Depois mandei-o para longe, com as recurvadas naus, a fim de lutar contra os troianos na terra de Ílion. Agora nunca mais lhe darei as boas-vindas na volta à casa de Peleu". Outro inesquecível grito de desespero vindo de Tétis encontra-se no fragmento de uma peça desconhecida de Ésquilo (350), no qual ela conta que, em seu casamento com Peleu, Apolo fez uma falsa profecia. O próprio deus que levara Aquiles à morte disse que seu filho teria vida longa e feliz:

> Ele cantou que eu seria abençoada com um filho
> que teria longa vida, sem conhecer nenhuma tristeza.
> Disse tudo isso entoando um peã em homenagem
> à minha grande sorte, alegrando meu coração.
> Tomei por verdadeiras as palavras de Apolo,
> dado seu rico dom de sagrada profecia.
> Mas ele, que isso cantou,
> ele, que estava na festa,
> ele, que disse essas coisas —
> foi ele que matou meu filho.

Depois da morte de Aquiles, houve uma disputa sangrenta por seu corpo e por sua armadura divina, mas por fim o Grande Ájax pôs o cadáver nos ombros e o levou de volta para onde estavam os barcos gregos, enquanto Odisseu afastava os troianos que os seguiam. A *Odisseia* de Homero (24.15-94) descreve os rituais fúnebres de Aquiles. Após sua morte, sua mãe Tétis chegou acompanhada de nereidas, vindas do mar, e durante dezessete dias lamentaram sua perda, juntamente com as nove musas e todo o exército grego; todos choraram. No décimo oitavo dia, a pira foi acesa. No amanhecer do dia seguinte, seus ossos foram recolhidos e colocados ao lado dos de Pátroclo, em uma urna de ouro feita por Hefesto e dada a Tétis por Dioniso. Os restos mortais dos dois amigos foram enterrados juntamente com os de Antíloco, e um alto monte de terra foi erguido sobre os corpos, em um promontório junto ao Helesponto, a partir de então uma referência para os marinheiros.

Segundo Homero, Aquiles desceu para o Hades, onde passou a viver como uma sombra. Na *Odisseia*, Odisseu encontra a sombra de Aquiles em companhia de Pátroclo, de Antíloco e do Grande Ájax (p. 340). Na *Etiópida*, Tétis arrebata o cadáver do filho da pira funerária e o leva para Leuca (a ilha Branca), posteriormente identificada como uma ilha do mar Negro, perto de onde o Danúbio deságua. Segundo essa história, Aquiles passou a viver lá, feliz para sempre, ao lado de Pátroclo e de outros heróis, todos tornados imortais.

Depois dos funerais, os gregos realizaram esplêndidos jogos fúnebres em sua homenagem, com prêmios doados pelos deuses. A armadura divina foi oferecida como recompensa ao guerreiro mais valente, e tanto o Grande Ájax quanto Odisseu a reivindicaram. Nas versões épicas, a questão de qual dos dois era mais valente foi resolvida pelos troianos: o veredicto foi dado ou pelos prisioneiros, ou pelas mulheres, ouvidas a conversar junto às muralhas de Troia. Na tragédia, posteriormente, os guerreiros gregos decidiram a questão pelo voto.

O resultado era sempre o mesmo: Odisseu recebeu o prêmio, e Ájax, colérico, mal pôde acreditar, pois estava certo de que seria o vencedor. Na verdade, deveria mesmo ter sido o escolhido, ou assim parece, dado o relato da bravura e da firmeza de Ájax na literatura remanescente. Até o próprio Odisseu, ao se encontrar com a sombra de Ájax no Hades, reconheceu que o guerreiro suplantava todos os gregos, à exceção de Aquiles. Odisseu suplicou que Ájax esquecesse seu ressentimento em relação ao prêmio, mas ele se recusou a falar e se afastou em altivo silêncio: "Não respondeu e se afastou para junto dos fantasmas dos outros mortos, escuridão adentro" (*Odisseia* 11.563-4).

Depois que Odisseu ganhou a armadura de Aquiles, Ájax resolveu vingar aquela afronta à sua honra matando os líderes gregos, mas Atena confundiu sua mente e, em vez de matar homens, acabou trucidando um rebanho de ovelhas mantidas para alimentar o exército. Quando se recuperou do acesso de loucura e se deu conta do que havia feito, cheio de vergonha e desespero matou-se com a própria espada.

Assim como no caso da morte de Aquiles, há poucos detalhes sobre o suicídio de Ájax na literatura antiga. Por sorte, temos uma tragédia posterior de Sófocles, *Ájax*, ainda existente, que dramatiza o último dia de vida do herói. Quando a peça inicia, Ájax já tinha matado os animais e o vemos enlouquecido por Atena, triunfante, acreditando ter aniquilado os inimigos, mas foi logo tomado pelo desespero ao recuperar a sanidade. Cercado de carcaças ensanguentadas, grita, em desespero (364-76):

> Eis-me aqui, o intrépido, o bravo,
> o que jamais temeu guerras mortais,
> agora formidável contra mansos e confiantes animais?
> Que escárnio! Que vergonha! (...)
> Deixei que se fossem os inimigos e caí
> sobre o gado cornudo e sobre este esplêndido rebanho,
> de cabras, encharcando a terra com seu sangue escuro.

Só lhe restava pôr fim à própria vida: "Honra na vida ou honra na morte é a única escolha para um homem de alguma nobreza", diz (479-80). E, como agora não há mais possibilidade de honra em vida, então deve morrer. Sua concubina, Tecmessa, mãe do seu pequeno filho

Eurísaces, suplica-lhe que não se mate, mas a decisão já foi tomada, embora Ájax a deixe pensar que aprenderá a viver com o que o destino lhe reservou (669-77):

> Até as forças mais cruéis e poderosas desistem.
> Cheio de neve, o inverno deixa vir o frutífero verão.
> A profunda escuridão na noite em um momento dá passagem
> aos brancos corcéis da aurora, que acendem a radiante luz.
> Os terríveis ventos fazem-se suaves brisas para embalar
> o retumbante mar. Até mesmo o sono, todo-poderoso,
> em seu tempo acaba por libertar o seu cativo. Não devo eu,
> então, aprender a consentir também?

Entretanto, sozinho e sem deixar de amaldiçoar seus inimigos, Ájax faz suas últimas preces aos deuses e deixa-se cair sobre a ponta da espada que lhe dera Heitor ao término de um duelo — uma lembrança, em uma morte causada pela vergonha e pela desonra, de que havia sido um grande herói.

Tecmessa encontra seu corpo e, a chorar, o cobre com seu manto (915-19):

> Ninguém deve vê-lo assim, por isso o cubro
> Completamente, com este meu manto,
> pois ninguém que o ame suportará
> vê-lo com o sangue negro a lhe subir
> até as narinas, da ferida assassina
> que ele abriu com as próprias mãos (...)

Chega então Teucro, irmão de Ájax, tarde demais para impedir a tragédia (992-1001):

> De tudo que meus olhos já viram,
> esta é a cena mais triste;
> de todas as estradas por onde andei,
> esta me trouxe ao encontro da maior dor,

> esta que me trouxe a ti,
> amado Ájax. Quando soube
> do teu destino, vim atrás da verdade. (...)
> Longe estava eu, e de longe gemi e carreguei a tristeza
> mas, agora que te vi, só desejo morrer.

Mas Teucro presta um serviço inestimável ao irmão morto. Menelau e Agamêmnon querem deixar que o cadáver de Ájax seja devorado por cães e abutres, mas Teucro está decidido a dar-lhe um enterro honroso. Ele defende o cadáver, até que Odisseu toma a frente e convence Agamêmnon de que não é correto agir daquela maneira com "o mais bravo guerreiro, depois de Aquiles, dentre todos os que chegaram a Troia" (1340-41). A peça termina com o corpo de Ájax sendo solenemente carregado para um enterro com todas as honras.

Mortos os dois maiores guerreiros gregos, é agora Odisseu, com seu talento para a estratégia, que vai para o primeiro plano. Foi em grande parte graças a seus esforços que Troia finalmente caiu.

Primeiro Odisseu capturou o vidente troiano Heleno, e o obrigou a profetizar quais as condições necessárias para que os gregos conquistassem Troia. Heleno revelou que tanto Filoctetes, o possuidor do grande arco de setas infalíveis de Herácles, quanto Neoptólemo, filho de Aquiles, precisariam lutar pelos gregos. E tinham que capturar o Paládio, a antiga imagem de Atena, que era o talismã protetor de Troia.

Odisseu partiu para Ésquiros a fim de ir buscar Neoptólemo no local onde crescera, a corte de Licomedes. O filho de Aquiles foi de boa vontade lutar com os gregos em Troia, e Odisseu o presenteou com a armadura divina que havia pertencido a seu falecido pai e que causara tanta briga com Ájax.

Odisseu também navegou até Lemnos, onde o ferido Filoctetes vivia abandonado havia dez anos. Durante esse tempo, vivera solitário em uma caverna, mantendo-se vivo à custa de pássaros e animais selvagens que matava com seu grande arco de setas certeiras. E por todo aquele tempo havia alimentado seu ódio aos gregos — principalmente a Odisseu, que teve a ideia de que o abandonassem lá. Em algumas versões da história, Diomedes acompanhou Odisseu nessa viagem, embora no *Filoctetes*, tragédia de Sófocles que chegou até os nossos dias, fosse Neoptólemo o seu companheiro.

Sófocles apresenta Lemnos como uma ilha absolutamente deserta, enfatizando o longo período de isolamento de Filoctetes. Sua antiga ferida é ainda uma agonia, e seu ódio não diminuiu. Como seria de se esperar, ele rejeita qualquer ajuda ao exército que o abandonou naquela ilha, mas o inescrupuloso Odisseu está preparado para usar qualquer artifício ou até força bruta para levá-lo para Troia. A princípio, Neoptólemo pensa também em ludibriar Filoctetes, mas sua natural honestidade, seu respeito e sua compaixão pelo homem ferido fazem que se prontifique a levá-lo de volta para a Grécia. É somente a aparição repentina de Héracles no fim da peça, como *deus ex machina*, que põe os acontecimentos de volta ao seu curso quando tudo parecia perdido. Ele ordena a Neoptólemo e a Filoctetes que sigam para Troia.

Uma vez lá, Filoctetes tem sua terrível ferida curada por Macáon, o filho médico de Asclépio, e então concorda em lutar contra Troia. No campo de batalha, atinge Páris com uma seta de seu grande arco, e Menelau mutila o cadáver, sem dúvida levado pela raiva e pelo rancor que ardiam em seu peito havia dez anos, mas os troianos recuperam o corpo, e Páris tem seu funeral. Morto Páris, Helena casa-se com Deífobo, outro filho de Príamo.

Então chega o último grande aliado que veio em auxílio dos troianos: Eurípilo, filho de Télefo, à frente de um exército da Mísia, onde os gregos haviam aportado na primeira vez que tentaram conquistar Troia. Eurípilo era outro sobrinho de Príamo, por parte de sua mãe, Astíoque, que até então havia se recusado a permitir que o filho fosse para a guerra. Príamo, contudo, conseguiu que ela pusesse de lado os escrúpulos presenteando-a com uma vinha de ouro, a mesma feita por Hefesto e dada por Zeus a Trós em compensação pela perda de Ganimedes. Assim foi que Eurípilo levou sua tropa de mísios a Troia, onde lutaram bravamente e mataram muitos gregos, entre os quais o médico Macáon e o líder dos beócios, Penelau. Por fim foi morto por

Neoptólemo, cujas proezas heroicas no campo de batalha provaram que era um sucessor digno do pai.

Os troianos, desolados, viram-se novamente encurralados no interior da cidade e os gregos perceberam que o fim da guerra não estava muito distante. Mas o Paládio ainda precisava ser capturado, portanto Odisseu e Diomedes decidiram ir ao templo de Atena e furtá-lo. São várias as versões de como isso se deu: em uma delas, Odisseu deixou Diomedes de guarda enquanto entrou no templo sozinho, disfarçado de mendigo. Lá encontrou Helena, que o reconheceu e o ajudou a roubar a estátua sagrada, e, com a ajuda de Diomedes, o objeto foi levado para o acampamento grego. Já outra versão diz que Diomedes subiu nos ombros de Odisseu para escalar a muralha da cidade, mas que, uma vez no alto, se recusou a puxar para cima o companheiro e assim desfrutou sozinho da glória pela façanha. Ainda segundo uma terceira versão, os dois entraram na cidade pelo esgoto e, juntos, roubaram o Paládio. Qualquer que tenha sido o estratagema, o resultado foi o mesmo: o talismã protetor de Troia desapareceu e a cidade estava então pronta para cair. Os gregos precisavam apenas descobrir como entrar. Foi o sempre engenhoso Odisseu quem concebeu o mais famoso estratagema de guerra de todos os tempos: o cavalo de madeira.

O cavalo de Troia

Com a madeira do monte Ida, os gregos construíram uma enorme estátua de um cavalo com a inscrição: "Pelo retorno a seus lares, os gregos dedicam esta oferenda de agradecimento a Atena." Em seguida lançaram seus navios ostensivamente ao mar, deixando a estátua do lado de fora dos portões de Troia. A barriga oca do cavalo, entretanto, estava cheia de guerreiros armados sob o comando de Odisseu, e os troianos puxaram o cavalo para o interior da cidade para festejarem a partida dos gregos, pois a longa guerra havia chegado ao fim e a cidade estava salva. Os guerreiros aguardaram dentro do cavalo até a calada da noite, quando deixaram o esconderijo e abriram os portões da cidade para seus companheiros, que àquela altura haviam retornado sem serem vistos. O que se seguiu foi uma carnificina. Os troianos dormiam sem suspeitar de nada quando foram atacados pelos gregos, e certamente foram presas fáceis para os homens que, durante dez anos, tinham aguardado aquele momento. A cidade, por fim em mãos gregas, foi selvagemente saqueada. É irônico que os troianos, amantes e "domadores de cavalos", tenham tido a defesa rompida e a cidade destruída pela imagem do animal admirado.

Relatos gregos do episódio do cavalo de Troia são surpreendentemente poucos. Homero o menciona na *Odisseia* — não na *Ilíada*, na qual o homem a quem se atribui a construção, Epeio, é simplesmente um exímio boxeador (que prefacia sua luta nos jogos fúnebres em homenagem a Pátroclo com um tipo familiar de bravata. "Eu sou o maior! (...) Isto digo e farei: vou arrebentar a carne e partir os ossos dele, e será melhor que seus amigos fiquem por perto para carregá-lo logo depois que eu matá-lo"). É na *Odisseia* (8.492-520) que ouvimos falar (resumidamente) da famosa história de como os gregos atearam fogo ao próprio acampamento e partiram em seus barcos enquanto Odisseu e outros guerreiros permaneceram dentro do cavalo de madeira. Os troianos o arrastaram até sua acrópole e então se puseram a discutir se deveriam abri-lo para ver o que tinha dentro, atirá-lo de um lugar bem alto ou, ainda, se deveriam deixá--lo ali como uma oferenda para aplacar os deuses. Esta última ideia prevaleceu, até que à noite os gregos saíram de dentro do cavalo e a cidade foi saqueada.

Essa história é contada de maneira bem semelhante na *Pequena Ilíada* e no *Saque de Troia*, do Ciclo Épico. Homero acrescenta um detalhe um tanto estranho: quando o cavalo foi levado para dentro de Troia, Helena pôs-se a dar voltas em torno da peça, sempre a chamar pelo nome os líderes gregos que ali se escondiam, imitando perfeitamente a voz da mulher de cada um. Se não fosse o pensamento rápido de Odisseu, os homens teriam respondido ao seu chamado e todo o plano teria ido por água abaixo (*Odisseia* 4.271-89). É Menelau quem conta essa história, explicando que aquele comportamento estranho de sua mulher certamente havia sido inspirado por algum deus favorável aos troianos.

O relato mais pormenorizado do episódio do cavalo de Troia nos é feito pelo poeta romano Virgílio em sua *Eneida* (2.13-267), na qual Eneias descreve dramaticamente o saque a Troia. Os gregos navegam apenas até Tênedos, mas os troianos estão seguros de que voltaram para casa; por isso, tomados de alegria, saem da cidade. Encontram então o imenso cavalo de madeira, "grande como uma montanha", e se põem a discutir o que fazer. O sacerdote de Apolo, Laocoonte, tenta impedi-los de puxar o cavalo para dentro das muralhas. Ele tem o pressentimento de que o cavalo trazia algum tipo de ameaça e resume suas suspeitas com a famosa frase *"Timeo Danaos et dona ferentis"*, "Temo os gregos, especialmente quando dão presentes" (2.49). Laocoonte arremessa sua grande lança no flanco do cavalo para mostrar que ele é oco, e o som que se ouve parece comprovar o que diz.

Como previsto no plano dos gregos, nesse momento entra em cena Sinon, que se deixara ser capturado pelos troianos e agora ganha sua confiança fingindo ser desertor com bons motivos para odiar seus antigos companheiros. Sinon convence os troianos de que o cavalo é uma oferenda genuína a Atena e que seu enorme tamanho é para impedir que seja roubado de Troia, onde atrairia os favores da deusa para a cidade, tornando-a inexpugnável. A armadilha está armada, e os troianos caem nela. Sua crença nas palavras de Sinon fortalece-se ainda mais quando veem o que a seguir acontece a Laocoonte, que está, com seus dois filhos, sacrificando um enorme touro a Poseidon quando, subitamente:

> Das águas mansas do Tênedos surgiram duas serpentes, movendo-se no oceano em espirais até se dirigirem, lado a lado, para a praia. Elas enfrentavam as ondas, e suas cabeças vermelhas como o sangue erguiam-se fora d'água enquanto seus ágeis corpos verdes, a serpentearem nas ondas, formavam grandes espirais na espuma do mar. E logo chegaram a terra. Seus olhos injetados pareciam brasas, e elas emitiam um horrível som sibilante ao lamberem os lábios com línguas que se projetavam a cada instante. (...) Foram diretamente

para onde Laocoonte se encontrava e logo se enroscaram em seus dois jovens filhos para começarem a devorar suas pobres perninhas. Quando Laocoonte agarrou a espada e correu para salvar os filhos, as cobras se lançaram em sua direção e o prenderam com seus corpos escamosos, dando duas voltas em sua cintura e duas ao redor de seu pescoço, erguendo-se assustadoras acima de sua cabeça. Ele lutou desesperadamente para se livrar daquelas amarras, suas vestes sacerdotais encharcadas de imundície e veneno negro, e seus gritos terríveis subiram aos céus, como o bramido de um touro ferido que foge do altar a sacudir o pescoço para livrar-se do machado ainda preso (2.203-24).

Os troianos julgam ter sido esse o castigo de Laocoonte por ter atirado sua lança na oferenda à deusa. Confiantes agora e cheios de júbilo, rompem a muralha e levam o cavalo para o coração da cidade. Cassandra os previne do desastre que está por vir, mas é ignorada, conforme sua predestinação a não ser levada a sério. O povo de Troia passa o último dia que lhe é destinado a enfeitar os altares dos deuses com guirlandas de gratidão. À noite, quando, satisfeitos, dormem profundamente, Sinon abre o cavalo e liberta os guerreiros em seu interior. Os gregos matam as sentinelas e escancaram os portões da cidade para que entrem os demais guerreiros gregos, que, nesse meio-tempo, haviam navegado de volta a Troia sem serem vistos. A cidade é, como sempre, saqueada em um ataque sangrento.

O saque de Troia

Os gregos massacraram os homens de Troia, levaram como escravas as mulheres e crianças, e incendiaram a cidade. Os únicos homens deixados vivos foram Heleno, que havia ajudado os gregos com suas predições, o ancião Antenor e seus filhos, porque salvaram as vidas de Menelau e de Odisseu no início da guerra, e Eneias, que conseguiu fugir com seu velho pai Anquises e seu filho pequeno, Ascânio.

Não há relatos satisfatórios do saque a Troia na literatura mais antiga, mas a *Ilíada* nos socorre, pois, apesar de terminar com os funerais de Heitor, algum tempo antes da queda da cidade, sua narrativa contém várias profecias dos horrores que ocorreriam quando Troia fosse vencida. Uma dessas profecias é atribuída a Príamo, que tenta persuadir Heitor a não arriscar sua vida — nem sua cidade — lutando contra Aquiles, insistindo em que ficasse em segurança dentro das muralhas (22.56-76):

> Vem para dentro das muralhas, meu filho, para que possas salvar
> os homens e as mulheres de Troia, e para não dares a grande glória
> ao filho de Peleu e para não seres roubado de tua própria vida.
> E tem pena de mim, indeciso, ainda vivo, desgostoso, indefeso,
> a quem o pai, filho de Crono, levará à morte
> no limiar da velhice, por um destino cruel,
> depois de ter visto muitos males, meus filhos destruídos
> e minhas filhas levadas como escravas, casas arrasadas
> e criancinhas lançadas ao chão no horror
> desta guerra, e as esposas de meus filhos arrastadas
> pelas malditas mãos dos gregos. E quanto a mim,
> finalmente, cães furiosos me despedaçarão à porta da minha morada,
> quando algum homem, com seu bronze afiado,
> do meu corpo tiver arrancado a vida — cães que em minha casa
> criei junto à mesa para guardar minhas portas, enlouquecendo, agora
> meu sangue beberão e, saciados, descansarão em meu pátio.
> Tudo é belo quando um jovem é morto guerreando
> e perfurado pelo bronze afiado, e, sem vida, jaz,
> e, embora morto, tudo à sua volta é nobre.
> Mas, quando um velho é morto, e os cães desfiguram
> sua cabeça cinza e as barbas cinza e suas partes
> mais privadas, de toda tristeza humana
> esta é a mais digna de pena.

Agora, com os gregos dentro de Troia, os vaticínios de Príamo tornam-se realidade. Ele busca refúgio no altar de Zeus, em seu próprio jardim, e é massacrado lá mesmo pelo jovem Neoptólemo. Em peças de arte arcaicas e clássicas, nas quais o saque de Troia era tema recorrente, a morte de Príamo no altar representa, com frequência, os horrores infligidos aos troianos pelos gregos. E sua morte é frequentemente relacionada à do filho de Heitor, Astíanax, na qual Neoptólemo aparece atacando o velho rei enquanto sacode o corpo do bebê, como um bastão — embora não tenha sido essa a causa da morte do pequeno.

É Andrômaca quem prediz o destino do filho ao chorar diante do marido morto (24.725-37):

> Marido meu, morreste jovem e me deixaste viúva
> em tua casa, e a criança é só um bebê
> que nasceu de ti e de mim, de triste sina. Acho
> que ele nunca crescerá, pois antes disso esta cidade
> será saqueada de cima a baixo, pois tu, seu defensor,
> estás morto, tu que protegeste esta cidade e mantiveste
> as mulheres e as criancinhas a salvo do mal,
> mulheres que logo partirão nas recôncavas naus,
> e eu junto com elas. E tu, meu filho,
> deves me seguir, e lá fazer tarefas vergonhosas,
> trabalhando para duro mestre. Ou então algum grego
> te pegará pelo braço e te lançará da torre
> para dolorosa morte, irado por ter Heitor certa vez matado
> seu irmão, seu pai ou seu filho.

Andrômaca estava certa. Dos dois possíveis destinos, o da criancinha foi a morte: como o previsto, o menino foi atirado do alto das muralhas de Troia. A *Pequena Ilíada* nos conta que o assassino foi Neoptólemo, mas, segundo o *Saque a Troia*, foi Odisseu. Entretanto, essas referências nos fragmentos do Ciclo Épico são breves demais. Para um relato mais completo e comovente da morte da criança, devemos lançar mão da tragédia de Eurípides *As troianas*, na qual é Odisseu quem insiste na morte de Astíanax, que não pode continuar vivo porque, no futuro, vingará a morte do pai e destruirá sua cidade.

A notícia de que o filho de Heitor deve morrer é levada a Andrômaca, que sofre com o destino do menino (749-60):

> Choras, criança. Sabes que já chega tua morte?
> Por que tuas mãozinhas agarram minha veste,
> como pequeninos pássaros a se abrigar sob minhas aves?
> Heitor não virá. Ele não virá,
> com sua grande lança, redivivo, para te salvar,
> tampouco virão seus homens, nem todo o poder de Troia.
> Uma queda mortal dos muros da cidade quebrará teu pescoço
> e interromperá tua respiração, sem ninguém para te prantear.
> Ah, meu menino, aqui em meus braços, amor de tua mãe,
> como é doce o odor de tua pele! Para nada
> este peito te alimentou, vestiu-te em xales,
> de nada valeram a dor de te parir, meus cuidados (...)

Andrômaca nada pode fazer para proteger o filho, pois é levada para ser concubina de Neoptólemo. Astíanax é atirado do alto de uma torre e seu pequeno cadáver é entregue à avó, Hécuba, no grande escudo do pai. Agora é ela quem lamenta o destino do neto, chorando sobre o pequeno cadáver (1173-93):

> Pobre cabecinha, como foram cruéis as muralhas de teu pai,
> as torres construídas por Apolo, ao deixar assim estes cachos
> que tua mãe tanto beijou e acariciou,
> e agora teu sangue escorre dos ossos partidos (...)
> O que poderia escrever um poeta em teu túmulo?
> Esta criança os gregos, por a temerem, a mataram?
> Palavras que cobrem de eterna vergonha toda a Grécia.
> Agora perdeste tudo o que teu pai tinha,
> mas uma coisa, porém, levas contigo: seu escudo de bronze
> no qual dormes (...)

Astíanax é então vestido e levado para ser enterrado, tendo por caixão o escudo de Heitor.

Polixena, filha de Príamo e de Hécuba, é morta também: os *Cantos cíprios* relatam sua morte, na tomada de Troia, pelas mãos de Diomedes e de Odisseu, e seu enterro por Neoptólemo. Já o *Saque a Troia* apresenta a versão mais difundida do fim de sua vida: sacrificada diante do túmulo de Aquiles. Neoptólemo, filho de Aquiles, foi quem a matou.

Sua morte é relatada de maneira pungente em *Hécuba*, tragédia de Eurípides, na qual o fantasma de Aquiles faz pararem os ventos que levam para casa a frota grega, e então, pessoalmente, exige o sacrifício da jovem. Em relatos posteriores, Aquiles teria se apaixonado por Polixena anteriormente — talvez quando a vira apanhando água na fonte onde ele aguardava uma emboscada para Troilo, ou quando a jovem foi com Príamo resgatar o corpo de Heitor. Em Eurípides, a exigência é simplesmente por sua parte do espólio. Quando Polixena fica sabendo que seu sacrifício é inevitável, segue para a morte decidida e corajosa. O arauto Taltíbio relata suas últimas palavras, dirigidas primeiramente aos gregos e então a Neoptólemo (547-68):

"Vós, gregos, que saqueastes minha cidade, ouvi: morro voluntariamente.
Que mão nenhuma me toque, pois, feliz, ofereço meu pescoço.
Deixai-me ir livre ao encontro da morte, isso vos peço, pelos deuses,
que eu morra livre: nascida de sangue real, nego-me a ser vista como
uma escrava entre os mortos." Assentiu a multidão aos gritos,
e Agamêmnon disse aos guardas que soltassem a garota.
Ouvindo essas palavras, Polixena agarrou as vestes
e as rasgou desde o ombro até o ventre, exibindo
seus lindos seios, adoráveis como os de uma estátua. Então,
 [deixando-se cair
de joelhos na terra, com bravura disse essas
lamentosas palavras: "Se é no meu peito que queres tua espada, ó
jovem rapaz, aqui está. Mas se é meu pescoço que desejas,
ei-lo também. Estou pronta." E ele então, querendo
e não querendo, apiedado, cortou sua garganta
com a espada de ferro, e torrentes de sangue fluíram.

Helena por pouco não morreu também, mas escapou no último minuto. Tão logo entrou na cidade de Troia, Menelau dirigiu-se à casa de Deífobo, o novo marido dela. Em um acesso de ciúme, matou-o, mutilou seu corpo e em seguida foi em busca da mulher. Pretendia matá-la também, por sua longa infidelidade, mas ao ver novamente a beleza de seus seios nus a espada erguida caiu de sua mão. Antigas pinturas de vasos capturam esse exato momento, a espada a meio caminho do chão. Menelau perdoou Helena e a levou de volta para Esparta.

No *Saque a Troia*, de Estesícoro (fr. 201), os gregos em geral tiveram reação semelhante quando pretendiam puni-la por ter causado uma guerra tão longa e tão sangrenta. Já estavam a ponto de matá-la a pedradas quando viram seu belíssimo rosto, e as pedras caíram de suas mãos. Sua beleza sempre causou esse efeito. Os velhos, junto às muralhas de Troia, ao verem-na se aproximar, disseram: "Ninguém pode culpar os troianos e tampouco os aqueus de boas grevas, se, por tanto tempo, sofreram as agruras da guerra por uma mulher como esta, que se parece terrivelmente com uma deusa imortal" (*Ilíada* 3.156-8). E desde então Helena é vista como a quintessência da beleza feminina e da atração sexual, bela o bastante para que se morra por ela. "*Was this the face that launch'd a thousand ships,/ And burnt the topless towers of Illium?*" ["Foi este o rosto que lançou ao mar mil navios,/ e que incendiou as torres sem fim de Troia?"] pergunta Fausto no *Doutor Faustus*, de Marlowe; e o Troilo de Shakespeare diz, ao ouvir o estrépito da batalha, "*Helen must needs be fair/ When with your blood you daily paint her thus*" [Helena deve ser mesmo muito bela,/ Para que com vosso sangue a pinteis assim."] (I.i 89-90).

Andrômaca, como vimos, tornou-se concubina de Neoptólemo. Hécuba foi dada como espólio de guerra a Odisseu, o homem que ela odiava mais do que a qualquer outro. Mas não teve que suportá-lo por muito tempo, pois morreu pouco depois da queda de Troia. Seu nome, assim como o de Príamo, seu marido, se tornariam símbolo de alguém que sofre com um revés do destino, como nos conhecidos versos de *Carmina Burana*:

> O rei está sentado no alto,
> Que ele se cuide de uma queda;
> Pois abaixo da roda está escrito
> "Esta é a Rainha Hécuba."

A dor de Hécuba é também lembrada na fala emocionada do Primeiro Ator em *Hamlet*, que provoca a resposta assustadora de Hamlet (II. ii. 552-3):

> What's Hecuba to him or he to Hecuba
> That he should weep for her?*

Cassandra foi dada como recompensa a Agamêmnon — mas não antes de ter sido estuprada pelo Pequeno Ájax. Enquanto os gregos matavam e saqueavam Troia, Cassandra se refugiou junto à estátua de Atena, mas Ájax a arrastou de lá e a estuprou. A estátua, horrorizada, voltou os olhos para o outro lado. No devido de tempo, Atena se vingaria de maneira terrível por esse sacrilégio, fazendo naufragar os barcos gregos na viagem de regresso à Grécia, em uma avassaladora tempestade à altura do cabo Cafereu. Dos muitos barcos, poucos foram os que voltaram para casa.

Todas essas mortes de gregos e troianos têm origem na fuga de Helena com Páris, história que, por sua vez, começa com a visita de Zeus a Leda, em forma de cisne. Essa tem sido uma imagem poderosa ao longo do tempo, e talvez seja W. B. Yeats, em seu *"Leda and the Swan"* ["Leda e o cisne"], quem captou de maneira mais memorável, em poucas palavras, o significado dessa união entre mortal e deus:

> A sudden blow: the great wings beating still
> Above the staggering girl, her thighs caressed
> By the dark webs, her nape caught in the bill,
> He holds her helpless breast upon his breast.

---

* O que é Hécuba para ele ou ele para ela/ Para que ele deva chorar por ela?

How can those terrified vague fingers push
The feathered glory from her loosening thighs?
And how can body, laid in that white rush,
But feel the strange heart beating where it lies?

A shudder in the loins engenders there
The broken wall, the burning roof and tower
And Agamemnon dead.
                          Being so caught up,
So mastered by the brute blood of the air,
Did she put on his knowledge with his power
Before the indifferent beak could let her drop?*

O RETORNO DOS GREGOS QUE PARTIRAM DE TROIA

Quando os gregos se dispuseram a navegar para casa mais uma vez, Atena provocou uma briga entre os irmãos Menelau e Agamêmnon. Menelau queria voltar imediatamente, mas Agamêmnon queria adiar a partida até que tivessem aplacado Atena com sacrifícios esplêndidos. "Pobre tolo", comenta Homero, "não sabia ser impossível fazê-la mudar, pois a mente dos deuses eternos não se modifica rapidamente" (*Odisseia* 3.146-7). Os irmãos não chegaram a um acordo e tampouco seus camaradas, assim Menelau partiu com metade da frota, deixando para trás o restante, com Agamêmnon.

Menelau, o primeiro líder a partir, aportou com sua frota na ilha de Tênedos, para oferecer sacrifícios por seu retorno seguro, e lá houve outra briga em consequência da qual muitos barcos, inclusive os líde-

---

* Súbito golpe: as grandes asas a baterem ainda/ Sobre a jovem cambaleante, as coxas acariciadas/ Por escuras patas, a nuca presa em seu bico,/ Ele a prende indefesa, peito contra peito.// Como podem aqueles dedos perdidos e aterrorizados empurrar/ O resplendor emplumado de suas coxas fraquejantes?/ E como pode O corpo, deitado sobre esse branco ímpeto,/ Deixar de sentir batidas estranhas do coração onde se reclina?// Um temor nas virilhas se engendra/ A muralha rompida, o teto e a torre a arder/ E Agamêmnon morto.// Deste modo capturada,/ Deste modo dominada pelo bruto sangue vindo do ar,/ Teria ela assumido dele o saber e o poder/ Antes que a soltasse o bico indiferente?

rados por Odisseu, partiram de volta para Troia a fim de recomeçar a viagem. Os demais seguiram em frente. O velho Nestor voltou para Pilos em segurança — na *Odisseia* (Livro 3) nós o vemos de volta a seu palácio, como anfitrião de Telêmaco, filho de Odisseu, que para lá havia ido em busca de notícias do pai. Diomedes também retornou sem problemas a Argos, e consta que mais tarde ele se estabeleceu no sul da Itália. Menelau se separou dos outros ao parar para enterrar seu piloto, Frontia, e quando prosseguiu foi atingido por uma violenta tempestade ao largo do cabo Maleia, na extremidade sudeste do Peloponeso. Muitos barcos naufragaram e Menelau, com os cinco barcos restantes, foi parar na costa do Egito.

Menelau e Helena ficaram na região durante oito anos, amealhando ricos tesouros, mas ao fim desse tempo estavam prontos para voltar para Esparta. Porém uma calmaria os prendeu por vinte dias na ilha de Faro, ao largo do delta do Nilo. A ninfa do mar Idoteia, filha de Proteu, o Velho do Mar, apiedou-se do casal e disse a Menelau como chegar ao Velho, que lhe mostraria como voltar para casa (*Odisseia* 4.400-424):

> Quando o sol ascende ao centro do céu
> o confiável Velho do Mar sai das águas,
> sob o sopro de Zéfiro, oculto pelo negro encrespamento das ondas.
> Uma vez fora d'água, ele dorme em profundas grutas,
> e à sua volta as focas, filhas da bela deusa das ondas,
> dormem todas juntas, saindo das águas cinzentas e salgadas
> e exalando o forte odor das profundezas marinhas (...)
> Primeiro ele andará por entre as focas e as contará,
> mas quando as tiver visto e acabado de contar todas
> deitar-se-á entre elas, como um pastor em meio a seu rebanho.
> Tão logo o vejas dormindo, esse será o momento
> de provar toda a tua coragem e tua força: precisas mantê-lo ali
> todo o tempo em que ele, agitado, lutar tentando escapar.
> Ele porá à prova toda a tua força assumindo formas de todo tipo,
> de tudo que se move sobre a terra, de água e de furioso fogo,
> mas deves retê-lo com firmeza e apertá-lo com mais força ainda.

> Porém quando ele te perguntar o que queres, voltando a mostrar-se tal
> como o viste a dormir, então deves abster-te
> de tua violência, herói, e soltar o Homem Velho,
> e perguntar-lhe qual dos deuses te torna a vida difícil,
> e como voltar para tua casa sobre as piscosas profundezas.

No dia seguinte, Idoteia ajudou Menelau e três de seus companheiros a espreitar Proteu. Preparou para isso quatro esconderijos na areia da praia e os cobriu com peles de foca, tendo o cuidado de colocar ambrosia sob as narinas dos homens para que pudessem suportar o mau cheiro. Dessa maneira eles foram capazes de pegar Proteu de surpresa e agarrá-lo, como Idoteia aconselhara. Proteu se transformou em um leão de grande juba, em uma cobra, em uma pantera, em um enorme javali, em água corrente e em uma árvore altíssima. Mas o mantiveram firmemente agarrado até, por fim, ceder, dando então a Menelau a orientação de que necessitava. Menelau e Helena finalmente embarcaram de volta para Esparta.

Neste ponto deve ser feita referência a uma história bem diferente sobre Helena e a Guerra de Troia, que (nas mãos de Eurípides) envolve também Proteu, embora aqui como um benevolente rei do Egito, com palácio em Faro, em vez de deus do mar e pastor de focas. Essa versão do mito apresenta uma Helena inocente de qualquer culpa pela Guerra de Troia. Estesícoro, que aparentemente inventou a história, teria ficado cego após relatar, em um de seus poemas líricos, a traição e a fuga de Helena. Ao se dar conta de que a ira da jovem era a causa de sua cegueira, escreveu um poema de retratação (uma palinódia) que começava assim: "Não é verdadeira aquela história. Não viajaste em uma bela nave, tampouco foste à cidadela de Troia", sustentando que teria sido apenas um fantasma semelhante à mulher que fugira com Páris. Tão logo o poema ficou pronto, Estesícoro teria recuperado a visão.

Infelizmente, apenas pequenos fragmentos desse poema chegaram até nós, mas temos uma peça inteira de Eurípides sobre o mesmo tema, sua *Helena*. Nela o fantasma é obra de Hera, irada por ter sido preterida no julgamento de Páris, que foi totalmente enganado pela

Helena fantasma e levou-a consigo para Troia. A partir daí as histórias se assemelham. Enquanto isso, a verdadeira e virtuosa Helena foi levada por Hermes para o Egito, onde foi deixada sob a guarda do bondoso Proteu, e lá permaneceu durante toda a guerra, e por dez longos anos muitos homens morreram desnecessariamente.

Quando a peça inicia, a guerra já terminou, Proteu está morto e seu filho Teoclímeno, o novo rei, está tentando forçar Helena a se casar. Menelau, a caminho de casa, chega e fica perplexo ao encontrar outra mulher. A história acaba sendo esclarecida, o fantasma desaparece e marido e esposa se reúnem felizes, depois de longos anos de separação. Graças a um esperto estratagema, o casal consegue escapar da perseguição do cruel Teoclímeno e, no final da peça, os dois embarcam alegremente de volta ao lar.

Mas, quer Helena tenha ido com Páris para Troia quer não, o fim da história é o mesmo: seu encontro com Menelau e o retorno ao lar, em Esparta. Na *Odisseia* (Livro 4) nós a vemos como perfeita dona de casa e anfitriã quando Telêmaco chega à procura de notícias de Odisseu. Helena tece, atenua as angústias de seus hóspedes com uma droga maravilhosa que trouxe do Egito e que põe em suas taças de vinho, os entretém com histórias e dá a Telêmaco, como presente de despedida, uma bela túnica para sua noiva usar no dia do casamento. Ela parece muito feliz por estar de volta ao lar e novamente ao lado de seu primeiro marido. Menelau se mostra feliz e orgulhoso por tê-la de volta.

Talvez a visão deformada e cínica de Rupert Brooke em seu *"Menelaus and Helen"* esteja mais de acordo com a realidade humana:

> (...) So far the poet. How should he behold
> That journey home, the long connubial years?
> He does not tell you how white Helen bears
> Child on legitimate child, becomes a scold,
> Haggard with virtue. Menelaus bold
> Waxed garrulous, and sacked a hundred Troys
> 'Twix noon and supper. And her golden voice
> Got shrill as he grew deafer. And both were old.

Often he wonders why on earth he went
Troyward, or why poor Paris ever came.
Oft she weeps, gummy-eyed and impotent;
Her dry shanks twitch at Paris' mumbled name.
So Menelaus nagged; and Helen cried;
And Paris slept on by Scamander side. *

Realista também é a consciência da finitude e da efemeridade da beleza expressas por Thomas Nashe em seu poema *"In Time of Pestilence"*:

Beauty is but a flower
Which wrinkles will devour;
Brightness falls from the air;
Queens have died young and fair;
Dust hath closed Helen's eye.
I am sick, I must die.
Lord, have mercy on us.**

Mas a antiga Helena pertence ao mundo dos mitos, no qual, por ser filha de Zeus, se tornou imortal depois da morte. Menelau foi também imortalizado por ser genro de Zeus. Não é de surpreender que tantos pretendentes tenham disputado a mão de Helena, ainda que não se leve em conta sua beleza.

Voltemos a Atena, que puniu o Pequeno Ájax por seu sacrilégio em Troia, bem como seus camaradas por não o terem punido. Com o

---

* (...) Até aqui foi o poeta. Como veria/ Aquela jornada em retorno para casa, os longos anos conjugais?/ Ele não fala como Helena tem/ Filhos e filhos legítimos, como se torna uma megera/ Desfigurada pela virtude. Destemido Menelau/ Agora fanfarrão, saqueador de uma centena de Troias/ Entre o almoço e o jantar. E a linda voz de Helena/ Tornou-se estridente à medida que ele ensurdecia. Envelheceram os dois./ Com frequência ele se pergunta o que mesmo tinha ido fazer/ Em Troia, ou por que o pobre Páris fora a Esparta./ E ela, impotente, verte lágrimas de seus olhos remelosos;/ Suas coxas flácidas estremecem quando o nome de Páris é murmurado. Menelau a importuna; e Helena chora;/ E Páris segue em seu sono à margem do Escamandro.
** Beleza não é nada mais que uma flor/ Que as rugas vão devorar;/ O brilho se desfaz no ar;/ Rainhas morreram jovens e belas;/ O pó fechou os olhos de Helena./ Sinto-me mal, devo morrer./ Senhor, tende piedade de nós.

auxílio de Zeus e de Poseidon, a colérica deusa enviou uma terrível tempestade que fez naufragarem os barcos gregos nas rochas do cabo Cafereu, na extremidade sul da ilha de Eubeia. Não dispomos de um relato completo desse episódio na literatura mais antiga, mas em *As troianas*, em que Eurípides dramatiza o fim de Troia, temos uma poderosa descrição dos futuros horrores, na boca de Atena e de Poseidon.

Zeus havia prometido uma tempestade a Atena, que pede ao deus do mar que cumpra sua parte também. "Zeus enviará chuvas e infindáveis quedas de granizo, e tenebrosas tempestades", diz ao deus do mar, "e me prometeu o fogo dos seus raios para golpear as naves gregas e incendiá-las. Então, por tua vez, agitarás o Egeu com ondas enormes e redemoinhos. Encherás o Golfo de Eubeia de cadáveres. A partir de então os gregos aprenderão a reverenciar meus altares e a respeitar todos os outros deuses".

"Assim será", responde Poseidon. "Tornarei revolto o enorme Egeu e as costas de Míconos, os recifes de Delos, Ésquiros, Lemnos, e o cabo Cafereu ficará coalhado de cadáveres das incontáveis vítimas."

Durante a tempestade enviada pelos deuses, Atena lançou um raio no barco de Ájax e o afundou, mas o rival da deusa conseguiu se salvar nadando até a rocha Gireia (de localização incerta). Ali sua insolente arrogância o destruiu, como relata Homero (*Odisseia* 4.502-11):

> Ájax teria escapado da morte, ainda que odiado
> por Atena, não tivesse ele lançado insensata,
> orgulhosa palavra, gabando-se de ter escapado
> das profundezas do imenso mar, contra a vontade mesma
> dos deuses, e Poseidon o ouviu a gabar-se aos brados.
> Prontamente as mãos fortes do deus pegaram o tridente
> e golpearam a rocha Gireia, partindo-a em duas.
> Parte ficou onde estava, mas a outra caiu
> no mar, justo onde Ájax estava ao dizer
> suas palavras insensatas. Ela o levou para as profundezas
> do mar agitado e infindo. Assim morreu Ájax...

Foi também no cabo Cafereu que Náuplio se vingou da morte injusta de seu filho Palamedes (p. 315), ao remar, sozinho, até o cabo e lá acender fachos de orientação para as embarcações. Em meio a tenebrosa tempestade, aqueles lumes, prometendo um porto seguro, atraíram muitos barcos para o naufrágio nas cruéis rochas. Náuplio encarregava-se de matar, pessoalmente, aqueles que chegavam vivos à praia.

Contudo, apesar da devastação causada pela tempestade, alguns gregos conseguiram voltar em segurança para suas casas. Agamêmnon navegou de volta para Micenas, mas foi assassinado logo em seguida (p. 431). O velho Nestor reporta, na *Odisseia* (3.190-92), que Filoctetes retornou ao lar tranquilamente, e que Idomeneu, líder do contingente cretense, voltou para sua casa em Creta (p. 257). Odisseu conseguiu não ser apanhado pela tempestade e chegou em casa ao fim de mais de dez anos de muitas viagens — mas essas aventuras são assunto do nosso próximo capítulo.

Alguns gregos fizeram por terra a viagem e evitaram os perigos da travessia marítima. O vidente Calcas viajou com seus companheiros para a cidade de Cólofon e lá, depois de ter sobrevivido a dez anos de guerra, encontrou seu destino. Havia sido predito que morreria se encontrasse um adivinho mais hábil, e naquela cidade se encontrou com Mopso, neto de Tirésias, o grande vidente de Tebas. Calcas desafiou Mopso a dizer quantos figos havia em uma figueira próxima, e Mopso deu a resposta correta. Foi então a vez de Mopso desafiar Calcas a dizer quantos leitõezinhos havia no ventre de uma porca prenha. Calcas disse que eram oito, mas Mopso afirmou que a resposta estava errada; a porca tinha no ventre nove leitõezinhos, todos machos, que nasceriam na sexta hora do dia seguinte. Aconteceu exatamente como o vidente tebano predisse, e Calcas morreu de tristeza.

O filho de Aquiles também viajou por terra, a conselho de Tétis, sua avó, que sabia da tempestade que estava por vir. Neoptólemo levou consigo dois troianos: Andrômaca, a esposa de Heitor, espólio conquistado na guerra, e o vidente Heleno, e, segundo uma das tradições, teria se estabelecido no Épiro, onde Andrômaca lhe deu um filho, Molosso. O povo daquele lugar passou a ser chamado de molossiano, em homenagem ao menino, e a terra foi governada por muitas gerações de descendentes de Neoptólemo, uma das quais foi Olímpia, a mãe de Alexandre, o Grande.

Depois da morte de Neoptólemo (da qual há muitas versões, embora se concorde que sua morte foi violenta em Delfos), Andrômaca se casou com Heleno; assim, dois troianos derrotados foram capazes de começar nova vida em liberdade. Nós os vemos na *Eneida*, de Virgílio, (Livro 3), quando Eneias visita o Épiro. Lá Heleno era rei e vivia com Andrômaca em uma nova cidade à qual deram o nome de Pérgamo, em homenagem a Troia. Os dois, no entanto, não foram capazes de se recuperar da tristeza por tudo que haviam perdido. Eurípides parece resumir bem o sentimento de Andrômaca na tragédia, cujos originais ainda existem, que tem o nome da personagem. Quando é ameaçada de morte, ela responde (453-6):

> A morte é menos terrível para mim
> do que podes pensar, pois há muito morri,
> quando minha pobre Troia foi saqueada,
> quando meu querido Heitor morreu.

11. Odisseu e sua odisseia

A maior saga de retorno da Guerra de Troia é a de Odisseu, imortalizada no segundo e monumental poema atribuído a Homero, a *Odisseia* — tão famoso que nos deu a palavra "odisseia", que designa qualquer longa viagem cheia de peripécias.

> Fala-me, musa, do homem de muitos recursos
> que vagou até longe, depois de a sagrada Troia saquear.
> Muitos foram os homens cujas terras viu, cujas mentes
> conheceu, e muitas foram também as tristezas de seu coração
> no mar aberto, lutando pela própria vida
> e pelo seguro retorno de seus camaradas.

Esses são os primeiros versos da *Odisseia* e, assim como nos primeiros versos da *Ilíada*, a palavra "ira" indica o tema que perpassará todo o poema. A primeira palavra em grego — *andra*, "homem" resume o foco da *Odisseia*: o próprio Odisseu cujas provações e aventuras são o assunto da longa narrativa.

Odisseu, o "homem de muitos recursos", é provavelmente o personagem mais conhecido de toda a literatura antiga. Homero nos fala até de sua aparência. Na *Ilíada*, o velho Príamo comenta que Odisseu é uma cabeça mais baixo do que Agamêmnon (que tampouco é um dos mais altos entre os gregos), porém mais largo de peito e de ombros, e circula entre seus homens como um carneiro lanudo no meio de seu rebanho (3.191-8). E o ancião troiano Antenor, lembrando-se dos primeiros tempos da guerra, quando Odisseu chegou a Troia na esperança de recuperar Helena por meios pacíficos, comenta que sua aparência não causava grande impressão, "mas quando ele soltava o vozeirão que carregava no peito e as palavras caíam como flocos de neve, nenhum outro homem vivo se igualava a Odisseu" (3.231-3).

Homero o descreve como homem corajoso, inteligente e capaz de encontrar saídas para todas as situações — de fato, os epítetos mais comuns para esse herói são *polutlas*, "muito resistente", *polumetis*, "homem de muitos ardis", e *polumechanos*, "homem de muitos expedientes". Todas essas qualidades seriam postas à prova nos dez longos anos necessários para que retornasse de Troia para o muito ansiado lar. E, quando, por fim, lá chegou, ainda teve que enfrentar vorazes pretendentes, homens que, em sua ausência, haviam invadido sua casa, estavam dilapidando seus bens e assediando sua esposa, Penélope. Só depois disso foi possível recuperar seu lar e seu reino.

Mas, antes de nos concentrarmos na saga de Homero sobre Odisseu, devemos esboçar, em linhas gerais, o lar e a família que estão por trás da grande saga desse herói.

ÍTACA

Odisseu nasceu em Ítaca, uma das mais adoráveis ilhas gregas, situada entre a Cefalênia e a Acarnânia, no continente. Seu pai foi Laertes, rei de Ítaca. Quando jovem, Laertes viajou com Jasão e os argonautas, mas já estava velho quando o encontramos na *Odisseia*. Muitos anos antes, o rei havia abdicado em favor de seu filho e se retirado da vida pública.

A mãe de Odisseu era Anticleia, filha do famoso ladrão Autólico, que morava perto do monte Parnaso. O talento especial de Autólico era o furto de animais, pois, dotado de poderes mágicos, fazia coisas desaparecerem, mudarem de cor ou adquirirem outras características. Muitos foram os rebanhos e as manadas que pegou para si ao mudar a aparência dos animais, de modo que verdadeiros donos não pudessem identificá-los. Autólico, por fim, encontrou um rival à altura. Sísifo, rei de Corinto, também era cheio de truques (p. 121).

Autólico roubou o gado de Sísifo, modificando os animais como de costume, para que não fossem reconhecidos, mas o rei suspeitou do que estava acontecendo quando notou que seus rebanhos estavam diminuindo pouco a pouco, enquanto os de Autólico não paravam de crescer. E foi mais esperto do que o espertalhão-mor: prendeu nos cascos dos animais tabuinhas de chumbo nas quais havia mandado escrever as palavras "roubado por Autólico" e então tudo o que teve de fazer foi seguir as pegadas e reclamar de volta seus animais. Consta que os dois espertalhões se tornaram amigos inseparáveis. Alguns escritores (não Homero) disseram até que Sísifo seduziu a filha de Autólico, Anticleia, e que teria sido, ao invés de Laertes, o pai de Odisseu.

Foi Autólico quem deu ao neto o nome Odisseu, por ter encarado problemas (*odussesthai*) com muitas pessoas ao longo da vida. Na juventude, Odisseu visitou a casa do avô e participou de uma caçada ao javali com os tios. O garoto matou o javali, mas não sem antes ser ferido na perna por sua presa, o que resultou em uma cicatriz que carregaria para sempre. Mas a maior parte de sua juventude foi passada em Ítaca. "Um lugar rústico", dizia sobre a ilha, "mas que cria bons filhos". Ítaca era também, segundo ele, o lugar mais agradável do mundo (*Odisseia* 9.27-8).

Ao crescer, Odisseu tornou-se um dos inúmeros pretendentes de Helena, a bela filha do rei Tíndaro de Esparta, mas não por ter de fato intenções de se casar, e sim porque viu ali uma oportunidade de conquistar a mulher que escolhera: Penélope, filha do irmão de Tíndaro, Icário. Tíndaro temia uma explosão de violência quando um dos pretendentes de Helena fosse escolhido entre os demais, por isso Odisseu o aconselhou a fazer os pretendentes jurarem respeitar sua escolha e defender aquele casamento de quaisquer ameaças futuras. Todos concordaram, e Tíndaro, agradecido pelo bom conselho, intercedeu junto a Icário em favor de Odisseu e, assim, Penélope tornou-se sua.

O casal se estabeleceu em Ítaca e o casamento foi muito feliz. Tiveram um filho, Telêmaco, mas, quando o menino era ainda um bebê, a Guerra de Troia começou. Helena fugiu para Troia com Páris, e todos os pretendentes rejeitados foram convocados para manter o juramento e ajudar a recuperá-la. Assim, Odisseu teve que se juntar ao exército de Agamêmnon e partir para a guerra, em Troia. Foi muito a contragosto que deixou sua casa e sua querida esposa (p. 305), sabedor, através de um oráculo, de que ficaria vinte anos longe de Ítaca e só retornaria depois de muito sofrimento.

Odisseu conduziu doze barcos de Ítaca a Troia. Como vimos, seu papel na guerra foi importante, e uma das coisas que fez foi conceber o estratagema do cavalo de madeira, com o qual os gregos finalmente entraram na cidade. Após dez anos de guerra, Troia foi derrotada e Odisseu lançou-se mais uma vez ao mar com seus doze barcos, rumo a Ítaca.

O retorno de Troia

No décimo ano de sua viagem, Odisseu, tendo perdido todos os seus barcos, seus homens e seus pertences, chegou, nu, à mágica ilha de Esquéria. Lá foi encontrado pela jovem e bela Nausícaa, filha do rei da ilha, Alcínoo, que lhe deu comida e roupas, e o levou para o palácio de seu pai. Durante um banquete no palácio, Homero faz o próprio Odisseu relatar todas as perigosas aventuras de sua viagem de volta para casa (Livros 9-12).

Sua narrativa começa, no momento da partida de Troia com seus doze barcos. Um forte vento o afasta do curso para o sudoeste da Trácia, terra dos cícones, aliados dos troianos durante a guerra. Odisseu e seus camaradas saqueiam a cidade de Ismaros, onde matam todos os homens, menos Maron, o sacerdote de Apolo, e capturam todas as mulheres e riquezas. O sacerdote, grato por ter sido poupado, dá ao líder do grupo muitos presentes, entre os quais doze jarras de um vinho forte e doce como mel. Este vinho viria um dia a salvar Odisseu da morte.

Odisseu insta seus homens a partir imediatamente, mas todos o ignoram e se deixam ficar, banqueteando-se com os espólios e saqueando o que podem. Assim, reforços dos cícones têm tempo de chegar, vindos do continente. "Chegaram à primeira hora da manhã, tantos quantas são as flores da primavera, ou as folhas", diz Odisseu (9.51-61). "Lutaram conosco em uma batalha junto aos nossos barcos ligeiros... e, quando o sol passou da hora em que os bois são desatrelados, por fim os cícones forçaram os gregos a recuar para os barcos e os sobrepujaram; de cada barco seis de meus camaradas fortemente armados foram mortos." Portanto, setenta e dois dos homens de Odisseu não mais seguirão viagem.

Os demais escapam, apesar da tempestade, e velejam a salvo até o cabo Maleia, na extremidade sudeste do Peloponeso. Dali o Vento Norte os arrasta para fora da rota durante nove dias. No décimo, chegam à terra dos comedores de lótus.

Os comedores de lótus

Ao contrário de outros povos que Odisseu encontrará, os comedores de lótus, gentis e inofensivos, não representaram ameaça violenta. O perigo é mais sutil, pois se alimentam do exótico fruto do lótus, que induz o esquecimento e faz que aqueles que o comem percam todo desejo de voltar para casa. Odisseu manda três de seus homens à terra em missão exploratória e, quando comem do lótus, desejam apenas permanecer lá para sempre. Odisseu precisa arrastá-los de volta para o barco e amarrá-los.

Os comedores de lótus são, na imaginação popular, um povo indolente e amante do luxo, mas tal fama não decorre diretamente da história de Homero, que é breve e nada dramática, mas de elaborações posteriores. O primeiro a desenvolver o tema foi Tennyson, em seu poema seminal *"The Lotus-eaters"* [*Os comedores de lótus*]. Alguns de seus versos merecem ser citados aqui, pois preenchem o breve esboço de Homero e tornam mais vívida a terra dos comedores de lótus. Sua atração sensual é irresistível:

> There is sweet music here that softer falls
> Than petals from blown roses on the grass,
> Or night-dews on still waters between walls
> Of shadowy granite, in a gleaming pass;
> Music that gentlier on the spirit lies,
> Than tired eyelids upon tired eyes;
> Music that brings sweet sleep down from the blissful skies.
> Here are cool mosses deep,
> And thro' the moss the ivies creep,
> And in the stream the long-leaved flowers weep,
> And from the craggy ledge the poppy hangs in sleep.*

Tampouco resistem a essa terra os marinheiros de Tennyson. Assim termina o poema:

> Surely, surely, slumber is more sweet than toil, the shore
> Than labour in the deep mid-ocean, wind and wave and oar;
> Oh rest ye, brother mariners, we will not wander more.**

Os marinheiros de Homero, porém, seguem viagem e chegam à terra dos bárbaros ciclopes.

---

* Há aqui uma delicada música que mais suavemente cai/ Do que pétalas de rosas sopradas sobre a grama,/ Ou do que gotas de orvalho da noite em águas mansas entre os muros/ De sombreado granito, em uma passagem iluminada;/ Música que no espírito se deixa repousar com mais delicadeza,/ Do que pálpebras sonolentas sobre olhos sonolentos;/ Música que traz o doce sono de céus plenos de felicidade./ Aqui o musgo é fresco e profundo,
E por dentro do musgo cresce lentamente a hera,/ E no riacho as flores de longas folhas choram em silêncio,/ E da ponta de um penhasco a papoula pende, a dormir.
** Por certo, por certo, o sono é mais doce que a labuta, a praia/ Que o trabalho no oceano profundo, o vento, a onda, o remo;/ Descansai, irmãos marinheiros, não mais seguiremos a vagar.

O ciclope Polifemo

Os ciclopes ("olhos redondos") eram uma raça de gigantes com um só olho no meio da testa. Os primeiros ciclopes, nascidos de Urano e Gaia, forjaram os raios de Zeus e ajudaram os deuses em sua vitoriosa guerra contra os titãs. Fizeram também muitas obras monumentais para os humanos, inclusive a porta dos leões em Micenas e as imensas ("ciclópicas") muralhas de Micenas e Tirinto, tão grandes que parecia impossível terem sido construídas por mãos mortais. Acreditava-se que suas forjas ficassem sob o monte Etna, na Sicília, onde seu trabalho com o fogo deu origem à atividade vulcânica do Etna.

Os ciclopes de Homero, porém, são uma raça de pastores também gigantescos, também com um olho só no meio da testa, que moram em um mundo de homens, em uma ilha posteriormente identificada como a Sicília. Habitam cavernas nas montanhas e cuidam de seus rebanhos, cada um por si, sem se importarem com leis nem com vida em comunidade, e sem se interessar por trabalhar a terra ou plantar.

Odisseu e seus doze homens deixam os barcos e vão explorar a terra. Encontram uma caverna cheia de carneiros e cabritos, além de leite e queijo. Com medo, os homens instam Odisseu a voltar para os barcos, mas o líder fica, na esperança de o dono da caverna aparecer e lhe dar presentes de hospitalidade. Mas seus homens têm razão ao temer, pois a caverna pertence ao ciclope Polifemo, um selvagem assassino que come carne humana crua. (Na verdade, ele dá uma espécie de "presente" a Odisseu: a promessa de comê-lo por último.)

O gigante chega à caverna com todas as suas ovelhas e cabras para ordenhá-las, e bloqueia a entrada com um pedregulho. Quando Odisseu lhe pede hospitalidade, sua resposta é pegar dois dos homens com suas mãos enormes e arrebentar suas cabeças no chão, como se estivesse matando filhotes. Em seguida arranca seus membros, um por um, e os come no jantar, com osso e tudo. Depois vai dormir, e Odisseu se pergunta se deve tentar matá-lo com sua espada, mas isso seria também a morte de todos, pois nunca conseguiriam arrastar a enorme pedra que impede a saída da caverna. Era preciso pensar em outro plano.

De manhã o ciclope devora mais dois homens no desjejum, antes de ir pastorear seus rebanhos. Ao sair, bloqueia cuidadosamente a boca da caverna, mas a essa altura Odisseu já tem um plano. Afia um imenso espeto de madeira, endurece sua ponta no fogo e o esconde até a noite. Polifemo retorna à caverna como antes, entrando com todo o seu rebanho. Mais uma vez, coloca o pedregulho na entrada e devora mais dois homens. É então que Odisseu põe seu plano em ação. Ele tem consigo o forte vinho doce como mel, dado por Maron na terra dos cícones, e o oferece ao ciclope, que toma tudo avidamente. O gigante pergunta a Odisseu seu nome. "Meu nome é ninguém (*Outis*)" é a resposta.

Por fim o gigante cai em sono profundo, sob efeito da bebida. Odisseu e seus homens aquecem o espeto no fogo até que fique incandescente, e o enterram no único olho do ciclope, girando-o várias vezes. "O sangue do olho esguichou em volta do espeto quente", diz Homero (9.388-90). "As sobrancelhas e as pestanas ficaram chamuscadas, e o fogo fez as raízes daquele olho estalarem." Cego e desatinado de dor, Polifemo grita pedindo ajuda aos outros ciclopes. Acodem todos, vindos de suas cavernas nas montanhas, mas, quando o ouvem urrar, dizendo que "Ninguém" está tentando matá-lo, riem e vão embora.

Quando chega a manhã, Polifemo arrasta a grande pedra que bloqueia a caverna para que seu rebanho possa sair, tateando com muito cuidado as costas dos animais que passam para se assegurar de que ninguém está montado neles tentando escapar. Não lhe ocorre tatear seus ventres, o que é um erro, pois Odisseu e seus homens se agarram ao lado de baixo dos carneiros que estão saindo. Aqui podemos ver, por alguns instantes, um lado mais simpático do gigante, quando fala com seu carneiro favorito, o maior do rebanho e último a deixar a caverna (com Odisseu agarrado embaixo). "Meu belo e velho carneiro", diz (9.447-56), "por que és o último dos animais a deixar a caverna? Nunca antes foste deixado para trás pelo rebanho, mas, saindo à frente, sempre adiante dos outros, eras o primeiro a pastar o capim fresco e as flores mais ternas, o primeiro nas águas dos riachos, o primeiro a retornar ansioso para o abrigo à noite. Agora és o último de todos. Talvez estejas triste pelo olho do teu dono, que um homem cruel arruinou com o auxílio de seus malvados companheiros".

De volta a seu barco, em segurança, Odisseu não pode resistir a uma última bravata. Enquanto se afasta rapidamente, grita para o ciclope seu verdadeiro nome, com escárnio. Essa bravata lhe custará muito caro, pois Polifemo pede a seu pai, Poseidon, que vingue seu ferimento, e a ira do deus manterá Odisseu longe de casa em Ítaca por muitos e exaustivos anos. Ao passar, mais tarde, por outros momentos difíceis, Odisseu vai se recordar de seu encontro com o ciclope como sua experiência mais difícil, dizendo a si mesmo (20.18-21):

> Resiste, velho coração. Já enfrentaste pior dificuldade do que esta,
> no dia em que o avassalador ciclope devorou
> teus bravos camaradas, mas resististe até que a esperteza
> te levou para fora da caverna, quando já pensavas em morrer.

Éolo e o odre de ventos

Seu próximo porto é a ilha flutuante da Eólia, cercada de despenhadeiros do mais duro bronze. O rei da ilha é Éolo, que leva uma vida absolutamente livre de preocupações, com sua esposa e seus doze filhos — seis filhos casados com seis filhas. Dia após dia a família banqueteia continuamente. Zeus fez de Éolo o guardião de todos os ventos do mundo, com poderes para agitar e para aplacar qualquer vento à sua vontade.

Éolo e sua família recebem Odisseu e seus homens no palácio e, durante um mês, oferecem-lhes banquetes dignos de reis. Quando Odisseu sente que já é tempo de partir, Éolo o ajuda dando-lhe todos os ventos agitados costurados em um odre de couro, feito com a pele de um boi de nove anos de idade. Fora do odre deixa apenas o gentil Vento Oeste, para soprar-lhe as velas em segurança de volta para Ítaca.

Tudo corre bem até o nono dia de viagem, e no décimo dia Ítaca surge no horizonte. Nesse instante fatídico, Odisseu, exausto, adormece. Seus homens então abrem o odre de couro, certos de que contém um tesouro que seu chefe não tem a intenção de repartir. No mesmo instante os ventos irrompem do interior do odre e arrastam o barco violentamente de volta à Eólia. Odisseu, desesperado, suplica humildemente a Éolo que o ajude uma segunda vez, mas o rei se recusa bruscamente, achando inútil auxiliar um homem obviamente detestado pelos deuses.

Os lestrigões

Durante seis dias viajam novamente e no sétimo chegam à terra dos lestrigões, uma raça de gigantes selvagens devoradores de homens. Sem saber dessa característica, Odisseu ordena que seus homens ancorem em um porto tranquilo, cercado de altos despenhadeiros, e envia três homens a terra em missão de reconhecimento. O grupo encontra uma jovem que se diz filha do rei local, Antífates, e os leva para o esplêndido palácio do pai. Ao chegar, se deparam com uma mulher alta como uma montanha, que os enche de terror ao chamar seu marido, Antífates, que vem imediatamente, pega um dos homens e o devora.

Os dois outros conseguem fugir e voltam para o barco, perseguidos por toda a população — "aos milhares, não à semelhança de homens, mas de gigantes" —, que do alto dos despenhadeiros atirava enormes pedras para afundar os barcos ancorados, espetam os homens como peixes e os levam para serem comidos. Apenas a nau de Odisseu, ancorada fora da enseada, escapa à destruição. A única tripulação restante segue viagem, desolada.

Circe

Exaustos e desencorajados por esse terrível encontro, chegam em seguida a Eeia, terra da feiticeira Circe, filha do deus-sol Hélio. Quando se recuperam o suficiente para olhar à sua volta, descobrem que o único sinal de vida é uma coluna de fumaça que se ergue de uma habitação no meio de uma floresta. Odisseu envia alguns de seus homens para investigar.

Os homens chegam à recôndita morada de Circe e encontram enormes lobos e leões caminhando livremente à sua volta. À primeira vista, parecem animais assustadores, mas na verdade são seres humanos transformados pela magia de Circe e que, surpreendentemente, abanam a cauda e se aproximam, alegres, dos estranhos. Os homens ouvem uma suave voz a cantar dentro da casa e vão na direção do som. Circe os recebe com hospitalidade e lhes dá de beber vinho com cevada, queijo e mel, misturados a uma poção mágica. Os visitantes logo são transformados em porcos, com cabeça, focinho, corpo, pelos de porco, mantendo porém a mente humana. Circe os leva para um chiqueiro e lá os deixa a se lastimarem.

Um homem apenas escapa desse destino: Euríloco. O cunhado de Odisseu teve o bom senso de suspeitar do perigo e de aguardar do lado de fora da casa, e agora leva a triste notícia até o barco. No mesmo instante Odisseu parte para libertar seus homens e, no caminho, encontra Hermes, na forma de um jovem. Hermes lhe dá uma planta maravilhosa de raízes negras e flores brancas como leite, chamada "móli", que o tornará imune aos feitiços de Circe.

Circe oferece o vinho enfeitiçado a seu novo convidado, mas dessa vez a pretensa vítima, em vez de se tornar um porco, avança em sua direção com a espada em riste, para matá-la. Circe sabe imediatamente que foi derrotada. Adivinha que aquele deve ser Odisseu e sugere que se deitem e desfrutem dos prazeres do amor. É o que fazem, depois de Circe jurar solenemente não mais tentar fazer-lhe mal.

Depois, ante a insistência de Odisseu, a feiticeira transforma todos os seus homens de novo em seres humanos, como ele mesmo relata (10.388-99):

> Circe saiu da sala, bastão na mão,
> e, abrindo as portas da pocilga, enxotou-os de lá,
> porcos aparentando uns nove anos. Eles pararam encarando-a,
> que caminhou entre eles, untando-os, um a um,
> com alguma outra droga. Os pelos espetados que haviam crescido
> com a outra droga que lhes dera Circe
> foram então caindo e eles voltaram a ser homens,
> agora mais jovens, mais altos e mais belos do que antes.
> Reconheceram-me e me seguraram pela mão,
> e um belo choro comovido tomou conta de nós, e a casa
> ecoou terrivelmente com aquele som. Até mesmo a deusa sentiu piedade.

Odisseu e seus homens permaneceram naquela terra durante um ano, banqueteando-se com comidas e vinho sem fim. Passado esse tempo, por insistência de seus homens, Odisseu decide partir novamente, mas Circe o previne de que antes precisa descer ao Hades, para se aconselhar a respeito de sua viagem com a sombra do vidente tebano Tirésias. Esse é um teste supremo, pois apenas os maiores heróis, como Héracles, conseguiram retornar com vida da terra dos mortos.

A terra dos mortos

Então Odisseu e seus homens navegam em direção aos limites distantes do mundo e, seguindo a orientação de Circe, em um momento chegam à orla do Hades. Lá eles cavam uma vala e vertem libações de leite e mel, vinho e água, tudo salpicado com cevada branca. Odisseu conjura os fantasmas dos mortos sacrificando um carneiro novo e uma ovelha negra dados por Circe e, quando o sangue começa a correr pela vala, as almas dos mortos se reúnem ao seu redor.

A primeira a falar é a sombra de Elpenor, o membro mais jovem da tripulação de Odisseu, "um homem não muito bravo em batalhas, nem muito bom de cabeça" (10.552-3). Em Eeia, na quente noite de verão anterior à partida de Odisseu, Elpenor dormiu no telhado da casa de Circe porque o local era mais fresco. De manhã, ainda tonto de sono e do vinho da véspera, caiu do telhado e quebrou o pescoço. Agora Elpenor pede a Odisseu que retorne a Eeia para enterrá-lo dignamente. "Queima-me com toda a minha armadura", diz (11.74-8), "e faze-me um túmulo perto do mar cinzento, um túmulo para um homem infeliz, pois assim quem passar saberá de mim. Faz isso e coloca sobre o meu túmulo o remo que eu usava para remar quando era vivo entre meus companheiros". Odisseu promete fazer o que é pedido.

Em seguida o líder do grupo fala com o fantasma de Tirésias. O vidente prevê seu futuro, dizendo que a ira de Poseidon tornará a viagem de retorno muito difícil, mas que Odisseu finalmente chegará à sua casa desde que tenha o cuidado de não fazer mal nenhum ao gado do deus-sol Hélio, que pasta na ilha de Trinácia. Tirésias o previne também dos problemas que terá com os pretendentes que haviam invadido seu palácio em Ítaca e estavam cortejando sua esposa, Penélope.

Quando o vidente se afasta, muitas outras sombras se aproximam de Odisseu. O herói fala com sua mãe, cuja morte até então ignorava. Anticleia explica que morreu de tristeza pela ausência do filho (11.202-3): "Foram a preocupação e as saudades de ti e de tua delicadeza, glorioso Odisseu, que levaram de mim a vida." Por três vezes tenta abraçar a mãe morta, e três vezes seu fantasma escapa de suas mãos, como uma sombra ou um sonho, posto que "são assim os mortais quando morrem".

Odisseu conversa com muitas mulheres famosas, esposas e mães de grandes heróis: Tiro, Antíope, Alcmena, Epicasta (mãe de Édipo, posteriormente chamada de Jocasta), Leda, Ifimedeia, Fedra, Prócris, Ariadne e Erífile. Conversa também com alguns dos homens que foram seus companheiros em Troia: Agamêmnon, que lhe conta como foi assassinado pela esposa Clitemnestra junto do amante, Egisto, e recomenda a Odisseu que se cuide quando voltar para casa; Odisseu encontra também Aquiles e Pátroclo, Antíloco e o Grande Ájax, que ainda alimenta rancor pelo fato de as armas de Aquiles terem sido dadas a Odisseu, e se recusa a responder a seu antigo desafeto, afastando-se na escuridão em orgulhoso silêncio.

Odisseu vê Minos, o juiz dos mortos, e o gigante caçador Órion, "a caçar nos campos de asfódelo as mesmas feras que em vida havia matado nas montanhas solitárias" (11.573-4). Assiste também às torturas de Tício, de Tântalo e de Sísifo, e, por último, vê a sombra do grande Héracles. A essa altura, já nervoso, temendo que apareça algum monstro terrível, deixa o Hades e viaja de volta com seus homens para Eeia, no mundo dos vivos. Lá enterra Elpenor, como havia prometido, e, ao amanhecer, segue viagem, a caminho de casa novamente, informado por Circe dos muitos perigos que o aguardavam no percurso.

As sereias

O primeiro perigo, avisa Circe, virá das feiticeiras cantoras que atraem os homens para a morte (12.39-46):

> Primeiro chegarás às sereias, que enfeitiçam todos os homens
> que delas se aproximam. Qualquer um que chegar perto,
> sem saber, e escutar o cantar das sereias nunca mais
> irá para casa e se verá cercado por sua esposa e seus filhinhos,
> nunca se deleitarão eles com seu retorno, pois as sereias
> o enfeitiçam com a doçura de seu canto,
> sentadas em seu prado, onde as rodeia
> uma enorme pilha de ossos humanos putrefatos
> cobertos com a pele seca dos homens...

Circe aconselha Odisseu a tapar os ouvidos de seus homens com cera de abelha para que nada possam ouvir, e que o amarrem firmemente ao mastro do barco com ordem de não o soltarem, por mais que suplique, até que o perigo acabe. Dessa maneira seus camaradas remarão em segurança, enquanto apenas Odisseu, entre todos os homens, terá o prazer de ouvir o canto das sereias e continuar vivo. Ele faz exatamente o que Circe diz e, quando as ouve cantar suas canções mesmerizantes, deseja, de fato, ser solto do mastro. Seus homens apertam ainda mais as amarras e só o soltam depois de terem remado para bem longe das sereias.

Homero não descreve as sereias e nada nos leva a crer que, para ele, elas tivessem outra forma que não a humana. Autores posteriores atribuíram asas às representações, tornando-as mulheres-pássaro, com rosto e voz de mulher, corpo alado e emplumado e garras de aves, e é dessa forma que as sereias são representadas em pinturas de vasos. Tais criaturas eram geralmente consideradas filhas do deus-rio Aqueloo com uma das musas, Melpômene ou Terpsícore (portanto não era de surpreender que fossem capazes de atrair os homens com seu canto). De acordo com escritores tardios as sereias também estavam predestinadas a morrer se alguém conseguisse resistir a seu canto. Assim, depois que Odisseu as ouviu e seguiu incólume, teriam se lançado ao mar, desesperadas, e morrido afogadas.

Cila e Caríbdis

Em seguida Odisseu e seus companheiros têm que atravessar um canal estreito que oferece a possibilidade de escolher entre duas alternativas terríveis: o monstro Cila e o redemoinho Caríbdis. (Daí a expressão "ser apanhado entre Cila e Caríbdis" ter se tornado proverbial para uma situação com duas opções igualmente perigosas.) Mas, graças a Circe, Odisseu sabe qual escolher. Em um dos lados do estreito fica o enorme redemoinho Caríbdis, que sugará a todos para a morte certa caso se aproximem muito. No outro lado está Cila, o monstro de seis cabeças que habita uma caverna meio caminho acima de um íngreme despenhadeiro (12.86-100):

> Sua voz é aguda como a de um cão recém-nascido,
> mas na verdade ela é um monstro maligno. Ninguém,
> nem mesmo um deus, a encontraria e se alegraria

ao vê-la. Ela tem doze pés, todos se agitando no ar,
seis longos pescoços, cada um com assustadora cabeça,
todas com três fileiras de dentes
e cheios de negra morte. A metade de baixo de seu corpo está
                                                [mergulhada
no fundo buraco da gruta, mas as cabeças ficam para fora
do terrível abismo, e é ali que ela pesca, atenta,
explorando todo o espaço à sua volta, em busca de golfinhos,
lobos marinhos, ou mesmo monstros marinhos maiores,
dos quais há muitos naquele mar sempre a gemer.
Nunca se gabam marinheiros de terem passado incólumes
em seus barcos, pois com cada cabeça ela arrebata
um homem da nau de escuro casco.

Por mais aterrorizante que seja, porém, esse monstro será o menor dos dois perigos, já que representa ameaça para apenas alguns dos marinheiros, e não para todos. Sabedor disso, Odisseu navega através do estreito, mantendo-se bem longe de Caríbdis, e planejando manter Cila afastada, se puder. De pé na proa, com sua armadura completa, vigia atentamente o despenhadeiro, até seus olhos se cansarem. Subitamente Cila entra em ação (12.236-43):

Terrível era seu modo de sorver a salgada água do mar,
e, quando ela cuspia de volta, todo o mar borbulhava
em turbulência, como um caldeirão em fogo alto, e a espuma
caía do topo das rochas, de ambos os lados.
Mas, quando novamente ela sorveu a água salgada do mar,
a turbulência deixou ver o mar por dentro
e à sua volta a rocha bramiu assustadoramente, e abaixo
via-se a areia escura do fundo do oceano,
e um pálido terror se apossou de meus camaradas.

Enquanto todos, aterrorizados, têm os olhos voltados para o grande redemoinho, Cila age. Mergulha seus seis longos pescoços e abocanha seis dos homens de Odisseu, que se volta tarde demais, e os vê fora de alcance (12.248-59):

> Ao olhar para cima, vi seus pés e mãos, já
> elevados, acima de mim, e eles gritavam alto para mim
> chamando-me pelo meu nome, pela última vez,
> com toda a tristeza de seus corações. Como um pescador em uma pedra,
> servindo-se de longa vara, lança comida
> como isca para os peixes... e logo os puxa para cima
> e os lança a terra, e os pega, palpitantes, a lutar,
> assim também tentaram resistir meus companheiros
> levados para o alto, e na entrada da caverna ela os devorou
> enquanto eles gritavam e esticavam os braços para mim
> em terrível agonia. E aquilo foi
> o que de mais triste meus olhos viram
> de tudo que sofri percorrendo os caminhos do mar cruel.

O GADO DO DEUS-SOL

Os navegantes seguem viagem e logo aproximam-se da ilha de Trinácia, onde pasta o gado do deus-sol Hélio. Odisseu se lembra do aviso de Tirésias, de que não deve causar mal algum ao gado, portanto está ansioso por deixar logo a ilha para trás, sem parar. Mas seus homens, tendo à frente Euríloco, insistem em aportar, jurando nada mais comer além das generosas provisões dadas por Circe. Infelizmente, são forçados a passar um mês inteiro na ilha devido a ventos adversos, e logo toda a comida acaba. Começam então a pescar e a caçar e, por fim, quando Odisseu se encontra em outra parte da ilha, Euríloco convence os homens a matar e comer alguns animais do rebanho sagrado. Quando Odisseu retorna, sentindo o odor da carne assando, já é tarde demais: o ato fatídico já foi cometido.

Hélio exige que Zeus penalize os culpados e até ameaça deixar a terra e levar sua luz para os mortos do Hades se não houver punição. Por isso quando, depois de seis dias a se banquetearem com carne sagrada, os homens seguem viagem, Zeus envia uma violenta tempestade. O barco se parte e somente Odisseu, que não participou do sacrilégio, consegue sobreviver para contar a história: "Meus homens foram lançados à água e, desaparecendo e reaparecendo como corvos-marinhos, foram tragados pelas ondas que quebravam no negro barco, e assim o deus impediu que voltassem para casa" (12.417-19). Agora, de todos os homens que partiram de Troia nas doze naus, somente Odisseu é deixado vivo.

O único homem restante amarra como pode alguns pedaços de madeira da quilha e do mastro partido para improvisar uma jangada, e nela é levado pelos ventos de volta para Cila e Caríbdis. Dessa vez consegue evitar Cila, e sua embarcação é apanhada por Caríbdis e sugada para as profundezas do oceano, mas Odisseu se salva agarrando-se a uma figueira que se debruça sobre o redemoinho. Quando Caríbdis, passado algum tempo, cospe o que sobrou da jangada, ele se atira sobre uma verga e, remando com as mãos, consegue se afastar dali. Durante nove dias é levado pelo mar e por fim as ondas o conduzem à ilha de Ogígia, morada da deusa Calipso ("A que esconde"), filha do titã Atlas.

Calipso

Calipso se apaixona por Odisseu e o mantém na ilha por sete anos, como amante. Seu lar é uma caverna situada em um lugar belíssimo, cercado por vegetação luxuriante (5.63-74):

> Ao redor da caverna nascia um florescente bosque,
> de papoulas, e choupos e fragrantes ciprestes.
> Ali se aninhavam pássaros de grandes asas,
> corujas, falcões e corvos-marinhos de longos bicos
> cujas ocupações diárias os levavam até o mar.
> À entrada da caverna enroscava-se
> uma vinha nova e luxuriante, carregada de uvas.
> Havia quatro fontes de águas claras por perto,

próximas em sua origem, mas seguindo caminhos distintos.
Em toda a volta floresciam frescos prados, suaves, com violetas
e salsas, e até mesmo um deus que ali chegasse
admirar-se-ia, maravilhado, o coração pleno de alegria.

A despeito de toda essa beleza verdejante, vemos Odisseu, "sentado a chorar à beira-mar, a partir seu coração com tantas lágrimas, lamentos e tristezas", porque anseia todo esse tempo pelo retorno à sua escarpada Ítaca. Calipso oferece-se para fazê-lo também imortal e eternamente jovem, se concordar em ficar lá para sempre, mas, apesar dos deleites da cama da deusa, Odisseu prefere voltar para casa, para sua mulher, Penélope, que envelhece e é mortal.

Ao final desses sete anos, Atena intervém e insiste com os deuses para que libertem Odisseu. Como a ira de Poseidon pela cegueira de seu filho Polifemo continua implacável, ela aguarda uma ocasião em que o deus está longe, na Etiópia, e faz um apelo a Zeus. "Calipso prende junto a si esse pobre homem infeliz", diz, "e está todo o tempo a seduzi-lo com palavras doces e lisonjeiras para fazer que se esqueça de Ítaca. Mas Odisseu, ansioso por ver nem que seja a fumaça subindo de sua terra, deseja apenas morrer" (1.55-9). Zeus manda Hermes dizer a Calipso que o deixe ir. Com o coração partido, a deusa se curva ante o inevitável. Dá então a Odisseu ferramentas e material para construir uma jangada, depois o veste com belas roupas, dá-lhe suprimentos de comida, água e vinho, e chama um vento suave para levá-lo de lá.

Homero nada mais diz sobre Calipso, deixada sozinha em sua ilha paradisíaca. É Hesíodo (*Teogonia* 1017-18) quem nos conta que a jovem teve dois filhos de Odisseu, Nausitoo e Nausinoo, e é Propércio quem relata as tristes consequências da partida de seu amante (1.15.9-16):

> Ela ficou a chorar diante das ondas, e por muitos dias
> lá se deixou ficar, inconsolável por sua perda, cabelos em desalinho,
> e muitas vezes gritou para o mar cruel,
> e, embora nunca mais tenha visto o rosto dele,
> continua a chorar, lembrando-se das muitas horas felizes.

Nausícaa

Durante dezessete dias Odisseu navega em sua jangada em direção a Ítaca, mas no décimo oitavo dia Poseidon retorna da Etiópia e vê seu inimigo voltando novamente para casa. No mesmo instante, desencadeia uma violenta tempestade, que parte a frágil embarcação. Odisseu quase se afoga, mas é salvo por Leucoteia, que, em sua vida de mortal, foi Ino, filha de Cadmo, rei de Tebas. A deusa marinha ajuda-o com um xale, que, amarrado no peito, o faz flutuar. Com essa ajuda, Odisseu consegue nadar por dois dias e duas noites, até que afinal chega a terra e se arrasta até a foz de um rio. Depois de devolver à água o xale que salvou a sua vida, adormece em uma cama de folhas. Odisseu acaba de chegar à mágica ilha de Esquéria, terra dos feácios.

A primeira pessoa que vê na manhã seguinte é Nausícaa, a jovem e bela filha de Alcínoo e de Arete, rei e rainha da ilha. Influenciada por Atena, por meio de um sonho, Nausícaa vai com suas aias até a foz do rio para lavar as roupas da família. Enquanto esperam as roupas secarem, jogam bola. Seus gritos despertam Odisseu, que sai do arbusto, a nudez precariamente encoberta por um galho (6.130-39):

> (...) como um leão das montanhas que, confiando em sua força,
> segue seu caminho, espancado pela chuva e pelo vento,
> olhos a arder, perseguindo gado ou ovelhas,
> ou atrás de corças selvagens, e a fome o leva a entrar
> em um recinto bem protegido para atacar os rebanhos;
> assim foi Odisseu ao encontro das donzelas de lindos cabelos,
> ainda que despido, pois era grande sua necessidade.
> Mas a elas ele pareceu assustador, coberto de água salgada,
> e fugiram, dispersando-se pela praia.
> Somente a filha de Alcínoo ali ficou...

Homero apresenta Odisseu tão assustador quanto um leão, e apenas Nausícaa é corajosa o suficiente para confrontá-lo. Fica também implícito um possível estupro nesse encontro, pois a palavra grega traduzida como "encontrar" é *mixesthai*, que pode também significar "fazer sexo com", o que dá ainda mais ênfase à sua coragem. O esperto Odisseu, sabendo exatamente o que as moças temem, mantém-se afastado de Nausícaa e a tranquiliza, comparando-a a Ártemis, a deusa virgem, sugerindo sutilmente que não é sua intenção fazer sexo. Continua a falar, seduzindo-a com palavras doces, e ela lhe dá roupas, comida e bebida, depois o leva para a cidade, ensinando-o como conquistar a boa vontade dos pais.

Alcínoo e Arete moram em um rico e esplêndido palácio, com paredes de bronze, colunas de prata e portas de ouro. Vigiam a entrada cães de ouro e de prata, imortais, que jamais envelhecem, criados por Hefesto. Do lado de fora há um jardim mágico (7.114-21):

> Ali crescem, altas e abundantes, pereiras
> e romãzeiras, macieiras reluzentes de frutos,
> figueiras de doces figos, oliveiras em flor.
> E os frutos dessas árvores nunca se perdem ou faltam,
> nem no verão nem no inverno, são perenes,
> e sempre o hálito do vento oeste
> faz uns nascerem e outros amadurecerem.
> Peras amadurecem, uma após outra, maçã após maçã,
> uva após uva, figo após figo.

Alcínoo e Arete recebem Odisseu em seu palácio como hóspede de honra e prometem fazer que ele chegue a Ítaca. Isso será fácil, pois os feácios são um povo de navegadores, com barcos que encontram por si mesmos suas rotas de maneira miraculosa, sem necessidade de remadores ou de timoneiros. Seu estilo de vida é luxuoso e tranquilo: "Vivemos a desfrutar de banquetes", diz Alcínoo, "e da lira, e de danças, e de troca de roupas, e de banhos e camas mornos" (8.248-9). Odisseu é entretido como um rei, com jogos e um grande banquete. Há até mesmo um bardo, Demódoco, que é cego como se acreditava que fosse o próprio Homero. "A musa o amava imensamente", diz Homero

(8.63-4), "e o dotou igualmente de bens e males. Ela roubou-lhe os olhos, mas deu-lhe o dom de cantar belas canções".

Demódoco canta sobre a guerra de Troia e o cavalo de madeira, até mesmo a parte desempenhada pelo próprio Odisseu, que chora ao ouvi-lo (8.523-31):

> (...) como uma mulher que chora,
> abraçada ao corpo do marido querido
> que caiu ante sua cidade e seu povo ao tentar
> deles afastar o dia impiedoso da morte,
> ela o contempla, moribundo, ansiando por ar,
> e atirando-se a seu lado chora
> um choro alto e estridente, enquanto os inimigos
> batem-lhe nos ombros e nas costas com suas lanças
> e levam-na escravizada, para viver na dor e na tristeza,
> e suas faces estão marcadas pelo mais lastimável desespero.

É nesse momento que Odisseu revela seu nome e conta a história de suas andanças. Nausícaa, meio apaixonada, confessa a si mesma que gostaria de se casar com o visitante. Alcínoo também ficaria muito feliz em tê-lo como genro. No entanto, assim como Odisseu quis deixar Calipso, recusando até mesmo a imortalidade, agora só deseja voltar para Ítaca e para sua amada esposa Penélope. Seu desejo é atendido e ele é levado para casa em uma das naus dos feácios, carregada com muitos presentes dados pelo rei e pela rainha. Odisseu dorme durante a viagem, e os marinheiros o colocam, ainda a dormir, em uma praia de seu país. Depois de vinte longos anos, finalmente está em Ítaca de novo.

Os feácios, que provocam a ira de Poseidon ao ajudar Odisseu, na volta para Esquéria têm o barco transformado em pedra e naufragam. Reconhecendo a ira do deus do mar, os feácios decidem nunca mais escolhar viajantes em seus fabulosos barcos. Odisseu foi seu último passageiro, e então os feácios desapareceram para sempre da vista dos humanos.

Em Ítaca mais uma vez

Quando Odisseu desperta, encontra-se novamente só e cercado por uma espessa neblina. A princípio tem certeza de não estar em Ítaca e isso o deixa próximo do desespero, mas Atena, sua constante aliada, aparece e o tranquiliza. A deusa o previne acerca dos inúmeros pretendentes que haviam invadido sua casa, certos de que Odisseu estava morto. Por três anos aqueles nobres locais vinham agindo de maneira ultrajante, comendo e bebendo desbragadamente à sua custa, dilapidando sua casa e fazendo de tudo para convencer Penélope a se casar novamente. Odisseu precisa vingar essas ofensas e recuperar sua esposa e seu reino, mas os pretendentes o matarão se o reconhecerem. Atena então muda sua aparência, fazendo-o parecer um mendigo decrépito e velho. Assim disfarçado, Odisseu poderá circular entre os homens até que seu plano de vingança esteja pronto.

Reconhecimentos

De acordo com as instruções de Atena, Odisseu vai primeiro à cabana de seu fiel porqueiro, Eumeu, em busca do alimento e abrigo. Eumeu serviu bem a Odisseu, permanecendo leal a seus interesses durante a longa ausência e fazendo o possível para manter seus porcos fora das mãos dos vorazes pretendentes. Odisseu, que pode sempre inventar uma boa história, finge ser um cretense que lutou em Troia e que tem, portanto, notícias do patrão de Eumeu, e o porqueiro lhe dá boas-vindas e acolhe cortesmente o suposto estrangeiro. Mais tarde Telêmaco, que acabara de voltar da busca de notícias do pai em Pitos e em Esparta, se reúne aos dois, e Odisseu vê o filho pela primeira vez em muitos anos.

Telêmaco era ainda bebê quando a guerra de Troia começou, portanto agora é um homem jovem. Ressentido da presença dos pretendentes em sua casa, não se sente forte o suficiente para expulsá-los. Essa situação, porém, está a ponto de mudar. Quando Eumeu se ausenta por algum motivo, Odisseu, com a ajuda de Atena, reassume temporariamente sua verdadeira aparência e revela sua identidade ao filho. "Eu sou teu pai", diz, "e por minha causa muito tens penado e muitos ultrajes tens sofrido". Telêmaco abraça o pai e ambos choram pelo tempo perdido desde que se separaram (16.216-19):

> Choraram alto, um choro agudo, mais ainda do que o grito
> de pássaros, águias ou abutres de curvadas garras,
> cujos filhotes lhes roubaram os camponeses
> antes que pudessem voar. Assim foi seu triste pranto.

Juntos agora, pai e filho planejam a destruição dos pretendentes e, a partir desse momento, Telêmaco revela-se corajoso e esperto. O jovem naturalmente mantém em segredo a volta de Odisseu e, quando Eumeu chega de volta à cabana, o herói já reassumiu seu disfarce de mendigo.

Na manhã seguinte, Odisseu e Eumeu dirigem-se ao palácio e no caminho se encontram com o pastor de cabras. Apesar de filho do fiel servo Dólio, Melântio ficou traiçoeiramente do lado dos pretendentes, dando-lhes os melhores animais do rebanho para seus jantares. Melântio se mostra arrogante e chega a chutar Odisseu ao passar ao seu lado. Haverá a hora em que ele pagará caro por sua deslealdade — mas não ainda.

Os dois alcançam ao palácio e, do lado de fora, veem deitado em um monte de esterco o velho cão de caça Argos ("Ligeiro"), anteriormente criado com tanto carinho por Odisseu, que o reconhece imediatamente e, sem ser visto, enxuga uma lágrima. Argos, alegre, também reconhece o dono, mesmo depois de vinte anos de ausência. Fraco demais para se levantar, o cão abana a cauda alegremente, saudando o dono, e morre.

Ao entrar no palácio, Odisseu encontra os pretendentes se banqueteando, como de hábito, com a carne dos rebanhos da casa. O recém-chegado caminha então entre eles, mendigando, e todos lhe dão comida, exceto Antínoo. O líder dos pretendentes e o mais insolente de todos atira sobre o "mendigo" um escabelo e incita Iro, um mendigo de verdade, a lutar. Iros é "famoso por seu estômago devastador, pois não para de comer e de beber", e se mostra desejoso de lutar com Odisseu, julgando-o velho e fraco.

"Ouçam como fala este velho verme", diz, "igual a uma velha cozinheira. Posso pensar em coisas desagradáveis para fazer: bater-lhe com as duas mãos e fazer que todos os seus dentes caiam no chão, como se fosse um porco-do-mato apanhado na plantação. Venha, dobre essas roupas para que todos possam apreciar a nossa luta" (8.26-31). Então o mendigo arruma os trapos que veste, exibindo um corpo largo e musculoso. Ao vê-lo, Iro muda completamente seu modo de falar, mas Antínoo insiste na luta, e Odisseu deixa o outro fora de combate com um único e violento golpe.

Penélope, influenciada por Atena, finalmente surge entre os homens e anuncia sua relutante intenção de voltar a se casar novamente. Ao repreender os pretendentes por não lhe levarem presentes condignos, inflama-os em seu desejo de possuí-la, e logo se vê coberta de ricas dádivas para conquistá-la. Odisseu fica feliz com a longa fidelidade de Penélope e também com sua habilidade para extrair riquezas dos pretendentes que poderão compensar, de alguma forma, os prejuízos que causaram. (Odisseu também, em suas andanças, sempre soube se fazer presentear.)

Telêmaco, cheio de coragem, ordena que os pretendentes passem aquela noite em suas respectivas casas, e eles lhe obedecem. Em seguida, junto de Odisseu se prepara para a vingança, tirando do salão todas as armaduras e armas e escondendo-as em um depósito. Quando Telêmaco se retira para dormir, Penélope desce e vai falar com o "mendigo". Naturalmente não reconhece Odisseu, mas sente ternura por aquele estranho e conta-lhe como, durante três anos, escapou dos pretendentes fingindo que tecia a mortalha para seu sogro — um truque digno do próprio *polumetis* Odisseu, aquele "homem cheio de artimanhas" (19.139-56):

> Armei um tear em meu palácio e comecei a tecer
> uma trama longa e fina. E a eles disse:
> "Jovens pretendentes, embora o divino Odisseu esteja morto,

> e vós, ansiosos por me fazerem sua esposa, aguardai até que eu termine
> esta trama, para que não se desperdicem os fios,
> uma mortalha para o herói Laertes, para quando estiver deitado
> e capturado pelo destrutivo destino da morte (...)"
> Assim lhes falei e seus orgulhosos corações me obedeceram.
> Então a cada dia eu tecia, sem parar, o tecido,
> e a cada noite, à luz de tochas, o desfazia.
> Por três anos guardei meu segredo e convenci os pretendentes,
> mas quando o quarto ano chegou (...) por fim
> eles vieram e me surpreenderam, repreenderam-me,
> e, a contragosto, fui forçada a terminá-la.

Odisseu diz que é irmão de Idomeneu, rei de Creta, e que conheceu o marido de Penélope. "Ele sabia contar muitas mentiras que soavam como verdades", diz Homero (19.204-12):

> e enquanto ela o ouvia as lágrimas escorriam por suas faces
> e seu corpo se consumia, como se consome a neve
> no alto das montanha quando o Vento Leste a derrete
> depois que o Vento Oeste lá a colocou,
> e, à medida que ela se desfaz, os rios transbordam.
> Assim corriam rios de lágrimas por suas lindas faces
> e ela a chorar pelo marido, sentado a seu lado.

Odisseu fica muito penalizado com a tristeza da mulher, mas não deve ainda revelar a sua identidade, por isso tenta consolá-la prevendo o retorno iminente do marido. Penélope está ainda cheia de dúvidas, mas a conversa com aquele estranho amável a tranquiliza e ela manda chamar a velha ama Euricleia para lavar os pés do visitante.

Principal serva feminina do palácio, apaixonadamente dedicada aos interesses da família, Euricleia faz o que lhe é pedido e, ao lavar os pés de Odisseu, reconhece o mestre pela velha cicatriz em sua perna, feita pela presa de um javali selvagem em uma caçada com os tios no monte Parnaso (19.467-75):

A anciã, com a cicatriz nas palmas das mãos,
reconheceu-a ao nela tocar e soltou seu pé.
Sua perna, chocando-se com a bacia, fez ressoar o bronze,
O recipiente se inclinou e a água se derramou pelo chão.
Júbilo e dor apossaram-se dela ao mesmo tampo,
seus olhos se encheram de lágrimas, e sua forte voz emudeceu.
Segurando então seu queixo, disse: "Sim,
filho meu, tu és mesmo Odisseu, e eu não
o reconheci antes, não até tocar meu senhor "

Ela está a ponto de gritar seu nome, exultante com seu retorno, mas Odisseu lhe tapa a boca com as mãos, já que sua vida depende de manter secreta sua identidade um pouco mais de tempo.

Antes de ir se deitar, Penélope fala a Odisseu sobre seu plano de promover um torneio de arco e seta entre os pretendentes, para ver qual consegue encadear com o grande arco de seu marido e fazer a seta atravessar uma fileira de doze machados de cabeça dupla. Esse homem, diz, ganhará sua mão em casamento. Odisseu vê aí uma oportunidade ideal para se vingar dos pretendentes e insiste que o torneio se realize logo.

Vingança

O dia seguinte será o último para os pretendentes. Durante seu último banquete, o vidente Teoclímeno solenemente os previne de sua morte iminente, mas ninguém lhe dá atenção e alguns até zombam de suas palavras.

Depois do banquete, Penélope apresenta o grande arco de Odisseu junto dos doze machados e anuncia o torneio. Telêmaco fixa os machados no chão, e os pretendentes, um a um, tentam, sem sucesso, colocar a corda no arco. Enquanto isso, Odisseu se afasta sem ser visto e se encontra com seus dois fiéis empregados, o tratador de porcos Eumeu e o tratador de vacas Filécio. O mendigo revela aos dois sua verdadeira identidade, e os empregados, chorando de alegria, mostram-se ansiosos por lutar ao lado de seu amado senhor contra os odiados pretendentes.

Odisseu volta ao salão, onde Penélope insiste em que seja dada uma oportunidade com o arco ao mendigo. Telêmaco sabe que esse será o início da luta e, por isso, quer que sua mãe se vá antes do derramamento de sangue. O jovem, então, ordena que a mãe vá para o quarto e lá Penélope chora até adormecer.

Euricleia põe trancas nas portas pelo lado de fora e, dentro do salão, Odisseu pega o arco. Os pretendentes ficam perplexos ao vê-lo colocar a corda com facilidade. Com a mão direita, puxa a corda, testando-a, o fio ressoa em suas mãos como o pio da andorinha. Os pretendentes, agora terrivelmente aflitos, empalidecem, e Zeus envia um sinal dos céus em forma de estrondoso trovão. Odisseu atira uma seta através dos doze machados e então, despindo os trapos de mendigo, salta para a entrada do grande salão e se volta para enfrentar os inimigos.

Agora, por fim, pode se vingar de todo o mal que eles lhe causaram. Começa por atirar em Antínoo, o pior de todos (22.8-21):

> Apontou certeira seta contra Antínoo,
> que erguia formosa taça de asa dupla
> feita de ouro, segurando-a nas mãos para beber
> seu vinho, sem pensamentos de morte no coração.
> Quem suporia que um homem, entre tantos
> que ali se banqueteavam, por mais forte que fosse,
> lhe infligiria o funesto destino da morte?
> Odisseu atirou e perfurou-lhe a garganta,
> e a ponta da seta atravessou seu delicado
> pescoço. Ele tombou de lado, a taça
> caiu de suas mãos e um espesso jato de sangue mortal
> jorrou de suas narinas. Com um brusco movimento do pé
> ele afastou a mesa, derrubando a comida
> no chão, pão e carne assada completamente estragados.

A princípio os outros pretendentes se zangam, pensando que a flechada foi um acidente, mas logo se dão conta da verdade. "Cães, jamais pensastes que eu voltaria de Troia para minha casa", exclama Odisseu. "E agora os grilhões da morte estão firmemente amarrados a vós."

Os pretendentes estão aterrorizados. Eurímaco tenta pôr a culpa do comportamento de todos no falecido Antínoo, esperando misericórdia, mas, quando vê que suas palavras são inúteis, incita os demais pretendentes a lutar. Puxando sua espada, salta sobre Odisseu com um grande grito, mas uma seta lhe atravessa seu peito, tornando-o a segunda vítima.

O terceiro homem a morrer é Anfínomo, o menos importuno dos pretendentes e até alvo de alguma simpatia de Penélope, e que jamais havia demonstrado hostilidade ao recém-chegado mendigo. Odisseu tenta avisá-lo, como pode, de que haverá grande derramamento de sangue e que deve deixar a casa sem demora. Anfínomo, porém, ignora o aviso e é morto pela espada de Telêmaco, que então corre ao depósito para buscar armas e armaduras, enquanto Odisseu continua a matar os pretendentes com o restante das setas.

Infelizmente, Telêmaco se esquece de trancar o depósito de armas e o traiçoeiro tratador de cabras Melântio ajuda os pretendentes levando-lhes armas. Eumeu e Filécio o pegam e o deixam amarrado e preso no depósito, voltando em seguida para lutar ao lado de Odisseu e de Telêmaco. São apenas quatro contra muitos, mas são ajudados por Atena, que impede que as lanças dos pretendentes acertem o alvo. Um por um os pretendentes são implacavelmente mortos, e os ainda vivos estão aterrorizados (22.298-309):

> Tomados de pânico, eles correm ruidosamente
> pelo salão como um rebanho de vacas
> enlouquecidas e atacadas por vespas
> na primavera, quando os dias se alongam.
> Os outros eram como abutres de retorcidas garras
> e curvos bicos, que descem das montanhas
> e se lançam sobre aves menores; com medo das nuvens,
> espalham-se pela planície, enquanto os abutres
> caem sobre as aves e as matam, e não há

defesa ou escapatória e os caçadores se regozijam na caçada;
assim esses homens, a correrem pela sala,
caçavam pretendentes, um após outro,
e terríveis gritos ouviam-se ao se partirem suas cabeças,
e o chão ficou coalhado de sangue.

Por fim todos os pretendentes estão mortos, exceto o bardo Fêmio e o arauto Medonte, que a eles serviam contra sua vontade e, portanto, são poupados. Odisseu volta a ser rei inquestionável de Ítaca, em um palácio apinhado de cadáveres.

Ele chama Ericleia, que, ao ver a carnificina, põe-se a dar gritos de triunfo, até ser silenciada, e, seguindo as instruções de Odisseu, o leva à presença de doze servas desleais, que estavam dormindo com os pretendentes. Uma dessas é Melanto, irmã de Melântio e amante de Eurímaco, que se mostrara particularmente insolente com o mendigo. As mulheres são obrigadas a carregar os cadáveres de seus amantes para o pátio e depois a limpar o sangue espalhado pelo salão. Terminado o serviço, Telêmaco as enforca por traição (22.468-73):

> Como tordos de longas asas ou pombas que voam para armadilhas
> para elas colocadas no caminho para seus ninhos,
> e assim são colhidas por um terrível destino; assim também ficaram
> as mulheres, as cabeças enfileiradas, cordas à volta do pescoço,
> para que tivessem morte horrível. Seus pés chutaram o ar
> por uns instantes, mas não por muito tempo.

Melântio também é punido por sua traição: nariz, orelhas, mãos, pés e genitais foram decepados e atirados aos cães, e o restante foi abandonado para morrer. Por fim Odisseu manda fumigar o palácio e o pátio com enxofre. Agora Penélope pode receber a jubilosa notícia do retorno e do triunfo de seu marido.

Reunião

Euricleia, alvoroçada, acorda sua senhora com a notícia de que Odisseu, o "estranho", voltou para casa e matou todos os pretendentes. A cautelosa Penélope, ao encontrá-lo novamente, demora a crer que aquele homem pode realmente ser seu marido, mesmo depois de ter sido banhado e vestido com finas roupas, e de Atena tê-lo coberto de beleza. Somente quando Odisseu descreve a ímpar estrutura de sua cama de casal, que construíra ao redor do caule de uma oliveira ainda com raízes na terra, é que Penélope se convence de que aquele homem é realmente seu marido desaparecido há tanto tempo, e corre para abraçá-lo, chorando de alegria; e Odisseu também

> (...) chora, abraçado à adorada esposa de coração fiel;
> e como a terra desejada surge, bem-vinda visão,
> para os náufragos cujo barco bem-construído
> Poseidon destruiu no mar, lançando em sua direção ventos
> e enormes ondas, e só uns poucos conseguem chegar a terra
> a nado e escapar do mar cinzento, os corpos
> cobertos de sal, e cheios de júbilo pisam em terra firme,
> fugindo do desastre — assim bem-vindo era o esposo para ela,
> enquanto o fitava e não o soltava
> do laço de seus brancos braços.

O símile do marinheiro náufrago (23.232-40) aplica-se aqui a Penélope, mas também descreve Odisseu: um marinheiro a quem Poseidon fez naufragar conseguiu chegar à ilha de Esquéria, coberto de sal, e feliz por ter se salvado. Ao fazer que o símile se refira a Penélope, que está tão jubilosa quanto o marinheiro ao se salvar, Homero delicadamente dá ênfase à semelhança entre marido e esposa. Esse é, realmente, um casamento perfeito. Quando Odisseu estava entre os feácios, disse a Nausícaa: "Nada há de mais firme e seguro neste mundo do que um homem e uma mulher que pensam de maneira semelhante e compartilham um lar" (6.182-4). E Homero, ao descrever

Odisseu e Penélope, deixa claro que são um homem e uma mulher de mentes semelhantes.

Depois do reencontro, o casal se recolhe ao leito e Atena alonga a noite, atrasando a saída de Eos, a deusa da aurora, que traz a luz do dia, até que os dois tenham desfrutado um do outro completamente.

No dia seguinte, Odisseu sai em busca de seu velho pai, Laertes, e o encontra a labutar no seu pomar, vestido com roupas sujas. O velho se enche de alegria ao ter o filho de volta e ao saber da morte dos pretendentes. Mas muitos de seus parentes estão planejando um contra-ataque, e não tardam a chegar, instigados por Eupites, pai de Antínoo. Laertes, Odisseu e Telêmaco partem para enfrentá-los, apoiados por Eumeu, Filécio e outros empregados fiéis. Atena confere grande força ao velho Laertes, que, ao atirar a primeira seta, mata Eupites. Uma batalha terrível está prestes a começar quando Atena, dando um grito assustador, separa os litigantes e restabelece a paz entre Odisseu e o povo de Ítaca.

Assim termina a *Odisseia*, mas ficamos sabendo, pelas profecias de Tirésias no Hades, o que acontecerá a Odisseu depois disso. Seu destino é partir em uma longa viagem, levando consigo um remo, até alcançar um lugar tão afastado e um povo tão pouco familiarizado com o mar que os viajantes pensem que um remo é um abanador. Lá deve plantar seu remo na terra e aplacar a ira de Poseidon com um sacrifício. Isso feito, poderá retornar a Ítaca, onde, quando estiver gozando de próspera velhice, uma morte suave vai buscá-lo vinda do mar.

Um final diferente foi dado em um poema épico perdido, a *Telegonia*, atribuído a Eugamon de Cirene (século VII a.C.), segundo o qual Odisseu teria tido um filho, Telégono, nascido da feiticeira Circe. O bebê teria crescido em Eeia, mas ao se tornar homem saiu à procura do pai. Chegou a Ítaca e tentou apossar-se de peças de gado, mas Odisseu apareceu e tentou impedi-lo à força. Nenhum dos dois, é claro, reconhece o outro. Telégono feriu Odisseu mortalmente com sua lança cuja ponta era formada pelo ferrão de uma raia.

Quando, com tristeza, Telégono se deu conta da identidade do homem que matara, levou o cadáver do pai, juntamente com Penélope e

Telêmaco, até a ilha de Eeia. Lá o filho de Circe se casou com Penélope, e Telêmaco desposou a feiticeira, que tornou os três imortais.

O QUE ACONTECEU DEPOIS

O Odisseu de Homero é esperto, corajoso e contido, mas na literatura posterior é apresentado como um personagem não tão virtuoso. Nas tragédias do século V, suas atitudes podem ser nobres e generosas, como em *Ájax*, de Sófocles, ou cínicas e inescrupulosas, como em *Filoctetes*, do mesmo autor, enquanto Eurípides dá ao Odisseu homérico um tratamento jocoso em seu *Os ciclopes*, mas o faz cruel e insensível em *Hécuba*. Virgílio também o apresenta como um personagem inescrupuloso, ao roubar o Paládio e ao se vingar de Palamedes. É comum vê-lo, desde então, apresentado como um trapaceiro inescrupuloso, ainda que Shakespeare, em seu *Troilus and Cressida* [*Troilo e Créssida*], retorne a um conceito mais de acordo com o heroico Odisseu de Homero.

O foco, na literatura posterior, está frequentemente em um Odisseu inquieto, sempre de partida, um insaciável explorador do mundo desconhecido, como em *The Odyssey: a Modern Sequel* [*A Odisseia de Nikos Kazantzakis: epopeia moderna do heroísmo trágico*], (1938). Essa história começa onde Homero termina, com Odisseu sempre a viajar em busca de novas experiências, de Ítaca a Creta e de lá descendo por toda a costa da África, para ir morrer na Antártica. O conceito de Odisseu como alguém perpetuamente a vagar à procura do saber começa com Dante e talvez tenha sua melhor síntese em um dos mais belos poemas de Tennyson, *Ulisses* (versão latina do nome Odisseu), no qual o herói é um homem que anseia por partir, por explorar. "*I cannot rest from travel: I will drink life to the less*" [A mim só me resta viajar: sorverei a vida até a borra], diz. "*How dull it is to pause, to make an end,/ To rush unburnished, not to shine in use!*" [Quão enfadonho é parar, pôr um ponto final,/ Enferrujar sem ser polido pelo uso!] Ulisses e seus marinheiros estão agora velhos, próximos da morte, mas ainda assim não é tarde demais para explorar mais. O poema termina com estas palavras de Odisseu:

> Come, my friends,
> 'Tis not too late to seek a newer world.
> Push off, and sitting well in order smite
> The sounding furrows; for my purpose holds
> To sail beyond the sunset, and the baths
> Of all the western stars, until I die.
> It may be that the gulfs will wash us down:
> It may be we shall touch the Happy Isles,
> And see the great Achilles, whom we knew.
> Tho' much is taken, much abides; and tho'
> We are not now that strength which in old days
> Moved earth and heaven; that which we are, we are;
> One equal temper of heroic hearts,
> Made weak by time and fate, but strong in will
> To strive, to seek, to find, and not to yield.*

Este Odisseu é bem diferente do de Homero, que detesta o mar e todos os problemas que lhe traz, e que odeia o fato de o mar impedi-lo de voltar para Ítaca. Quando, na *Odisseia*, Calipso lhe oferece a imortalidade, Odisseu responde (5.215-20):

> Deusa, não te zangues comigo. De tudo isso sei
> por mim mesmo; sei que a sábia Penélope a ti não se compara
> em beleza e importância, pois ela é mortal, e tu és

---

* Vamos, amigos,/ Não é tarde demais para buscarmos um mundo mais novo./ Partamos, e fiquem bem a postos para batermos/ Nas sonoras ondas; pois é meu intento/ Navegar para além do pôr do sol, e de onde se banham/ Todas as estrelas do Ocidente, até a morte./ É bem possível que as ondas nos traguem:/ É bem possível que alcancemos as Ilhas da Felicidade,/ E que vejamos o grande Aquiles, que bem conhecemos./ Muito é exigido, e muito se aguenta; e ainda/ Que não tenhamos agora a força que nos velhos tempos/ Movia céus e terras, somos ainda o que somos,/ Uma só têmpera de heroicos corações,/ Enfraquecidos pelo tempo e pelo destino, mas fortes na vontade/ De lutar, procurar, achar, sem nos rendermos jamais.

imortal e não envelheces. Ainda assim, o que desejo,
o que anseio todos os meus dias é voltar para casa,
e ver chegar o dia do meu retorno.

A despeito da longa e acidentada viagem de volta, essa jornada de Odisseu continua a ser fonte intrínseca de inspiração, como o foi para o poeta grego Konstantinos Kavafis em seu poema "Ítaca" (1911):

Quando um dia partires para Ítaca,
pede aos deuses que a viagem seja longa,
rica em experiências e aventuras muitas.
Os lestrigões e os ciclopes,
a ira do feroz Poseidon — não temas.
Tais seres não verás em teu caminho,
se teus pensamentos elevares,
se teu corpo e tua alma
só tocarem as mais delicadas emoções.
Os lestrigões e os ciclopes,
o colérico Poseidon não encontrarás,
a não ser que os leves em teu coração
a não ser que teu coração os coloque no caminho.

Pede aos deuses que a viagem seja longa;
que muitas sejam as manhãs de verão quando
com que alegria, com que júbilo,
entrarás em portos por ti nunca sonhados,
e irás parar em mercados de fenícios
e comprar para ti belos presentes,
nácares, corais, âmbares, ébanos,
e toda espécie de perfumes sensuais —
leva o mais que puderes dos perfumes.
Visita muitas, muitas cidades do Egito
e aprende e aprende novamente com aqueles que já sabem.

Carrega sempre Ítaca presente em tua alma.
Teu destino final é lá chegares;
mas nunca apresses tua viagem.
Melhor que dure muitos anos,
e que velho, por fim, lance âncora na ilha,
rico de tudo que ganhaste no caminho,
sem esperar que Ítaca te enriqueça;
Ítaca deu-te uma viagem bela.
Sem Ítaca não te punhas a caminho.
E nada mais tem a te dar.

Por pobre que a encontre,
Ítaca não te iludiu.
Sábio como ficaste com tudo que aprendeste,
enfim compreenderás o que significa Ítaca.

12. A linhagem de Pélops

As lendas da casa de Pélops estão entre as mais violentas entre todos os mitos clássicos, com suas rixas familiares, suas maldições, seu canibalismo e seus assassinatos geradores de vingança e carnificina, geração após geração. Como veremos, essas histórias também se tornaram fonte de inspiração para os dramaturgos da Antiguidade, fornecendo-lhes as tramas de muitas tragédias, várias das quais temos a sorte de haverem chegado até nós.

Pélops

Pélops era filho de Tântalo, rei das terras ao redor do monte Sípilo, na Lídia. Tântalo, por sua vez, era filho de Zeus com uma certa Pluto, cujo nome significa "riqueza", mas de quem nada mais se sabe. Tântalo era conhecido por sua proverbial riqueza, além do fato de ser um dos favoritos dos deuses, que lhe permitiam sentar-se à mesa em seus banquetes no Olimpo. Mas Tântalo abusou de seus privilégios e os ofendeu de maneira irremediável, pois, quando Pélops era ainda criança, cortou-o em pedaços, fez com a carne um cozido e o serviu para testar sua onisciência. Naturalmente, por terem dons divinos, não se deixaram enganar e recusaram a comida — todos exceto Deméter, que estava absorta a chorar a filha perdida Perséfone, e, sem se dar conta, comeu parte do ombro de Pélops. Mas a história terminou bem, pois o menino foi trazido de volta à vida e Deméter deu-lhe um ombro novo feito de marfim. Pélops se tornou um jovem tão belo que Poseidon apaixonou-se e o levou para o Olimpo, onde o manteve até que se tornasse um jovem, quando chegou a hora de voltar para a terra. Quanto a Tântalo, foi condenado por seu crime a cumprir um castigo eterno no Hades (p. 121).

Quando Pélops começou a pensar em casamento, escolheu como futura esposa a bela Hipodâmia, filha única de Enômao, filho do deus da guerra Ares e rei de Pisa, no distrito de Élida, no oeste do Peloponeso. Conquistar a mão da jovem seria um empreendimento arriscado, pois Enômao não tinha a menor intenção de permitir que a filha se casasse. São duas as hipóteses: ou estava apaixonado por Hipodâmia, ou um oráculo o havia prevenido de que seria morto pelas mãos de quem se casasse com a filha. Muitos pretendentes a cortejaram, mas nenhum saiu vivo para contar a história.

Enômao desafiava cada um deles para enfrentá-lo em uma corrida de carruagem, partindo de Pisa e terminando no altar de Poseidon, na distante Corinto. O prêmio pela vitória seria a mão de Hipodâmia, e o preço da derrota, a morte. O pretendente partia em sua carruagem, juntamente com sua pretendida, antes de Enômao, que sacrificava um carneiro a Zeus. Depois o rei também partia, com armadura completa, em sua carruagem puxada por cavalos imortais, presente do deus Ares, seu pai. Não é de surpreender que sempre alcançasse o casal antes que chegassem a Corinto, ocasião em que matava o infeliz pretendente com uma lança no meio das costas e voltava para casa com a filha.

Quando Pélops decidiu testar sua habilidade, Enômao já havia pendurado a cabeça de muitos pretendentes derrotados acima do portão de seu palácio: doze, treze, dezesseis ou dezoito, segundo diferentes fontes — o bastante para fazer que Pélops desistisse. No entanto, sem hesitar, o jovem se propôs a enfrentar o destino. Invocou a ajuda de seu antigo amante, Poseidon, e o deus lhe forneceu uma carruagem de ouro puxada por cavalos alados. Esta é a versão de Píndaro para o pedido de Pélops (*Ode Olímpica* 1.75-88):

> "Se as dádivas de Amor podem pedir favores, Poseidon, então paralisa a brônzea lança de Enômao, transporta-me à Élida na mais veloz das carruagens e leva-me para junto do poder, pois treze foram os pretendentes que o pai matou para retardar o casamento da filha.
>
> "Mas grandes perigos não atraem covardes. Já que todos os homens morrem um dia, por que permanecer sentado na escuridão, à espera da vã velhice desprovida de glória, privado de todas as bênçãos? A disputa saberei enfrentar; dá-me tu o feliz resultado."
>
> Assim falou ele, e suas palavras não foram vãs. O deus o honrou com o presente de uma carruagem de ouro e incansáveis corcéis alados. Ele venceu o poderoso Enômao e tomou a donzela por esposa.

Assim, na versão de Píndaro os presentes do deus foram suficientes para que Pélops vencesse, conquistasse a mão da moça e matasse seu malvado pai. Segundo a versão mais difundida, contudo, Pélops obteve a vitória por meio de uma artimanha, embora os pormenores da história variem um pouco.

Enômao tinha um cocheiro chamado Mírtilo, que era filho de Hermes e (para seu próprio infortúnio, ao final) suscetível de suborno. Pélops o teria subornado com a promessa de lhe dar uma parte do reino e uma noite na cama de Hipodâmia, ou, segundo outra versão, teria sido a própria Hipodâmia quem o subornara com a promessa de uma noite de paixão, porque havia se apaixonado por Pélops. Fosse como fosse, Mírtilo concordou em trair seu senhor e substituiu as cavilhas de bronze das rodas da carruagem de Enômao por outras feitas de cera. A corrida começou como de costume e Pélops partiu com Hipodâmia, mas quando Enômao saiu ao seu encalço a toda velocidade os pinos de cera derreteram. Sua carruagem se desmontou e o rei foi arrastado para a morte. Moribundo, ainda teve tempo de ameaçar o cocheiro traidor, rogando uma praga para que morresse pelas mãos daquele a que se aliara.

Foi exatamente isso o que aconteceu. Pélops matou Mírtilo atirando-o no mar do alto de um despenhadeiro ou porque não quis pagar a recompensa, ou porque o encontrou tentando estuprar Hipodâmia. Mas Pélops não se livrou tão facilmente de sua vítima, pois, com seu último suspiro, Mírtilo amaldiçoou seu assassino, assim como tinha sido amaldiçoado.

Pélops fez o que pôde para anular qualquer mal que pudesse advir da imprecação. Viajou até os confins da terra, onde corre o rio Oceano, e lá Hefesto o purificou do assassinato. Além disso, Pélops instituiu o culto a Hermes, pai de Mírtilo, em todas as suas terras. Ergueu um monte funerário em homenagem a Mírtilo ao lado da pista de corridas em Olímpia. (Mais tarde seria difundida uma história segundo a qual o fantasma do cocheiro, chamado Taraxippo, "assustador de cavalos", assombrava o lugar. Ao passar por lá durante os Jogos Olímpicos os cavalos entravam em um pânico inexplicável — assim como as éguas de Enômao ficaram aterrorizadas quando o carro que puxavam se despedaçou — e o resultado era uma série de acidentes graves ou fatais.) No entanto, apesar de todos os esforços de Pélops, a maldição permaneceu e realizou-se plenamente, com derramamento de sangue, entre seus descendentes.

Depois do seu casamento, Pélops enterrou condignamente os pretendentes mortos de Hipodâmia, pois seus cadáveres haviam sido amontoados de qualquer maneira por Enômao. Mandou também que fosse erguido um monumento para homenageá-los, com a intenção expressa de agradar à esposa. Sem dúvida tinha também a intenção de se fazer digno de admiração ao anunciar para a posteridade a quantidade e as qualidades dos homens derrotados por Enômao antes que o grande Pélops vencesse o poderoso e malvado rei.

Certamente o evento mítico mais famoso do qual Pélops participou foi a corrida de carros. Tanto Sócrates quanto Eurípides escreveram tragédias (agora perdidas) sobre o tema, com o título de *Enômao*. Apolônio (*Argonáutica* 1.752-8) escolheu o momento final da corrida como uma das cenas que enfeitavam a esplêndida capa, feita por Atena, que Jasão usou ao descer à terra em Lemnos para encontrar-se com

Hipsípile: Pélops ao lado de Hipodâmia no carro à frente, sacudindo freneticamente as rédeas, e Enômao bem perto atrás, a lança erguida e pronta para ser atirada nas costas do competidor, no momento exato em que o pino da roda se desfaz e o carro começa a tombar de lado.

Pélops tornou-se um governante muito poderoso. Não apenas se fez rei da Élida, como também de quase todo o sul da Grécia, e deu a toda a região o nome de Peloponeso ("Ilhas de Pélops"). Apolodoro (3.12-6) registra uma história nada edificante na qual a Arcádia consegue resistir a Pélops por algum tempo, mas a terra é finalmente conquistada com um truque: o substituto de Enômao finge amizade pelo rei, Estínfalo, depois o mata e espalha seu corpo despedaçado por todo o país. Esse terrível feito provoca a ira de Zeus e uma prolongada seca em toda a Grécia, até que o virtuoso Éaco, rei da ilha de Egina, pede clemência e a chuva finalmente vem.

Zeus deve ter perdoado Pélops, pois lhe deu um magnífico cetro, feito por Hefesto, como símbolo de sua autoridade, e esse cetro foi passado de pai para filho por várias gerações. Além do mais, Pélops tornou-se um dos mais renomados heróis da Grécia, com um famoso altar em Olímpia que, dizem, foi criado por um descendente seu ainda mais famoso: Héracles.

Pélops e Hipodâmia tiveram uma família grande e poderosa, com muitas ligações com outros grandes heróis. Três de suas filhas casaram-se com filhos de Perseu, o fundador de Micenas, e assim formaram importantes alianças políticas: Astidameia e Lisídice se casaram, respectivamente, com Alceu e Electríon (e viriam a ser avós de Héracles) enquanto Nicipe se casou com Estênelo (e viriam a ser os pais de Euristeu, inimigo de Héracles).

Os muitos filhos de Pélops e Hipodâmia incluíam Atreu e Tiestes, cujas lendas serão abordadas mais adiante; Piteu, o sábio e justo governante de Trezena que, como já vimos, veio a ser avô de Teseu; Copreu, que foi o arauto de Euristeu e, portanto, se envolveu com Héracles; e Alcátoo, uma importante figura nas lendas de Mégara.

Alcátoo conquistou o trono de Mégara por sua coragem, quando o temido leão de Citéron devastava a terra. Uma das muitas vítimas foi Evipo, filho do rei de Mégara, Megareu, que então decretou que aquele que matasse a fera ganharia a mão de sua filha Evecme e lhe sucederia no trono. Alcátoo matou o leão e ganhou uma esposa e um reino. Construiu então um templo para Apolo e Ártemis em gratidão por tudo que conseguiu e reergueu as muralhas de Mégara, que haviam sido destruídas pelos cretenses no reinado de Niso. Consta que o próprio Apolo ajudou Alcátoo na reconstrução. O deus teria apoiado sua lira sobre uma certa pedra que, a partir de então, quando atingida por uma pedrinha, reverberava como uma lira. Pausânias, que registra a história de Alcátoo (1.41.3-6, 1.43.4-5), viu a pedra e ficou maravilhado.

Por meio de sua filha Peribeia, que se casou com Télamon, rei de Salamina, Alcátoo veio a ser avô do Grande Ájax; já por sua filha Automedusa, que foi esposa de Íficles, era avô de Iolau, o cocheiro de Héracles. Alcátoo teve também dois filhos, Isquépolis e Calípolis. Isquépolis foi morto durante a caçada ao javali de Cálidon, e foi Calípolis o primeiro a saber da triste notícia. O menino correu para contá-la ao pai e o encontrou preparando uma fogueira para fazer um sacrifício a Apolo. Tal sacrifício pareceu impróprio naquele momento, por isso Calípolis se pôs a desmanchar a fogueira. Alcátoo ficou irado com aquela inesperada falta de fé e, sem esperar para descobrir o motivo do ato impetuoso do filho, deu uma pancada em sua cabeça com um dos pedaços de madeira, matando-o imediatamente. Tarde demais descobriu a verdade.

Esses cinco, portanto, são os únicos filhos de Pélops que têm papéis significativos na mitologia, mas houve um sexto filho com uma ninfa — um filho ilegítimo, porém muito amado, que se chamava Crisipo e que morreu jovem, de maneira trágica. Há duas versões para sua morte, que diferem bastante entre si, mas ambas falam de uma poderosa maldição.

Em uma das versões ele foi vítima de um sequestro homossexual. Laio, rei de Tebas, era hóspede de Pélops e ensinava a Crisipo a arte de manejar carros. O visitante se apaixonou pelo garoto e o levou para Tebas para fazê-lo seu menino-amante, que se matou de vergonha, deixando-se cair sobre a própria espada. Pélops então lançou sobre o rei de Tebas uma maldição que o levou à morte, pois Zeus decretara que o castigo de Laio seria morrer pela mão do próprio filho. Como vimos (p. 269), Édipo, filho de Laio, matou o pai, por mais que tentasse evitar esse destino. O primeiro relato certo sobre o sequestro de Crisipo é uma tragédia perdida de Eurípides, *Crisipo*.

Em outra versão da história, Crisipo foi assassinado por seus meios-irmãos Atreu e Tiestes, que, apesar de serem herdeiros legítimos de Pélops, temiam que, por causa do afeto, seu irmão ganhasse do pai o trono. Quando Pélops descobriu o assassinato, exilou os dois assassinos e proclamou mais uma maldição que viria a se realizar: seus descendentes morreriam pelas mãos uns dos outros. Como veremos a seguir, foi exatamente isso o que aconteceu.

Atreu e Tiestes

Depois da morte de Euristeu na perseguição aos filhos de Héracles (p. 226-27), um oráculo proclamou que um dos filhos de Pélops viria a ser o rei de Micenas. Essa foi a origem de uma das disputas familiares mais famosas e mais violentas da mitologia. A disputa teve início entre os irmãos Atreu e Tiestes e lançou as sementes para futuros atos violentos nas duas gerações seguintes.

No início a disputa teve a ver com uma esposa traiçoeira e um cordeiro com tosão de ouro. Atreu se casara com a filha de Creteu, rei de Creta. Aérope lhe dera dois filhos, Agamêmnon e Menelau, mas era uma esposa infiel, e não apenas se tornou amante de Tiestes, como também deu-lhe um cordeiro de ouro que assegurou o trono de Micenas. Há duas histórias sobre esse cordeiro, ambas ligando-o à ascensão ao trono. Em uma delas, Hermes fez surgir o cordeiro, com a intenção de provocar uma desavença mortal para vingar a morte de seu filho Mírtilo. A posse do cordeiro com tosão de ouro representava o direito de ocupar o trono. Atreu foi o primeiro a obtê-lo e tornou-se rei. Então Aérope o deu a Tiestes, que passou a ocupar o trono no lugar do irmão.

Na segunda versão, foi Ártemis quem levou o cordeiro, depois que Atreu jurou sacrificar à deusa o melhor animal de seus rebanhos. Quando viu o cordeiro maravilhoso, ignorou a promessa que fizera, matou-o e escondeu seu belo tosão em uma arca, mas Aérope o encontrou e usou-o para presentear secretamente seu amante. De posse do tosão, Tiestes declarou publicamente que o trono deveria pertencer a quem possuísse aquela maravilha. Atreu concordou, naturalmente, acreditando ser o dono da pele de cordeiro. Foi então que Tiestes mostrou o tosão e assumiu o trono.

O reinado de Tiestes, porém, durou pouco, pois Atreu contava com o mais poderoso aliado, o grande Zeus. Para mostrar que aprovava o direito de Atreu ao trono, Zeus inverteu o caminho do sol, fazendo que nascesse no Ocidente e desaparecesse no Oriente. Ante tal prova do apoio divino, Atreu foi feito rei novamente. Como punição, enviou Tiestes para o exílio e destinou ao afogamento a esposa infiel.

Passado algum tempo, ainda se vingou do irmão de maneira terrível também. Primeiro o chamou de volta a Micenas, fingindo que desejava uma reconciliação. Convidou então Tiestes para um banquete no qual serviu como prato principal a carne dos próprios filhos do convidado, que Atreu havia mandado cortar e cozinhar. Após comer com grande apetite, no final da refeição Tiestes perguntou por seus filhos. Seu irmão então apresentou as cabeças, as mãos e os pés dos rapazes, dizendo-lhe que já possuía as partes que não via. Depois disso, baniu o irmão novamente. Alguns autores, entre os quais se incluem Sófocles e Sêneca, dizem que foi então que o sol mudou de direção, horrorizado com o horrível banquete. Tiestes partiu, amaldiçoando Atreu e toda sua família e jurando vingança.

Ao perguntar a um oráculo como poderia se vingar, ouviu que primeiro deveria ter um filho com a própria filha. O resultado dessa trama, que culminou com a morte de Atreu, é relatado por Higino (*Fábula 88*) em um texto que parece ser uma mistura de tramas de várias tragédias. Em Sícion, Tiestes encontrou a filha Pelopeia, sacerdotisa em rituais de Atena, e, depois de vê-la se despir para lavar o sangue do sacrifício que manchara suas vestes, cobriu o rosto e a estuprou. Mas não antes que a jovem conseguisse pegar a espada do homem e a escondesse.

Pouco depois, Atreu foi à Tesprotia, onde encontrou Pelopeia, e decidiu fazê-la sua esposa, pensando que fosse filha do rei, Tesprotos, que nada disse em contrário. Assim se casou com a sobrinha, que na época certa deu à luz um filho — mas, sabedora de que a criança era fruto de seu estupro, a mãe o abandonou no campo para morrer. Pastores o salvaram e o puseram para mamar em uma cabra. Quando Atreu soube dessa história, pegou o bebê e o criou, dando-lhe o nome de Egisto, por causa da cabra (*aix, aigos*).

Muitos anos mais tarde, os filhos de Atreu, Agamêmnon e Menelau, encontraram Tiestes em Delfos, capturaram-no e o levaram de volta para Micenas. Atreu jogou o irmão odiado na prisão e disse a Egisto, já adulto, que o matasse. No momento de receber o golpe, Tiestes reconheceu a espada usada pelo agressor como sua, a que havia perdido na noite do estupro. Ao descobrir que Egisto ganhara a espada de Pelopeia, o prisioneiro suplicou que a mulher fosse vê-lo e, na prisão, disse-lhe a verdade sobre a concepção do filho. Horrorizada ao saber do seu incesto, Pelopeia pegou a espada e pôs fim à própria vida.

Egisto, naturalmente, não quis matar o homem que na verdade era seu pai, por isso levou a espada ensanguentada para Atreu e fingiu que havia feito o que lhe fora mandado. O rei, feliz com a suposta morte de seu velho inimigo, foi até a praia oferecer sacrifícios aos deuses em agradecimento. Egisto o seguiu e lá o matou. Tiestes assumiu o trono mais uma vez e baniu Agamêmnon e Menelau. Passaram-se alguns anos e, tão logo tinham idade suficiente, os irmãos retornaram a Micenas para retomar o trono do pai, com o apoio armado de Tíndaro, rei de Esparta. Expulsaram Tiestes e Egisto, e Agamêmnon, então, tornou-se rei. Tiestes passou o resto de seus dias de maneira obscura, mas a maldição que lançou sobre a casa de Atreu conduziria a mais violência no futuro.

Esse mito sangrento foi poderosa fonte de inspiração para os antigos tragediógrafos. Muitas das tragédias se perderam, das quais restam apenas fragmentos, mas sabemos que Sófocles escreveu um *Atreu* e *Tiestes em Sícion*, e, ainda, mais uma peça (talvez duas) sobre Tiestes.

Eurípides escreveu *As cretenses* e um *Tiestes*. Quanto às tragédias que chegaram até nós, seus roteiros frequentemente contêm substanciais referências ao mito, como, por exemplo, *Electra*, de Eurípides (699-746), em que o coro canta a história da traição de Aérope a Atreu ao dar o tosão de ouro ao amante, e também o fato de Zeus ter invertido o curso do sol e das estrelas em apoio a Atreu. Dispomos ainda, na íntegra, do *Tiestes*, de Sêneca, no qual, como é típico do autor, todos os horrores do esquartejamento dos meninos são apresentados explicitamente (até mesmo o último suspiro de um dos dois com a cabeça já decapitada), e o terror do macabro banquete é apresentado com detalhes.

Contudo, a sugestão pode ser mais poderosa do que os detalhes escabrosos, portanto a mais memorável dramatização do mito que possuímos é talvez a Trilogia Oresteia, de Ésquilo, na qual a maldição de Tiestes sobre a casa de Atreu forma um angustiante pano de fundo para os acontecimentos plenos de sangue e violência que têm lugar dentro e fora do palco: o assassinato de Agamêmnon por Clitemnestra, com a ajuda de Egisto, o assassinato de Clitemnestra e Egisto por Orestes, e a perseguição a Orestes pelas fúrias, enfurecidas pelo assassinato de sua mãe. A profetisa Cassandra, ao pressentir a poderosa e invisível presença dos filhos assassinados de Tiestes, diz (*Agamêmnon* 1217-22):

> Olhai, podeis ver, sentados pela casa,
> os meninos, como formas vistas em sonhos?
> Crianças assassinadas por quem tinha seu sangue,
> as mãos cheias de carne, sua própria carne,
> a segurar seus órgãos internos, suas vísceras,
> uma deplorável carga — comida que seu pai comeu.

Agamêmnon e Menelau

A maldição de Tiestes foi lançada sobre toda a casa de Atreu, mas parece não ter afetado igualmente seus dois filhos (conhecidos, em conjunto, como os átridas). Os dois irmãos se casaram com filhas de Tíndaro: Agamêmnon escolheu Clitemnestra e tornou-se rei de Micenas, enquanto Menelau, como vimos (p. 297-98), conquistou a bela Helena (que na realidade era filha de Zeus) e sucedeu a Tíndaro como rei de Esparta. Menelau não deixou de ter seus problemas, entre os quais a perda de Helena para Páris, príncipe de Troia, mas tudo acabou bem, já que reconquistou a esposa e viveu em paz e prosperidade o resto da vida. Para Agamêmnon, porém, tudo foi bem diferente, e foi no seu ramo da família que a maldição de Tiestes levou a uma sequência de derramamentos de sangue e de vinganças.

Mas isso não se deu logo no início. Clitemnestra deu ao marido três filhas — Ifigênia, Electra e Crisótemis — e um filho, Orestes. Muitos anos decorreram em paz. Então Helena fugiu com Páris para Troia e Menelau pediu ajuda ao irmão. Uma poderosa frota foi organizada para lutar por seu resgate, e Agamêmnon, como comandante supremo, deixou Micenas para retornar dez anos depois.

Ele não suspeitava de tragédias futuras, nem mesmo quando sacrificou sua filha Ifigênia para aumentar os ventos que levariam a grande esquadra grega a Troia (p. 310). Sua campanha foi bem-sucedida e Troia foi capturada e saqueada. A vitória foi vista como um tremendo feito militar e o líder embarcou triunfante de volta para casa.

O sacrifício de Ifigênia, porém, resultou no ódio implacável e permanente de Clitemnestra pelo marido, e em uma das versões do mito havia outro motivo para ressentimento: seu primeiro casamento havia sido com Tântalo, um filho de Tiestes, mas Agamêmnon não apenas o matou como também assassinou o filho do casal, e depois disso a tornou sua esposa. Em *Ifigênia em Áulis*, de Eurípides, antes de acusar Agamêmnon de pretender sacrificar a filha deles, ela diz, cheia de mágoa (1148-52):

> A primeira repreensão que te faço é por teres te casado comigo contra minha vontade, tomando-me à força. Mataste Tântalo, então meu marido, depois arrancaste do meu peito o meu bebê e o atiraste ao chão, causando-lhe a morte.

Tivesse havido apenas uma morte para vingar, ou três; o fato é que Clitemnestra tomou Egisto como amante enquanto Agamêmnon se encontrava em Troia, e em seu retorno para casa os dois o assassinaram.

A *Odisseia*, de Homero, é a primeira obra a relatar o triste destino de Agamêmnon. Os deuses sabiam que Egisto pretendia seduzir Clitemnestra e matá-lo quando voltasse da guerra, e preveniram-no quanto a não fazer isso em hipótese alguma. Mas Egisto ignorou os avisos, abandonou em uma ilha deserta o menestrel que havia sido deixado para cuidar de Clitemnestra e a seduziu. Não levou muito tempo para convencê-la a se mudar para a sua casa.

Por fim Troia caiu e Agamêmnon voltou para a Argólida. Por um ano inteiro, um vigia, a serviço de Egisto, tinha ficado à espreita da sua chegada, e, quando Agamêmnon finalmente desembarcou e beijou o chão de sua terra, chorando de alegria, seus assassinos já estavam a postos. Egisto convidou-o, junto de seus principais auxiliares, para um banquete, ocasião em que um bando de vinte homens armados o matou, "como se mata uma vaca na manjedoura". Podemos presumir que Clitemnestra estivesse escondida, pois não teria motivo (aos olhos do marido) para estar na casa de Egisto; mas, enquanto Agamêmnon agonizava, a mulher apareceu e matou Cassandra, filha do rei Príamo, levada como cativa de Troia.

Homero não menciona o sacrifício de Ifigênia, constante de todos os relatos posteriores, e em sua história o papel que coube a Clitemnestra parece ser o de simples adúltera e traidora, cúmplice do assassinato por lealdade ao amante. É na tragédia do século V, e principalmente na tragédia *Agamêmnon*, de Ésquilo (primeira peça da Trilogia Oresteia, de 458 a.C.), que seu papel assume outras proporções e é por ódio pessoal e por um feroz desejo de vingança que mata Agamêmnon. Veremos essa Clitemnestra de maneira mais pormenorizada no capítulo "Mulheres perigosas".

A vingança de Orestes

Egisto reinou tranquilamente por alguns anos, durante os quais teve alguns filhos com Clitemnestra: uma filha, Erígone, e um filho, Aletes. Mas sangue derramado gera sangue derramado, e a morte de Agamêmnon não foi esquecida. Por motivo de segurança, Orestes havia sido mandado para longe de Micenas, mas cresceu sabedor de que um dia retornaria para vingar a morte do pai. Quando esse dia chegou, o jovem voltou à sua terra natal e matou a mãe e Egisto.

Sua vingança foi vista de maneiras muito diferentes ao longo dos séculos. Homero a trata como um ato de justiça, em resposta a um crime terrível, mas, por volta do século V a.C., tal atitude era vista de maneira mais complexa, já que, àquela altura, Orestes passou a ser perseguido pelas fúrias, como punição por ter derramado o sangue da mãe.

De acordo com a *Odisseia*, de Homero, Orestes retornou a Micenas oito anos depois da morte de Agamêmnon, quando matou Egisto e, subentende-se, também Clitemnestra. Sua vingança é apresentada como um feito inteiramente digno de enaltecimento, que lhe assegurou uma reputação honrada. A história é usada como um exemplo moral para outros personagens do épico: Odisseu é instado a confrontar e se vingar dos pretendentes, assim como fez Orestes com o cruel Egisto, e Penélope é representada como esposa fiel e virtuosa, em contraste com a traiçoeira Clitemnestra. Orestes é, portanto, considerado um herói justo e vingador, e não há referência alguma à perseguição que lhe é feita pelas fúrias de sua mãe, que mais tarde viriam a ter importante papel na lenda. O assassinato de Agamêmnon demandava punição, e Orestes, cabeça da família, não poderia deixar de ser o juiz e o verdugo. Não há menção alguma a Electra, que mais tarde se reuniria ao irmão com alegria e que o ajudaria em seus assassinatos.

A primeira menção às fúrias na história da vingança de Orestes encontra-se em um fragmento da *Oresteia* (em sua maior parte perdida) do poeta lírico Estesícoro. Depois disso a lenda tornou-se muito popular durante o século V, quando foi tema de várias tragédias que chegaram aos nossos dias. De acordo com tais relatos, por ocasião do assassinato de Agamêmnon o jovem Orestes foi levado, por medida de segurança, para a corte de Estrófio, rei da Fócida, aliado de Agamêmnon. Estrófio criou Orestes ao lado de seu próprio filho, Pílades, e os dois meninos se tornaram muito amigos. Nas tragédias que tratam da vingança, Pílades acompanha Orestes em seu retorno secreto a Micenas, depois de ser informado pelo oráculo de Apolo em Delfos de que era chegada a hora de vingar a morte do pai.

Lá se encontra com a irmã Electra, e os dois se reconhecem com mútuo júbilo. Em *As coéforas*, de Ésquilo (a segunda tragédia da Trilogia Oresteia), esse encontro ocorre junto ao túmulo de Agamêmnon, e os irmãos se unem em uma invocação ao fantasma do pai, pedindo-lhe que os apoie na vingança. O foco dessa peça é ainda, principalmente, o papel de Orestes como vingador, e Electra não se envolve ativamente nos assassinatos. (Em tragédias posteriores é mais atuante, como veremos no próximo capítulo.)

Orestes consegue entrar no palácio fingindo ser um forasteiro vindo da Fócida com a notícia da morte de Orestes, e mata primeiramente Egisto, depois Clitemnestra. Naturalmente assassinar a mãe é causa de muita angústia. Clitemnestra, face a face com o filho, que então reconhece, apela para os laços que os uniram quando ainda era bebê (896-8): "Para, meu filho! Mostra piedade, filho, ante este peito onde descansaste a cabeça a dormir e onde, com lábios macios, sugaste o leite que te deu a vida!"

Orestes hesita, apavorado com o que está prestes a fazer, e volta-se para Pílades a fim de se aconselhar. Este (em sua primeira e única fala na peça) lembra-lhe as instruções de Apolo e a natureza sagrada de sua vingança. Recuperada a confiança, Orestes conduz a mãe ao interior do palácio e a mata.

As assustadoras fúrias de Clitemnestra imediatamente começam a persegui-lo, e são suas vozes que formam o coro da peça final da trilogia, *As eumênides*. Apolo envia Orestes para Atenas, onde é julgado por um grupo de cidadãos atenienses na corte de homicídios no Areópago, com Apolo atuando como seu advogado, e as fúrias, como promotoras. Quando a decisão do júri resulta em empate, Atena dá o voto de desempate a favor de Orestes, baseada no fato de o pai ter precedência sobre a mãe. (Afinal, ela mesma nasceu de Zeus apenas.) Orestes é inocentado e as fúrias são apaziguadas por um novo culto em Atenas no qual são honradas com poderes benéficos e mudam de nome para eumênides ("as bondosas"). Por fim a longa sequência de carnificinas termina, assim como a maldição da descendência de Atreu.

Acontecimentos posteriores

Outras tragédias que chegaram aos nossos dias dramatizam acontecimentos posteriores da vida de Orestes. Em *Ifigênia em Táuris*, de Eurípides, Apolo tinha dito que, para se livrar definitivamente das fúrias, seria necessário levar para Atenas uma imagem sagrada de Ártemis que estava em Táuris (Crimeia), uma terra de bárbaros. Orestes e Pílades são capturados pelos nativos ao chegar e levados ao templo de Ártemis, por ordem do selvagem rei Toas, para sofrerem o destino de todos os forasteiros que chegavam àquela terra: morte pelas mãos da sacerdotisa de Ártemis. Embora não soubessem disso, a sacerdotisa é justamente Ifigênia, a irmã de Orestes perdida havia muito tempo. Na verdade, a jovem não tinha morrido quando Agamêmnon tentara sacrificá-la, mas havia sido carregada para longe por Ártemis, e uma corça a substituíra no altar de sacrifício.

No último instante, irmão e irmã se reconhecem, e agora Ifigênia está cheia de alegria ante a ideia de voltar para casa, na Grécia, novamente. A sacerdotisa lança mão de uma artimanha para enganar o povo de Táuris: pede que permaneçam afastados enquanto finge lavar no mar as manchas de sacrifício de suas duas vítimas, inclusive a estátua de Ártemis, poluída pela sua presença. Então os três saltam rapidamente para dentro de um barco e partem em segurança, levando consigo a estátua, como Apolo havia instruído. Atena intervém para que o furioso rei Toas não os persiga, e, acalmado pela deusa, ele até faz votos de boa viagem.

Assim Ifigênia volta à Grécia, onde se torna sacerdotisa de Ártemis em Brauron. Orestes, por sua vez, se casa com Hermíone, filha única de Menelau e Helena, depois da morte de seu primeiro marido, Neoptólemo, e dessa maneira unem os dois ramos da família originada em Atreu. O casal é personagem de uma tragédia de Eurípides ainda existente, *Andrômaca*, na qual Hermíone ainda está casada com Neoptólemo, mas vive angustiada porque é estéril. Ela põe a culpa de sua esterilidade em encantos lançados por Andrômaca, que havia sido esposa de Heitor, mas que se tornara concubina de seu marido, conquistada em Troia, e com a qual Neoptólemo tivera um filho, Molosso.

Auxiliada pelo pai, Menelau, Hermíone tenta matar Andrômaca e Molosso, e quase consegue, mas suas vítimas são salvas no último minuto pelo velho Peleu, avô de Neoptólemo. Aterrorizada com a cólera do marido, Hermíone tenta se matar em várias ocasiões. "Quando ela tentou se enforcar", diz sua velha aia (811-16), "as empregadas que estavam encarregadas de vigiá-la quase não tiveram tempo de impedi-la, e o mesmo aconteceu quando lhe arrancaram das mãos uma espada que havia encontrado. Hermíone está cheia de remorsos e sabe muito bem que o que fez foi errado. Já estou cansada de tentar impedir que ela se enforque".

Hermíone está histérica de medo quando Orestes chega. Menelau havia lhe prometido a mão da filha antes de a guerra começar, mas depois mudou de ideia e prometeu dá-la a Neoptólemo se o ajudasse a capturar Troia. Então Hermíone escapa da ira do marido fugindo com Orestes para Esparta, onde se casam depois da morte de Neoptólemo (nessa peça, pelas mãos do próprio Orestes, em Delfos).

Orestes torna-se rei de Micenas e, em uma das versões, mata seu meio-irmão Aletes, filho de Egisto e de Clitemnestra, que havia usurpado o trono, e passa a reinar não apenas em toda a Argólida, como também em Esparta, depois que Menelau morre sem deixar herdeiros. Hermíone dá-lhe um filho, Tisâmeno, que sucede a Orestes após sua morte e reina até os heráclidas invadirem o Peloponeso e o expulsarem do trono.

Orestes reina em paz por muito tempo e morre já velho, aos 70 anos (ou aos 90, segundo outras fontes), de uma picada de cobra, e é enterrado em Tegeia. Séculos depois, segundo Heródoto (1.67), quando os espartanos tentavam capturar Tegeia, o oráculo de Delfos lhes disse que conseguiriam a vitória se levassem os ossos de Orestes de volta para Esparta. Os ossos, disse o oráculo, vago como sempre, estavam em Tegeia, em um lugar onde dois ventos sopravam um contra o outro, e golpes, contragolpes e lamentos eram ouvidos todo o tempo.

O lugar, como os guerreiros vieram a descobrir, era a forja de um ferreiro, os "ventos" eram dois pares de foles e os "golpes e contragolpes" eram do martelo na bigorna. "Os lamentos", já que no local se fabricavam armas, provavelmente referiam-se à tristeza que as guerras trazem para a humanidade. Enterrado no pátio do ferreiro foi encontrado um esquife de dez pés de comprimento contendo um esqueleto. Os ossos foram levados para Esparta e desde então os espartanos passaram a vencer os tegeanos.

13. Mulheres perigosas

Os mitos clássicos são ricos em mulheres perigosas: mulheres que, de uma forma ou de outra, levam homens à morte. Com frequência são motivadas por uma paixão de vingança e matam com ódio, ou então por ciúmes ou tristeza. Às vezes o poder de sua sexualidade é causa de morte; outras vezes matam por acidente, por ignorância e mesmo por amor. Mas é sempre uma emoção extrema que as impulsiona até que sua vítima ou suas vítimas estejam mortas. Neste capítulo examinaremos em detalhe algumas dessas mulheres perigosas.

Frequentemente as imagens mais nítidas dessas mulheres vêm das tragédias atenienses do século V a.C. que chegaram aos nossos dias. Muitas centenas de peças eram encenadas em Atenas, nos festivais de Dioniso, deus do drama, mas quase todas se perderam. Possuímos ainda 33 delas e em muitas vemos essas mulheres em ação — com frequência em ação bastante sangrenta.

Quando essas peças eram encenadas, a tragédia existia há relativamente pouco tempo: desde cerca de 530, segundo a data tradicionalmente aceita de sua origem. Durante o século V, portanto, os mitos estavam sendo dramatizados pela primeira vez e as peças davam vida aos personagens da mitologia — pela primeira vez com pessoas de verdade no palco. As mulheres míticas costumam se tornar personagens dramáticas de grande força, que dominam a ação. Com frequência, também, as tragédias enfocam mais os apuros das mulheres do que os dos homens, tratando do sofrimento enfrentado em situações extremas, e de sua reação a essa dor. E é então que essas mulheres míticas se tornam perigosas.

Comecemos, então, por quatro personalidades particularmente perigosas, que matam suas vítimas com as próprias mãos: Clitemnestra, Hécuba, Medeia e Procne. Seu objetivo é a vingança contra o homem que lhes causou algum mal. Em vez de ficarem passivamente à margem, como seria de esperar do típico comportamento feminino de sua época, elas assumem decisivamente um padrão masculino de ação. Não é fácil, no entanto, atacar usando violência direta, porque são fisicamente mais fracas do que os homens vistos como seus inimigos. Assim, usam suas próprias armas — a inventividade, a persuasão e a falsidade — para atingir seus objetivos. E a falsidade não deve ser vista com espírito crítico, já que o engano (*dolos*, em grego) era considerado um meio razoável de obter uma vingança honrosa. Basta nos lembrarmos do heroico Odisseu, da *Odisseia*, o enganador-mor, que usa de fraude e violência todo o tempo e acaba exatamente onde queria: na cama de sua esposa, em casa, em seu próprio palácio. As mulheres de quem agora tratamos usam a falsidade para conseguir se vingar de seus inimigos, e as armas que escolhem são tiradas de sua própria esfera doméstica de influência.

Devemos cuidar para não as julgar pelos padrões éticos modernos. Como vimos anteriormente (p. 36), a vingança pode ser considerada um ato honrado e heroico. E, como veremos a seguir, essas mulheres parecem estar justificadas também pelo resultado das vinganças que realizam de maneira tão decidida.

Clitemnestra

Vimos como o grande Agamêmnon, rei de Micenas, liderou uma enorme força de gregos para recuperar a cunhada Helena, e como sacrificou a filha Ifigênia para conseguir os ventos que levaram sua esquadra a

Troia (p. 310). Sua esposa, Clitemnestra, jamais o perdoou por tal sacrifício, e em sua ausência, nos dez anos subsequentes, tomou seu inimigo Egisto como amante. Quando, por fim, Agamêmnon retornou vitorioso para casa, foi morto pelo casal.

Esta história, com seus desdobramentos de assassinatos por vingança, era bem conhecida antes do século V a.C. Tal relato aparece primeiro em Homero e foi bem ilustrado pela arte antiga, porém é nas tragédias de Ésquilo, Sófocles e Eurípides que a história de Clitemnestra adquire mais vida. A arquetípica Clitemnestra, de Ésquilo, em *Agamêmnon*, primeira peça da Trilogia Oresteia, domina todas as outras. Antes dessa produção, até onde sabemos, Clitemnestra e Egisto eram vistos como comparsas na morte de Agamêmnon, na qual Egisto era o protagonista — exatamente como foi representado em um famoso vaso ático conhecido como "Boston Oresteia Krater", pintado cerca de doze anos antes de a Oresteia ser produzida. No centro da figura está Agamêmnon, coberto com uma túnica transparente e caindo, desequilibrado, para trás, com sangue a brotar de seu peito. À sua frente está Egisto, que, com a espada, já o golpeou uma vez e está prestes a golpeá-lo novamente. Atrás de Egisto está Clitemnestra, com um machado na mão, pronta para apoiá-lo.

Em Ésquilo, porém, a situação é bem diferente. Sua Clitemnestra executa sozinha o assassinato, enquanto o papel de Egisto é relativamente insignificante: se acovarda, é um medroso fanfarrão que só aparece no palco no final da peça. É Clitemnestra, "a mulher com coração de homem" (10-11), quem nutre o ódio e a mágoa naqueles dez longos anos, desde a morte de Ifigênia, e que agora mata Agamêmnon com uma alegria feroz, enredando-o em uma túnica enquanto ele, vulnerável e desarmado, toma um banho. Ésquilo fez de Clitemnestra uma figura poderosa e assustadora, que não precisava da ajuda de homem nenhum para matar o marido traiçoeiro.

Só, à porta do palácio, Clitemnestra saúda Agamêmnon, que retorna de Troia. Finge dar-lhe as boas-vindas ao lar, usando palavras que são uma obra-prima de duplo sentido, e as quais o enganam totalmente. Nem mesmo nas referências veladas à filha morta o recém-chegado consegue ver além da superfície do que é dito. É em Ifigênia que Clitemnestra pensa ao dizer: "Nossa criança não está aqui ao nosso lado, e deveria estar; a criança que selou nossas juras, minhas e suas, nossa criança que deveria estar aqui..." (877-9). Somente no final dessas palavras é acrescentado o nome do filho, "Orestes". E prossegue: "Para mim, a fonte das lágrimas secou completamente, sem nela restar uma única lágrima" (887-8), o que Agamêmnon entende como lágrimas por sua ausência. Mas aquelas eram lágrimas derramadas havia muito por Ifigênia e que agora eram substituídas pelo ódio ao assassino da filha.

"É esta minha saudação", diz Clitemnestra. "Que dela esteja ausente qualquer mal, pois muitos foram os males que suportei" (903-5). Agamêmnon pensa que se refere à solidão dos longos anos de sua ausência, mas novamente o tema é a morte de Ifigênia. E assim o marido é recebido como merece — com a morte.

Clitemnestra o atrai para dentro de casa e para a destruição, convidando-o a caminhar pelo palácio sobre tapetes vermelhos que as servas estendem para recebê-lo. "Agora, meu amado", exclama, "desce de teu carro. Não deixes que teus pés, senhor meu, conquistador de Troia, toquem a terra. Servas, o que esperais? Já não ordenei que cobrísseis com tapetes o chão por onde ele deve passar? Que sejam espalhados os tapetes diante da casa que ele não mais esperava ver, onde a justiça o fará entrar, um caminho rubro" (905-11). E, ao comando de Clitemnestra, cobre-se o chão de vermelho, símbolo do sangue que Agamêmnon fez correr quando matou Ifigênia, de todo o sangue que fez correr em Troia, do seu próprio sangue que está prestes a correr. Sem suspeitar do destino que sua esposa planeja para sua vida, Agamêmnon caminha sobre os tapetes cor de sangue, adentra o palácio que julga ser um porto seguro e caminha para a morte pelas mãos de Clitemnestra.

Sozinha ela o mata e, junto, sua concubina troiana, Cassandra. Assim que Agamêmnon entra, Clitemnestra o ajuda a se banhar e então o coloca fora de combate lançando sobre sua cabeça um pano tecido por suas próprias mãos. (A principal função doméstica de uma mulher era tecer os panos usados em sua casa, e um tecido pode também ser usado como uma espécie de arma.) Só então, ao deixá-lo indefeso,

Clitemnestra o ataca usando ou um machado ou uma espada. Há vagas referências às duas armas no texto grego, portanto podemos imaginar a que preferirmos.

Os gritos de morte de Agamêmnon são ouvidos por todo o palácio. Em seguida as portas se abrem para revelar Clitemnestra de pé junto ao corpo de sua vítima, a arma ensanguentada em suas mãos. Exultante por ter finalmente obtido a vingança tão ansiada, descreve o assassinato pelo qual havia esperado longo tempo (1381-92):

> Para que não pudesse fugir ou evitar a morte, como alguém que pega um peixe, lancei sobre ele uma rede da qual não poderia sair — uma enorme rede, bela e mortífera. Golpeei-o duas vezes, e com dois gritos terríveis ele dobrou os joelhos e caiu. Caído, dei-lhe um terceiro golpe, oferenda de agradecimento a Zeus, Senhor do Mundo Inferior e redentor de cadáveres. Assim ele caiu e expeliu com força a vida pela boca e, moribundo, salpicou-me com aquela chuva escura e rubra, e regozijei-me como o trigo semeado se regozija, encharcado na chuva enviada pelos deuses quando brota na primavera.

Assim termina o *Agamêmnon*, com Ifigênia vingada. Em *As coéforas*, a segunda peça da trilogia de Ésquilo, Clitemnestra é assassinada por seu filho Orestes, em vingança pela morte de Agamêmnon (p. 425). Na terceira peça, *As eumênides*, Orestes é julgado por matricídio. Os votos do júri resultam em empate, o que sugere um equilíbrio entre justificativa e condenação, tanto para o ato dele quanto para o dela. É somente quando Atena dá o voto de desempate a favor de Orestes — com base no fato de o assassinato de um homem ser algo mais grave do que o de uma mulher — é que ele é inocentado e o ciclo de sangue derramado termina.

A data da Oresteia de Ésquilo é 448 a.C. e, até onde sabemos, essa foi a primeira vez que esse mito foi dramatizado, e portanto a primeira vez também que essa Clitemnestra vingadora apareceu em carne e osso. Certamente, de todas as peças que chegaram até nós, a Clitemnestra, de Ésquilo, é a mais antiga dessas mulheres perigosas a dominar o palco, ao sair e a tomar, corajosamente, a iniciativa de matar o homem que a tratou injustamente. Desde então houve muitas outras. Mas, quando as portas do palácio se abrem no *Agamêmnon* e nós a vemos de pé, junto à sua vítimas, a arma ensanguentada nas mãos, Clitemnestra está também, em certo sentido, de pé à frente da tradição dramática ocidental, como a primeira mulher da sua espécie.

Hécuba

Clitemnestra vinga, de maneira sangrenta, a morte de uma filha; na *Hécuba*, de Eurípides, a personagem faz o mesmo. Hécuba havia sido rainha de Troia, a esposa do velho rei Príamo, mas, quando a peça inicia, a cidade já havia sido capturada pelos gregos, todos os homens troianos haviam sido assassinados e as mulheres estavam sendo levadas como escravas pelos vencedores. O cenário é o acampamento grego na costa da Trácia, onde Hécuba passa os dias a se lamentar, enfraquecida pela tristeza com a morte do marido, Príamo, e dos filhos, em batalha.

Mais tristeza, porém, ainda a aguardava. Outra morte ocorre: sua filha Polixena é sacrificada pelos gregos para apaziguar a alma do falecido Aquiles (p. 366). Em meio a tanto sofrimento, porém, Hécuba ainda tem um consolo: um filho vivo — ou pelo menos assim o crê. Em algum momento durante a guerra, enviara o filho mais novo, Polidoro, para viver com Polimestor, rei da Trácia, e o imagina ainda a salvo e bem. Mas engana-se, pois Polimestor traiu sua confiança e matou o menino para ficar com o ouro que carregava consigo. A mãe fica sabendo dessa amarga verdade pouco depois do sacrifício de Polixena, quando o corpo de Polidoro vai dar na praia, levado pelas ondas.

Hécuba deixa de ser uma figura vulnerável, triste e desesperada e torna-se uma mulher furiosa e vingadora. Quando Polimestor visita o acampamento grego, ela o atrai, com seus dois filhos pequenos, para sua tenda, usando um atrativo que sabia ser o mais eficiente: promete-lhe mais ouro. Sem hesitar, o alvo cai na armadilha e, quando entra na tenda, é dominado por Hécuba e suas muitas aias.

Nas palavras da própria Hécuba, "mulheres em grande número são terríveis e, com a ajuda do engano (*dolos*), são difíceis de combater" (884). Todas imobilizam Polimestor e, tomando sua espada, matam seus filhos e depois arrancam os olhos da vítima com seus broches. Para prolongar-lhe o castigo, em vez de sofrer uma morte rápida e fácil, o corpo é deixado vivo para pagar o preço de sua traição

Essa é, de fato, uma vingança selvagem, mas a Hécuba, de Eurípides, é descendente verdadeira da retratada por Homero, de cerca de trezentos anos antes. Na *Ilíada* (24.212-14), quando Aquiles mata seu filho Heitor, a primeira Hécuba diz: "Eu gostaria de enfiar os dentes no fígado dele e comê-lo. Essa seria a vingança pelo que fez ao meu filho."

Depois de cego, Polimestor prediz o estranho fim de Hécuba: no barco com destino à Grécia, se transformaria em uma cadela com olhos de fogo e saltaria para a morte no mar. A terra próxima dali passaria a se chamar "Túmulo da Cadela", *kuno sema* (Cinossema, no Quersoneso trácio), ponto de referência para futuros marinheiros. É difícil interpretar isso, mas sabemos que olhos de fogo eram um sinal de seres sobrenaturais, e que as fúrias (p. 43) costumavam ser associadas a cães que perseguiam suas presas. Hécuba certamente agiu como uma fúria em forma humana, vingando-se desesperadamente. Essa metamorfose possibilita-lhe escapar da escravidão que tanto abominava, e parece ter-lhe assegurado também uma espécie de imortalidade. Quem passa por Cinossema, dizem, ainda ouve seus uivos tristes.

Medeia

Clitemnestra e Hécuba vingam a morte de seus filhos. Na *Medeia*, de Eurípides, Medeia se vinga da infidelidade do marido, Jasão, ao vê-lo se casar com outra mulher. Sua vingança é a mais cruel possível: mata os filhos que conceberam juntos.

Jasão deveria ter pensado duas vezes antes de enganar a esposa de maneira tão evidente, pois sabia muito bem que estava casado com uma mulher perigosa. Com suas habilidades mágicas o havia ajudado a derrotar o touro que exalava fogo pelas narinas e a conquistar o tosão de ouro (p. 158). Depois disso Jasão a levou em seu barco, o *Argo*, para ser sua esposa, e logo Medeia mostrou ser uma mulher capaz de matar. Durante a fuga, sob perseguição feroz de seu pai Eetes, ela matou o irmão mais novo, Apsirto, depois o esquartejou e espalhou seus pedaços no mar. Eetes, que amava muito o filho, foi parando para catar os pedaços a fim de lhe dar um enterro condigno, e assim Medeia e Jasão escaparam.

Depois, quando o *Argo* voltou para Iolcos, a jovem deu um jeito de matar o inimigo de Jasão, o rei Pélias. Por meio de seus feitiços, rejuvenesceu um carneiro velho, cortando-o em pedaços que cozinhou em um caldeirão juntamente com ervas mágicas (p. 163). Ao verem-no saltar do caldeirão transformado em cordeiro, as filhas de Pélias ficaram tão impressionadas com a habilidade de Medeia que foram facilmente convencidas a fazer o mesmo com seu velho pai. Pélias então foi morto, cortado em pedaços e fervido no caldeirão, mas dessa vez Medeia não colocou as tais ervas mágicas — e sua história acabou ali. "O que as filhas receberam ao final não era sequer suficiente para enterrar", diz Pausânias de maneira concisa (8.11-3). Jasão e Medeia fugiram de Iolcos e se refugiaram junto a Creonte, rei de Corinto.

Corinto é onde se passa a peça de Eurípides. Alguns anos haviam decorrido e Medeia tinha dois filhos com Jasão, mas, como a Ama diz no Prólogo, "agora é tudo hostilidade, e o amor azedou", porque Jasão abandonou Medeia e se casou com a filha do rei. A tragédia centra-se na vingança da esposa traída, enlouquecida de ciúmes e de ódio, que planeja matar as três pessoas que lhe fizeram mal — Creonte, Jasão e a nova esposa. Mas sua vingança final é mais terrível ainda. Não deixa de matar Creonte e a filha, mas mata também os filhos que teve com Jasão, e o mantém vivo para sofrer para sempre as terríveis consequências de sua traição.

Para executar sua vingança, Medeia esconde todo o seu ódio, finge perdoar Jasão e trata com amizade sua nova esposa. Com a intenção de provar seus bons sentimentos, envia à rival belos presentes. Jasão deixa-se enganar completamente pelo papel de esposa arrependida representado por Medeia. Sua arma é o veneno colocado em um diadema e uma bela túnica (novamente um tecido é usado) endereçados à sua vítima. A jovem recebe com alegria os belos presentes mortíferos e, sem suspeitar de coisa alguma, coloca em si os novos adornos. A princípio, fica encantada com sua aparência, mas logo o veneno se transforma em fogo e sua pele é violentamente consumida. "E a carne escorreu-lhe dos ossos como a resina de uma tocha de pinho", diz a serva que relata sua morte.

Chega Creonte e, enlouquecido de tristeza, ao pegar nos braços o cadáver da filha, exclama: "Ah, pudesse eu morrer contigo, minha filha!" E morre mesmo. Esgotadas as lamentações, o rei tenta colocar o corpo da filha no chão e se levantar, mas se dá conta de que está preso à túnica "como a hera se prende aos galhos de um loureiro". Creonte luta em vão para se desprender do cadáver e acaba também morrendo sob o efeito do veneno. Suas velhas carnes também se desprendem dos ossos.

Medeia não se dá por satisfeita: parte para matar também os próprios filhos — e esse assassinato intencional parece ser uma inovação de Eurípides acrescida à lenda. Em versões anteriores, as crianças morrem também, mas por outros motivos. Em uma delas, Medeia os mata acidentalmente ao tentar fazê-los imortais. Em outra versão, o povo de Corinto os mata. Em outra, ainda, a família de Creonte os mata para vingar a morte do rei. Mas Eurípides faz com que a própria Medeia decida assassiná-los como a parte mais poderosa de sua vingança, pois essa é a maior dor que pode infligir ao marido traidor.

Apesar de sua Medeia cometer um ato tão horrendo, Eurípides criou um personagem pelo qual não é difícil sentir empatia: uma mulher definitivamente prejudicada por um Jasão egoísta e insensível. Um monólogo de Medeia nessa tragédia tornou-se justificadamente famoso: é aquele no qual se debate em agonia quanto ao caminho a tomar, perguntando-se se seria realmente capaz de matar os próprios filhos (1021-80). Sua decisão oscila entre o sim e o não.

A mãe começa por lamentar a inescapável separação que os aguarda: será exilada, e as crianças, sem o saber, morrerão. Em vão os deu à luz e criou, pois agora não mais terá a alegria de tê-los junto a si, nunca os verá casados e não receberá seus cuidados na velhice, nem terá o corpo enterrado pelos filhos ao morrer. (Essas são coisas que as mães costumam dizer diante de um filho morto.) As crianças lhe sorriem e Medeia grita: "O que posso fazer?" E então acrescenta (com uma paráfrase): "Não! Isto eu não posso fazer! Adeus, planos meus. Por que ferir o pai ferindo-me duas vezes mais?"

Em seguida volta a firmar-se em sua resolução, para depois se deixar levar novamente pelo amor e pela compaixão. Por fim, apesar de toda essa angústia, sua macabra decisão prevalece sobre seus sentimentos de mãe. A decisão é pela morte: "Todavia não me resta escolha. Agora a princesa já está morrendo por causa de seus presentes. *Tenho* que matar meus filhos antes que meus inimigos o façam. Tenho que tomar o mais cruel dos caminhos e enviar meus filhos por um caminho mais cruel ainda."

Quando é chegada a hora de os meninos morrerem, as últimas palavras da mãe antes de matá-los mostram que, ao se vingar de Jasão da maneira mais cruel, Medeia causa a si idêntica dor. Também demonstram, estranhamente, que o assassinato é um ato de amor. Creonte e a princesa estão mortos, portanto os meninos serão mortos também, disso há certeza. Os coríntios exigirão vingança. A morte das crianças será mais suave pela mão daquela que lhes deu a vida (1236-50):

> O caminho está claro para mim: matar meus filhos o mais rápido possível e partir; não me demorar para não deixar que sejam mortos por mãos menos amorosas. Eles estão fadados a morrer, seja como for, e, se assim é, que os mate eu, que os dei à luz. Vamos, coração meu, fortalece-te. Por que me demoro em fazer o que deve ser feito? Vamos, mão maldita, pega a espada, vamos; segue direto ao ponto onde a vida se transforma em dor. Afasta a covardia, afasta as recordações, as memórias de quanto os amei, de como meu corpo os pôs no mundo. Nesse único dia, um só dia, esquece-te de teus filhos — depois para sempre os chora. Pois, ainda que os mate, tu os amas.

No final da peça, Medeia escapa em uma carruagem puxada por serpentes aladas enviada por seu avô Hélio, o deus-sol, e é levada em segurança para Atenas (onde, segundo mitos posteriores, casa-se com o rei Egeu). Medeia aparece subitamente no alto do palco, no plano divino onde normalmente só os deuses aparecem. Sua carruagem de dragões foi também uma inovação de Eurípides e deve ter sido um tremendo *coup de théâtre*. Uma vez realizada a vingança, qualquer que tenha sido seu sacrifício, Medeia olha exultante para Jasão lá embaixo. "Não sabes ainda o que é a tristeza", diz. "Aguarda até ficares velho."

Assim Medeia acaba por triunfar sobre o homem que a fez sofrer, e a chegada da carruagem significa a aprovação divina do que fez. Medeia é apresentada em termos heroicos do início ao fim, e se vinga de seu inimigo, Jasão, ainda que pague um preço extremo por isso com a morte de seus próprios filhos. A carruagem solar então chega como uma recompensa por sua vingança heroica, pelo sacrifício que impôs a si mesma.

Mas Medeia foi sacrificada em outro sentido também, pois aquela que aparece no alto do palco em sua carruagem parece ter se tornado algo mais do que um ser humano, alguém intocado e intocável por mãos e emoções humanas. Jean Anouilh, em sua versão de *Medeia*, de 1946, faz que se suicide nas chamas da pira funerária dos filhos assassinados. Em Eurípides, também, embora Medeia apareça triunfal em sua carruagem de dragões, sua desumanização é igualmente uma espécie de morte.

Procne

Procne era filha de Pandion, rei de Atenas, e casou-se com Tereu, rei da Trácia. Assim como Medeia, matou os próprios filhos para se vingar do marido, e seu ato terrível foi dramatizado na tragédia de Sófocles intitulada *Tereu*. A peça se perdeu quase toda, exceto alguns fragmentos, mas possuímos um antigo resumo da trama e Ovídio faz um relato comovente do mito em sua *Metamorfoses* (6.424-674), que certamente muito deve à versão original grega, o que nos possibilita remontar facilmente os fragmentos da peça.

O casal teve um filho, Ítis. Porém, à medida que os anos foram passando, Procne foi se sentindo cada vez mais solitária, por isso pediu a Tereu que fosse a Atenas buscar sua irmã, Filomela, para ir visitá-la. O rei atendeu o pedido, mas, tão logo pôs os olhos na beleza de Filomela, inflamou-se de desejo e planejou fazê-la sua. Sem a menor ideia do que a aguardava, Filomela pediu ao pai que a deixasse visitar a amada irmã, e Pandion concordou.

Partiram então os dois, e na viagem Tereu a estuprou. Quando chegaram à Trácia, a jovem foi aprisionada, e, para que não contasse o que havia acontecido, teve a língua cortada. Depois de deixá-la bem vigiada, Tereu voltou para casa e disse à mulher que sua irmã havia morrido. Procne ficou desolada. Entretanto, apesar de não ter mais língua, Filomela conseguiu contar sua história: como todas as mulheres, era exímia na arte de tecer, então teceu uma tapeçaria (o tecido novamente) na qual contava sua triste história. Quando, por fim, a tapeçaria ficou pronta, foi enviada, por uma aia amiga, à irmã.

Procne decifrou a angustiante história e foi imediatamente buscar Filomela, levando-a escondida para o palácio. Decidiu então vingar-se e matou seu filhinho Ítis — provavelmente sua intenção tenha sido, como a de Medeia, fazer que o marido sofresse o resto da vida sem o filho e sem esperanças. Isso seria pior do que lhe dar uma morte rápida. As irmãs então cortaram a carne do menino e a cozinharam. Procne serviu-a ao marido, que comeu até se empanturrar, depois perguntou por Ítis. Ao descobrir o que havia sido feito, no mesmo instante se lançou sobre as assassinas do filho, mas os deuses intervieram e transformaram os três em pássaros.

Tereu tornou-se uma poupa (um pássaro real, com uma crina ereta), eternamente a repetir à mulher a pergunta feita pouco antes da metamorfose — "*Pou?*", "*Pou?*" ("Onde?", "Onde?"). Filomela, como não tinha língua, foi transformada em uma andorinha, que apenas chilreia, inarticulada. Procne transformou-se em um rouxinol, a cantar para sempre o nome do filho, "*Itu!*", "*Itu!*". (Os poetas romanos inverteram estranhamente o destino das duas mulheres: Procne foi transformada em andorinha, e Filomela, em rouxinol. Essa é a versão mais comumente adotada em tratamentos pós-clássicos da lenda, por isso "Filomel" tornou-se um epíteto poético usual para o rouxinol.)

Não temos como saber exatamente de que modo a peça de Sófocles apresentou Procne, mas sabemos que, ao lado de Filomela, foi a principal heroína da tribo dos pandiônidas, que constituía aproximadamente a décima parte dos cidadãos de Atenas. As mulheres eram muito respeitadas em toda a cidade e homenageadas por sua reação decisiva à crueldade e à opressão, portanto podemos crer que *Tereu* refletisse esse espírito. Aqui, novamente, podemos imaginar Procne dramatizada, como uma mulher valente, que destrói o que de mais caro possui — o próprio filho — para vingar-se do inimigo da maneira mais dolorosa.

Assim, ainda que o *Tereu*, de Sófocles, tenha sido perdido, podemos conhecer sua poderosa história, que foi contada e recontada por autores posteriores, inspirando artistas até os nossos dias. E o rouxinol continua a emitir seus lamentos — como nos versos gloriosamente líricos de Swinburne em seu "Itylus", nos quais o poeta fala da "trama tecida tão fácil de decifrar/ o pequeno corpo assassinado, o rosto como uma flor", e apresenta seu memorável rouxinol como uma ave dos pesares, chamando pela irmã:

> Sister, my sister, O fleet sweet swallow,
> Thy way is long to the sun and the south;
> But I, fulfilled of my heart's desire,
> Shedding my song upon height, upon hollow,
> From tawny body and sweet small mouth
> Feed the heart of the night with fire...*

---

* Irmã, minha irmã, Ó ligeira e terna andorinha,/ Tua viagem é longa para o sol e para o sul;/ Mas eu, realizado o desejo de meu coração,/ Espalho minha canção nas alturas, nos vazios,/ Com meu corpo fulvo, com minha boca pequena e suave/ Alimento de fogo o coração da noite...

(Como seria possível que alguém definisse melhor um rouxinol?) E assim ela termina:

> (...) The hands that cling and the feet that follow
> The voice of the child's blood crying yet,
> *Who hath remembered me? Who hath forgotten?*
> Thou hast forgotten, O summer swallow,
> But the world shall end when I forget. *

Electra

Antes de deixarmos as mulheres que matam por vingança, devemos falar de Electra, filha de Agamêmnon e de Clitemnestra e irmã de Orestes. Apesar de não ter cometido um assassinato, instou o irmão a fazê-lo, e o auxiliou em seu retorno a Micenas para vingar a morte do pai. Electra não tem um papel nas versões mais antigas do mito e, embora seja mencionada pelos poetas líricos, é nas tragédias do século V a.C. que ela desponta como um personagem com vida própria e assume papel central na vingança de Orestes.

A primeira vez que a vemos é na tragédia de Ésquilo *As coéforas* (458 a.C.), uma peça com o nome do coro que vai oferecer libações junto ao túmulo de Agamêmnon, acompanhando Electra. Lá, a jovem se encontra com Orestes, e irmã e irmão, novamente reunidos, invocam o fantasma de Agamêmnon para que os ajude na vingança que levarão a cabo, mas esse é seu único papel nos assassinatos. O foco aqui é principalmente em Orestes, e é sozinho (ainda que apoiado pela presença de seu amigo Pílades) que mata primeiramente Egisto, depois Clitemnestra (p. 425).

Na *Electra* de Eurípides, o papel de Electra na vingança é mais desenvolvido. Nessa peça sua mão havia sido dada em casamento a um camponês pobre para que um filho seu não pudesse reivindicar o trono.

---

* (...) As mãos que agarram, os pés que seguem,/ A voz ensanguentada da criança a gritar ainda,/ *Quem se lembra de mim? Quem se esqueceu?*/ Tu te esqueceste, ó andorinha estival, Mas o mundo acabará quando eu me esquecer.

Mas a jovem permanece virgem, pois o marido, em respeito à sua nobreza, recusa-se a consumar o casamento. Electra está enlouquecida pelo desejo de vingança contra o assassino de seu pai, enquanto Orestes se mostra fraco e indeciso, pois, conquanto não tenha problemas para matar Egisto, a ideia de matar a própria mãe o deixa profundamente infeliz. Sua irmã é a figura dominante, e é quem planeja o assassinato de Clitemnestra, levando então Orestes a executá-lo. É Electra quem segura a espada com o irmão, quando lhe falta coragem no momento crucial do assassinato. O remorso que sente depois é tão intenso quanto o seu desejo de vingança.

Há quem afirme que a *Electra* de Sófocles nos apresenta o personagem em sua quintessência. O principal foco da peça é a própria Electra — uma mulher segura, forte e resistente que sofre com a morte do pai com a mesma paixão com que está decidida a vingá-la. Na época da morte de Agamêmnon, ela salva o jovem Orestes dos assassinos, que o teriam matado também se tivessem tido oportunidade de fazê-lo. A irmã o envia para ser criado em segurança na corte de Estrófio, rei da Fócia. Quando a peça inicia, muitos anos já se passaram e Electra anseia pelo retorno do irmão:

> Não cessarão nunca meu pranto e meus tristes lamentos enquanto eu contemplar os brilhantes raios das estrelas e esta claridade do dia. Não! Como o rouxinol, assassino de seu próprio filho, lançarei meus gritos lancinantes para que todos ouçam, gritos de dor infinda diante da porta de meu pai! Ó, casa de Hades e de Perséfone, Hermes do Mundo Inferior e da Maldição divina, e vós, fúrias, augustas filhas dos deuses, que vos ocupais das mortes injustas dos que têm seus leitos nupciais desonrados: vinde! Ajudai-me a vingar o assassinato de meu pai e mandai de volta meu irmão. (103-18).

E mais adiante (164-86):

> Espero e espero por ele, indefinidamente, nesta vida infeliz sem um filho meu, sem um marido, afogada em lágrimas, a carregar este destino no qual minha desgraça não tem fim. (...) Pois a parte de minha vida que deveria ter sido a melhor, eu a passei na desventura, e já não me restam forças.

Entretanto, sem que Electra soubesse, Orestes já havia retornado a Micenas com seu amigo Pílades, filho de Estrófio, e com o velho preceptor que o criou. Obediente às ordens de Apolo, tem pronto seu plano de vingança: o velho anunciará a morte de Orestes em uma corrida de carros nos Jogos Píticos, enquanto o próprio Orestes chegará, junto a Pílades, com a urna funerária que supostamente contém suas cinzas. Isso terá o efeito duplo de assegurar-lhes entrada no palácio e de baixar a guarda de Clitemnestra. (Egisto, nesse momento, está temporariamente fora de casa.)

O plano funciona perfeitamente. Primeiro o preceptor descreve de maneira vívida a horrível morte de Orestes, lançado de seu carro e pisoteado na pista de corridas. Clitemnestra, depois de um choque momentâneo, recupera-se, radiante e aliviada, porque agora seu filho, cuja vingança era temida, está morto, e leva o velho preceptor para dentro do palácio como um visitante honrado. Electra fica desolada. Quem vingará a morte de seu pai agora? A jovem, então, pede ajuda à sua irmã para matar Egisto, mas Crisótemis acha o plano uma loucura. A irmã é prudente e gosta demais das vantagens materiais de ser uma princesa de Micenas para se arriscar a perdê-las com demonstrações de hostilidade. "Uma coisa te asseguro", diz a Electra (332-40), "eu também estou profundamente triste com nossa situação, a tal ponto que, se pudesse encontrar força necessária, eu mostraria a eles o que penso. Mas, como as coisas estão, parece-me melhor baixar minhas velas em tempos de tempestade. (...) O caminho certo a seguir não é o que escolhi, mas sim o teu. Porém, se eu quiser viver em liberdade, devo obedecer a meus senhores em tudo".

Não é de surpreender, portanto, que Crisótemis ache louco o plano de Electra e que se recuse a fazer qualquer coisa que possa pôr sua vida confortável em risco. Electra então decide matar Egisto sozinha, sem ajuda de pessoa alguma, mas não chega a fazê-lo. Orestes e Pílades encontram-na casualmente quando chegam para entregar a urna funerária e todo o pensamento de vingança desaparece de sua mente ao ter a urna nas mãos e chorar pelo que acredita serem as cinzas do amado irmão. Agora tudo o que deseja é morrer (1126-70):

> Ó relíquia última da vida de Orestes, o mais amado dos homens para mim, quão diferente é tua chegada daquela que eu esperava ao te ver partir! Agora nada mais és em minhas mãos, mas quando te mandei daqui eras uma criança radiante de vida. Ah, quem me dera ter morrido antes disso, antes de tê-lo roubado, meu irmão, com estas mesmas mãos e tê-lo enviado para terra estrangeira. Pensava salvar-te da morte naquele mesmo dia, quando com nosso pai compartilharias o túmulo. Mas agora, longe de casa, exilado em terras estrangeiras, morreste sem tua irmã por perto. E eu, para tristeza minha, não te lavei e nem te vesti com mãos amorosas, como seria o certo, nem ergui da pira ardente esta carga de tristeza. Não, quis o triste destino que teus rituais fossem realizados por mãos alheias, e assim chegas a nós, um punhado de cinzas em uma pequena urna.
>
> Infeliz de mim pelos cuidados vãos que contigo tive. De nada valeram as doces e amorosas fadigas, pois nunca foste mais caro à tua mãe do que a mim. De ti cuidei, e não as servas, e sempre me chamavas de doce irmã. Agora, com tua morte, em um único dia tudo se acaba; como um furacão te foste, tudo carregando de mim. Morreu nosso pai; morreste, irmão; morro contigo. Riem-se de nós os inimigos, e nossa mãe, que nunca soube ser mãe, enlouqueceu de júbilo — aquela a quem, em secretas mensagens me dizias, voltarias para castigar. Mas esse trágico destino, teu e meu, arrancou-te de mim e agora te devolve desta maneira, não mais aquele ser que eu tanto amava, apenas cinzas e sombra vazia.
>
> Ah, que dor! Ah, tristes despojos! Tu que em infausta viagem te foste, meu querido, a mim levas também. Sim, me levaste também! Recebe-me neste pequeno espaço que ocupas, irmão — o nada ao nada se junta — para que contigo no mundo dos mortos possa eu ficar para sempre. Enquanto vivos, de tudo compartilhamos. Compartilhemos agora o mesmo túmulo, pois estou vendo que os mortos não mais têm dor.

Orestes pensava que Electra, usando vestes grosseiras, fosse uma serviçal, e só quando ouve essas palavras de amor e tristeza é que se dá conta de que é a amada irmã que o criou. Com muito cuidado, Orestes a faz saber quem é, e Electra é levada do desespero ao júbilo quando, por fim, acredita que o homem à sua frente é, de fato, seu irmão. Essa é uma das cenas de reconhecimento mais comoventes de todas as tragédias gregas que chegaram até nós.

Orestes entra no palácio para matar Clitemnestra, enquanto Electra permanece junto à porta para vigiar a chegada de Egisto. Ao primeiro lamento de morte da mãe, grita: "Dá-lhe, se tiveres força, um segundo golpe!". Orestes a golpeia novamente, e Clitemnestra dá seu último grito. Não há tempo a perder com aquela morte, pois Electra vê Egisto se aproximar, e o engana, dizendo que Orestes, seu inimigo, está morto e que é esse o cadáver dentro do palácio. "Posso ver o corpo com meus próprios olhos?", pergunta Egisto.

"Sem dúvida podes", responde Electra, "mas não é algo belo de ver".

A uma ordem de Egisto, abrem-se as portas do palácio e Orestes e Pílades trazem o cadáver de Clitemnestra, coberto com um manto. "Zeus!", exclama Egisto, "o que vejo aqui deve ser alguém que muito desagradou os deuses".

"Descubram-lhe o rosto", ordena; e então, ansioso por compartilhar com a esposa aquele momento triunfal, exclama: "Chamem Clitemnestra!"

"Não é necessário", diz Orestes. "Ela está aqui."

E então, na cena considerada "o momento mais glorioso de puro teatro em toda a tragédia grega", Egisto ergue a coberta e reconhece o cadáver que está à sua frente. Dá um passo para trás, tomado de horror, ciente agora do destino que o aguarda. Orestes o força a entrar no palácio para levá-lo ao encontro da morte. Assim termina a peça, com o coro a cantar em júbilo o fato de Electra, depois de muito sofrer, ter adquirido sua liberdade e sua paz de espírito.

Electra, como Antígona, é uma das grandes figuras femininas da mitologia e da tragédia gregas. Sua figura tem inspirado muitos artistas mais recentes — o mais notável dos quais talvez seja Richard Strauss, com sua ópera *Electra*, que tem como libreto uma peça de Hugo von Hofmannsthal baseada na *Electra* de Sófocles. A peça termina com o júbilo de Electra por ter novamente o irmão a seu lado e por ter triunfado sobre seus inimigos. Hofmannsthal elabora essa cena de júbilo mostrando-a louca de alegria a dançar sem parar até cair morta. (Um desdobramento da vingança bem diferente do mito, no qual Electra se casa com Pílades e tem dois filhos, Médon e Estrófio.)

A psicologia moderna adotou a expressão "complexo de Electra" para se referir à fixação de meninas na figura do pai e ao resultante ciúme que têm da mãe, uma contrapartida do complexo de Édipo freudiano. Há mesmo uma breve referência ao complexo de Electra na tragédia antiga, pois, na *Electra* de Eurípides, Clitemnestra diz à filha (1102-4): "Minha menina, amar teu pai está em tua natureza. Isso acontece às vezes. Alguns filhos pertencem a seus pais, enquanto outros têm mais amor por suas mães."

Outras forças além do desejo de vingança podem ser perigosas. Uma dessas, por exemplo, é a força do sexo: a pulsão sexual, em muitos aspectos, pode ser assassina. O exemplo mais óbvio na mitologia é Helena — esposa de Menelau, rei de Esparta —, que foi não apenas a mais bela mulher que já existiu, mas também um arquétipo da mulher sexualmente perigosa. Sua beleza causou a morte de milhares de homens, depois que Afrodite ofereceu a Páris seu amor para suborná-lo no julgamento do concurso de beleza entre as três deusas (p. 302). O amor de Helena pareceu-lhe mais desejável do que todo o poder imperial oferecido por Hera, ou toda a glória militar exibida como presente de Atena, e assim Afrodite foi escolhida como a mais bela das três, depois reivindicou seu prêmio e levou Helena consigo para Troia. Menelau a quis de volta, por isso partiu com seu irmão Agamêmnon à frente de uma enorme força de cerca de 100 mil gregos a fim de recapturá-la. A guerra que daí resultou durou dez longos anos, ao longo dos quais muitos gregos e troianos morreram por causa de Helena.

Homero é indulgente com Helena na sua *Ilíada*, na qual até mesmo durante a longa guerra os anciãos troianos junto aos muros da cidade diziam dela: "Ninguém pode culpar os troianos nem os aqueus de belas grevas se, por tanto tempo, sofrem por uma mulher como esta. Ela se parece terrivelmente com as deusas imortais" (3.156-8). Autores posteriores não foram tão generosos e a responsabilizaram por causar a Guerra de Troia com sua infidelidade e assim levar à morte tantos homens. A hostilidade em relação a Helena, portanto, é encontrada em grande parte do que chegou até nós das tragédias do século V, como é o caso do *Agamêmnon* de Ésquilo, no qual o coro canta a história de uma Helena que entrou com passos leves na cidade de Troia, levando consigo seu dote: a morte (403-8). Quando o povo lhe deu as boas--vindas como esposa de Páris, não desconfiava de que acolhia em seu meio um filhote de leão, gentil e adorável de início, mas que, com o passar do tempo, revelaria sua verdadeira natureza e retribuiria com sangue e morte o amor recebido (717-49). O nome de Helena era adequado, diz Ésquilo, pois "*hel*" em grego significa "destruidor", e sua presença de fato levou destruição a homens, barcos e cidades (681-98).

Na extremidade oposta à de Helena, estão as mulheres que rejeitavam o sexo, como a virgem caçadora Atalanta. Seu pai a abandonou na floresta depois do nascimento porque queria apenas filhos homens, e ela só sobreviveu porque uma ursa a ouviu chorar e a amamentou até que caçadores a encontraram. Quando cresceu, criada por homens, tornou-se exímia caçadora, só se interessando por ocupações masculinas. Participou da caçada ao javali de Cálidon, em que foi a primeira a tirar sangue do animal (p. 184), e venceu uma famosa luta corpo a corpo com Peleu nos jogos fúnebres de Pélias, rei de Iolcos. Atalanta não tinha desejo algum de se casar: muitos homens tentaram, mas ela não quis saber de nenhum. Confiante na velocidade de seus pés, jurou jamais se casar a não ser que o pretendente a vencesse em uma corrida. Qualquer um podia disputar uma corrida com ela, mas sabendo que, se perdesse, perderia também a vida.

Apesar dessa ameaça, muitos foram os homens que, levados por sua beleza, dispuseram-se a arriscar a vida. E todos já partiam levando vantagem, pois saíam antes e corriam nus, enquanto Atalanta corria completamente vestida e armada. Mas a oponente sempre os alcançava antes da linha de chegada e os matava com sua espada em plena corrida. Assim, muitos homens morreram por amor, até um último pretendente tentar a sorte: Hipomenes (às vezes chamado de Melânion), que, diferentemente dos outros, teve a esperteza de invocar a ajuda de Afrodite. A deusa lhe deu três maçãs de ouro, e o rival começou a disputa com sua pretendida levando consigo as armas com as quais a derrotaria. Por três vezes deixou cair no chão uma maçã e por três vezes Atalanta perdeu precioso tempo para pegá-las. Na terceira vez Afrodite interveio para tornar a maçã muito pesada, e, com um pique final, o feliz Hipomenes atravessou a linha de chegada primeiro.

Assim foi que se casou com sua amada, que, por fim, parece ter ficado feliz em abrir mão de sua liberdade. Conta a história que um dia o casal, arrebatado pela paixão, fez amor em um recinto sagrado, e por esse sacrilégio os dois foram transformados em leões (dizem alguns que nos leões que passaram a puxar o carro da deusa Cibele). Podemos supor, então, que Atalanta finalmente encontrou prazer no sexo, depois de rejeitá-lo por tanto tempo.

Já as amazonas (um capítulo sobre mulheres perigosas não pode ignorar essas fêmeas guerreiras) jamais quiseram saber do sexo masculino. Sua terra situava-se vagamente no leste ou no nordeste da Grécia, nos limites do mundo conhecido, e lá viviam decididamente isoladas dos homens. Consideravam o sexo apenas um meio de procriação, portanto copulavam ocasionalmente com homens das tribos vizinhas, mas, naturalmente, só criavam os bebês do sexo feminino.

Acreditava-se que o nome "amazonas" significasse "sem seio" (*maza*, "seio") e que se originava do seu costume de amputar o seio direito para facilitar o uso de armas durante as batalhas (o seio esquerdo era necessário para amamentar as filhas). Mas não há evidência alguma dessa singularidade física na arte antiga, na qual as amazonas foram um tema popular a partir do século VII a.C., tanto nas pinturas de vasos quanto em esculturas, nas quais eram sempre representadas com ambos os seios (intactos) à mostra, geralmente em cenas de combate, lutando com lanças e arcos e, por vezes, com machados. Vários dos grandes heróis — Héracles, Belerofonte, Teseu — têm fama de as terem vencido em batalhas, e os conflitos entre essas mulheres guerreiras e os vitoriosos gregos eram, em geral, vistos como símbolos do triunfo da civilização grega sobre as forças da barbárie.

Por fim, há vários mitos gregos que, assim como a história bíblica da esposa de Putifar, falam de uma mulher mais velha, casada, que decide seduzir um jovem solteiro. Quando rejeitada, o que sempre acontece, o acusa de estupro ou de tentativa de estupro. O marido tenta matar o jovem (geralmente sem sucesso) e a mulher acaba mal.

Essa é a história de Estenebeia, esposa de Preto, rei de Tirinto, que tentou seduzir o jovem herói Belerofonte (p. 182). Quando rejeitada, o acusou perante o marido, e Preto o enviou para seu sogroIóbates, rei da Lícia, com a recomendação, em uma carta selada, de que fosse morto. Ióbates dá a Belerofonte tarefas terríveis para realizar — tarefas que, na verdade, deveriam resultar em sua morte —, mas todas são realizadas de maneira triunfal, e Ióbates o recompensa com terras e riquezas, além da mão de sua filha em casamento. Belerofonte então volta a Tirinto para se vingar de Estenebeia por suas mentiras. Para isso, a convence a montar no cavalo alado Pégaso em sua companhia e, quando voam bem alto, acima do mar, a empurra para a morte.

Uma história semelhante é contada sobre Astidameia, esposa de Acasto, rei de Iolcos. Sua vítima foi o herói Peleu (que depois se casou com a deusa do mar Tétis e se tornou pai do grande Aquiles). Quando Acasto ouviu a história mentirosa da tentativa de estupro, não quis matar Peleu diretamente, por isso o levou para caçar no monte Pélion, lugar perigoso onde viviam os centauros selvagens. Durante a noite, quando Peleu estava dormindo, Acasto roubou a espada do rapaz e a escondeu sob uma pilha de esterco. Depois o deixou na montanha, sozinho e indefeso, para que uma fera selvagem ou os ferozes centauros o matassem.

Seu desejo por pouco não se realizou, pois os centauros se reuniram para matar Peleu, mas no último instante o sábio centauro Quíron apareceu e lhe devolveu a espada. Peleu pôde então escapar e, passado algum tempo, voltou a Iolcos com um exército para se vingar. Então saqueou a cidade, matou Astidameia, cortou-a em duas partes e fez o exército marchar para Iolcos passando entre as duas metades do cadáver.

Fedra

O mesmo tipo de história foi contado acerca de Fedra, esposa do grande Teseu, rei de Atenas. Fedra era uma mulher despudorada como Estenebeia e Astidameia e, quando se apaixonou por seu enteado Hipólito, tentou — em vão — seduzi-lo. Para se vingar da rejeição, mentiu para Teseu, dizendo que Hipólito havia tentado estuprá-la. Teseu então amaldiçoou o filho e invocou Poseidon, seu pai, para matá-lo. O deus enviou um enorme touro que saiu do mar e fez que os cavalos de Hipólito, apavorados, saíssem em disparada. O carro se quebrou e o rapaz foi arrastado para a morte. (Segundo uma das interpretações, seu nome significa "despedaçado por cavalos".) Quanto a Fedra, seu destino foi cometer suicídio após ter sua traição revelada.

Essa história foi tema de uma tragédia perdida, *Hipólito*, a primeira versão da lenda feita por Eurípides para o palco. Temos apenas fragmentos dessa peça, mas tal autor também escreveu uma segunda tragédia chamada *Hipólito*, que chegou inteira aos nossos dias. Essa segunda versão se tornou a base da grande tragédia de Racine *Phèdre* [*Fedra*], e de muitas adaptações posteriores. Nessa segunda versão, Fedra é apresentada de maneira diferente. Ela está, sim, apaixonada por Hipólito, mas contra sua vontade: o amor lhe foi imposto por Afrodite, irritada porque o casto Hipólito a negligenciara ao cultuar apenas a virgem caçadora Ártemis. É a própria Afrodite que explica isso no início da peça, quando delineia o plano para destruir o jovem. Teseu amaldiçoará o filho e Hipólito será morto. "E Fedra manterá sua honra, mas morrerá também", acrescenta a deusa (47-50). "Pois não me importo com os sofrimentos dela, e sim com a pena a ser paga por meus inimigos."

A reação de Fedra, envergonhada com o sentimento que lhe é imposto, é a de uma mulher inteiramente virtuosa (392-401):

> Quando o amor me feriu, tentei encontrar a melhor maneira de suportá-lo. Comecei por silenciar e esconder essa enfermidade. (...) Depois me decidi a suportar a loucura de maneira decente e vencê-la com autodisciplina. Por fim, quando vi que não estava conseguindo dominar o desejo por esses meios, decidi morrer.

E assim Fedra ficou sem se alimentar, preferindo a morte à desonra de ceder à paixão. Infelizmente não lhe é dado deixar a vida em silêncio, pois sua aia acaba por descobrir o segredo daquela óbvia doença e sua rápida interferência é fatídica. A empregada tenta convencer Fedra a se entregar ao todo poderoso Amor (443-50):

> A força de Afrodite é irresistível quando chega como a enchente de um rio. Com o homem que se entrega a ela, Afrodite é gentil, mas leva de roldão aquele que é orgulhoso e arrogante, isso garanto, e o tortura. Afrodite vaga pelos ares e está no mar. Tudo é gerado a partir dela, pois é ela quem lança as sementes do desejo, do qual nascemos todos nós.

"O que necessitas," declara a aia sem mais rodeios, "não é de belas palavras, mas do homem", e vai à procura de Hipólito para lhe falar de sua senhora, apesar das súplicas de Fedra de que não faça isso.

Hipólito fica perplexo. Fedra, junto à porta, ouve a reação horrorizada do jovem, que amaldiçoa a aia e, chamando-a de "alcoviteira da prostituta" e "traidora do leito de seu senhor", fazendo em seguida uma amarga condenação do sexo feminino. "Zeus", começa (616-27),

> por que criastes e pusestes na terra, com os homens, algo tão vil e indigno como a mulher? Se vosso desejo era propagar a raça humana, não seria necessário fazê-lo através das mulheres. Melhor seria se os

homens comprassem seus filhos de vós, em vossos templos, pagando com ouro, ou ferro, ou bronze, cada homem que pudesse pagar. Assim eles viveriam livres em seus lares sem mulheres. As mulheres são a grande maldição dos homens.

Agora que seu vergonhoso segredo foi revelado, Fedra resolve, ali mesmo, que só lhe resta morrer e enforca-se em uma viga do teto. Mas, para proteger seus filhos de uma desgraça que não merecem, deixa um bilhete para o marido em que acusa Hipólito de estupro.

Teseu volta para casa, encontra a esposa morta e descobre que seu filho é, supostamente, o culpado dessa morte. Hipólito é honrado o suficiente para guardar o segredo da madrasta, por isso nada diz para se defender. Como na história atual, o pai amaldiçoa o filho e Poseidon envia o touro do mar. Na cena final, Hipólito chega carregado, já agonizante, e pai e filho se reconciliam depois que Ártemis revela a verdade sobre as maquinações de Afrodite e a inocência de Fedra.

Essa Fedra, porém, apesar de toda a sua virtude, acaba por ser tão mortífera quanto a anterior, a desavergonhada que tentou seduzir o enteado. E, analisando o destino de Hipólito em ambas as versões, podemos concluir que, assim como a entrega total ao impulso sexual, como no caso de Helena, pode resultar em morte, o mesmo ocorre com a completa rejeição do amor sexual. É arriscado ignorar Afrodite e tudo o que representa.

Agave

Podemos dizer o mesmo em relação ao deus Dioniso, como nos mostra a tragédia de Eurípides *As bacantes*, nomeada a partir das devotas do deus que formam o coro da peça. O drama gira em torno do trágico destino de Penteu, jovem rei de Tebas, embora se possa dizer que sua mãe, Agave, nossa última "mulher perigosa", tenha um destino ainda mais trágico.

Como vimos, Medeia e Procne mataram os próprios filhos para se vingar dos homens que lhes fizeram mal. Agave também mata o próprio filho, mas sem o saber, ao confundi-lo com um leão da montanha. Em seguida, ainda fora de si, leva a cabeça do filho para casa, triunfal, como um esplêndido troféu da caçada. Em uma das cenas mais dolorosas e comoventes de todas as tragédias gregas, Agave é levada a reconhecer que o troféu que carrega com tanto orgulho é a cabeça do filho, e então se dá conta do que fez.

A peça inicia com a chegada do próprio Dioniso a Tebas, disfarçado de um de seus sacerdotes. Em certo sentido, está voltando para casa, pois é filho de Zeus e Sêmele, filha de Cadmo, o velho rei de Tebas (p. 112). Sêmele já está morta há muito tempo, queimada pelo raio de Zeus, e suas irmãs Agave, Ino e Antônoe sempre se recusaram a acreditar que tivesse se unido ao grande deus. Na opinião das jovens, Sêmele fora seduzida por um mortal qualquer, depois mentira ao dizer que seu amante havia sido Zeus, para encobrir a vergonha de sua gravidez. Dioniso as pune, enlouquecendo-as, bem como a todas as outras mulheres de Tebas, que agora vivem no monte Cítéron como mênades, adorando esse novo deus com fervor extremado.

O jovem Penteu volta para casa e tenta remediar essa situação crítica. Para isso, prende o estranho, o perigoso "sacerdote", e, mesmo vendo Dioniso escapar facilmente da prisão e ouvindo dizer que na montanha as mulheres estão realizando milagres em nome do deus, se recusa a aceitá-lo como divindade. Finalmente o deus o enlouquece também, veste-o de mulher e o leva para o monte Cítéron, a fim de espionar as mulheres que lá estão.

Ficamos sabendo do trágico desfecho por meio de um mensageiro, um servo do palácio que acompanhou Penteu e o deus na viagem até lá. Ao chegar ao vale onde estavam as mênades, Dioniso, com sua força miraculosa, vergou o galho mais alto de um pinheiro, colocou Penteu na ponta e deixou que a árvore voltasse à sua posição ereta, levatando Penteu. Então o deus exclamou bem alto para as mulheres: "Eu lhes trago aquele que zombou de vocês, de mim e de meus rituais sagrados. Que o punam agora vocês." E foi assim, nas palavras do empregado, que o puniram (1084-1142):

> O ar rarefeito da montanha ficou parado. O verde vale manteve imóveis todas as folhas e não se ouvia ruído algum dos animais. As mulheres, que não haviam entendido bem aquelas palavras, ficaram paradas e olharam à sua volta. Novamente o deus lhes deu a ordem, e, quando as filhas de Cadmo reconheceram o chamado de Dioniso, partiram velozes como pombas, e todas as mênades as seguiram. Desvairadas, atravessaram rios, saltaram sobre pedras, inspiradas pelo deus.
> Quando viram meu senhor sentado no alto do pinheiro, escalaram um despenhadeiro para melhor poderem atirar pedras e galhos de pinho, que usavam como lanças. Outras lançaram, cheias de ódio, seus tirsos contra Penteu, mas tudo isso em vão, pois o pobre rapaz ali sentado, indefeso, estava fora de seu alcance.
> Por fim arrancaram galhos de carvalho e com eles tentaram arrancar pelas raízes a árvore onde ele estava. Quando todas as suas tentativas fracassaram, Agave gritou: "Vamos, mênades, formemos um círculo ao redor da árvore para pegarmos essa fera que lá subiu, para impedir que ela revele as danças sagradas do nosso deus."
> Várias mãos agarraram o pinheiro e o arrancaram da terra. Penteu soltou-se de onde se segurava lá no alto e foi caindo com um grito terrível, pois sabia que seu fim estava próximo. Sua mãe, como sacerdotisa, foi quem primeiro se lançou sobre ele. Penteu arrancou a faixa que tinha na cabeça para que a mãe o reconhecesse e não o matasse. "Mãe!", gritou, tocando seu rosto, "Vê, sou eu, teu filho Penteu, que deste à luz na casa de Équion. Tem misericórdia, mãe. Sei que agi errado, mas não mates teu próprio filho".
> Mas ela espumava pela boca e seus olhos giravam, enlouquecidos. Estava completamente fora de si, possuída por Dioniso, portanto as palavras do filho de nada valeram. Agarrando a mão esquerda de Penteu, ela apoiou o pé nas costelas dele e arrancou do ombro o braço do pobre rapaz, não por sua própria força, mas porque o deus facilitou. Ino o atacava pelo outro lado, arrancando-lhe as carnes, e logo veio Antônoe com toda a horda de mênades. Gritavam todos ao

mesmo tempo: Penteu berrou enquanto nele ainda havia vida, e as mulheres uivavam em triunfo. Uma delas saiu correndo com um braço, outra com um pé ainda calçado na bota. As costelas foram arrancadas todas e, com mãos tintas de sangue, as mulheres se puseram a jogar, uma para outra, pedaços de carne de Penteu.

Seu corpo está todo espalhado no meio das pedras e da cerrada folhagem do bosque. Não será fácil encontrar o que restou. Sua pobre cabeça foi apanhada pela mãe e enfiada na ponta de seu tirso, que ela carrega por todo o monte Citéron, pensando ser a cabeça de um leão da montanha.

No devido tempo, Agave entra em cena com seu troféu, exultante de triunfo. "Onde está meu filho Penteu?", pergunta. "Quero que ele apoie uma escada resistente na frente do palácio e prenda na parede esta cabeça de leão que cacei e que trago para casa."

Seu velho pai, Cadmo, que com amoroso desvelo havia catado os pedaços do neto espalhados pelos vales do Citéron, agora cumpre a dolorosa tarefa de trazer a filha desvairada de volta à realidade. E começa delicadamente: "Olha para o céu", diz. "Ele te parece o mesmo ou está mudado?"

"Está mais brilhante do que antes", diz Agave, "e mais translúcido".

"E essa perturbação em tua mente, ainda está lá?"

"Não sei o que queres dizer, mas parece-me que minha mente está mais clara, diferente do que estava antes."

"Então és capaz de me ouvir e de me responder com clareza?", pergunta ele.

"Sim, pai, pois já não me lembro de como era antes."

Cadmo continua a lhe fazer perguntas que requerem respostas simples.

"Para a casa de quem tu foste quando te casaste?"

"Tu me deste a Équion, um dos homens semeados, dizem."

"E quem foi o filho que tiveste com teu marido?"

"Penteu, de minha união com o pai dele."

Por fim Cadmo a traz para mais perto da trágica verdade: "Sim, e de quem é a cabeça que tens nos braços?"

"De um leão", responde Agave com segurança. Em seguida, já tomada pela dúvida: "Pelo menos foi isso que disseram as mulheres que o caçaram."

"Olha bem para ela", diz Cadmo. "Não te custa olhar."

Agave olha e grita horrorizada. "O que estou vendo? O que tenho nos braços?"

"Olha bem novamente e vê com mais clareza", diz Cadmo. Ela olha. "Achas que se parece com a cabeça de um leão?"

"Não!" grita ela desesperada. "Estou segurando a cabeça de Penteu!" Mas o pior está ainda por vir. "Quem o matou?", pergunta, e ouve a terrível resposta: "Foste tu que o mataste, tu e tuas irmãs."

Um poeta moderno, Patrick Hunt, capta a dor contida nesse deplorável aspecto da morte de Penteu — o da mãe que mata o filho que ela pôs no mundo. O título do poema é "Kithairon":

> Pruning wild limbs on Kithairon
> is no impediment to a vine god,
> dismemberment to him is temporary
> like the faith of mortals.
> Here on this mountain
> some see his beard in the clouds
> or his thigh knotted in a root.
>
> But in the eyes of Pentheus
> pruning was in the troubled wood,
> powerless to take root again
> or stitch torn flax together,
> since his sad mother has both
> knit and unknit the cloth of him.
> Is it wind you hear howling on Kithairon?*

---

* Podar as vinhas que crescem em desalinho no Citéron/ não é problema para um deus do vinho;/ desmembrar para ele é temporário/ como é a fé dos mortais./ Aqui nesta montanha/ há quem veja suas barbas nas nuvens/ ou suas pernas enroladas a raízes.// Mas para Penteu/ o desmembramento foi irrecuperável,/ a planta não mais deitou raízes,/ o linho rasgado já não se pôde costurar,/ posto que foi sua triste mãe/ quem teceu e desteceu suas fibras./ Será mesmo vento o que tu ouves uivando no Citéron?

14. Eneias e o destino de Roma

> Canto as armas e o varão que o fado quis exilado e que fosse o primeiro das terras de Troia a chegar à Itália e às praias de Lavínio. Muito sofreu ele em mar e em terra, por vontade dos deuses e pelo implacável rancor da cruel Juno; grandes foram suas penas em guerras, antes que fundasse uma cidade e trouxesse seus deuses para o Lácio. Assim surgiram a raça latina, os pais da Alba e as altas muralhas de Roma.

Assim começa o épico de doze livros de Virgílio, a *Eneida* (século I a.C.), a partir do qual a história de Eneias, o lendário fundador da raça romana e herói nacional de Roma, é mais bem conhecida. Sua história começa, porém, na antiga mitologia grega, na qual era filho de Afrodite com o príncipe troiano Anquises, concebido depois que a deusa foi forçada por Zeus a se apaixonar perdidamente por um mortal (p. 85). Afrodite deu à luz um filho (Aineias, em grego) no monte Ida, e lá o deixou na companhia das ninfas. Quando o menino completou cinco anos de idade, foi entregue aos cuidados do pai.

Anquises era descendente de Trós através de seu filho Assáraco, cujo irmão Ilo fundou Troia (p. 291). Eneias era, portanto, membro secundário da linhagem real de Troia, e veio a se casar com Creúsa (Krousa em grego), filha do rei Príamo. O casal teve um filho, Ascânio (Askanios).

Na Guerra de Troia, Eneias comandou o contingente da Dardânia, aliado dos troianos. Nós o vemos em ação na *Ilíada*, e suas proezas são inferiores apenas às do líder troiano, Heitor, quando luta com bravura e eficiência em defesa de Troia. O guerreiro é abençoado com apoio divino, pois, durante um duelo com o herói grego Diomedes (p. 322), Afrodite e Apolo intervêm para mantê-lo a salvo. Eneias chega a lutar contra o grande Aquiles (20.75-350) e quase perde a vida, mas nesse momento foi Poseidon — que em geral apoiava os gregos — quem veio em seu auxílio e o transportou magicamente para longe do campo de batalha. O deus do mar explica sua ação inesperada a outros imortais dizendo que Eneias está predestinado a sobreviver à guerra e que, junto de seus descendentes, governará os troianos.

A lenda da fuga de Eneias de Troia se desenvolveu logo depois de Homero. Pinturas em vasos a partir do século VI a.C. em diante mostram Eneias deixando a cidade arruinada, acompanhado por seu filho pequeno Ascânio e levando nas costas seu pai Anquises, já muito velho. A história de sua viagem para a Itália já estava bem consolidada por volta do século III, e, quando conduziu os gregos da Itália contra Roma em 280 a.C., Pirro se via como descendente de Aquiles em guerra contra uma colônia de Troia. Bem antes da época de Virgílio, Eneias era conhecido como o homem que conduziu o que restou dos troianos para fora de Troia, e tornou-se ancestral de uma linhagem de reis que governaram por várias gerações na cidade de Alba Longa. De seus descendentes nasceu Reia Sílvia, que, junto de Marte, deu à luz Remo e Rômulo, este o fundador de Roma. Mas foi Virgílio quem criou a história canônica de Eneias e seus seguidores troianos, de suas longas perambulações depois de deixarem Troia, e das cruéis lutas que travaram com os povos do Lácio ao chegarem à Itália.

Embora a *Eneida* se passe, em grande parte, na Itália pré-romana, e continuamente se refira ao mundo de Roma que ainda estava por vir (diz a tradição que a cidade foi fundada em 753 a.C.), seus eventos têm lugar no mesmo tempo lendário da *Odisseia* de Homero. Odisseu ainda se encontra na ilha de Calipso e lá permaneceria ainda mais alguns anos quando Eneias chega a seu destino na Itália. Virgílio retrata seu herói como um homem cumpridor dos deveres (*pius*), compassivo e corajoso, um líder admirável, pai e filho dedicados. A história de Eneias contada por Virgílio começa com o surgimento do cavalo de madeira, que provoca a queda de Troia, e termina com a vitória de Eneias sobre os latinos, o que possibilitará a fundação de uma "Troia" na Itália.

A fuga de Troia

Enquanto Troia está sendo devastada pelo fogo e pela violência, Eneias luta desesperadamente ao lado de um pequeno grupo de seguidores troianos e testemunha, horrorizado, toda a sangrenta carnificina à sua volta. Pior do que tudo, vê a cruel execução de Volites, filho de Aquiles, cometida por Neoptólemo, filho de Príamo, diante dos pais do rapaz. Depois de matá-lo, Neoptólemo arrasta Príamo sobre as poças de sangue do filho para matá-lo em seu próprio altar.

Eneias vê também Helena esconder-se no palácio, temendo a vingança dos gregos. Está pronto para matá-la, por ter causado aquela guerra desastrosa, mas Vênus (Afrodite), sua mãe, intervém e ordena que parta imediatamente para salvar sua família. Eneias volta para casa decidido a levá-los para longe de Troia, para a segurança. A princípio o velho Anquises se recusa a partir, mas muda de ideia quando os deuses enviam três sinais: a cabeça de Ascânio se acende com uma chama divina, Júpiter (Zeus) manda uma sequência de trovões e uma estrela cai do céu, deixando um rastro de luz. É o suficiente para convencer o velho, que não mais hesita.

Levando consigo seus deuses domésticos, os Penates, Eneias carrega Anquises às costas e conduz Ascânio pela mão. Creúsa segue atrás, porém em algum lugar da cidade em chamas se separa do grupo e desaparece. Eneias volta para procurá-la, mas só encontra o fantasma da esposa, que o tranquiliza, dizendo que os deuses desejam que parta de Troia sem sua companhia e que funde um novo reino longe dali. Por três vezes tenta desesperadamente abraçar o fantasma e três vezes o fantasma escapa, imaterial como os ventos, e desaparece. Entristecido porém, com tal golpe cruel, Eneias retorna para o que resta de sua família e os conduz para fora de Troia.

A viagem para o Lácio

Na costa abaixo do monte Ida, Eneias reúne um grupo de seguidores e constrói uma frota com pinheiros da montanha. Por fim se lançam ao mar em vinte barcos, sem saber com certeza onde encontrar um novo lar. Primeiramente desembarcam na Trácia, esperando lá fundar uma cidade, mas inadvertidamente mexem no túmulo de Polidoro, filho de Príamo, que havia sido assassinado à traição por Polimestor (p. 435). Do fundo da terra vem a voz do cadáver de Polidoro que conta a Eneias seu triste destino e o aconselha a partir daquela terra cruel. Eneias e seus homens realizam os ritos fúnebres que darão paz ao espírito do menino assassinado, e então partem.

No dia seguinte chegam a Delos, onde são bem recebidos por Ânio, rei da ilha e sacerdote de Apolo. É então que ficam sabendo, por intermédio do oráculo de Apolo, que encontrarão um novo lar na terra onde os troianos haviam se originado. "Procurem a antiga mãe", instruiu Apolo, "pois é lá a casa de Eneias, e dos filhos de seus filhos, e dos filhos que vierem depois, que governarão o mundo" (3.96-8). Anquises crê que o lugar em questão é Creta, terra de seu ancestral Teucro, e assim o grupo segue viagem. Quando chegam à ilha, começam a construir uma cidade, mas uma peste os aflige e Eneias é avisado pelos Penates, por meio de uma visão, que essa interpretação do oráculo está errada: o deus lhes dissera que fossem em direção à Itália, terra de seu ancestral Dárdano.

Então se lançam novamente ao mar. Desviados da rota por uma tempestade, chegam às ilhas Estrófades. Ali as monstruosas harpias os atacam, dando gritos estridentes ao se lançarem do alto para agarrar sua comida (3.214-18):

> Nenhum monstro é mais repelente, nenhuma pestilência das águas do Estige, ou golpe de ódio divino é mais selvagem. São pássaros com rostos de moças que lançam asquerosos dejetos de seus intestinos; suas mãos são curvas garras e seus rostos estão sempre pálidos de fome.

Os troianos lutam e as aves voam para longe, exceto sua líder. Celeno permanece o tempo suficiente para transmitir uma profecia solene e desanimadora, vinda de Júpiter: o grupo só fundará sua cidade depois de passar por uma terrível fome que os forçará a comer as próprias mesas.

Os viajantes chegam em seguida a Epeiro, que descobrem ser governada por um conterrâneo troiano, o vidente Heleno, agora casado com a viúva de Heitor, Andrômaca. Estes tinham dado à cidade o nome de Pérgamo em homenagem à sua amada Troia. Andrômaca ainda chora por sua cidade perdida, por seu marido e por seu filho, e chora ainda mais ao ver Ascânio, que tem a idade que seu amado Astíanax teria se estivesse vivo. Heleno, com sua visão de profeta, oferece conselhos quanto aos perigos e dificuldades que encontrarão na viagem para a Itália, e prevê que a jornada terminará de maneira afortunada. Prediz também que o lugar da nova cidade de Eneias será onde encontrar uma porca branca deitada com seus trinta leitõezinhos brancos.

O grupo então navega para a Sicília. Graças ao aviso de Heleno, evitam os perigos impostos a Odisseu pelo monstro Cila e pelo redemoinho Caríbdis (p. 391), mas chegam a ver, de longe, o terrível ciclope Polifemo, agora cego, que causou a Odisseu e seus homens (p. 383) tantas aflições (3.658-65):

> Ele era um monstro terrível, descomunal e medonho, cego do seu único olho e usava o tronco de um pinheiro para guiar a mão e pisar com firmeza. Seus carneiros lanudos estavam com ele e eram seu

único prazer, o único consolo para sua dor. Polifemo caminhou mar adentro até chegar a águas fundas e então, gemendo e rangendo os dentes, lavou o sangue que ainda escorria do olho arrancado. Ele continuou a caminhar até mar alto, mas ainda assim as ondas não molhavam suas altas coxas.

Aterrorizados, todos fogem o mais rápido possível e, ao olharem para trás, veem na praia uma multidão de ciclopes silenciosos e ameaçadores, todos de tamanho descomunal, a segui-los com seus olhos únicos.

Os troianos aportam em Drépano, na Sicília, mas aqui Eneias sofre uma perda cruel, pois seu pai, Anquises, morre. Ao enterrarem o ancião, lhe consagram um altar de lamentos. "Eu o salvei de tantos perigos", diz Eneias tristemente (3.711), "mas foi tudo em vão".

Ao deixarem a Sicília, seguem em direção à Itália, mas agora a deusa Juno intervém. Sempre implacavelmente hostil aos troianos, por causa da desfeita à sua beleza no julgamento de Páris (p. 302), está agora decidida a abortar seus planos de fundar uma nova Troia. Juno dá ordem ao guardião dos ventos, Éolo, para enviar uma tempestade que afunde a frota. Éolo vive na Eólia (1.52-9):

> onde as nuvens de tempestade têm sua morada, um lugar cheio de ventos furiosos vindos do sul. Lá Éolo é rei, e em sua enorme caverna controla os ventos desordeiros e as ruidosas tempestades, mantendo-os acorrentados em sua prisão. Inconformados, sacodem todas as portas das casas na encosta da montanha, aos uivos, enquanto Éolo, sentado lá no alto, cetro na mão, contém sua arrogância e controla sua fúria. Não fosse ele, os ventos e as tempestades envolveriam a terra, o mar e até mesmo as profundezas celestes, e os lançariam bem longe no espaço.

Éolo obedece à ordem de Juno e liberta os ventos para destruir os barcos de Eneias (1.81-91):

> Ele bateu com a ponta de sua lança no lado da oca montanha e os ventos foram saindo como um rio, atravessando apressadamente a abertura que fizera, e soprando um furacão por toda a terra. Lan-

çaram-se logo sobre o mar — o vento leste, o vento sul e o vento tempestuoso da África — agitando-o a partir de suas profundezas e fazendo surgir enormes ondas que chegavam às praias. Os homens gritavam e os barcos rangiam. Subitamente as nuvens fizeram sumir de vista dos troianos o céu e a luz do dia, e a negra noite espalhou-se sobre o oceano. Os trovões rolavam no céus, os raios rasgavam o ar repetidamente, e, para onde quer que os troianos se voltassem, era a face da morte que viam.

Os barcos são espalhados pela superfície das águas e Eneias se desespera, desejando até ter morrido em Troia, "onde o bravo Heitor jaz, morto pela espada de Aquiles, onde o grande Sarpédon jaz, onde o Simoente levou em sua correnteza tantos escudos e elmos, tantos cadáveres de homens valentes" (1.99-101). Mas tudo termina bem, pois Netuno (Poseidon) intervém, colérico por sua autoridade sobre o mar ter sido usurpada. Ao acalmar a tempestade, Eneias chega são e salvo à Líbia com seus homens.

Os viajantes são bem recebidos por Dido, rainha e fundadora de Cartago. Antiga princesa fenícia, filha do rei de Tiro, era feliz em seu casamento com o rico Siqueu, porém seu malvado irmão Pigmalião assassinou seu marido por ganância. Dido escapou de Tiro com a irmã Ana e um bando de seguidores, e fugiu para a Líbia, onde fundou uma nova cidade. Quando Eneias chega, Cartago é um lugar muito movimentado, com esplêndidos prédios em construção por toda parte.

Dido dá um banquete em homenagem aos troianos e, enquanto estão festejando, Vênus envia Cupido para acender no coração da anfitriã o desejo por Eneias. A rainha ouve seus relatos da Guerra de Troia, bem como de todas as suas aventuras subsequentes, e ao final dessas narrativas emocionantes já está caída de amores. Dido sente-se dividida entre a lembrança de seu amado marido e esta nova emoção avassaladora, mas sua irmã Ana a incentiva a deixar o passado para trás e a se entregar à nova paixão. Ao andar sem destino por toda a cidade, incendiada de amor, é comparada por Virgílio a uma corça atingida por um caçador no bosque, que corre para além das arborizadas encostas do monte Dicte, levando alojada, todo esse tempo, a seta que a levará à morte.

Durante uma caçada, Dido e Eneias se abrigam em uma caverna para se proteger de uma violenta tempestade e lá consumam seu amor. "E aquele dia foi o início de sua morte", diz Virgílio (4.169-70), "e o início de todos os seus sofrimentos". A princípio tudo é prazer, e o tempo passa sem ser sentido enquanto o casal se deleita com sua nova vida juntos. Por fim Júpiter envia Mercúrio (Hermes) para lembrar Eneias de seu destino e instá-lo a seguir viagem para a Itália. A contragosto e apesar das súplicas e repreensões de Dido, Eneias prepara-se para partir, obediente ao chamado do destino.

Sem se dar conta, Ana ajuda a inconsolável Dido a se preparar para a morte. As duas mandam fazer uma alta pira com o que Eneias havia deixado, supostamente para que ali fosse destruído tudo que a lembrasse do amante perdido. Mas quando, à primeira luz do alvorecer, Dido vê a frota troiana partindo mar afora, sobe até o alto da pira e, na cama onde tanto havia amado Eneias, se mata com a espada deixada pelo marido. É uma morte lenta e difícil, e Juno precisa enviar Íris, a deusa do arco-íris, para libertar o espírito de Dido. "Íris chega voando com suas asas cor de açafrão cobertas de orvalho e espalhando todas as suas cores no céu, no lado oposto àquele de onde surge o sol" (4.700-702). A deusa enviada corta um cacho do cabelo de Dido para ofertá-lo a Dis (Hades), e no mesmo instante todo o calor deixa aquele corpo torturado, enquanto seu espírito se funde com o vento.

O abandono do amor de Eneias, em resposta ao chamado do dever e ao destino de Roma dirigido pelos deuses, foi certamente do gosto dos romanos. Mas também não resta dúvida de que o amor e a morte trágica de Dido são a parte mais lembrada deste episódio da *Eneida*, e a que mais serviu de inspiração para futuros artistas de todo tipo.

Ao se afastarem, os troianos veem Cartago rutilante à distância. São as chamas da pira funerária de Dido e, embora não saibam ainda de sua morte, seus corações se enchem de funestos pressentimentos. Uma tempestade os leva de volta à Sicília. Um ano já se passou desde que lá enterraram Anquises, por isso fazem ao antepassado uma homenagem, promovendo jogos fúnebres com corridas de barco e a pé, lutas de boxe e torneios de arco e seta. As mulheres troianas, cansadas de tanto viajar de um lado para outro, e de serem enganadas por Juno, põem fogo em alguns dos barcos na esperança de ficarem naquela terra amistosa. Por isso Eneias permite que os mais velhos e mais fracos permaneçam na recém-fundada cidade de Acesta (mais tarde Segesta), assim denominada em homenagem a seu anfitrião Acestes. O grupo parte mais uma vez, na esperança de finalmente chegar à Itália.

Vênus também está ansiosa para que a viagem de seu filho chegue ao fim, por isso suplica a Netuno que seus barcos façam uma travessia segura. O deus do mar promete que chegarão sãos e salvos à Itália, com a perda de um homem apenas, uma vida por muitas. Esse homem vem a ser Palinuro. Somnus (o Sono) desce sobre seu corpo enquanto conduz o barco em uma noite clara e o faz dormir ao leme. O timoneiro cai no mar, levando consigo a cana do leme e parte da popa. Ao cair n'água, acorda e grita sem parar para seus companheiros que, por estarem dormindo também, não o ouvem. Somente bem mais tarde é que Eneias dá pela falta de Palinuro, e então assume pessoalmente o controle do barco, lamentando a perda do amigo. "Confiaste demais em uma noite clara e um mar calmo, Palinuro", diz, "e agora teu corpo descansará nu em uma praia desconhecida" (5.870-71).

Por fim os barcos aportam em Cumas, na Itália, lar de Sibila, famosa vidente e sacerdotisa de Apolo. Eneias a consulta, suplicando que lhe seja permitido descer ao Mundo dos Mortos a fim de se encontrar com o pai ainda uma vez. Orfeu já tinha ido até lá, bem como Teseu e o poderoso Héracles, então por que não Eneias?

"A descida para o Mundo dos Mortos é fácil", responde Sibila (6.127-9). "A porta do escuro Dis está aberta noite e dia. Mas voltar sobre teus passos e escapar, de volta ao ar superior, este é o desafio, esta é a dificuldade." Mas, ao reconhecer a determinação de Eneias, a vidente lhe diz o que precisa ser feito: primeiro deve colher um ramo de ouro para oferecê-lo a Proserpina (Perséfone), e também enterrar um companheiro morto que, nesse momento, é desconhecido.

Eneias tem uma longa conversa com seu leal amigo e confidente Acates, sem saber quem o tal morto poderia ser, mas acaba por descobrir. Os dois caminham até a praia e lá encontram o cadáver de Miseno, que tinha sido o companheiro de Heitor na Guerra de Troia, um bravo combatente e excelente trompetista que animava a tropa com sua música e a estimulava para a batalha. Depois da queda de Troia, Miseno havia acompanhado Eneias em sua viagem à Itália. Um dia, porém, ao usar uma concha como instrumento de sopro até que as ondas ecoassem sua música, ficou tão empolgado com sua habilidade que desafiou os deuses a tocar tão bem quanto ele. O deus marinho Tritão o ouviu e, enciumado, matou o rival, afogando-o no mar revolto junto às pedras.

Os troianos choram a morte de seu companheiro e lhe dão um funeral com todas as honrarias, enterrando seus ossos num promontório que até hoje tem seu nome. Fazem um grande monte de terra sobre seu túmulo e nele colocam o remo que usava e seu trompete.

Guiado por duas pombas enviadas por Vênus, Eneias encontra o mágico ramo de ouro que crescia em um bosque sagrado. Após arrancá-lo, tendo completado suas tarefas, retorna a Sibila pronto para sua viagem ao Mundo dos Mortos. Os dois entram pela caverna dela e iniciam a temerária descida. À margem do rio Estige, podem ver as almas irrequietas dos mortos insepultos, que precisam esperar cem anos para poder atravessar para o Hades. Entre elas está o timoneiro perdido, que conta a Eneias sua triste história, fala como sobreviveu no mar por três dias para depois morrer nas mãos de malfeitores quando, por fim, chegou a uma praia da costa italiana. Palinuro suplica que o levem consigo ao atravessar o Estige, para que sua alma possa descansar em paz. Isso Sibila não pode permitir, mas a sacerdotisa prediz que seus ossos serão enterrados pelos habitantes do lugar onde foi morto e que o local (até hoje denominado cabo Palinuro) levará seu nome para sempre. O timoneiro sente-se consolado e fica feliz ao saber que o lugar será nomeado em sua homenagem.

Ao ver o ramo de ouro, o assustador barqueiro Caronte prontifica-se a transportar Eneias e Sibila através do Estige em seu barco, apesar de o corpanzil de Eneias ser grande e pesado demais para sua frágil embarcação, acostumada a carregar espíritos. Os três então passam pelo monstruoso cão de guarda Cérbero, deitado à entrada de sua caverna, e Sibila lhe atira um bolo de mel com uma droga (daí a expressão "um agrado para Cérbero"): "Ele escancarou suas três bocarras, todas esfaimadas, e engoliu o alimento de uma só vez. Logo seu corpanzil relaxou e ele se esparramou no chão da caverna" (6.421-3). Agora é possível entrar na terra dos mortos.

Ao passar por incontáveis almas pesarosas, cujas mortes foram infelizes, Eneias vê Dido entre os que morreram de amor, a ferida em seu peito ainda fresca. Ele derrama lágrimas pelo destino dela e jura que deixou Cartago contra a própria vontade, mas sua esposa, cheia de rancor, afasta-se para dentro das sombras sem sequer lhe dirigir o olhar ou a palavra. Lá reencontra seu primeiro marido, Siqueu, que procura confortá-la com seu amor.

Entre as muitas almas de bravos guerreiros, Eneias vê seu parente Deífobo e fica sabendo de sua morte horrível na queda de Troia, esquartejado pelos gregos. Sibila lembra que o tempo está se esgotando, por isso seguem adiante até chegarem a uma bifurcação da estrada. À direita, fica o caminho para o Elíseo, a morada dos abençoados, e, à esquerda, o que conduz ao Tártaro, lugar dos condenados à eterna danação, onde os malfeitores são punidos depois da morte. Tais almas podem ser ouvidas a gemer e a dar gritos agudos e terríveis enquanto as fúrias as açoitam e torturam.

Eneias e Sibila seguem pela estrada da direita e logo chegam ao limiar do Elíseo, onde depositam o ramo de ouro como oferenda a Proserpina e entram naquela terra feliz onde as almas boas vivem em abençoado bem-estar. Aí encontram Anquises, que chora de alegria com a visita de seu filho. Por três vezes Eneias tenta abraçar o pai e por três vezes a sombra se desfaz em suas mãos, leve como o vento, fugidia como um sonho. Anquises prediz as futuras glórias de Roma e lhe mostra as almas de alguns grandes romanos ainda por nascer em anos futuros.

Consolado e encorajado, Eneias retorna ao mundo superior e segue viagem com os companheiros em direção a seu destino final. Passam perto da ilha de Circe (p. 385), e ouvem os rugidos e roncos das feras aprisionadas — leões, javalis, ursos e lobos — que antes haviam sido homens. Netuno enfuna as velas dos troianos com bons ventos, para evitar que os barcos parem naquela ilha mortífera.

Chegam por fim ao Lácio e lá, à margem do rio Tibre, fazem uma refeição frugal. Tão famintos estão que comem os finos pães de trigo usados como pratos. "Vejam", brinca Ascânio, "estamos comendo nossas mesas!". Assim realiza-se a previsão da harpia Celeno. Júpiter troveja três vezes e espalha no céu uma nuvem de fogo, confirmando que por fim chegaram a seu novo lar. No dia seguinte começam a construir seu primeiro acampamento junto à praia, cercando-o de fossos, paliçadas e muralhas.

Guerra no Lácio

O rei do Lácio é Latino, filho do deus pastoril Fauno (Pan) com a ninfa da água Marica, e bisneto de Saturno (Crono). Latino, a esta altura, já é velho, tendo reinado pacificamente naquela terra por muitos anos. Com sua esposa, Amata, tem apenas uma filha, Lavínia, que está em idade de se casar. São muitos os seus pretendentes, e o favorito é Turno, príncipe dos rutulianos. A rainha Amata deseja, acima de tudo, ver a filha casada com esse rapaz, mas o profético oráculo de Fauno previu que Lavínia se casaria com alguém de além-mar, não com um italiano nativo.

Quando Latino fica sabendo da chegada de Eneias, dispõe-se a aceitá-lo como genro e a acolher os troianos como colonizadores pacíficos em suas terras. A hostil Juno, porém, não permitirá que isso aconteça facilmente, e para tanto envia a fúria Alecto a fim de despertar violenta animosidade contra os troianos em Amata e em Turno.

As hostilidades têm início entre latinos e troianos quando Ascânio fere uma corça de estimação pertencente a Sílvia, filha do pastor real, e logo a briga se transforma em guerra total. Latino não tem como impedi-la, embora, pessoalmente, não se envolva na luta. Turno, porém, graças a Alecto, lança-se à guerra contra os forasteiros com toda disposição.

Muitos aliados vêm em seu auxílio. Mezêncio, um rei etrusco exilado, chega com seu filho Lauso e mil homens. Céculo, fundador de Preneste, vem à frente de um exército de camponeses, na maioria armados de funda, e pequenos projéteis de chumbo. Aventino, filho de Héracles, traz muitos soldados fortemente armados e se gaba de sua paternidade, exibindo no escudo a Hidra com sua centena de serpentes, e vestindo uma pele de leão, com seu escalpo servindo de elmo, da mesma forma que seu pai usava a pele do leão de Nemeia. Camila, a virgem guerreira dos volscos, cavalga como uma amazona à frente de sua cavalaria, um bando de seletas mulheres guerreiras com suas rutilantes armaduras de bronze. Esses e muitos outros chegam para se unir a Turno, até que toda a planície além do acampamento troiano está ocupada por aliados dos locais.

Ao vê-los, Eneias fica aflito e desencorajado, mas tem um sonho no qual o deus do rio Tibre o encoraja a lutar. De manhã o troiano encontra, exatamente como lhe fora prometido, uma leitoa branca deitada à margem do rio com seus trinta leitõezinhos, sinal de que naquele lugar Ascânio fundará uma cidade trinta anos depois e a chamará de Alba Longa em homenagem à leitoa. Seguindo as instruções do deus, Eneias segue Tibre acima até Palanteu, cidade em uma colina que mais tarde será a colina Palatina de Roma, e pede ao seu rei, o arcádio Evandro, que se torne seu aliado. Evandro o acolhe bem e, embora esteja velho demais para lutar, confia seu amado filho Palas a Eneias, fornecendo também um grande contingente de cavalaria para sua guerra com os latinos.

Esse não é o único apoio que Eneias consegue. Tárcon, rei da Etrúria, torna-se seu aliado porque odeia o exilado Mezêncio e lhe fornece milhares de soldados etruscos, juntamente com uma frota de navios para transportá-los. E Vênus obtém uma nova e esplêndida armadura para seu filho feita por Vulcano (Hefesto), como a que fora criada, certa vez, para Aquiles a pedido de Tétis. O escudo de Eneias, enorme e cheio de adornos, tem na superfície uma grande quantidade de cenas intrincadamente trabalhadas, assim como o escudo de Aquiles, mas os detalhes representam famosos eventos da história futura de Roma, tendo no centro o futuro Imperador Augusto, patrono de Virgílio, derrotando Antônio e Cleópatra na batalha de Ácio (31 a.C.).

Enquanto Eneias está fora, reunindo aliados, Turno e seu exército avançam sobre o acampamento dos troianos, que, obedientes às instruções anteriores de Eneias, permanecem resolutos no interior de suas fortificações. Assim, Turno fica frustrado por não ter a batalha que deseja tão ardentemente, e ronda as muralhas à procura de acesso ao acampamento, mas em vão. Como um lobo dando voltas a um cercado cheio de ovelhas, diz Virgílio, um que circunda o acampamento na calada da noite, rosnando junto às brechas da cerca, enquanto as ovelhas ficam balindo, mas sem poder alcançá-las; mas ele continua, sem se importar com o vento ou com a chuva, movido pela fome e pelo desejo irreprimível de atacar. É assim que Turno, tomado de ódio, procura uma maneira de entrar no acampamento ou de forçar os troianos a sair para a planície.

O líder decide então atear fogo à frota troiana. Mas nisso também se frustra porque os barcos são feitos com pinheiros do monte Ida, consagrados à deusa frígia Cibele. Agora que Eneias chegou à sua nova terra e já não mais precisa das embarcações, Cibele as transforma em ninfas do mar, que nadam para longe. Os rutulianos decidem então manter um cerco ao acampamento troiano.

Durante a noite, enquanto o inimigo dorme, dois troianos, Niso e Euríalo, tentam atravessar o cerco para ir chamar Eneias. Os dois são companheiros constantes — Euríalo, jovem e belo, e Niso, um homem mais velho. Lutam sempre juntos nas batalhas, lado a lado, e são devotados um ao outro. Na corrida a pé dos jogos fúnebres para Anquises, quando Niso caiu, derrubou, junto, o principal competidor, para que Euríalo saísse vencedor.

Agora Niso conduz Euríalo para fora do acampamento na esperança de glória, mas dessa vez o resultado é trágico. Os companheiros caminham por entre os inimigos que dormem, matando-os um a um. Infelizmente Euríalo não resiste à tentação de levar consigo os espólios, inclusive um reluzente elmo com plumas. Ao colocá-lo na cabeça, o metal brilhante, reluzindo o luar, chama a atenção de um destacamento de cavalaria que se aproxima na escuridão da noite. Os dois troianos fogem para um pequeno bosque, mas, enquanto Niso escapa saindo pelo outro lado, Euríalo, carregando os pesados espólios, se perde e é capturado pelos inimigos. Niso corre de volta para socorrê-lo, porém percebe que é tarde demais ao vê-lo sendo brutalmente morto pelo comandante da cavalaria, Volcente (9.433-7):

> Euríalo rola pelo chão, moribundo, com o sangue a escorrer por suas belas pernas, o pescoço encurvado e a cabeça enterrada nos ombros, como uma flor rubra que murcha e morre ao ser atingida pelo arado, ou como papoulas que curvam suas coroas sob a chuva pesada.

Lutando e abrindo caminho através dos inimigos, indiferente aos incontáveis ferimentos, Niso segue até se ver frente a frente com Volcente. Então o mata, embora também morra. Ao fim, joga seu corpo sobre o de seu querido amigo, se unindo a Euríalo também na morte.

No dia seguinte o exército latino lança um ataque às muralhas e às torres do acampamento troiano, enquanto os homens de Eneias se esforçam para defendê-las. Há muitas baixas em ambos os lados, até que nos fossos ao redor do acampamento corre um rio de sangue. Quando, por fim, Eneias chega com Palas e seus reforços, também são atacados e a luta se torna mais intensa. O jovem Palas se lança com seus homens no meio da batalha, matando muitos valentes guerreiros pelo caminho, até ser morto por Turno, que se apossa de seu cinturão e o usa como espólio de batalha.

Eneias, profundamente triste com a morte de seu jovem aliado, ataca violentamente as hostes inimigas em busca de vingança. O líder chama Turno, desafiando-o, mas Juno havia criado um fantasma de Eneias, para atrair Turno para longe do campo de batalha, em segurança. Eneias, incapaz de encontrar a presa que procura, mata todos que cruzam seu caminho, espalhando a morte por toda a planície como uma tromba-d'água ou um negro furacão.

O líder troiano encontra Mezêncio, o rei etrusco exilado, que, enorme em sua armadura, confronta-o na esperança de obter um belo troféu para seu filho Lauso. Cada um atira sua lança, mas só Mezêncio é ferido, e cai de costas, indefeso. Antes que Eneias o alcance para dar o golpe final, Lauso salta à sua frente para defender o amado pai. Pesaroso, admirando a coragem do rapaz e lamentando a futilidade daquela morte, Eneias o mata.

Agora é Mezêncio, ferido, quem quer se vingar. Ordena que lhe tragam seu cavalo Rebus, seu orgulho e sua alegria, fiel companheiro de muitas campanhas. Agora, ou vingarão juntos a morte de Lauso e levarão como troféu a cabeça de seu assassino, ou juntos morrerão na luta. Enquanto galopa em círculos ao redor de Eneias, Mezêncio arremessa três lanças, errando o alvo nas três tentativas. Então Eneias arremessa sua lança e atinge Rebus no meio da testa. O animal empina lançando para o ar as patas dianteiras, derruba seu cavaleiro e, cai, imobilizando-o no chão. Eneias agora pode matá-lo tranquilamente e Mezêncio enfrenta o fim com coragem, pedindo apenas que seja enterrado com seu amado filho.

Ambos os lados concordam em fazer uma trégua de doze dias para enterrar seus mortos. Na cidade dos latinos ouvem-se choros e lamentos, e o líder, em desalento, reúne seu conselho e sugere que ofereçam paz aos troianos. Turno não concorda e insiste na guerra, e a questão ainda está sendo debatida quando um mensageiro entra em pânico no palácio dizendo — equivocadamente — que Eneias e seus soldados estão prestes a atacar. Turno, aproveitando-se da oportunidade, imediatamente reúne seus homens e se lança pela planície.

Na batalha que se segue, a aliada de Turno, Camila, entra em ação. Diana (Ártemis) a observa de longe, pois ama Camila desde que era um bebê. Naquela ocasião seu pai, Métabo, foi destronado e fugiu para o exílio com a filha pequena no colo, perseguido ardentemente por seus inimigos. Quando chegou ao rio Amaseno, sua passagem foi bloqueada por uma enchente. Métabo rapidamente amarrou o bebê à sua lança, dedicou-a a Diana e arremessou-a por cima da correnteza, para a segurança. Em seguida atravessou o rio a nado, escapando por pouco de seus perseguidores. Depois, criou a filha nas montanhas ermas, alimentando-a com leite de éguas selvagens, vestindo-a com uma pele de tigre e ensinando-a a caçar e a lutar. Camila cresceu como uma favorita de Diana, casta e corajosa, e tão lépida ao correr que era capaz de passar sobre um milharal sem amassar os pés de milho ou sobre a superfície do mar sem sequer molhar os pés.

Agora comanda na batalha sua cavalaria de mulheres guerreiras, todas a cavalgar como as amazonas, com um seio exposto, armadas de lanças, arcos, setas e machados de duas lâminas. Camila mata muitos inimigos, até ser derrotada por Arrunte, com uma lança enterrada no seio nu. No mesmo instante o etrusco se põe em fuga, aterrorizado ao se dar conta do que fez, e, se sentindo como um lobo que matou um pastor ou um grande touro, diz Virgílio, foge assustado para o bosque, com a cauda trêmula entre as pernas. De fato, Arrunte tem motivos para temer, pois Diana logo envia Ópis para vingar a morte de sua favorita, e a ninfa o atinge com uma seta letal.

Os latinos vão perdendo terreno à medida que os troianos avançam e, no dia seguinte, Turno resolve poupar seus homens enfrentando Eneias em combate singular para resolver a questão. Latino e Amata fazem o possível para dissuadi-lo, mas ele está decidido (12.4-9):

> Como um leão nas planícies da África, que parte para a luta só quando está mortalmente ferido no peito por caçadores, e o faz com júbilo, sacudindo a vasta juba, partindo a lança nele plantada por um caçador qualquer, e abre a boca ensanguentada a rugir — assim era a disposição violenta de Turno.

Mas, antes que o duelo possa ter lugar, os latinos são incitados à luta novamente pela irmã de Turno, Juturna, uma ninfa da água a quem Júpiter concedera a imortalidade em troca de favores. Os dois exércitos se enfrentam. Eneias é ferido por uma seta, mas, prontamente curado por Vênus, continua a lutar e a procurar por Turno. Juturna faz o possível para salvar o irmão, disfarçando-se como seu cocheiro Metisco para conduzi-lo por toda a planície, mas sempre fora do alcance de Eneias.

Eneias ateia fogo à cidade dos latinos e, quando Amata, a rainha, vê aquela cena, pensa que o marido já está morto. Enlouquecida de tristeza e de culpa, se enforca. Os gritos e os lamentos se espalham pelo palácio e por toda a cidade. Um cavaleiro sai a galope para levar a notícia até Turno e ele, ao ouvir o clamor e ver o fogo subindo em direção ao céu, parte para o confronto com Eneias. Por fim o duelo decisivo se realiza.

Os dois heróis se defrontam e trocam golpes — como dois touros inimigos, diz Virgílio, a lançarem-se um contra o outro ferindo-se com os chifres até que seus pescoços e ombros se cubram de sangue, enquanto a floresta ecoa seus urros e o pastores e o resto do rebanho mantêm-se longe, aterrorizados, e as novilhas mugem baixinho, juntas, esperando para ver quem será o líder do rebanho.

Juturna auxilia Turno devolvendo-lhe a espada perdida, feita por Vulcano. Júpiter então envia uma fúria para confrontá-la, como um presságio de morte, e, quando Juturna a vê, reconhece que nada mais poderá fazer, e que Turno deve ficar à mercê de seu destino. Lamentando a morte inevitável e sua própria imortalidade, mergulha de volta para as profundezas de seu rio.

Turno ergue uma enorme pedra e a lança sobre Eneias, mas ela não alcança o alvo. Hesita, com medo, e agora é Eneias que arremessa sua lança mortífera e fere o rival na coxa. Ele cai, sabendo-se vencido, e suplica que o levem de volta para junto de seu velho pai, Dauno, e de seu povo. Eneias está a ponto de poupá-lo da morte quando vê que Turno está usando o cinturão de seu jovem aliado, Palas, como espólio de guerra. "Tu crês poder escapar de mim agora, usando espólios tomados de um homem a quem amei?", exclama Eneias (12.947-9). "Pois é Palas quem agora se vinga de teu crime." Tomado de portentosa ira, enfia sua espada até o cabo no coração de Turno, matando-o sem pena.

A *Eneida* termina com a morte de Turno, mas sabemos que Eneias fez as pazes com os latinos e casou-se com Lavínia, fundando a cidade de Lavínio em sua homenagem e governando troianos e latinos unidos (agora todos são chamados de latinos). Lavínia deu-lhe um filho, Sílvio, após a morte do herói. Eneias foi recompensado com a imortalidade.

15. A fundação de Roma

Trinta anos após a fundação de Lavínio, Ascânio, filho de Eneias, fundou Alba Longa no lugar onde o pai tinha visto a leitoa branca com seus trinta filhotes. Depois da morte de Ascânio, doze reis hereditários governaram a cidade, começando por Sílvio e terminando com Proca. É com os dois filhos de Proca, Númitor e Amúlio, que os eventos começam a se mover no sentido da fundação de Roma, cuja data tradicionalmente aceita é 753 a.C. A história de Tito Lívio (Livro I) tornou-se a versão canônica.

Rômulo e Remo

Númitor sucedeu a Proca no trono de Alba Longa, mas seu irmão mais novo, Amúlio, o depôs e matou seus filhos. Não satisfeito, forçou a única filha de Númitor, Reia Sílvia, a se tornar uma virgem Vestal, para que nenhum outro herdeiro do sexo masculino pudesse nascer. Mas Amúlio não levou em conta os deuses, pois o deus da guerra Marte deitou-se com a jovem, que lhe deu filhos gêmeos, Rômulo e Remo.

O rei então atirou Reia Sílvia no cárcere e ordenou que os bebês fossem lançados no rio Tibre — mas, novamente, deixou de levar em conta os deuses. Marte sempre cuidava dos seus, e o cesto no qual seus filhos estavam flutuou em segurança até uma praia, e foi encalhar em uma figueira, mais tarde conhecida como Ficus Ruminalis e considerada sagrada. Ali uma loba, descendo das colinas, ouviu o choro dos bebês e os amamentou, e um pica-pau lhes deu pedaços de comida. Ambas as criaturas foram consagradas a Marte.

O pastor real Fáustulo, passando ali por acaso, viu a loba lamber ternamente os bebês como se fossem filhotes seus. Suspeitando do parentesco real dos meninos, levou-os para sua casa, onde, junto da mulher, Aca Laurência, criou os bebês como se fossem seus. Como *lupa* pode significar tanto "loba" quanto "prostituta", alguns autores racionalizaram a lenda alegando que os bebês foram salvos pela própria Aca Laurência, que os teria amamentado.

Os meninos cresceram e se tornaram rapazes belos e fortes, que costumavam levar um grupo de jovens pastores em expedições ousadas. Não apenas caçavam animais selvagens, como também atacavam assaltantes de estradas e repartiam entre si os espólios roubados. Os assaltantes, irritados com isso, certa vez pegaram Remo em uma emboscada e o entregaram a Númitor, para que o punisse. O líder suspeitou de que o rapaz e seu irmão pudessem ser seus netos desaparecidos, e Fáustulo confirmou suas suspeitas. Rômulo e Remo, com a ajuda de sua leal turma de rapazes, atacaram o palácio e mataram o usurpador Amúlio. Númitor tomou a cidadela e mais uma vez tornou-se rei.

Os irmãos então decidiram fundar a própria cidade. Escolheram um lugar não muito afastado de Alba Longa e perto do Tibre, onde haviam sido deixados para se afogar. Mas os dois discutiram pelo direito de dar o nome à cidade e se tornar seu rei. Como não tinham como saber qual deles era o mais velho, deixaram que os deuses enviassem um sinal. Remo postou-se na colina Aventina, e Rômulo, na Palatina, e ambos aguardaram a vontade divina que, supunham, viria por meio de pássaros. Primeiro Remo viu seis abutres e depois Rômulo, doze, e cada um foi declarado rei por seus seguidores — um por ter visto os pássaros primeiro, e o outro por ter visto mais pássaros. Na briga que se seguiu, Remo foi morto. Em outra versão de sua morte, Remo teria zombado do irmão e saltado por cima da muralha parcialmente construída de sua cidadela, agindo como um inimigo ao invés de um amigo, que entra pelos portões. Rômulo teria perdido o controle e matado o irmão, declarando: "Assim morrerá qualquer um que saltar sobre minhas muralhas." Agora Rômulo estava sozinho para fundar a cidade, à qual deu o nome de Roma em homenagem a si mesmo.

A cidade floresceu. Homens chegavam aos bandos para lá morar — a maioria foras da lei e fugitivos a quem Rômulo, de bom grado, dava proteção, já que sua presença fazia de Roma uma cidade mais forte — mas, é claro, a cidade também necessitava de mulheres. Infelizmente os romanos eram temidos e desprezados por seus vizinhos, portanto qualquer pedido de casamento a mulheres das vizinhanças era rejeitado com desdém. Rômulo resolveu esse problema organizando um grande festival e convidando os vizinhos e suas famílias. Os sabinos, em especial, compareceram em massa. No meio das festividades, os romanos afastaram os homens desarmados e raptaram suas filhas (o "rapto das sabinas"). A princípio as moças ficaram aterrorizadas, mas Rômulo as tranquilizou dizendo que se casariam devidamente e seus raptores as cortejaram com palavras amorosas, e logo todas estavam felizes com a nova situação.

Mas seus pais e irmãos não ficaram nada satisfeitos e se organizaram para pegá-las de volta à força. Várias pequenas incursões contra Roma não tiveram sucesso, mas por fim os sabinos fizeram um grande ataque. Liderados por seu rei, Tito Tácio, dominaram a cidadela romana valendo-se da traição da filha do comandante, que se deixou subornar para permitir que o exército entrasse na fortaleza à noite. Tarpeia pediu como recompensa aquilo que os soldados usavam em seus braços esquerdos, esperando ganhar pulseiras de ouro, mas a paga por sua traição foi morrer esmagada sob seus escudos. Diz-se que Tarpeia deu seu nome à rocha Tarpeia, um precipício na colina Capitolina em Roma, do alto do qual seriam lançados para a morte, mais tarde, os assassinos e os traidores.

Uma luta feroz irrompeu entre sabinos e romanos, mas as sabinas salvaram o dia. Saíram correndo para o meio do campo de batalha e suplicaram a seus maridos e pais que não as deixassem viúvas e órfãs, ao matarem-se uns aos outros. Romanos e sabinos fizeram a paz e concordaram em fundir os dois povos em um, tendo Roma como sua capital e Rômulo e Tito Tácio como reis em um reinado conjunto. Alguns anos mais tarde, Tito Tácio foi morto em uma briga com o povo de Lavínio, e Rômulo voltou a ser rei único de Roma.

O líder reinou por quase quarenta anos, durante os quais Roma cresceu e prosperou, e deixou o mundo de maneira um tanto misteriosa. Seus soldados estavam reunidos em um prado que viria a ser o campus de Martius (campo de Marte), quando uma tempestade caiu subitamente. Trovões ribombavam e Rômulo foi envolvido em uma nuvem tão espessa que desapareceu da vista. Quando a nuvem se dispersou, seu corpo havia desaparecido. Os senadores que estavam perto disseram que tinha sido levado para o céu, e os soldados, que amavam Rômulo, saudaram-no como a um deus. A partir de então, Rômulo passou a ser venerado como o deus Quirino.

De acordo com Tito Lívio (1.16), espalhou-se um rumor segundo o qual Rômulo havia sido assassinado e esquartejado pelos senadores, invejosos de seu poder. Essa suspeita foi posta de lado quando um certo Júlio Próculo relatou que Rômulo tinha aparecido pessoalmente em um sonho, dizendo: "Vai e diz aos romanos que, por desejo dos deuses, minha Roma será a capital do mundo. Que cultivem as artes da guerra e que saibam, e façam seus descendentes saber, que nenhuma força humana será capaz de resistir ao exército romano."

Reis posteriores de Roma

Depois da morte de Rômulo, seis outros reis governaram Roma antes que a monarquia chegasse ao fim. Suas histórias são em parte míticas e em parte verdadeiras. O primeiro desses, portanto o segundo rei de Roma, foi um sabino, Numa Pompílio (715-673 a.C.), famoso pela sabedoria e pela piedade. Em seu longo e pacífico reinado, foi estabelecida a maior parte do sistema religioso romano. Numa Pompílio fez também muitas reformas culturais inspiradas, segundo seus relatos, por sua divina consorte, a ninfa da água Egéria, que vivia em um vale perto da Porta Capena.

Pompílio foi sucedido pelo rei guerreiro Túlio Hostílio, que amava a guerra tanto quanto seu predecessor amava a paz. Durante uma guerra entre Roma e Alba Longa, tal líder combinou com o rei Albano que, para evitar grandes derramamentos de sangue, a disputa seria resolvida com uma batalha entre campeões, numa luta de dois grupos de três, os três horácios (romanos) e os três curiáceos (albanos). No dia combinado os seis campeões se defrontaram. Três curiáceos foram feridos e dois horácios foram mortos, mas o último saiu correndo com os três albanos a persegui-lo. Como estavam em velocidades diferentes, o fugitivo, ao ser alcançado por cada um deles, separadamente, matou um por um. O vencedor então caminhou de volta para Roma levando os mantos dos três curiáceos como troféus de guerra.

O horácio foi recebido por sua irmã, que estava noiva de um dos derrotados, e, quando reconheceu o manto que havia tecido para seu amado, pôs-se a gritar de dor. O rapaz feriu-a no coração, dizendo: "Assim morrem todas as mulheres romanas que choram a morte de um inimigo." Ele foi julgado diante do rei por ter feito justiça com as próprias mãos e declarado culpado, mas apelou e foi perdoado graças a seu heroísmo em defesa de Roma.

Depois da derrota dos albanos, Túlio obrigou o povo albano a viver em Roma e destruiu a cidade de Alba. Não satisfeito, declarou guerra aos sabinos e obteve uma vitória notável. O terceiro rei morreu tentando conquistar as boas graças de Júpiter com um ritual tirado dos livros de Numa, mas se equivocou e foi consumido por um raio.

O quarto rei de Roma foi Anco Márcio (642-617 a.C.), neto de Numa por parte de mãe. Como o avô, foi um rei da paz, um herói da cultura e criador de costumes. Atribui-se a Anco Márcio a construção da primeira ponte — uma ponte de madeira — sobre o rio Tibre.

O quinto rei foi um imigrante da Etrúria, Tarquínio Prisco (616-579 a.C.), que se casou com uma etrusca chamada Tanaquil. Depois de se fazer indispensável para Anco Márcio, Tarquínio assumiu o trono, apesar de seu antecessor ter filhos. Inconformados por terem sido preteridos pelo pai, acabaram por assassinar o novo rei.

O sucessor foi, então, seu genro Sérvio Túlio (578-535 a.C.). Sérvio havia nascido no palácio real, possivelmente de uma escrava, mas, quando Tanaquil viu chamas se movendo ao redor da cabeça do menino sem lhe fazerem mal, reconheceu, junto de Tarquínio, que tal fenômeno era um sinal claro de aprovação divina. O casal criou o menino como se fosse seu filho, para então casá-lo com sua filha. Quando Tarquínio foi assassinado, Tanaquil ajudou Sérvio a assumir o poder. Seus rivais fugiram do país.

Sérvio foi outro rei excelente que fez muito por Roma, mas seu fim foi infeliz. Suas duas filhas se chamavam Túlia e se casaram, conforme o desejo do pai, com dois filhos de Tarquínio. A mais nova, ambiciosa, casou-se com o suave Arrunte, mas planejou o assassinato do marido e da irmã, que era uma moça boa; depois, casou-se com o outro filho de Tarquínio, Lúcio Tarquínio, mais tarde chamado de o Soberbo, tão ambicioso quanto a esposa. Os dois mandaram assassinar Sérvio, e Túlia chegou a passar com sua carruagem sobre o pai enquanto seu corpo sangrava na rua.

Tarquínio, o Soberbo, sucedeu a Sérvio como sétimo e último rei de Roma (534-510 a.C.). O líder negou enterro ao rei morto, matou os que o haviam apoiado e, em seguida, governou Roma como um déspota. Reza a tradição que Sibila de Cumas, que havia acompanhado Eneias ao Mundo dos Mortos, ofereceu nove livros de previsões e recomendações oraculares a Tarquínio, pedindo um alto preço em troca. Quando teve a proposta recusada, Sibila queimou três livros e propôs-lhe que comprasse o restante pelo mesmo preço. Diante de nova recusa, mais três foram queimados, e, por fim, os três últimos livros foram vendidos pela quantia que havia sido pedida pelos nove. Esses livros foram identificados com a coleção de oráculos que, em tempos históricos, era cuidadosamente preservada no templo romano de Júpiter Capitolino, para consulta em emergências nacionais. Os exemplares foram queimados em um incêndio no templo em 83 a.C.

A própria Sibila teve um fim infeliz. Certa vez Apolo a desejou e prometeu-lhe dar o presente que escolhesse se o aceitasse como amante. Sibila pediu tantos anos de vida quantos eram os grãos de um monte de poeira varrida, que eram mil, mas, assim como acontecera à deusa Eos quando obteve para o amante Titono a imortalidade, Sibila se esqueceu de pedir eterna juventude e murchou lentamente com o passar dos séculos. O Trimalquião de Petrônio (*Satyrica* 48) a viu em sua caverna em Cumas, dentro de uma garrafa pendurada, e, quando algumas crianças lhe perguntavam o que desejava, Sibila respondia: "Eu quero morrer." No século II d.C., Pausânias (10.12.8) viu em um templo de Apolo em Cumas uma pequena urna de pedra que, dizia-se, continha seus ossos.

O reinado de Tarquínio foi marcado pelo terror, e chegou ao fim — juntamente com a monarquia — quando seu filho Sexto estuprou um virtuosa dama romana chamada Lucrécia. Certa noite, quando as tropas romanas sitiavam Ardeia, os filhos de Tarquínio bebiam com seu parente Colatino e puseram-se a discutir quem tinha a melhor esposa. Colatino propôs que resolvessem a disputa retornando a Roma sem serem vistos e descobrissem o que as esposas faziam na ausência dos maridos.

Acontece que todas as mulheres estavam se esbaldando em grandes festas com suas amigas, exceto a esposa de Colatino, Lucrécia, que estava sentada tranquilamente em casa, cercada de suas escravas, tecendo. Colatino venceu a disputa, mas Sexto ficou excitado com a beleza e a virtude de Lucrécia e, poucos dias depois, voltou à casa, onde foi bem recebido como hóspede. No meio da noite o visitante foi, de espada em punho, até o quarto de Lucrécia e declarou seu desejo. Sexto suplicou, fez ameaças, mas sem sucesso. Por fim, ameaçou-a com a desonra, dizendo que a mataria, bem como a um escravo, do qual deixaria o cadáver nu ao lado de seu corpo como se tivessem sido apanhados em adultério. Ante tal ameaça, Lucrécia cedeu. Mas na manhã seguinte contou ao marido e ao pai o que tinha acontecido, fazendo que prometessem vingá-la, e então enterrou uma adaga no coração.

Esse crime levou os nobres romanos a se rebelar contra o rei. Tarquínio, expulso de Roma junto de sua família, foi para a Etrúria e lá se refugiou no Palácio da Porsena Lars, rei de Clúsio, que se propôs a colocá-lo de volta no trono. Porsena e seu exército etrusco marcharam contra Roma pretendendo atravessar a passagem de madeira sobre o rio Tibre, a ponte Sublício. Ao vê-los se aproximarem, os guardas romanos começaram a fugir, mas Horácio, conhecido como Cocles ("Caolho"), fez seus companheiros derrubarem a ponte enquanto, sozinho, mantinha o inimigo afastado. Dois outros soldados, Espúrio Lárcio e Tito Hermínio, ajudaram-no a impedir que os etruscos se aproximassem até que a ponte estivesse prestes a cair, e Horácio então mandou-os de volta em segurança, enquanto ficava lá, sozinho. Cocles conseguiu manter os inimigos afastados até a ponte cair, mas sua fuga fora cortada.

Com uma prece ao deus do Tibre, Horácio lançou-se no rio com sua armadura e o atravessou a nado, sob uma chuva de projéteis. Assim conseguiu salvar Roma, e os romanos o recompensaram erguendo-lhe uma estátua e dando-lhe toda a terra que pudesse trabalhar ao longo de um dia. Tarquínio não recuperou o trono, e Roma se tornou uma república (em 509 a.C., segundo a tradição). As histórias dos líderes romanos que sucederam aos reis pertencem mais ao domínio da história do que ao do mito.

16. Metamorfoses

Muitos mitos contêm histórias de metamorfoses — transformações de corpos em diferentes formas, pelo poder dos deuses. Na literatura antiga, o grande baú do tesouro dessas transmutações é a obra de Ovídio *Metamorfoses*, um épico de quinze livros que contam uma rica variedade de 250 histórias, todas envolvendo algum tipo de transformação, e todas entretecidas de maneira muito interessante, em uma espécie de rica tapeçaria. No final da Idade Média e na Renascença, Ovídio era um dos autores clássicos mais conhecidos, lido por toda parte, e *Metamorfoses*, em particular, tem sido uma fonte inexaurível de inspiração para poetas, pintores e escultores.

Muitas histórias de metamorfoses já constam de capítulos anteriores deste livro. Este capítulo contém uma seleção pessoal de histórias ainda não contadas aqui e que me parecem as mais memoráveis e de maior ressonância. Baseiam-se, em sua maioria, na narrativa de Ovídio, embora não exclusivamente, pois quase todas as histórias têm origem em mitos gregos, ainda que tenham encontrado sua mais poderosa expressão em Ovídio. Por razões de consistência, os nomes gregos dos deuses serão mantidos.

Faetonte

Comecemos pelo mito de Faetonte, que envolve dois tipos bem conhecidos de transformação: em árvore e em pássaro. A história era muito popular na literatura grega mais remota, mas apenas fragmentos desses relatos chegaram aos nossos dias. É Ovídio quem nos dá a primeira versão pormenorizada do triste destino de Faetonte (*Metamorfoses* 1.750-2.380).

Faetonte era filho do deus-sol, Hélio, e da oceânide Clímene, esposa de Mérops, rei da Etiópia. O menino cresceu na casa de Mérops, mas queria ter certeza de que Hélio era realmente seu pai, por isso Clímene o enviou para o magnífico palácio do Sol, no oriente mais longínquo, onde ficam os portões do alvorecer. Lá Hélio confirmou que Faetonte era de fato seu filho e afirmou que provaria isso dando-lhe qualquer presente que pedisse.

Faetonte pediu para dirigir a carruagem do sol pelo céu, durante um dia inteiro. O deus sabia que tal feito estava além da capacidade do filho, e pediu-lhe que mudasse de ideia e escolhesse outro presente, mas Faetonte mostrou-se inflexível. Tudo o que queria era dirigir a carruagem e os cavalos do Sol. O jovem ignorou todos os apelos do pai e, quando já não era mais possível atrasar a saída, pois o céu já se avermelhava com o alvorecer e a carruagem precisava partir em sua jornada diária, Hélio viu-se forçado a manter a promessa.

Com muitas instruções aflitas do pai, Faetonte saltou para dentro da carruagem, cheio de alegria, e pegou as rédeas. Os quatro cavalos se lançaram com força para o alto e logo o jovem perdeu o controle dos animais, que o arrastaram, apavorado, para fora da rota, aproximando-se das estrelas. Quando Faetonte olhou lá do alto para a minúscula terra tão distante, desejou nunca ter sabido quem era seu pai e, tarde demais, quis ser apenas filho de Mérops.

Depois os cavalos se lançaram rapidamente em direção à terra, aproximando-se demais e estorricando tudo por onde passavam. Os rios secaram e os mares baixaram. Chamuscadas pelo intenso calor, as peles dos etíopes enegreceram e o norte da África se transformou em deserto. Por fim, Zeus interveio para salvar o mundo da destruição total e lançou um raio para derrubar Faetonte da carruagem, e o rapaz caiu em direção à terra como uma estrela cadente. Seu corpo incandescente mergulhou no rio Erídano e o fogo se apagou.

As ninfas italianas enterraram o cadáver de Faetonte, e sua triste mãe, Clímene, procurou por toda a terra até achar seu túmulo. As helíades foram lá também e ficaram a chorar por tanto tempo pela morte do irmão, às margens do Erídano, que foram transformadas em álamos, e suas lágrimas, em âmbar. Na tragédia perdida de Ésquilo intitulada *As helíades*, as irmãs de Faetonte formavam o coro e tudo indica, pelos fragmentos remanescentes, que nessa versão o pedido para dirigir a carruagem do Sol foi negado por seu pai, e que as helíades prepararam secretamente a carruagem para realizar seu desejo. Nessa versão, portanto, tais ninfas tinham até mais motivos para chorar a terrível morte do irmão. Para assinalar seu triste destino, Faetonte foi imortalizado nas estrelas como a constelação Auriga, ou Cocheiro. O rio Erídano virou constelação também, espalhando-se no céu até longe, a oeste de Órion.

Mas a história de Faetonte não termina aqui, pois outra pessoa veio ao local de sua morte para chorá-la: Cicno, parente do jovem morto. O rei da Ligúria, na Itália, amava Faetonte profundamente e pôs-se a chorar incessantemente e a vagar pelas margens do rio lamentando sua perda, até que os deuses, com pena, transformaram-no em um cisne. Enquanto viveu, não quis saber dos céus perigosos e escolheu, como seu elemento, a água. O cisne vagava por lagos, rios e pântanos, sempre com medo do fogo. Quando por fim envelheceu e viu chegar a hora de sua morte, deixou a terra e se tornou a constelação do Cisne, cantando ao voar em direção às estrelas. Os cisnes, desde então, entoam uma só canção, "o canto do cisne", quando estão prestes a morrer.

Hélio, Leucotoé e Clítia

O deus-sol teve outros amores terrenos além de Clímene, mãe de Faetonte. Quando Afrodite quis puni-lo por revelar suas relações com Ares (p. 82), fez que se apaixonasse por uma mulher mortal, Leucotoé, filha do rei persa Orcamo (*Metamorfoses* 4169-270). Ardendo de paixão, Hélio conseguiu entrar no quarto da jovem disfarçado de sua mãe, Eurínome. Leucotoé, ao vê-lo reassumir sua forma verdadeira assim que estavam sozinhos, ficou fascinada com a imponência do deus e aceitou de bom grado seus abraços.

Esse *affair* provocou amargos ciúmes em uma antiga paixão do rei-sol, Clítia, que, por ainda amá-lo e desejá-lo, espalhou a história da sedução de Leucotoé até que o boato chegou aos ouvidos de Orcamo. Irado, o rei persa não quis saber das desculpas da filha e mandou que a enterrassem viva, em uma cova bem funda, e Leucotoé morreu esmagada sob o peso da terra. Hélio ainda tentou desenterrá-la e aquecer seu corpo frio para devolver-lhe a vida com seus raios, mas em vão. Profundamente desolado, a transformou em uma árvore que produz olíbano, uma espécie de incenso.

Clítia também sofreu, porque Hélio passou a sentir ódio por sua antiga amante, que, desprezada, definhou de tristeza, sentada sozinha no chão, voltando todos os dias a face para o deus-sol, em sua passagem pelo céu. Ao morrer, a jovem tornou-se a planta chamada heliotrópio, cuja flor se volta para acompanhar a trajetória do sol da manhã à noite.

Narciso

Outra transformação em flor — talvez a mais famosa de todas — foi a de Narciso, o belo filho do deus-rio, Cefiso, com uma ninfa, Liríope (*Metamorfoses* 3.341-510). Quando Narciso ainda era bebê, Liríope perguntou ao cego Tirésias, então pouco conhecido, se seu filho viveria até ficar velho. "Sim", disse o vidente tebano, "desde que nunca venha a ver a si mesmo". Na época ninguém entendeu o que significava aquela profecia, porém quando, anos mais tarde, os acontecimentos mostraram que tinha razão, Tirésias tornou-se famoso e sua fama a partir de então estava assegurada.

Quando Narciso chegou à idade de dezesseis anos, era tão belo que despertava paixão em muitos, tanto rapazes quanto moças, mas seu coração era frio e orgulhoso e desdenhava de todos. Uma das jovens que o amavam era Eco, a ninfa que só conseguia falar repetindo palavras ditas por outras pessoas. Esse foi um castigo imposto por Hera, que frequentemente tentava apanhar Zeus fazendo amor com as ninfas nas encostas das montanhas, mas Eco a detinha com um interminável palavrório e as outras ninfas conseguiam fugir. Quando Hera se deu conta do que estava acontecendo, encheu-se de ira e retirou de Eco a capacidade de dizer algo que quisesse: a partir de então a ninfa só poderia repetir as últimas palavras ditas por outros.

Eco apaixonou-se por Narciso no instante em que o viu, mas foi rejeitada com desdém, como todos os outros que o amaram. Em sua tristeza a ninfa foi definhando até que restou apenas sua voz queixosa, e desde então nunca mais foi vista nos bosques ou nas montanhas, embora possa ser ouvida nesses lugares por qualquer um. Por fim, um dos muitos pretendentes rejeitados de Narciso rezou para que o jovem sofresse também por um amor não correspondido, assim como fizera outros sofrerem. Nêmesis ouviu tal prece e a atendeu.

No bosque havia um pequeno lago de águas claras e brilhantes, aonde os pastores nunca iam, nem cabras nem vacas. Sua superfície lisa não era atingida pelo vento e à sua volta crescia uma grama alta, sempre fresca e verde. Árvores protetoras o cercavam e o mantinham fresco, mesmo com o sol forte. Lá chegou Narciso num dia quente, e, cansado da caça, deitou-se junto ao lago para matar a sede. Ao ver sua bela figura refletida na superfície calma das águas, apaixonou-se por si mesmo. Fascinado, ficou deitado na grama, a olhar para a própria imagem, e os dias foram passando e deixando-o cada vez mais apaixonado por aquele que tantos outros haviam amado desesperadamente. Muitas vezes tentou abraçar o rapaz que ali via, mas a imagem não se deixava abraçar.

Narciso lá ficou, sem comer e sem beber, e com o passar do tempo foi se acabando lentamente. Eco, embora zangada pelo tratamento que recebera, ainda sofria. Quando o belo rapaz suspirava de tristeza, a ninfa também o fazia. Quando o rapaz chorava alto pelo amor não correspondido, a ninfa repetia "em vão". Quando o rapaz murmurou seu último adeus, "Adeus", replicou a ninfa. Exausto de tanto sofrer por aquele amor não retribuído, o rapaz deitou a fatigada cabeça na grama junto ao lago e morreu.

Até mesmo no Mundo Inferior, Narciso continuou a olhar seu reflexo nas águas do rio Estige. Na terra, todas as ninfas dos bosques choraram por sua morte, e Eco repetia seus lamentos. Todas se prepararam para o funeral de Narciso, mas seu corpo não foi achado em parte alguma. No lugar da morte, nasceu uma flor com um círculo de pétalas brancas ao redor de um centro amarelo.

Pausânias acrescenta um pós-escrito a essa história (9.31.7-9). Ao ver o lago de Narciso no monte Hélicon, o viajante declarou que aquela história de se apaixonar por si mesmo era absolutamente tola, e preferia uma versão racionalizada do mito: Narciso apaixonara-se por sua irmã gêmea, com a qual se parecia extremamente, e depois que a jovem morreu, o irmão encontrou consolo ao olhar para o próprio reflexo no lago, posto que era a mesma imagem do seu amor perdido.

Dedalion – Nictimene – As piérides – Ésaco

Vários mortais transformaram-se em pássaros, e em suas novas formas mantiveram as mesmas características que tinham como humanos. Dedalion, por exemplo, filho de Eósforo, a estrela matutina, era um homem feroz e amante da guerra. Sua bela filha, Quione (*Metamorfoses* 11.291-345), aos catorze anos de idade era tão linda que já tinha incontáveis pretendentes. Até mesmo os deuses Apolo e Hermes desejaram-na ao vê-la, um dia. Hermes a fez dormir ali mesmo onde a viu e desfrutou de seu prazer imediatamente, enquanto Apolo deixou seu prazer para a noite, quando chegou disfarçado de uma velha. Passados nove meses, Quione deu à luz dois gêmeos, cada um com as características do pai que o gerou: Autólico tornou-se um larápio muito esperto como o astucioso Hermes, e Filámon, um excelente músico como Apolo.

Infelizmente Quione deixou que os divinos favores lhe subissem à cabeça. Pôs-se a dizer, tolamente, que era mais bela do que Ártemis. Ao tomar conhecimento disso, a deusa, colérica, matou-a com uma flechada. Dedalion ficou tão triste com a morte da filha, que correu até o alto do monte Parnaso e de lá se atirou para morrer também. Mas Apolo apiedou-se e não deixou que ele morresse. O deus o transformou em um falcão, pássaro de natureza feroz e destemida como a do homem que havia sido. Dedalion continuou vivo, sem deixar de sofrer, caçando outros pássaros e fazendo-os sofrer também.

Nictimene era filha de Epopeu, rei da ilha de Lesbos (*Metamorfoses* 2.589-95). Quando seu pai teve com a filha uma relação incestuosa, a jovem fugiu de vergonha para o bosque, lá se escondendo até que Atena apiedou-se e a transformou em um pássaro da noite (*nykt-*, noite), a coruja, para que Nictimene pudesse esconder sua vergonha na escuridão. É por isso que até hoje as corujas se escondem da luz do dia e só saem à noite, e se saírem de seus refúgios durante o dia serão atacadas por outros pássaros.

As piérides (*Metamorfoses* 5.294-678) eram as nove filhas de Piero, rei de Pela, na Macedônia, que deu seu nome à Piéria, região ao norte do monte Olimpo onde as nove musas nasceram (motivo pelo qual costumavam também ser chamadas de piérides). As filhas de Piero eram tão orgulhosas do seu talento para cantar — na verdade, indevidamente — que desafiaram as musas para um concurso de canto. A proposta foi aceita, as ninfas locais foram escolhidas como juízas e o concurso se realizou.

Por unanimidade, as ninfas indicaram as musas como vencedoras, mas as jovens não se conformaram com o resultado. Passaram a ofender as vencedoras, e tanto fizeram que foram punidas e transformadas pelas oponentes em gralhas. Até hoje esses pássaros mantêm sua antiga maneira de falar, e é por isso que eles são criaturas tagarelas, que chilram longe e de modo estridente.

Ésaco (*Metamorfoses* 11.751-95) era filho de Príamo, rei de Troia, mas detestava cidades e preferia viver em lugares remotos no campo. Apaixonado por uma ninfa, Hespéria, filha do deus-rio,

Cébren, Ésaco costumava persegui-la nos bosques, mas a jovem sempre lhe escapava. Um dia ele a encontrou a tomar sol sentada à beira do rio de seu pai, secando os ondeantes cabelos. Ao vê-lo, Hespéria fugiu, como sempre, e como sempre foi perseguida. Mas dessa vez, ao correr pelo bosque, foi mordida no pé por uma serpente venenosa e morreu. Tomado de remorsos, Ésaco se lançou do alto de um rochedo ao mar, mas a deusa Tétis teve pena dele e não o deixou morrer: aparou-o na queda e transformou-o em um pássaro aquático, o mergulhão. Forçada a viver contra sua vontade, tal ave passa os dias voando para o alto e se precipitando nas ondas, sempre à procura da morte desejada.

A mais comovente, porém, de todas essas transformações em pássaros relatadas por Ovídio é o mito de Céix e Alcíone, uma história de amor fiel e um de seus mais belos poemas.

Céix e Alcíone

Céix, como Dedalion, era filho de Eósforo, a estrela matutina, e casou-se com Alcíone, filha de Éolo, senhor dos ventos (*Metamorfoses* 11.410-748). O casal se amava com devoção. Certo dia, desesperado com a morte do irmão, Céix decidiu consultar um oráculo e preparou-se para a viagem. Alcíone teve uma forte premonição de desastre e suplicou-lhe que não a deixasse: temendo o mar e as tempestades bravias, estava certa de que, se Céix embarcasse, jamais voltaria. Mas o marido estava decidido a viajar e fez o que pôde para acalmar a esposa, prometendo estar de novo em casa dentro de dois meses.

Céix partiu, mas Alcíone tinha razão em seus temores, pois o barco só havia chegado à metade da viagem quando naufragou em uma violenta tempestade e Céix morreu afogado. Alcíone, de nada sabendo, continuou a fazer sacrifícios diários a Hera, pedindo-lhe que nada acontecesse a seu marido, até que a deusa, com pena de suas esperanças, enviou-lhe o deus dos sonhos, Morfeu, durante a noite. Enquanto Alcíone dormia, o enviado chegou disfarçado em

Céix, pálido como a morte, com as roupas desfeitas, cabelo e barba encharcados de água do mar, e falou-lhe do naufrágio e da morte do marido, por afogamento.

Tomada de tristeza, Alcíone acordou e correu para a praia, e lá soube que seu sonho era verdadeiro, ao encontrar o cadáver de Céix sendo trazido pelas ondas, em sua direção. Desesperada, tentou afogar-se também, mas os deuses tiveram pena e transformaram ambos em alcíones, pássaros pescadores, para que pudessem viver sempre juntos, amando um ao outro. Todos os invernos as aves acasalavam e os deuses acalmavam o mar por sete dias, os dias de Alcíone, enquanto Alcíone flutuava tranquilamente na água, cuidava de seu ninho e chocava seus ovos.

Aracne

Aracne (*Metamorfoses* 6.5-145) foi outro mortal que manteve suas características humanas depois da metamorfose. Jovem de origem humilde, exibia incomparável habilidade para tecer que a tornou famosa em toda a Lídia. Até mesmo as ninfas vinham em bandos do campo próximo só pelo prazer de vê-la trabalhar. Por fim Aracne ficou tão orgulhosa de seu talento que disse ser capaz de desafiar Atena, a deusa das artes manuais, para uma competição de tecelagem.

Quando Atena ouviu falar disso, foi encontrar-se com Aracne disfarçada em uma velha e aconselhou a jovem a pedir perdão à deusa por sua loucura. A jovem zombou da velha de maneira grosseira. Mesmo quando Atena reassumiu sua forma original, Aracne não teve medo e continuou a desafiá-la, segura de sua capacidade.

A disputa começou. Atena teceu um tapete que mostrava a disputa na qual havia vencido Poseidon e se tornado patrona de sua cidade, Atenas, enquanto todos os outros deuses olhavam. Nos cantos de seu desenho havia quatro cenas menores, todas mostrando castigos recebidos por mortais presunçosos que ousaram se opor aos deuses, e no contorno os ramos de sua própria árvore, a oliveira. Aracne, por sua vez, teceu um tapete com a grande variedade de disfarces assumidos pelos deuses em seus muitos e variados casos amorosos: Zeus como um touro, com Europa; como um cisne, com Leda; como uma chuva de ouro, com Dânae; Poseidon como um cavalo, com Deméter; como um pássaro, com a Medusa górgona, e assim por diante. Ao redor de todo esse arranjo de enganos divinos, havia flores entremeadas com hera.

Cada ponto do trabalho de Aracne era perfeito. Atena, tomada de fúria, fez em pedaços o tapete da jovem e pôs-se a agredi-la com seu fuso. Quando já não pôde mais suportar, Aracne amarrou um laço no pescoço e se enforcou. Ao vê-la morta, pendente da corda, Atena teve pena: soltou-a e a transformou em aranha, para continuar a tecer em paz usando seu antigo dom. Até hoje seus descendentes ainda tecem suas teias.

Calisto e Arcas

Nem todas as jovens gostavam de passar o tempo dentro de casa executando as tarefas domésticas tradicionais. Calisto ("A mais bela"), caçadora nas montanhas da Arcádia (*Metamorfoses* 2.409-531) e uma das companheiras favoritas da deusa Ártemis, fez voto de castidade. "Mas uma favorita nunca permanece favorita por muito tempo", diz Ovídio com cinismo (2.416). Um dia o sempre amoroso Zeus viu a ninfa descansar no bosque, suada e exausta da caçada, e resolveu aproveitar a oportunidade. Aproximou-se disfarçado de Ártemis, e Calisto, em sua ignorância, recebeu-o afetuosamente. O deus a beijou e, já próximo o suficiente para apertá-la em seus braços, dominou-a. Apesar de a ninfa resistir com todas as forças, foi estuprada e engravidou.

Nove meses se passaram. Em um dia quente, Ártemis levou suas companheiras para um lugar ensombreado a fim de se banharem em um frio riacho. As jovens se despiram rapidamente — todas, menos Calisto, que protelou e inventou desculpas, até que suas amigas a despiram à força. Seu segredo foi revelado, e a deusa, furiosa, baniu a jovem de sua companhia.

Ao saber que Calisto deu à luz um filho, Arcas, Hera ficou tão colérica e enciumada que puniu cruelmente a inocente jovem. Agarrou-a pelos cabelos e atirou-a ao chão (2.477-85):

> E, quando a jovem ergueu os braços para pedir misericórdia, neles começaram a surgir densos pelos negros, e suas mãos foram ficando redondas, com unhas curvas, e se transformaram em patas. Seu lindo rosto que Zeus um dia havia admirado foi deformado por enormes mandíbulas. E, para que ela não pudesse pedir que se apiedassem ou suplicar, a deusa lhe retirou o dom da fala, e somente um grunhido assustador, terrível de se ouvir, saía de sua garganta. Ela agora era uma ursa, mas conservava a mente humana...

Durante quinze anos, Calisto viveu na floresta, frequentemente temendo seres humanos e animais selvagens, sempre a fugir para não ser apanhada e sempre a lamentar seu triste destino. Enquanto isso, Arcas cresceu, sem saber coisa alguma de sua mãe, mas com a mesma paixão pela caça. Um dia o jovem se viu frente a frente com a mãe na floresta. Calisto o reconheceu, mas o caçador recuou assustado com aquela ursa que o olhava tão fixamente. Ao vê-la se aproximar, Arcas, pensando que aquela grande fera estivesse prestes a atacá-lo, ergueu sua lança para matá-la.

Por fim, depois de longos anos, Zeus apiedou-se de Calisto e reteve a mão de seu filho. Em seguida, pegou mãe e filho em um redemoinho e os levou para o céu, onde os imortalizou entre as estrelas. Calisto tornou-se a constelação da Ursa Maior e Arcas passou a ser uma estrela brilhante, Arcturo, o "Guardião da Ursa", sempre seguindo a mãe no céu da noite. Hera, ainda mais zangada do que antes, pediu aos deuses marinhos Oceano e Tétis que jamais permitissem que a constelação de sua rival mergulhasse no mar para descansar como as outras. É por isso que a Ursa Maior nunca desaparece do firmamento e fica eternamente a dar voltas ao redor da Estrela Polar, no alto do céu.

Este era um mito popular (o que não é difícil imaginar) e outras versões só diferem nos pormenores. Às vezes Calisto é transformada em Ursa por Ártemis, furiosa por sua companheira ter quebrado o voto de castidade; outras vezes pelo próprio Zeus, para tentar esconder de Hera sua infidelidade — em vão, como sempre. Outras vezes a ursa é caçada e morta por Ártemis. Há uma versão na qual Calisto, em forma de ursa, vai parar, sem saber, em um santuário proibido de Zeus, ou é perseguida até o local por Arcas, e, como essa violação era punível com a morte, mãe e filho são novamente salvos por Zeus e transportados para o céu. A essência da história permanece, no entanto, a mesma. Calisto foi estuprada por Zeus; deu à luz um filho do qual foi separada; foi transformada em ursa e como tal foi caçada e morta, ou quase morta; e no fim de seus sofrimentos foi recompensada com a imortalidade entre as estrelas.

Aretusa

Aretusa era também uma ninfa que amava a caça (*Metamorfoses* 5.487-641). Feliz a vagar pelas florestas da Élida, no Peloponeso, a jovem não tinha interesse algum pelos prazeres do amor. Ao chegar, exausta, em um dia quente, ao rio Alfeu, fresco, cristalino e tranquilo, ela se despiu, pendurou a roupa em uma árvore e mergulhou nua nas águas do rio. Enquanto nadava, a ninfa percebeu subitamente a proximidade do deus-rio, e saltou para a margem, assustada, fugindo do abraço do deus, mas ainda nua, pois suas roupas estavam na outra margem. O deus, cheio de desejo, pôs-se a persegui-la, e correram então os dois através de planícies e montanhas, sobre pedras, penhascos, até que Aretusa sentiu que não podia mais correr e pediu ajuda a Ártemis. A deusa ouviu o pedido e escondeu-a em uma densa neblina, mas o deus-rio não desistiu de persegui-la, dando voltas à neblina e espiando de perto, pois sabia que sua presa estava lá.

Subitamente, Aretusa se transformou em uma corrente de água e desceu pela encosta da colina. A ninfa poderia ter escapado, mas Alfeu a reconheceu naquelas águas, assumiu novamente sua forma aquosa e misturou-se à torrente. Ártemis ajudou-a novamente: abriu uma fenda na terra, para que a ninfa pudesse atravessar o mar até a Sicília. Lá, na ilha de Ortígia, à entrada da baía de Siracusa, a jovem se transformou na fonte sagrada chamada Aretusa.

Mas Alfeu não desistiu de seu amor. Dizia-se, nos tempos antigos, que o rio corria por baixo do mar até Ortígia e lá misturava suas águas com as da fonte. O geógrafo Estrabão (6.2.4) expressa uma natural descrença em tal fenômeno. No entanto, relata o caso de uma taça atirada no rio Alfeu, no Peloponeso, que reapareceu na fonte Aretusa, em Ortígia, e também o fato de as águas da Sicília ficarem coloridas em consequência dos sacrifícios de bois na distante Olímpia, por onde passa o rio Alfeu.

Dafne

Dafne era também uma ninfa que fez voto de castidade e sofreu igualmente uma transformação para proteger sua virtude, porém em algo mais sólido do que aquilo que Aretusa se tornara (*Metamorfoses* 1.452-567).

O deus Apolo tinha uma pontaria certeira e a arma de sua predileção era o arco e seta, mas, certa vez, em uma atitude nada sábia, fez pouco da destreza de Eros como arqueiro. O deus do amor vingou-se afligindo Apolo com as dores de uma paixão não correspondida: voou até o alto do monte Parnaso e de lá disparou duas de suas poderosas setas. A primeira, afiada e de ouro, do tipo que acende no coração a chama do amor, acertou Apolo, bem na medula dos ossos e o fez se apaixonar violentamente pela ninfa Dafne, filha do deus-rio, Peneu. A segunda seta, rombuda e com ponta de chumbo, do tipo que repele o amor, atingiu Dafne, que passou a não ter o menor interesse por homens ou por casamento, apesar de ter muitos pretendentes por causa de sua beleza. Tudo o que a ninfa queria era se manter virgem até o fim dos seus dias.

Assim, quando Apolo a perseguiu, viu-a fugir, mais ligeira do que o vento. O deus, inspirado pelo amor, correu ainda mais e estava a ponto de alcançá-la quando os dois chegaram à margem do rio do pai de Dafne, que, desesperada, suplicou que a socorresse. O deus-rio agiu imediatamente (1.548-67):

> Suas preces mal haviam terminado e seus membros começaram a ficar pesados e insensíveis, seus ternos seios foram cobertos por uma delicada casca, seus cabelos se transformaram em folhas, seus braços, em galhos, e seus pés ligeiros criaram raízes no chão, enquanto sua cabeça se transformava em copa de árvore. Nada dela permaneceu, a não ser sua beleza e sua graça.
>
> Apolo continuou a amá-la, mesmo depois da transformação em árvore. Ele colocou a mão onde achava que seu coração batia, sob a casca, e, abraçando os galhos como se fossem braços, beijou a madeira, mas mesmo como madeira ela não quis saber de seus beijos. Então o deus disse: "Já que nunca poderás ser minha esposa, minha árvore, pelo menos, tu serás. O loureiro daqui por diante adornará meus cabelos, minha lira e minha aljava, e, como minha cabeça permanecerá sempre jovem e meus cabelos jamais cairão, poderás também usar para sempre tua gloriosa coroa de folhas que jamais fenecem ou caem." O loureiro curvou seus galhos recém-criados e pareceu assentir com sua copa cheia de folhas.

A coroa de louros tornou-se o prêmio dos vencedores nos Jogos Píticos em homenagem a Apolo e é, desde então, um símbolo da vitória.

HERMAFRODITO

Nem todas as ninfas se dedicavam à castidade nem fugiam dos homens que as desejavam: às vezes tomavam a iniciativa em questões de sexo. Salmacis foi uma dessas (*Metamorfoses* 4.285-388).

Hermafrodito era filho de Hermes e Afrodite, e seu nome é composto pela combinação de ambos. Quando bebê, foi criado por ninfas nas cavernas do monte Ida, mas tão logo completou quinze anos partiu para conhecer o mundo, visitando muitos lugares remotos pelo puro prazer de viajar. Chegou a reinos distantes como a Lícia, e de lá seguiu para Cária, onde, em um dia fatídico, chegou a um belo lago de águas cristalinas, cercado por linda relva. Ali era o lar da ninfa das águas Salmacis, que não gostava de passar o tempo caçando com a rápida Ártemis e suas companheiras, mas sim banhando seu corpo naquele lindo lago, penteando seus longos cabelos e descansando na relva macia.

Salmacis estava colhendo flores quando Hermafrodito se aproximou, e, tão logo viu o belo menino, decidiu que o possuiria. Sugeriu que fizessem amor ali mesmo, naquele momento, mas o jovem, que nada sabia ainda de sexo, simplesmente ficou ruborizado e confuso. Quando a ninfa colocou os braços em volta do seu pescoço e tentou beijá-lo, Hermafrodito a repeliu bruscamente.

A ninfa fingiu ir embora, mas se escondeu atrás de um arbusto e ficou a espiá-lo enquanto ele se despia para nadar no lago. Tão logo o viu na água, Salmacis atirou longe suas vestes e lançou-se na água para persegui-lo, abraçando-o apaixonadamente e enroscando-se em seu corpo como hera em um tronco. O jovem resistiu, lutando violentamente contra seus abraços, mas não conseguiu evitá-los, pois Salmacis pediu aos deuses que ficasse unida para sempre ao seu amado e os dois corpos se fundiram em um só. O resultado foi um corpo que não era masculino nem feminino, com seios e proporções femininas e genitais de ambos os sexos.

Quando Hermafrodito sentiu a súbita fraqueza nas pernas e se deu conta de que era apenas parcialmente homem, fez também uma súplica (com voz já um tanto feminina), pedindo a seus pais divinos que fizessem que todos os outros homens que se banhassem naquele lago se tornassem também fracos e efeminados — e sua prece foi atendida.

O geógrafo Estrabão relata (14.2.16) que até em sua época acreditava-se que o lago ainda tivesse esse poder.

ÍFIS

Outro mito que trata da mudança de sexo é o de Ífis, nascido de pais humildes, Ligdos e Teletusa, perto de Cnossos, em Creta (*Metamorfoses* 9.666-797). Ligdos tinha recursos para sustentar apenas um filho e queria ter um menino, por isso quando Teletusa estava para dar à luz pela primeira vez seu marido avisou que, se o bebê fosse menina, não poderia viver. Ambos choraram ante a ideia, mas Ligdos estava decidido e assim teria de ser.

Na época devida nasceu uma menina, mas Teletusa, inspirada pela deusa Isis em um sonho, enganou a todos dizendo que o bebê era um menino. Ninguém duvidou da palavra da mãe e a criança recebeu o nome de Ífis, que era comum a meninos e meninas, e por treze anos Teletusa manteve seu segredo e criou a filha como se fosse filho.

Passado esse tempo, Ligdos prometeu seu filho em casamento a Iante, a mais bela moça do lugar, e o casal se apaixonou. Iante, que nada sabia do engano, ansiava pelo casamento com genuína alegria, mas a pobre Ífis estava aflita pelo que julgava ser um amor não natural por alguém do mesmo sexo. Teletusa também estava profundamente aflita e não parava de arranjar pretextos para adiar o casamento. Por fim, já havia usado todas as desculpas que pôde encontrar e aquilo não podia mais ir adiante. A mãe desesperada recorreu novamente a Ísis, e a deusa, apiedando-se, transformou sua filha em rapaz, e então o alegre Ífis se casou com sua amada Iante.

Vertumno e Pomona

Um Ífis diferente foi personagem de uma história contada por Vertumno, o deus romano dos pomares e das mudanças de estação, na esperança de conquistar a mulher amada (*Metamorfoses* 14.623-771).

Pomona era uma ninfa dos bosques que amava o campo, e gostava sobretudo das árvores frutíferas. A jovem passava os dias, feliz, a cuidar de seus férteis pomares, sem pensar em namorar. De seus muitos pretendentes, Vertumno era o que mais a amava, mas sua sorte não era melhor do que a dos demais. Apesar de poder assumir a forma que desejasse, ao se disfarçar de hortelão, pastor, pescador ou coisas assim, e se aproximar de sua amada para apreciar sua beleza, nem uma única vez conseguiu ser olhado com interesse.

Por fim, o pretendente se transformou em uma velha. Apoiando-se em um bastão, entrou nos jardins de Pomona e admirou suas vistosas frutas. Depois falou em causa própria, elogiando as esplêndidas qualidades de Vertumno e o ardor de seu amor. Para amaciar o coração de Pomona, a velha lhe contou a história de Anaxárete e Ífis.

Anaxárete era uma princesa cipriota amada por Ífis, um homem de origem humilde que a adorava de longe, enviava mensagens de amor pelas servas do reino e colocava guirlandas de flores molhadas de lágrimas à sua porta. O objeto do amor da jovem era, contudo, um rapaz cruel e arrogante que respondeu às suas propostas com insensibilidade e zombaria. Por fim Ífis não suportou mais e se enforcou no portal de sua casa. No dia do cortejo fúnebre, Anaxárete subiu ao alto da casa para olhar a rua de sua janela, e tão logo viu o jovem passar em seu esquife, morto por amor a ela, teve o corpo esvaziado de vida e se transformou em uma pedra, para combinar com a dureza de seu coração.

Vertumno terminou a história e reassumiu sua forma normal. Tão belo era que Pomona, fascinada por sua beleza, finalmente o amou com uma paixão à altura da sua.

Pico e Canente

Pico era também uma divindade romana. Filho de Saturno e rei do Lácio, foi, originalmente, um deus do campo. Assumiu a forma de um pica-pau, o pássaro sagrado de Marte, e como tal adquiriu fama por seus dons de profecia.

Quando Pico tinha aproximadamente vinte anos de idade, era tão formoso e valente que atraía todas as ninfas dos bosques e das águas das redondezas, mas só tinha amor por uma delas, Canente ("Canto"), filha do deus Jano (*Metamorfoses* 14.310-434). Canente era encantadora e sua voz, mais encantadora ainda. Era tão bela que seu canto podia comover até as rochas e as árvores, acalmar feras e interromper o curso de rios. Tinha também muitos pretendentes, mas a ninfa só quis saber de um, Pico, e tornou-se sua esposa.

Certo dia Pico deixou-a em casa a cantar e saiu com os amigos para caçar um javali selvagem na floresta. Montado em um corcel impetuoso e vestindo uma bela capa cor de púrpura presa com um broche de ouro, era uma esplêndida visão. Certamente foi isso o que Circe achou ao vê-lo passar. As ervas que havia acabado de colher caíram de suas mãos e a feiticeira sentiu intenso desejo. Quando conseguiu controlar seus pensamentos, Circe criou um javali fantasma que passou correndo diante do jovem rei e o atraiu para o coração da floresta, fazendo-o se perder. Ela então surgiu à sua frente e pediu que fizessem amor, mas em vão, pois o jovem se recusou a trair sua amada Canente. A feiticeira rejeitada o transformou em um pica-pau: suas penas tinham um matiz púrpura, a cor de sua capa, e seu broche tornou-se parte da plumagem que cercou seu pescoço com um anel de ouro. Seus companheiros de caça procuraram-no por toda parte, mas encontraram apenas Circe — que transformou a todos em animais selvagens de várias espécies.

Canente aguardou em vão o regresso do amado marido e por fim partiu, ansiosa, à sua procura. Por seis dias e seis noites vagou pelo campo sem comer ou dormir, e finalmente, prostrada pela tristeza, a jovem se deitou junto ao rio Tibre. Lá se deixou ficar, a chorar e a cantar suas dores, até seu corpo ser dissolvido pela tristeza e se evaporar no ar.

Filêmon e Baucis

Filêmon e Baucis (*Metamorphoses* 8.618-724) eram velhos camponeses da Frígia que, como Pico e Canente, amavam-se com devoção. Ao contrário do jovem casal, porém, tiveram a sorte de viver felizes juntos por muitos anos, em uma humilde cabana na encosta de uma montanha. Como sempre foram pobres, seu lar tinha telhado de palha e folhas e era escassamente mobiliado, mas ali os dois viviam satisfeitos desde que se casaram.

Certa vez Zeus e Hermes, disfarçados em mortais, viajavam pela Frígia e procuravam um lugar para descansar. Foram rejeitados em mil casas, mas por fim chegaram à cabana de Filêmon e Baucis, que os acolheram afetuosamente e prepararam uma refeição simples porém saborosa. Durante o jantar, o casal percebeu, perplexo e assustado, que o jarro de vinho se mantinha cheio, por iniciativa própria. Ante tal milagre, se deram conta de que seus visitantes eram deuses e decidiram matar o único ganso que tinham em homenagem aos hóspedes divinos.

Mas a idade os tornara lentos, e o ganso, ágil, não se deixava apanhar. Os deuses disseram que o deixassem viver e que o seguissem pela encosta da montanha. Os velhos subiram a montanha com dificuldade, apoiando-se em seus cajados, e, quando já estavam chegando ao topo, voltaram-se e olharam para baixo. Viram então toda a terra coberta por uma enchente enviada pelos deuses para punir as pessoas que não tinham sido hospitaleiras, e apenas a cabana do casal ficou acima d'água. Ante seu olhar perplexo, a pequena casa se transformou em um maravilhoso templo com colunas e chão de mármore e telhado de ouro. Os deuses se prontificaram a realizar um pedido seu, e o casal pediu para servir como sacerdote e sacerdotisa do templo até o dia de sua morte. Pediu também que a morte chegasse para eles ao mesmo tempo, para que nenhum dos dois sofresse a dor da separação.

E assim foi. Filêmon e Baucis cuidaram do templo enquanto viveram e, um dia, quando já estavam muito velhos, no momento da morte foram transformados em árvores, um carvalho e uma tília, que cresceram lado a lado.

Dríope

Nem todas as transformações em árvores foram tão tranquilas e agradáveis quanto aquela. Dríope era filha de Êurito, rei da Ecália (*Metamorfoses* 9.327-93) e, de todas as mulheres da Ecália, era a mais adorável, tão bela que Apolo a desejou. O deus a estuprou e a deixou grávida, mas a jovem manteve segredo e pouco depois se casou com o mortal Andrêmon. Na época devida, Dríope deu à luz o filho de Apolo, Anfisso.

Um dia, quando Anfisso ainda não tinha completado um ano de idade, Dríope passeava junto a um lago com seu bebê nos braços, quando viu um lótus coberto de botões vermelhos e brilhantes. Ela colheu algumas flores, para que o filho brincasse, mas infelizmente aquele lótus não era uma planta comum: a planta havia sido uma ninfa, Lótis, cuja transformação a salvara do estupro em sua fuga do exuberante Príapo. Os ramos da planta tremeram e os botões colhidos começaram a sangrar. Dríope ficou apavorada e tentou fugir dali, mas seus pés estavam presos ao chão e seu corpo foi se transformando também em um lótus. A jovem mal teve tempo de se despedir do marido e pedir que cuidasse do filho, antes que a apavorante casca se formasse à sua volta.

Mirra

Mirra também se transformou em árvore, mas esse caso foi uma resposta a suas próprias preces (*Metamorfoses* 10.298-514). Mirra teve o infortúnio de se apaixonar por seu pai, Ciniras, rei da Síria. Apesar de ter incontáveis pretendentes que vinham de muito longe para cortejá-la, não se apaixonava por nenhum e desejava apenas seu pai. Os animais se acasalavam livremente, a despeito de seu parentesco, raciocinava, então por que não os humanos? Mas Mirra se envergonhava daquele amor incestuoso, pois sabia que era errado, e repetidamente rogava, em vão, que se livrasse daquilo.

Certa noite, desesperada, vendo que seu tormento não teria fim, decidiu enforcar-se. Sua fiel ama chegou a tempo de impedir que Mirra se matasse. A velha senhora decidiu acabar com aquele sofrimento, e, com tal intenção em mente, aproximou pai e filha, convencendo Ciniras a se deitar com Mirra ao dizer que se tratava de uma bela jovem que estava apaixonada e desejava compartilhar de seu leito. Assim, pois, o rei fez amor com a jovem sem saber, no escuro, que era a própria filha. Por muitas noites Mirra foi para sua cama na escuridão, e por fim Ciniras quis ver o rosto daquela com a qual fazia amor com tanta frequência. Ao acender uma lamparina e ver a companheira de leito, sua cólera foi grande demais para se expressar em palavras. O rei ergueu sua espada para matá-la, mas a filha conseguiu fugir do palácio.

Mirra estava grávida e por nove meses vagou pelo mundo, a penar. Por fim, cansada da vida, mas com medo da morte, pediu aos deuses que a salvassem transformando-a em algo diferente do que era. Enquanto falava, foi transformada em uma árvore, a mirra. As gotas de mirra que escorriam por seu tronco eram as lágrimas derramadas por seu triste destino. A deusa do parto retirou seu bebê do tronco, e as ninfas colocaram-no na relva macia e banharam-no nas lágrimas da mãe. Deram-lhe o nome de Adônis, que também viria a sofrer com um amor trágico — que será contado em outro capítulo (p. 519).

Bíblis e Cauno

Outro amor incestuoso com um final trágico foi de Bíblis, por seu irmão gêmeo Cauno (*Metamorfoses* 9.450-665). Seu pai era Mileto, filho de Apolo e rei da cidade que tem seu nome, sua mãe era a ninfa Cianeia, filha do deus-rio Meandro. Irmã e irmão cresceram felizes juntos, e por muito tempo Bíblis pensou que seu amor por Cauno fosse um simples afeto fraterno. Aos poucos ela foi se dando conta de que o sentimento que tinha pelo irmão era maior do que esse, quando as noites passaram a lhe trazer sonhos extasiantes da paixão entre os dois.

Bíblis acabou por escrever uma carta a Cauno, contando seu desejo, mas a confissão provocou apenas uma furiosa rejeição. Ainda assim a jovem persistiu, tentando seduzi-lo face a face, mas era constantemente rejeitada. Cauno sentiu-se forçado a deixar Mileto para sempre e partiu para a Cária, ao sul, onde fundou a cidade com seu nome.

A tristeza e a saudade deixaram Bíblis quase louca. A jovem também partiu de sua cidade e vagou por muitas terras à procura do irmão, sem o encontrar. Por fim, exausta demais para prosseguir, deitou-se na terra e chorou tanto, sem parar, que se consumiu em lágrimas e foi transformada em uma fonte de águas, que nunca secava.

Pigmaleão e Galateia

Pigmaleão também sofreu com um amor de certa forma incestuoso, mas que teve final feliz (*Metamorfoses* 10.234-97). Escultor na ilha de Chipre, estava decidido a não se casar, pois se desencantara com o sexo feminino e havia desistido de encontrar uma mulher viva, merecedora de seu amor. Entrementes, com grande talento artístico, entalhou em marfim uma estátua de mulher mais bela do que qualquer humana já nascida. Tão linda que o artista se apaixonou perdidamente por sua própria criação. Pigmaleão a beijava e se imaginava correspondido. Abraçava-a, falava com ela e trazia-lhe presentes que jovens gostam de receber: belas pedras e conchas, flores, contas e âmbar. Vestia-a com túnicas femininas e a enfeitava com joias, depois a despia e a deitava em seu leito cheio de almofadas macias e a chamava de sua companheira de leito.

Chegou a época da celebração do festival de Afrodite, e, depois de fazer oferendas à deusa, Pigmaleão suplicou que pudesse encontrar uma esposa igual à sua jovem de marfim. Mas Afrodite sabia qual era o real desejo de seu coração e, quando o escultor voltou para casa e beijou sua estátua, ela ganhou vida em seus braços. Ao abrir os olhos pela primeira vez, a bela criatura viu a luz do dia e seu amante ao mesmo tempo. Casaram-se e tiveram uma filha, Pafos, que deu seu nome à cidade de Pafo, principal centro do culto a Afrodite na ilha de Chipre.

Ovídio não deu nome à jovem de marfim de Pigmaleão, que só passou a se chamar Galateia depois do período clássico.

Polifemo, Ácis e Galateia

Houve uma outra Galateia, uma ninfa do mar por quem o ciclope Polifemo tinha uma paixão não correspondida (*Metamorfoses* 13.738-897). Já estamos familiarizados com a brutal selvageria do ciclope por causa de seu encontro com Odisseu, na *Odisseia* de Homero (p. 380), e esse inesperado namoro mostra um lado mais suave do velho monstro.

Polifemo estava tão inflamado de amor por Galateia que negligenciou seus rebanhos e até mesmo se esqueceu de sua fúria assassina. O ciclope passava o tempo cuidando de sua aparência, penteando seus cabelos hirsutos com um ancinho, aparando a barba desgrenhada com uma foice e inspecionando sua pouco sedutora aparência refletida na água. Tudo em vão, pois Galateia abominava-o com o mesmo fervor com que amava o belo Ácis, jovem filho de Fauno e da ninfa do rio Simetis.

Aconchegada nos braços do amante, a jovem ouvia a canção que o gigante cantava para atraí-la sentado na encosta da montanha, acompanhando a si mesmo com um conjunto de flautas de Pã, feitas com cem caniços. Suas cavernas, cantava, eram frescas no verão e aconchegantes no inverno. O ciclope oferecia à amada todas as riquezas da natureza — maçãs, morangos, uvas, cerejas, ameixas e castanhas — bem como as riquezas de seu enorme rebanho. Animais de estimação, também, prometia dar-lhe, e não apenas os comuns, como corças, lebres ou pombos, mas um casal de filhotes de ursos, guardados só para a jovem. Sua aparência, dizia, não era um empecilho, pois, apesar de ser *grande*, seu corpo era coberto de pelos, atraente em homens. De fato, tinha um só olho, mas esse olho era grande como um escudo.

Assim cantava, mas para a sua frustração seu empenho não recebia resposta. Furioso, então, como um touro que perdeu sua vaca, Polifemo se pôs a andar pela ilha e acabou encontrando ninguém menos que sua amada Galateia, nos braços de Ácis, esquecida do mundo. Tomado de cólera, o ciclope arrancou um pedaço de pedra da montanha e o atirou no casal. Galateia conseguiu fugir para o mar, mas seu pobre amante foi completamente esmagado pela pedra. Só restou transformar Ácis em um rio, que, desde então, tem seu nome.

Cila e Glauco

Cila é também um medonho monstro homérico, que vivia em uma caverna na encosta de um despenhadeiro e, com suas seis assustadoras cabeças, pescava marinheiros (p. 390). Mas a criatura não teve sempre essa forma: havia sido, antes, uma bela moça (*Metamorfoses* 13.730-14.74). A jovem rejeitava seus muitos pretendentes e preferia passar o tempo com as ninfas do mar, e recusou até o deus marinho Glauco (p. 334), que tentou conquistá-la. Glauco, porém, não perdeu as esperanças e procurou Circe para pedir-lhe uma poção de amor. Infelizmente a feiticeira apaixonou-se por Glauco e o quis para si, mas o deus rejeitou seus apelos, dizendo que não conseguiria pensar em outra que não Cila, enquanto a jovem vivesse.

A enciumada feiticeira ficou furiosa ao ser preterida por uma jovem comum, e já que nada poderia fazer contra o divino Glauco, como gostaria, envenenou o lago em que Cila costumava se banhar, vertendo em suas águas possantes drogas mágicas enquanto dizia misteriosas palavras. Tão logo a jovem entrou na água para se banhar, seis cães ferozes cresceram no lugar de suas pernas e se tornaram as aterradoras cabeças que daí em diante abocanhariam suas vítimas. Passado muito tempo, a criatura foi transformada em rochedo e, como tal, é ainda hoje um terror para os marinheiros.

Midas

Para concluir com uma história mais leve, temos a narrativa sobre Midas, rei da Frígia (*Metamorfoses* 11.85-193). Quando o deus Dioniso passava certo dia pela Frígia, com seu cortejo de mênades e sátiros, uns camponeses prenderam um velho gordo, já bem embriagado, e o levaram até seu rei. Midas logo reconheceu Sileno, o mais velho e mais sábio companheiro de festejos de Dioniso, e tratou o velho com grande honra e prodigalidade durante dez dias, para, no décimo primeiro, levá-lo de volta para o deus. Dioniso, em sinal de gratidão, prometeu a realização de um desejo à escolha. Midas — que não era o mais perspicaz dos mortais — pediu-lhe que tudo que tocasse se transformasse em ouro.

O desejo foi concedido e o rei partiu, feliz, vendo transformar-se em ouro tudo que tocava: gravetos, pedras, terra, espigas de trigo, maçãs. Tudo, de fato, virava ouro. Mas Midas não tardou a se arrepender do seu pedido. Sua comida e sua bebida transformavam-se também em ouro, e nada podia fazer para saciar sua fome e sua sede. Por fim, implorou a Dioniso que retirasse aquele dom mal-escolhido, e o deus lhe disse que se banhasse nas águas do rio Pactolo, perto de Sárdis. Midas assim o fez, deixando que a correnteza lavasse seu maravilhoso "toque de ouro", e desde então as areias desse rio são douradas.

Depois disso, Midas não desejou mais a riqueza e passou a levar uma vida rural, adorando Pã, deus das áreas selvagens. O rei, contudo, não era mais tão sábio quanto antes. Certo dia, Apolo e Pã disputaram um concurso musical, cujo juiz era Tmolos, um deus da montanha. Tmolos declarou Apolo vencedor, e todos os que ali estavam, inclusive as ninfas e o próprio Pã, concordaram com o resultado, exceto Midas, que interveio dizendo que a decisão do deus da montanha havia sido injusta. Furioso, Apolo transformou suas orelhas, que obviamente ouviam tão mal, em orelhas de burro, longas, cobertas de pelos hirsutos e que sempre se mexiam.

Midas ficou mortificado e tentou escondê-las, vergonhosas, sob um simpático turbante. Contudo, uma pessoa no mundo estava obrigada a descobrir o humilhante segredo: seu barbeiro, que as viu ao cortar os cabelos do rei, e ficou ansioso para passar adiante aquela fascinante novidade. Não ousou fazê-lo, pois, afinal, tratava-se do rei. Mas, por outro lado, como não conseguia ficar totalmente em silêncio, fez um fundo buraco no chão e sussurrou a informação em seu interior. Depois cobriu o buraco e se foi, em silêncio. E, no lugar onde foi enterrado o segredo, nasceu uma moita de junco que, sempre que balançada pelo vento, sussurrava "Midas tem orelhas de burro! Midas tem orelhas de burro!"

17. Mitos de amor e morte

Os capítulos anteriores deste livro contêm incontáveis mitos que tratam de guerras, violência, morte de monstros, vinganças e coisas assim. Portanto, vamos terminá-lo de maneira assumidamente romântica, com algumas inspiradoras histórias de amor — e também do que costuma acompanhar o amor em tais mitos: a morte. Mas, em nossa história final, é a morte que é (devidamente) derrotada, seu domínio, rompido, enquanto o amor continua a viver.

Hero e Leandro

Hero e Leandro eram amantes que viviam em lados opostos do Helesponto (estreito de Dardanelos). Hero era sacerdotisa de Afrodite em Sestos, e todas as noites acendia uma lamparina na janela da torre onde morava, para guiar Leandro enquanto ele atravessava o estreito a nado, a partir de Abidos. Os dois ficavam juntos até o raiar do dia e então o rapaz nadava de volta para casa. Dessa maneira se encontraram e fizeram amor em muitas noites de verão.

Chegou o inverno, com seu frio e suas tempestades, mas ainda assim Hero acendia sua lamparina e Leandro enfrentava o mar traiçoeiro. Uma noite, porém, durante violenta tempestade, a sacerdotisa não percebeu que o vento tinha apagado sua lamparina. Sem o sinal de luz, Leandro se perdeu nas ondas escuras e se afogou. Na manhã seguinte, Hero olhou para baixo e encontrou seu corpo, que as ondas haviam levado para a praia. Desesperada de dor, se lançou do alto da torre e caiu para a morte, ao lado do amante.

A história desse trágico amor foi escrita provavelmente em um poema alexandrino, mas na literatura remanescente nós a encontramos pela primeira vez em Virgílio (*Geórgicas* 3.258-63) e em Ovídio (*Heroides* 18 e 19). É, no entanto, em *Hero e Leandro*, poema de Museu, do final do século V ou início do século VI, provavelmente, que essa história é tratada de maneira mais completa. O mito tem inspirado muitos outros poetas desde então. Shakespeare dá à história um toque de humor em sua comédia As You Like It [*Como gostais*], na qual Rosalind se refere ao mito para demonstrar que, na verdade, ninguém morre de amor (IV.i.88-95):

> Leander, he would have liv'd many a fair year though Hero had turn'd nun, if it had not been for a hot midsummer night; for (good youth), he went but forth to wash him in the Hellespont, and being taken with the cramp, was drown'd; and the foolish chroniclers of that age found it was "Hero of Sestos". But these are all lies. Men have died from time to time, and worms have eaten them, but not for love.*

Lord Byron sentiu-se levado a repetir o feito de Leandro e, em maio de 1810 (note-se, não na pior época do ano), nadou de Sestos a Abidos e

---

* Leandro, esse teria vivido muitos anos, embora Hero se fizesse freira, se não fosse por uma noite quente de pleno verão; pois (bom jovem) ele foi se banhar no Helesponto e, assaltado por uma câimbra, afogou-se; e os tolos cronistas da época inventaram a história de "Hero de Sestos". Mas é tudo mentira. Homens morrem de tempos em tempos e vermes os têm devorado, mas não por amor.

relatou o resultado em *Written after Swimming from Sestos to Abidos* [Escrito após nadar de Sestos a Abidos]:

> If, in the month of dark December,
>   Leander, who was nightly wont
> (What maid will not the tale remember?)
>   To cross thy stream, broad Hellespont!
> If, when the wintry tempest roar'd,
>   He sped to Hero, nothing loth,
> And thus of old thy current pour'd
>   Fair Venus! How I pity both!
>
> For *me*, degenerate modern wretch,
>   Though in the genial month of May,
> My dripping limbs I faintly stretch,
>   And think I've done a feat today.
> (...)
> 'Twere hard to say who fared the best:
>   Sad mortals! thus the Gods still plague you!
> He lost his labour, I my jest;
>   For he was drowned, and I've the ague.*

Voltemo-nos para A. E. Housman a fim de restaurarmos o romantismo da história. Ele viu o amor de Hero e Leandro como um símbolo da natureza efêmera da felicidade ("*Tarry, delight, so seldom met*", em *More Poems*):

---

* Se, no mês do escuro dezembro,/ Leandro, de quem todas as noites se esperava/ (Que moça não se lembrará da história?) /Que atravessasse tuas águas, vasto Helesponto!/ Se, quando a tempestade de inverno rugia,/ Ele partia para junto de Hero, nada a temer/ E assim no passado tua correnteza enfrentou / Bela Vênus! como o lamento a ambos!// Quanto a *mim*, pobre degenerado moderno,/ ainda que no encantador mês de maio,/ Minhas pernas molhadas estico sem forças,/ E creio ter hoje realizado uma proeza.// (...) // Difícil dizer quem se saiu melhor:/ Tristes mortais! assim os deuses ainda os perseguem!/ Ele perdeu a vida, eu, a graça;/ Pois ele se afogou, e eu tenho febre.

By Sestos town, in Hero's tower,
  On Hero's heart Leander lies;
The signal torch has burned its hour
  And sputters as it dies.

Beneath him, in the nighted firth,
  Between two continents complains
The seas he swam from earth to earth
  And he must swim again.*

Píramo e Tisbe

Píramo e Tisbe moravam em casas adjacentes na Babilônia. Eram amigos e ao crescerem se apaixonaram um pelo outro. Seus pais se recusaram a permitir que se casassem e até mesmo a se encontrarem, mas, por sorte, os jovens descobriram uma fresta na parede entre as duas casas e através dela passavam horas a fio sussurrando palavras de amor. Quando tinham que se despedir, beijavam a parede que os separava, já que não podiam se beijar.

Almejando ficar verdadeiramente junto, o casal combinou de sair às escondidas na calada da noite e se encontrar no campo. O ponto de referência era o túmulo de Nino, à sombra de uma amoreira-branca que estava repleta de frutos. Na hora combinada, Tisbe, com o rosto velado, chegou primeiro e sentou-se debaixo da amoreira, mas assustou-se e fugiu ao ver uma leoa que se aproximava, depois de matar uma presa, a caminho de uma fonte próxima para beber água. A menina, assustada, fugiu para uma caverna que ficava perto, mas ao correr deixou cair seu véu. Quando a leoa voltava para a floresta, encontrou o véu e o estraçalhou com suas mandíbulas sujas de sangue.

---

* Na cidade de Sestos, na torre de Hero,/ No coração de Hero Leandro está;/ O sinal da tocha queimou seu tempo/ E crepita ao morrer.// Abaixo dele, no mar noturno,/ Entre dois continentes queixam-se/ Os mares que ele nadou de terra a terra/ E que precisa nadar de volta.

Pouco depois, Píramo chegou e viu as pegadas da leoa, e, pior ainda, o tecido rasgado e todo sujo de sangue. Reconhecendo o véu e cheio de remorsos por ter causado, a seu ver, a morte de Tisbe, o jovem se mata com a espada sob a árvore onde tinham planejado se encontrar. Ao voltar, Tisbe viu o corpo de seu amado e ficou desesperada. A jovem se junta ao seu amado na morte, enterrando no peito a mesma espada, ainda morna do corpo mortalmente ferido. Quando seus pais encontraram os cadáveres, comovidos tarde demais com aquele amor, decidiram enterrar suas cinzas na mesma urna. A fruta branca da amoreira tingiu-se com o sangue derramado e passou a ter, desde então, a cor vermelho-escura.

O mito desses amantes predestinados a morrer prematuramente foi imortalizado por Ovídio (*Metamorfoses* 4.55-166) e tornou-se uma fonte de inspiração para poetas posteriores como Chaucer, que conta essa história em "*The Legende of Goode Women*" ["A lenda das mulheres gentis"], mas talvez a versão mais famosa seja a de Shakespeare. Ele a transforma em "*The Most Lamentable Comedy and Most Cruel Death of Pyramus and Thisbe*", ("A muito lamentável comédia e muito cruel morte de Píramo e Tisbe"), representada por Bottom, o tecelão, e seus amigos em *A Midsummer Night's Dream* [*Sonho de uma noite de verão*], quando os amantes se encontram junto ao "túmulo de Ninny". Aqui, Tisbe encontra Píramo morto (V.i.332):

> Asleep, my love?
>   What, dead, my dove?
> O Pyramus, arise!
>   Speak, speak! Quite dumb?
>   Dead, dead! A tomb
> Must cover thy sweet eyes.
>   These lilly lips,
>   This cherry nose,
> These yellow cowslip cheeks,
>   Are gone, are gone;
>   Lovers, make moan!

His eyes were green as leeks,
    O Sisters Three,
    Come, come to me,
With hands as pale as milk;
    Lay them in gore,
    Since you have shore
With shears his thread of silk.
    Tongue, not a word.
    Come, trusty sword;
Come, blade, my breast imbrue:
              [*Stabs herself.*
    And farewell, friends;
    Thus Thisby ends:
Adieu, adieu, adieu.
              [*Dies.**

Prócris e Céfalos

Píramo. Nem Shafalo com Procro foi tão sincero.
Tisbe. Como Shafalo com Procro, eu com você.

É assim que Bottom e Flute pronunciam os nomes de Céfalo e Prócris em *A Midsummer Night's Dream* [*Sonho de uma noite de verão*]. Mais uma vez, é Ovídio quem dá a versão mais conhecida desta trágica história de amor (*Metamorfoses* 7.672-862).

    Céfalo era neto de Éolo, rei da Tessalônica, e vivia feliz com sua esposa Prócris, filha de Erecteu, rei de Atenas. Foi no segundo mês de seu casamento que a deusa da aurora se apaixonou por Céfalo. Sempre

---

* Dormes, meu amor?/ Como, morto, meu querido?/ Ó, Píramo, acorda!/ Fala, fala! Está mudo?/ Morto, morto! Um túmulo/ Deve cobrir teus belos olhos./ Estes lábios de lírio,/ Este nariz de cereja,/ Estas faces de primavera,/ Acabou tudo, acabou tudo:/ Amantes, lastimai!/ Seus olhos eram verdes como a mata./ Ó, Três Irmãs,/ Vinde, vinde para mim,/ Com mãos brancas como o leite;/ Tocai neste sangue,/ Já que cortastes/ Com tesoura seu fio de seda./ Língua, calada./ Vem, fiel espada;/ Vem, lâmina, meu peito tingir:/ [*Ela se fere*]/ E adeus, amigos;/ Assim finda Tisbe:/ Adeus, adeus, adeus./ [*Morre*]

pronta para se apaixonar, pronta para tomar para si qualquer jovem belo que lhe passasse pela frente, Eos o carregou para seu próprio deleite, embora contra a vontade. A deusa logo se cansou do rapaz, pois tanto falava sobre sua jovem esposa, sobre os laços do matrimônio e sobre os votos nupciais que foi mandado de volta para casa. Eos, contudo, era, infelizmente, vingativa o bastante para dar a Céfalo a ideia de se disfarçar, para testar a fidelidade de Prócris, e até o ajudou alterando-lhe a aparência.

Céfalo regressou a Atenas tão bem disfarçado que ninguém o reconheceu. O jovem foi até sua casa e passou a cortejar a esposa, oferecendo-lhe inúmeros presentes para que se deitassem. Durante muito tempo Prócris se manteve firmemente fiel, rejeitando tudo o que era oferecido, mas quando, por fim, o pretendente prometeu uma enorme fortuna em troca de uma noite em sua cama, a dama hesitou. Céfalo então revelou sua verdadeira identidade e a acusou de infidelidade.

Dominada pela vergonha e com ódio de todos os homens por causa do enganoso ardil de seu marido, Prócris fugiu e foi viver nas montanhas. Lá se dedicou à caça, como seguidora da deusa Ártemis. Mas, agora que a perdera, Céfalo passou a amar a esposa mais do que nunca, por isso foi procurá-la, suplicou que lhe perdoasse e confessou (com razão) que tinha agido mal. Prócris acabou aceitando suas desculpas e, novamente juntos, voltaram para casa e viveram alguns anos muito felizes.

Prócris, porém, não havia retornado das montanhas de mãos vazias. Levou para casa dois presentes de Ártemis — um cão de caça chamado Lélaps, que nunca perdia uma presa, e um dardo que jamais errava o alvo. A jovem deu os dois presentes a Céfalo, que usou o cão para se livrar da raposa Teumessiana, um animal feroz predestinado a não não ser caçado, que afligia cruelmente o povo de Tebas (p. 191). O cão infalível, portanto, prestou bom serviço, mas o dardo certeiro acabou por provocar uma tragédia.

Todas as manhãs Céfalo saía para caçar, sempre só, pois seu dardo era tudo de que necessitava para apanhar quantos animais quisesse. Quando já havia caçado bastante, suado e cansado, deitava-se em uma sombra e invocava uma brisa fresca, *Aura*, para confortá-lo. Um dia um passante o ouviu e pensou que Aura devia ser uma ninfa com quem fazia amor. O intrometido foi logo relatar a Prócris a infidelidade de seu marido.

Profundamente triste, mas ainda esperançosa de que a história fosse um equívoco, a jovem seguiu o marido na manhã seguinte quando saiu para caçar. Céfalo caçou o quanto quis e depois, como sempre fazia, deitou-se na relva e chamou Aura para vir aliviá-lo. Prócris, ao ouvir o marido chamando pela outra, deu um gemido de dor, e Céfalo, pensando que alguma criatura selvagem estivesse escondida no mato, lançou seu dardo em sua direção. Ao ouvir o grito de dor, Céfalo reconheceu a voz de sua amada esposa e correu para encontrá-la, mas Prócris morreu em seus braços.

O interessante é que Apolodoro (3.15.1) pinta Prócris com cores bem distintas. Em sua versão a esposa é absolutamente infiel, o que provavelmente reflete uma tradição bem anterior à adaptação de Ovídio. Seus escritos relatam que a jovem se deitou com um certo Pteleão, em troca de uma coroa de ouro. Céfalo descobriu a infidelidade e Prócris então fugiu até Minos, rei de Creta, que tentou seduzi-la. Mas sua esposa, Pasífae, cansada de sua habitual promiscuidade, tinha lhe dado uma droga que fazia que, ao ter relações com outra mulher, o homem ejaculasse cobras e escorpiões, e assim Prócris morreu.

Prócris queria possuir o cão do qual não se escapava e o dardo infalível que Minos lhe havia prometido em troca de seus favores (nessa versão, os presentes foram dados por Zeus a Europa e então passaram a Minos). A jovem, por sua vez, drogou Minos para evitar qualquer mal e os dois foram para a cama. Depois, pegou seu pagamento — o cão e o dardo — e foi para casa, onde se reconciliou com o marido. O casal foi caçar junto e Pócris morreu, nessa versão, sua morte é o resultado de um simples acidente de caça. Não é de surpreender que tenha sido a história romântica de Ovídio, em vez dessa outra, que captou a imaginação de artistas posteriores e se tornou a versão-padrão do mito.

Afrodite e Adônis

Já vimos como Mirra fez amor com o próprio pai, Ciniras, e deu à luz o bebê Adônis (p. 505), mas a história não terminou assim. Mais uma vez a versão de Apolodoro difere do relato de Ovídio. Segundo Apolodoro (3.14.4), o bebê era tão lindo que Afrodite o quis para si, por isso o escondeu secretamente em um baú e o confiou aos cuidados de Perséfone, rainha do mundo inferior. Porém Perséfone também tomou-se de amores pela criança e se recusou a devolvê-la. As duas deusas levaram sua disputa a Zeus, que decretou que o menino passaria um terço do ano com cada uma e viveria o terço restante como quisesse. Adônis sempre escolheu passar seu terço do ano com Afrodite, e esses meses tornaram-se as vivas e florescentes estações da primavera e do verão. Seu desaparecimento da terra marcava o início da colheita, e seu tempo nos braços de Perséfone era o período morto do inverno, quando as sementes permanecem adormecidas sob a terra.

Na versão de Ovídio para essa história (*Metamorfoses* 10.519-739), Afrodite se apaixonou depois que Adônis se tornou um jovem belíssimo, e passou a ser sua companheira constante. Sua paixão pela caça, comum à maioria dos rapazes, fez que a deusa se interessasse também por caçadas, e também atravessasse florestas e vales, subisse e descesse montanhas, sempre com suas saias suspensas à altura dos joelhos, como Ártemis, gritando para incitar os cães de caça. Afrodite tinha o cuidado de só caçar animais que não oferecessem perigo, como lebres e corças, e prevenia Adônis contra as feras perigosas — javalis selvagens, lobos, leões e ursos — sempre prontos a se voltar e atacar os caçadores.

Infelizmente sua coragem natural fazia que o jovem prestasse pouca atenção aos conselhos que recebia. Um dia Adônis fez que um javali selvagem saísse de sua toca e o feriu no flanco com sua lança. (Dizem alguns que o javali era, na verdade, Hefesto, marido de Afrodite, ou seu amante Ares disfarçado, com ciúmes de seu caso com Adônis.) O javali livrou-se facilmente da lança, atirou-se contra Adônis, que buscava proteção, e, com sua presa, feriu-o profundamente na virilha.

Afrodite ouviu de longe os gemidos do rapaz moribundo e correu em sua direção, mas já era tarde demais. A deusa fez o pouco que podia: decretou que no futuro aquela morte seria lembrada todos os anos e fez que a anêmona rubra surgisse anualmente do seu sangue como um símbolo eterno de seu pesar. Em outra versão do mito, a morte de Adônis é a origem da rosa vermelha. Quando Afrodite correu para acudir seu amado, pisou em uma rosa branca e o espinho furou seu pé. Tingida com o sangue da deusa, a rosa passou a ser sempre vermelha e tornou-se símbolo do amor apaixonado.

Venus and Adonis [*Vênus e Adônis*] de Shakespeare — provavelmente sua primeira obra publicada (1593) — baseia-se no relato da morte de Adônis feito por Ovídio, e na peça é novamente a anêmona que nasce do sangue derramado. Vênus colhe a flor e dirige-se a ela enquanto a põe entre os seios:

> Here was thy father's bed, here in my breast;
> Thou art the next of blood, and 'tis thy right.
> Lo, in this hollow cradle take thy rest;
> My throbbing heart shall rock thee day and night;
> There shall not be one minute in an hour
> Wherein I will not kiss my sweet love's flow'r*

PÁRIS E ENONE

A história de amor entre Páris e a bela Helena, a da "face que lançou mil navios" e que causou a destruição total de Troia, é contada e recontada na literatura antiga. Páris teve, no entanto, um amor anterior a esse: a ninfa Enone, filha do deus-rio, Cebren, e essa história é raramente mencionada. Apolodoro, como em outras vezes, é útil para o esboço dos detalhes básicos (3.12-6).

---

* "Este foi o leito de teu pai, aqui em meus seios;/ Tens com ele parentesco de sangue, tens, pois, este direito./ Ah, vem descansar neste berço vazio;/ Meu coração palpitante te embalará noite e dia;/ Não haverá um só minuto em cada hora/ Em que eu não beije a flor do meu doce amor."

Páris casou-se com Enone quando ele era ainda um pastor no monte Ida e vivia feliz com a esposa. Em um dia fatídico, porém, foi chamado por Zeus para julgar o concurso de beleza entre as três deusas, Hera, Atena e Afrodite. Quando escolheu Afrodite como a deusa mais linda e lhe entregou a maçã de ouro como prêmio, ganhou para si a promessa do amor da mais bela mulher do mundo, Helena de Esparta (p. 302). Enone, no entanto, tinha o dom da profecia e previu todos os desastres que adviriam daquele amor, se Páris viajasse para a Grécia a fim de buscar Helena. Apesar de prevenir o marido com toda a sua eloquência, teve os conselhos ignorados, e Páris preparou-se para partir. Ao ver que não seria capaz de fazê-lo mudar de ideia e sabendo também o que estava por acontecer, Enone pediu que a chamasse no caso de ser ferido, porque só seus conhecimentos poderiam curá-lo.

Páris foi a Esparta e levou Helena para Troia. Os gregos navegaram com força total para trazê-la de volta: a Guerra de Troia começou e Páris não pensou mais em Enone. Mas no décimo ano da guerra, tão logo matou o poderoso Aquiles, Páris foi ferido mortalmente por uma seta do grande arco de Filoctetes. Naquele momento, lembrou-se das palavras de Enone e pediu que o levassem ao monte Ida. Ainda zangada por ter sido abandonada, ela se recusou a ajudá-lo, por isso o marido foi rapidamente de volta para Troia. Tarde demais Enone mudou de ideia e, cheia de remorsos, foi, ligeira, para Troia com suas drogas curativas, mas, ao encontrar Páris morto, se enforcou de tristeza.

A recusa de Enone em curar Páris é narrada com muitos pormenores por Quinto de Esmirna, no seu épico tardio *A continuação de Homero* (910.262-289). "Eu gostaria de ter o coração e a força de um leão para devorar tua carne e depois lamber teu sangue, por toda a dor que me causaste", exclama Enone (315-27). "Onde está Afrodite agora?... Vai-te de minha casa e volta para tua Helena, para que ela te cure deste terrível sofrimento!"

Páris morre no monte Ida e sua morte é chorada por todos os pastores e também por todas as ninfas, lembrando-se de sua imagem como a do menino que cresceu na montanha, e até mesmo os vales do Ida choram sua morte. Também Enone, quando sabe da morte de Páris, lamenta e desce correndo a encosta do Ida "como uma gazela da montanha, atingida no peito pela paixão, se apressa com profundeza para encontrar o companheiro" (441-3), e se lança na pira funerária, de Páris, unindo-se ao marido na morte.

Muitos poetas posteriores se inspiraram nessa história e a obra mais lembrada é, provavelmente, o poema *Oenone* de Tennyson. Vemos Enone esperando a chegada do marido, sem saber ainda que foi escolhido para entregar a maçã de ouro à mais bela das três deusas. Páris leva a maçã para mostrá-la a Enone pouco antes da fatídica disputa, no dia em que tudo vai mudar, para sempre:

> O mother Ida, many fountain'd Ida
> Dear mother Ida, harken ere I die.
> I waited underneath the dawning hills,
> Aloft the mountain lawn was dewy-dark,
> And dewy-dark aloft the mountain pine:
> Beautiful Paris, evil-hearted Paris,
> Leading a jet-black goat white-horn'd, white-hooved,
> Came up from reedy Simois all alone.
>
> O mother Ida, harken ere I die.
> Far-off the torrent call'd me from the cleft:
> Far up the solitary morning smote
> The streaks of virgin snow. With down-dropt eyes
> I sat alone: white-breasted like a star
> Fronting the dawn he moved; a leopard skin
> Droop'd from his shoulder, but his sunny hair
> Cluster'd about his temples like a God's:
> And his cheek brightened as the foam-bow brightens
> When the wind blows the foam, and all my heart
> Went forth to embrace him coming ere he came.

Dear mother Ida, harken ere I die.
He smiled, and opening out his milk-white palm
Disclosed a fruit of pure Hesperian gold,
That smelt ambrosially...*

Psiquê e Cupido

Psiquê ("Alma") era a amante mortal de Cupido (Eros), deus do amor. É de Apuleio a primeira e mais famosa versão de tal história, narrada em O *asno de ouro* (4.28-6.26), com todas as características de um conto de fadas. Em época posterior esse mito passou a ser visto como uma alegoria da difícil jornada da alma pela vida, em direção a uma união mística com o divino após a morte.

Era uma vez um rei e uma rainha que tinham três filhas, todas muito belas, porém a mais nova, Psiquê, era linda de extasiar. A fama de sua beleza espalhou-se por toda parte e de longe vinham pessoas só para apreciá-la. Tão extasiados ficavam todos que prestavam à jovem as honrarias que deveriam prestar a Vênus (Afrodite). A deusa, naturalmente, encheu-se de ódio e quis se vingar dessa ofensa, dizendo a seu filho Cupido que visitasse Psiquê e inflamasse seu coração com uma paixão avassaladora por um homem absolutamente sem valor. Cupido, contudo, desobedeceu à mãe, pois, quando viu a grande beleza da jovem, apaixonou-se.

Apesar de suas duas irmãs mais velhas terem se casado com reis de terras distantes, Psiquê continuava solteira. Na verdade não tinha

---

* Ó, Ida, minha mãe, Ida das muitas fontes,/ Amada mãe Ida, ouve-me ou eu morro./ Esperei no sopé da colina ao alvorecer,/ No alto das montanhas o capim era escuro-orvalhado,/ E escuros-orvalhados eram os altos pinheiros./ Ó belo Páris, cruel Páris,/ Puxando uma cabra negra de patas e chifres brancos, / Veio sozinho pelo Simoente, rio de muito junco.// Ó, Ida, minha mãe, ouve-me ou eu morro./ De longe chamou-me a correnteza que desce o despenhadeiro:/ No alto a luz solitária da manhã iluminou/ As faixas da virgem neve. Com olhos tristes/ Ali fiquei, sentada, seios alvos como uma estrela/ A ver a manhã que ele trazia; uma pele de leopardo/ Pendia-lhe do ombro, mas seus cabelos ensolarados/ Emolduravam suas têmporas, como se ele fora um deus:/ E suas faces reluziam como reluz a espuma das ondas/ Quando o vento a sopra, e todo o meu coração/ Lançou-se para abraçá-lo antes mesmo que ele chegasse.// Amada mãe Ida, ouve-me ou eu morro./ Ele sorriu, e ao abrir sua alva mão/ Exibiu uma fruta de puro ouro das hespérides/ perfumada como a ambrosia...

pretendente algum, pois tal era sua beleza que todos os homens a adoravam de longe, jamais ousando se aproximar. Por fim, seu pai foi consultar o oráculo de Apolo em Mileto e perguntou onde poderia encontrar um marido para sua filha mais nova. A resposta, influenciada por Cupido, foi que Psiquê precisava estar preparada para se casar com um espírito mau, temido até mesmo pelos deuses, que iria buscá-la quando estivesse sozinha no alto de uma montanha.

Com grande tristeza o rei e a rainha obedeceram às instruções do oráculo. Quando o dia do casamento chegou, Psiquê foi levada ao alto de uma montanha e lá ficou, só e assustada. Porém seu medo não tinha razão de existir, pois Zéfiro, o gentil Vento Oeste, ergueu-a cuidadosamente e colocou-a em um vale florido, onde encontrou, no meio de um bosque próximo, um palácio de conto de fadas, cheio de incríveis tesouros. A jovem foi atendida por mãos invisíveis até cair a noite, hora de ir para a cama. No escuro, Cupido aproximou-se e a fez sua mulher, e Psiquê se deleitou com o marido desconhecido, que não podia ser visto. Ele a deixou pouco antes do alvorecer e, assim, foram se passando seus dias e suas noites: dias solitários, com apenas servos invisíveis por companhia, e noites plenas de amor com Cupido, que chegava depois do escurecer e sempre desaparecia antes que o dia clareasse.

Psiquê sentia saudades da família e por fim convenceu Cupido a deixar que suas irmãs a visitassem. Foram muitas as suas recomendações para que tivesse cuidado, pois suas irmãs provavelmente lhe trariam infelicidade, e que não seria bom lhes dar atenção se tentassem fazê-la descobrir como era a sua aparência. Se algum dia Psiquê visse o rosto de Cupido, seria deixada para sempre. A jovem prometeu fazer tudo como aconselhado, e, na primeira vez em que as irmãs foram levadas do alto da montanha até sua casa por Zéfiro, Psiquê manteve sua palavra. Terminada a visita, Zéfiro as levou de volta ao alto da montanha e as duas retornaram às suas casas.

Infelizmente, as jovens foram tomadas de violenta inveja da boa sorte de Psiquê e combinaram fazer o possível para arruiná-la. Assim, a visitaram várias vezes novamente, sempre carregadas pelo Vento Oeste, e conseguiram se insinuar tanto na vida da irmã que por fim

Psiquê lhes confessou nunca ter visto o rosto do marido. As duas a aterrorizaram dizendo que, certamente, seu marido era um monstro terrível, que acabaria por devorá-la, bem como à criança que estava esperando. Seria melhor que o matasse antes que fosse morta.

Naquela noite a pobre e crédula Psiquê esperou até que Cupido adormecesse, depois de terem feito amor, e então acendeu uma lamparina próxima de sua face; na outra mão levava uma faca afiada. De imediato reconheceu, amedrontada, o belo deus do amor, e, ao ver seu arco e suas setas no chão, ao pé da cama, curiosa, tirou uma das setas da aljava. A ponta afiada feriu seu dedo o bastante para sair sangue, e agora Psiquê estava ainda mais apaixonada pelo marido, maravilhada e dominada pelo desejo. Nesse exato momento uma gota de óleo escaldante caiu da lamparina no ombro de Cupido e o fez acordar, assustado. Saltando por causa da dor, e, ao ver que a esposa tinha quebrado sua promessa, Cupido abriu as asas e voou para longe, como dissera que faria.

Psiquê, desesperada, procurou pelo marido em toda parte, mas em vão. Em suas viagens passou em diferentes ocasiões pelas cidades onde as irmãs moravam e contou, tristemente, exatamente o que havia ocorrido. As irmãs, ardendo de desejos para conquistar, cada uma para si, o amor de Cupido — e seu belo palácio — correram para o alto da montanha, de onde Zéfiro sempre as levava para o palácio. Lançaram-se no ar, mas dessa vez nenhum Vento Oeste foi carregá-las, e cada uma se despedaçou nas pedras, abaixo de onde estavam. Aves e feras refestelaram-se com o que restou de seus corpos.

Psiquê continuou a vagar de país em país à procura de seu Cupido perdido. Implorou por ajuda nos templos de Ceres (Deméter) e de Juno (Hera), mas nenhuma dessas deusas quis ajudá-la, com medo de ofender Vênus, que àquela altura já tinha ouvido que seu filho havia sido amante de Psiquê. Por fim, Psiquê se encheu de coragem e foi ao palácio da própria Vênus. A deusa, furiosa porque o filho não apenas deixara de puni-la, como, ainda por cima, a tinha engravidado, tratou-a cruelmente e deu-lhe tarefas formidáveis.

A primeira era separar os grãos de diferentes tipos, todos misturados em um monte, até o cair da noite. Psiquê não sabia por onde começar, mas uma formiga que passava apiedou-se dela e correu a chamar todas as outras formigas da região para ajudar. Todas trabalharam intensamente e a tarefa foi logo cumprida.

Na manhã seguinte, Vênus mandou que Psiquê pegasse uma meada de lã de ouro, de um rebanho de carneiros assassinos. De novo a jovem se sentiu impotente, mas dessa vez foi salva pelo conselho que um amável junco lhe sussurrou ao ser agitado pela brisa, dizendo que esperasse até que os carneiros adormecessem, ao calor da tarde, e que então catasse os fiapos de lã que tinham ficado presos nas roseiras bravas que havia por perto. Psiquê fez isso e levou uma braçada de lã de ouro para Vênus, mas a deusa ainda não se deu por satisfeita.

A terceira tarefa foi ainda mais difícil: Psiquê teve de encher um jarro com a água gelada do rio Estige, do ponto onde caía em cascata do alto de um precipício. Ao chegar lá, encontrou o lugar guardado por dragões ferozes e sempre vigilantes, e viu que nunca poderia cumprir a tarefa e sair viva. Nesse exato momento a águia de Júpiter passou voando. O deus devia um favor a Cupido, por isso pegou a jarra e a encheu. Feliz da vida, Psiquê a levou para Vênus.

A deusa, furiosa, deu-lhe uma última e fatal tarefa: descer à terra dos mortos e de lá voltar com o suprimento de um dia de beleza de Proserpina. Ao se dar conta de estar sendo enviada para a morte, Psiquê subiu ao alto de uma torre com a intenção e atirar-se de lá e morrer de uma vez. Mas a torre falou e explicou como obedecer à ordem de Vênus e continuar viva.

Psiquê fez exatamente o que a torre lhe disse. Entrou no Mudo Inferior pela entrada de Tenaron, no Peloponeso, levando consigo duas moedas e dois pães de centeio embebidos em hidromel. Então pagou a Caronte uma moeda pela travessia do rio e atirou um dos pães para Cérbero, a fim de poder entrar no sombrio palácio de Hades, cuidando sempre de se livrar das armadilhas que Vênus colocou em seu caminho. Quando chegou a Proserpina (Perséfone), que lhe ofereceu uma cadeira e uma magnífica refeição, Psiquê teve o cuidado de sentar-se no chão e de comer apenas a casca de um pão comum. A deusa deu-lhe o que tinha ido buscar em um caixa fechada e então Psiquê voltou para o mundo dos vivos, acalmando Cérbero com o outro pedaço de pão e pagando a Caronte pela travessia com a outra moeda.

Foi grande o seu alívio ao retornar à luz do dia, mas Psiquê desobedeceu à última recomendação que a torre lhe fizera: não deveria, em hipótese alguma, abrir a caixa. Levada pela curiosidade, porém, ela ergueu a tampa, com a intenção de usar um pouco da beleza em si mesma, para reconquistar o amor de Cupido. Mas de dentro da caixa saiu um sono fatal que se apossou de seu corpo e a levou a cair no chão como se estivesse morta.

Cupido, no entanto, estava desesperado de saudades de sua amada perdida, e então voou até Psiquê e afastou a nuvem de sono que a envolvia. Psiquê apressou-se então em entregar a caixa a Vênus, enquanto Cupido foi falar com Júpiter (Zeus) a respeito de seu amor. O grande deus deu consentimento divino a seu casamento, e apaziguou Vênus tornando-a imortal, para que o casamento não fosse visto como uma desgraça. Todos os deuses ofereceram um desjejum festivo para celebrar a união e, na época devida, o bebê do casal nasceu, uma filha que recebeu o nome de Volúpia (Prazer).

Orfeu e Eurídice

Orfeu, filho de uma das musas, foi o supremo cantor e músico da mitologia grega, tão exímio que podia encantar toda a natureza com suas canções, amansando feras e comovendo até as pedras e as árvores. Como Shakespeare viria a dizer (*Two Gentlemen of Verona* [*Os dois cavalheiros de Verona*], III.ii. 78-81):

> For Orpheus' lute was strung with poets' sinews,
> Whose golden touch could soften steel and stones,
> Make tigers tame, and huge leviathans
> Forsake unsounded deeps to dance on sands.*

---

* Pois a lira de Orfeu era encordoada com tendões de poetas,/ Cujo toque de ouro amolecia o aço e a pedra,/ Amansava tigres, e enormes leviatãs/ Fazia abandonarem as profundezas do mar para dançarem na areia.

A história da descida de Orfeu ao Mundo dos Mortos para trazer sua amada Eurídice de volta é um dos mitos mais conhecidos de todos, fonte inexaurível de inspiração para artistas pós-clássicos de todo tipo. A lenda é das mais antigas, pois Eurípides se refere ao mito em *Alceste*, de 438 a.C., peça que também trata de uma esposa resgatada dos mortos (ver adiante); mas é somente nos poetas romanos que a história da descida de Orfeu ao Mundo Inferior é contada pela primeira vez, com detalhes. Encontramos uma versão completa e comovente em Ovídio (*Metamorfoses* 10.1-85, 11.1-66).

Pouco depois de se casar com Orfeu, a ninfa Eurídice morreu por causa das complicações de uma mordida de cobra. Seu marido ficou tão desolado com a perda que se dispôs a enfrentar uma viagem às profundezas do Hades para tentar recuperá-la. Tinha esperanças de comover as sombras dos mortos e, assim, conseguir um adiamento da morte. Orfeu atravessou a entrada para o Mundo Inferior em Tenaron e então fez corajosamente a longa e solitária descida. Ao cantar para Caronte, o barqueiro, e para o cão de guarda Cérbero, deixou-os tão encantados com a música que pôde entrar, e, quando chegou à morada de Hades e Perséfone, cantou novamente, suplicando pela esposa que havia sido colhida pela morte antes do tempo; e com sua canção deixou maravilhado todo o mundo dos mortos. Todas as sombras ouviram e choraram. Tântalo esqueceu a fome e a sede, e a roda de Ixion parou de girar. Os abutres pararam de destroçar o fígado de Tício. As filhas de Dânao ficaram estáticas a segurar seus jarros, e Sísifo sentou-se, distraído, em sua grande pedra. Então, pela primeira vez, lágrimas rolaram pelas faces das fúrias. Mas o mais importante de tudo foi que Hades e Perséfone não conseguiram dizer não às súplicas de Orfeu e concordaram que poderia levar sua Eurídice de volta para o mundo dos vivos. Uma única condição lhe foi imposta: deveria fazer o caminho de volta à frente dela e não olhar para trás em hipótese alguma, até que ambos tivessem chegado à luz do sol.

É bem possível que na versão mais antiga do mito, perdida, Orfeu tivesse conseguido recuperar sua esposa, mas isso não acontece nas versões posteriores que conhecemos. Os dois partiram, Orfeu à frente e seguido pela esposa, mas, quando estava quase chegando ao fim da longa subida, ansioso para ver a esposa e temendo que suas forças estivessem acabando, olhou para trás. No mesmo instante Eurídice deslizou para a escuridão, morrendo pela segunda vez.

Orfeu ainda tentou segui-la, mas desta vez Caronte recusou-se terminantemente a levá-lo para a outra margem do Estige e não foi possível entrar pela segunda vez no Hades. Orfeu voltou então à Trácia, por onde vagou, inconsolável, sempre a lamentar e cantar sua perda, recusando-se a olhar para outra mulher. Seu fim foi violento, pois as mulheres da Trácia o esquartejaram, ressentidas por terem sido rejeitadas.

Os pássaros e as feras, até mesmo as pedras e as árvores choraram a morte de Orfeu. Seu corpo despedaçado foi espalhado por diferentes lugares, e sua cabeça foi atirada no rio Hebros, onde flutuou correnteza abaixo, ainda cantando, até o mar. As ondas levaram-na para o sul, em direção a Lesbos, até ser enterrada pelos habitantes da ilha, que a partir de então foram recompensados com um talento especial para a música e para a poesia (em particular os grandes poetas Safo, Alceu e Árion).

As musas recolheram os fragmentos espalhados do corpo de Orfeu e os enterraram na Piéria, local de seu nascimento. Diz-se que é lá, junto a seu túmulo, que se ouve o cantar dos rouxinóis mais lindo de toda a Grécia. Pausânias (9.30.4) nos fala de uma famosa estátua de Orfeu no monte Hélicon, morada das musas, onde sua figura está cercada por animais de pedra e bronze, todos maravilhados com sua música. Zeus imortalizou sua música colocando entre as estrelas a constelação de Lira.

Quanto ao destino de Orfeu, sua sombra juntou-se finalmente à de Eurídice, no Hades, e foi possível envolvê-la em um abraço amoroso, caminhar ao seu lado e admirá-la quanto quisesses, sem temer perdê-la por causa de um olhar descuidado.

Alceste e Admeto

Nos mitos, como na vida, o amor, por mais forte que seja, é com frequência interrompido pela morte. Terminemos então este livro com um mito em que o oposto acontece, e é o amor, não a morte, que triunfa.

Admeto era rei de Feras, na Tessalônica, e um dos prediletos de Apolo. O deus foi certa vez obrigado por Zeus a servir um mortal durante um ano, como punição por ter matado os ciclopes, e, como Admeto tinha grande fama de justo e hospitaleiro, foi à sua casa que Apolo escolheu ir. Lá o deus trabalhou como pastor, e Admeto o tratou tão bem que Apolo fez que todas as vacas parissem gêmeos. Além disso, também o ajudou a conquistar a mão da noiva escolhida, Alceste, a bela filha de Pélias, rei de Iolco. Eram tantos os pretendentes da moça que seu pai estabeleceu um teste aparentemente impossível, para decidir qual deles ganharia a mão de Alceste: atrelar um leão e um javali a uma carruagem. Apolo amansou as feras e as atrelou à carruagem na qual Admeto se apresentou a Pélias, conquistando, assim, a mão de Alceste.

Em sua cerimônia de casamento, Admeto se esqueceu de oferecer um sacrifício a Ártemis, e a deusa, irada, encheu de cobras o quarto nupcial. Apolo interveio novamente, aconselhando Admeto a aplacar Ártemis com sacrifícios. O rei assim o fez, e tudo ficou bem. Depois disso Apolo conseguiu outro privilégio ainda maior para seu amigo, dessa vez junto às parcas, fazendo-as prometer, embriagadas, que, quando Admeto chegasse ao dia de sua morte, poderia continuar vivendo, desde que encontrasse alguém que se dispusesse a morrer em seu lugar.

Admeto achou que certamente um de seus pais ficaria feliz em se sacrificar pelo próprio filho. Afinal de contas, deveriam amá-lo e já estavam velhos, já tendo vivido a maior parte de suas vidas. Por que então um dos dois não estaria disposto a ir para o mundo dos mortos em seu lugar? Mas seu pai e sua mãe logo deixaram claro que não tinham a menor intenção de abdicar das delícias desta vida antes da hora devida; e por fim foi sua esposa Alceste quem concordou em fazer o extremo sacrifício e morrer em seu lugar. O resultado é dramatizado de maneira comovente no *Alceste*, de Eurípides (438 a.C.), a mais antiga peça do dramaturgo que chegou aos nossos dias. Nela Admeto repreende o pai, Feres, por seu egoísmo em se recusar a morrer no lugar do filho. Feres, indignado, dá suas razões (690-704):

> Não morrerás por mim, e tampouco morrerei por ti! Amas a luz do dia. Não crês que teu pai a ame também? Eu acho que estaremos mortos por muito tempo, enquanto a vida é breve e muito boa. Tu, sem vergonha alguma, te esforças por não morrer... Como ousas repreender qualquer familiar teu por não desejar a morte, quando és tu o covarde? Controla tua língua! Lembra-te de que se amas a vida, também a amam todos os homens.

A peça tem início quando Admeto já vive casado e feliz com Alceste há vários anos, junto a seus filhos, e afinal chega o dia de sua morte. Tânato, o implacável deus da morte, vem levar Alceste para o Mundo Inferior. Admeto, completamente arrependido, suplica à esposa que não o deixe, mas sem sucesso. Agora é necessário se conformar com essa perda, mas isso lhe parece impossível, pois com Alceste morta Admeto já não deseja a vida que foi garantida pela esposa. Admeto se dá conta, então, de que o fato de ter evitado a morte por meio do sacrifício da esposa condenou-o a uma vida de permanente tristeza, uma espécie de morte em vida (935-49):

> Vejo agora que o destino de minha esposa é mais feliz do que o meu, embora possa não parecer. Nenhuma dor pode tocá-la agora, e ela deixou as muitas arbitrariedades da vida com glória. Mas eu, que escapei do meu destino e não deveria estar vivo, terei que viver minha vida com tristeza. Agora compreendo. (...) Cada vez que entro na casa, a solidão me obriga a sair novamente, pois o que vejo é a cama da minha esposa, a cadeira onde ela se sentava, agora vazia, o chão de toda a casa por varrer, os filhos a se agarrarem aos meus joelhos, a chorar por sua mãe, os serviçais lastimando a morte da amada senhora que perderam.

A situação é salva pelo grande herói Héracles, que passa por Feras a caminho de sua caçada às éguas de Diamedes que se alimentavam de homens. Admeto, bom anfitrião apesar da profunda tristeza, hospeda-o em seu palácio sem revelar que Alceste está morta, fingindo que os sinais de luto encontrados no palácio são por uma mulher sem importância.

Héracles, feliz, aceita a hospitalidade oferecida e, como de costume, come e bebe alegremente, fazendo estardalhaço. Um dos serviçais, incomodado com tal demonstração de alegria, conta-lhe a verdade sobre a recente perda de Admeto. No mesmo instante, Héracles fica sóbrio e planeja como sendo melhor ajudar o amigo que o acolheu tão bem, ignorando o próprio sofrimento. Para isso, arriscará a vida, lutando contra a Morte (837-49) em pessoa:

> Vem, meu coração que tanto já suportou, e vem, mão minha: mostra agora que espécie de filho de Alcmena, de Tirinto, filha de Electríon, deu um dia a Zeus. Pois devo agora salvar essa mulher recém-falecida, devo agora trazer Alceste de volta e mostrar a Admeto minha gratidão. Vou ficar à espreita do senhor dos mortos, de túnica negra, pois é a própria Morte que creio encontrar junto ao túmulo de sua vítima, bebendo o sangue das oferendas. E, se eu a agarrar em uma emboscada e firmar bem meus braços à volta de seu peito, não haverá quem o solte, até que entregue essa mulher a mim.

Héracles acrescenta que, se necessário, irá até Hades para trazer Alceste de volta à terra dos vivos, mas não é necessário chegar a tanto. Ao lutar com Tânato junto ao túmulo de Alceste até a Morte lhe entregar sua vítima, Héracles leva Alceste de volta para casa. Marido e mulher então milagrosamente reunidos e Admeto, feliz, aceita sua condição de mortal comum novamente.

Bibliografia

Anderson, G., *Fairytale in the Ancient World* (Londres e Nova York, 2000).
Anderson, M. J., *The Fall of Troy in Early Greek Poetry and Art* (Oxford, 1997).
Boardman, John, *The Archaeology of Nostalgia: How the Greeks Re-created Their Mythical Past* (Londres, 2002).
Bremmer, J. N. (ed.), *Interpretations of Greek Mythology* (Londres, 1987).
Bremmer, J. N. e Horsfall, N. M., *Roman Myth and Mythography*, BICS Supl. 52 (Londres, 1987).
Burkert, W., *Structure and History in Greek Mythology and Ritual* (Berkeley, 1979).
Buxton, Richard, *Imaginary Greece: The Contexts of Mythology* (Cambridge, 1994).
Buxton, Richard (ed.), *From Myth to Reason? Studies in the Development of Greek Thought* (Oxford, 1999).
Buxton, Richard, *The Complete World of Greek Mythology* (Londres, 2004).
Calasso, Roberto, *The Marriage of Cadmus and Harmony* (Londres, 1993).
Carpenter, T. H., *Art and Myth in Ancient Greece* (Londres, 1991).
Condos, T., *Star Myths of the Greeks and Romans: A Sourcebook* (Grand Rapids, Mich., 1997).
Csapo, Eric, *Theories of Mythology* (Oxford, 2005).
Davies, J. K. e Foxhall, L. (eds.), *The Trojan War: Its Historicity and Context* (Bristol, 1984).
Doherty, Lillian E., *Gender and the Interpretation of Classical Myth* (Londres, 2001).
Dowden, Ken, *The Uses of Greek Mythology* (Londres, 1992).
Easterling, P. E. e Muir, J. V. (eds.), *Greek Religion and Society* (Cambridge, 1985).
Edmunds, L., *Approaches to Greek Myth* (Baltimore e Londres, 1990).
Edwards, R. B., *Kadmos the Phoenician: A Study in Greek Legends and the Mycenean Age* (Amsterdam, 1979).

Feeney, Denis, *Literature and Religion at Rome: Cultures, Contexts and Beliefs* (Cambridge, 1998).
Forbes-Irving, P. (ed.), *Metamorphosis in Greek Myth* (Oxford, 1990).
Frazer, J. G. (ed.), *Apollodorus: The Library* (2 vols., Loeb Classical Library, Harvard e London, 1921).
Gantz, Timothy, *Early Greek Myth: A Guide to Literary and Artistic Sources* (Baltimore e Londres, 1993).
Grant, Michael, *Myths of the Greeks and Romans* (Nova York e Londres, 1962).
Grant, Michael, *Roman Myths* (Londres, 1971).
Hard, Robin, *The Routledge Handbook of Greek Mythology* (Londres, 2004).
Henle, Jane, *Greek Myths: A Vase Painter's Notebook* (Indiana, 1973).
Herington, J., *Poetry into Drama* (Berkeley, 1985).
Jacobs, M., *Mythological Painting* (Oxford, 1979).
Johansen, Friis K., *The Iliad in Early Greek Art* (Copenhagen, 1967).
Kirk, G. S., *Myth: Its Meaning and Function in Ancient and Other Cultures* (Cambridge, 1970).
Kirk, G. S., *The Nature of Greek Myths* (Harmondsworth, 1974).
Lefkowitz, Mary R., *Women in Greek Myth* (Londres, 1986).
Lefkowitz, Mary R., *Greek Gods, Human Lives: What We Can Learn from Myths* (New Haven e Londres, 2003).
Lexicon Iconographicum Mythologiae Classicae (18 vols., Zurique e Munique, 1981-1997).
Lloyd, A. B. (ed.), *What is a God? Studies in the Nature of Greek Divinity* (Londres, 1997).
Lloyd-Jones, H., *The Justice of Zeus* (Berkeley, 1971).
March, Jennifer R., *The Creative Poet*, BICS Supl. 49 (Londres, 1987).
March, Jenny, *Cassell Dictionary of Classical Mythology* (Londres, 1998).
Mayerson, Philip, *Classical Mythology in Literature, Art and Music* (Nova York, 1971).
Miles, G. (ed.), *Classical Mythology in English Literature: A Critical Anthology* (Londres e Nova York, 1999).
Morales, Helen, *Classical Mythology: A Very Short Introduction* (Oxford, 2007).
Morford, Mark P. O. e Lenardon, Robert J., *A Companion to Classical Mythology* (Nova York, 1997).
Morford, Mark P. O. e Lenardon, Robert J., *Classical Mythology* (Nova York, 1999).
Murgatroyd, Paul, *Mythical Monsters in Classical Literature* (Londres, 2007).

Nilsson, M. P., *The Mycenean Origin of Greek Mythology* (Berkeley, 1932).
Olalla, Pedro, *Mythological Atlas of Greece* (Atenas, 2002).
Price, Simon e Kearns, Emily (eds.), *Classical Myth and Religion* (Oxford, 2003).
Reid, J. D., *The Oxford Guide to Classical Mythology in the Arts, 1300-1990s* (2 vols., Nova York e Oxford, 1993).
Reinhold, M., *Past and Present: The Continuity of Classical Myths* (Toronto, 1972).
Schefold, K., *Myth and Legend in Early Greek Art* (Londres, 1966).
Schefold, K., *Gods and Heroes in Late Archaic Greek Art* (Londres, 1992).
Shapiro, H. A., *Myth into Art: Poet and Painter in Classical Greece* (Londres, 1994).
Simpson, Michael, *Gods and Heroes of the Greeks: The Library of Apollodorus* (Massachusetts, 1976).
Taplin, Oliver, *Greek Fire* (Londres, 1989).
Trzaskoma, Stephen M., Smith, R. Scott e Brunet, Stephen (eds.), *Anthology of Classical Myth: Primary Sources in Translation* (Indianápolis e Cambridge, 2004).
Vernant, J.-P., *Myth and Society in Ancient Greece* (Brighton, 1980).
Vernant, J.-P., *Myth and Thought in Ancient Greece* (Londres, 1983).
Vernant, J.-P. e Vidal-Naquet, P., *Tragedy and Myth in Ancient Greece* (Nova York, 1981).
Veyne, P., *Did the Greeks Believe in their Myths?* (Chicago e Londres, 1986).
Vickers, Brian, *Towards Greek Tragedy* (Londres e Nova York, 1973).
West, M. L., *The Hesiodic Catalogue of Women: Its Nature, Structure and Origins* (Oxford, 1985).
West, M. L., *The East Face of Helicon: West Asiatic Elements in Greek Poetry and Myth* (Oxford, 1997).
Winkler, M. M., *Classical Myth and Culture in the Cinema* (Oxford, 2001).
Wiseman, T. P., *Clio's Cosmetics* (Leicester, 1979).
Wiseman, T. P., *The Myths of Rome* (Exeter, 2004).
Wood, Michael, *In Search of the Trojan War* (Londres, 1985).
Woodford, Susan, *The Trojan War in Ancient Art* (Londres, 1993).
Woodford, Susan, *Images of Myths in Classical Antiquity* (Cambridge, 2003).

Índice

abantes 256
Abas 171
Abdera 204
Abdero 204
Abidos 351
abutre(s) 96
Aca Laurência 479
Ácamas 255
Acarnan 286
Acarnânia 286
Acasto 148
Acates 468
Acestes 467
Ácis 508
Acrísio 171
Acrópole ateniense 27
Actéon 98
Actor 217
Admete 204 !?
Admeto 185
Adônis 128
Adrasto 275
Aedon 267
Aérope 257
Afareu 92
Afednas 255
África 179
Afrodite (Vênus) 27 Agamêmnon 24
Agave 263

Agelau 299
Agenor, filho de Antenor 344
Agenor, filho de Poseidon 242
Aglauro 231
águia(s) 70
Aineias *ver* Eneias
Ájax, filho de Oileu, o Pequeno Ájax 306
Ájax, filho de Télamon, o Grande Ájax 297
Alba Longa 482
Alcátoo 418
Alceste 203
Alceu 180
Alceu 27
Alcides 224
Alcínoo 161
Alcíone, filha de Atlas 58
Alcíone, filha de Éolo 493
Alcíone, filha de Idas 93
Alcioneu 64
Alcipe 231
Alcmena 71
Alcméon 277
Aletes 425
Aleu 219
Alexandre, filho de Príamo *ver* Páris
Alexandre, o Grande 29
Alexandria 29
Alfeu, rio 108

Aloeu 97
Aloidas *ver* Oto
Alope 239
alseídes 44
Altaimenes 258
Alteia 185
Amalteia 55
Amata 476
amazonas 32
ambrosia 56
Amico 152
Amimone, filha de Dânaos 169
Amimone, Fonte de 198
Amor *ver* Eros
Amúlio 478
Ana, irmã de Dido 465
Anacreontes 27
Anauro, rio 147
Anaxárete 502
Anceu 148
Anco Márcio 482
andorinha(s) 441-42
Androgeu 242
Andrômaca 322
Andrômeda 179
Anfiarau 181
Anfíction 233
Anfíloco 277
Anfínomo 405
Anfíon 97
Anfisso 505
Anfitrião 190
Anfitrite 52
Ânio 462
Anna Perenna 103
Anouilh, Jean 440

Anquises 85
Anteia *ver* Estenebeia
Antenor 312
Anteu 187
Anticleia 389
Antígona 261
Antíloco 307
Antímaco 312
Antínoo 400
Antíope, filha de Nicteu 254
Antíope, uma amazona 254
Antoninus Liberalis 30
Apemosine 257
Ápis 167
Apolo 27
Apolodoro 29
Apolônio de Rodes 29
Apsirto 159
Apuleio 31
Aquário (O carregador de água), constelação 291
Aqueloo, rio 220
Aqueronte, rio 79
Aqueu 141
aqueus 141
Aquiles 26
Arábia 48
Aracne 100
aranha(s) 100
Arcádia 107
Arcas 496, 497
Arcturo 496
Areópago 231
Ares (Marte) 61
Arete 161
Aretusa 498

Argeia 276
Argo, barco 100
argonautas 29
Argos, cão de Odisseu 400
Argos, construtor do *Argo* 147
Argos, filho de Frixo 147
Argos, um monstro de muitos olhos 70
Argos e Argólida 7
Ariadne 112
Áries, constelação de 146
arimaspos 166
Aríon 73
Aristeu 91
Aristodemo 227
Aristófanes 28; *Acarnenses* 184, *Sapos* 100, 108, *Paz* 174, *As tesmoforiantes* 316
Aristóteles 28
Arrunte 483
arte antiga 32
Ártemis (Diana) 50
Ascalabo 79
Ascalafo 79
Ascânio 362
Asclépio 90
asfódel 110
Ásia Menor 20
Ásios 330
Askanios *ver* Ascânio
asno(s) 82
Asopo, rio 94
Assáraco 291
Astéria 49
Astério 243
Astíanax 295
Astidameia 452

Astreu 48
Atalanta 33
Átamas 113
Ate 42
Atena (Minerva) 33
Atenas 7
Ática 76
Átis 132
Atlas 50
Atlas, montanhas 179
Atreu 257
Átropo *ver* parcas
Auge 219
Áugias 148
Áugias, os estábulos de 148
Áulis 310
Auriga (o Cocheiro), constelação 488
Aurora *ver* Eos
Autólico 194
Automedonte 333
Autônoe 91
Aventina, colina 479
Aventino 208
Averno, lago 118

bacantes *ver* mênades
Baco *ver* Dioniso
Bailo *ver* Xanto
Baquílides 27
Bassas 254
Batos 109
Baucis 504
Belerofonte (ou Belerofontes) 54
Belo 157
Belona 102
Bia (Poder) 49

Bias 172
Bíblia 129
Bíblis 506
Biblos 133
bistônios 102
boi(s) 62
Boötes (o Boieiro), constelação de 234
Boreadai *ver* Zetes
Bóreas, Vento Norte 48
Branca, ilha *ver* Leuca
Brauron 95
Briseida 35
Britomartis 244
Brooke, Rupert 372
burro *ver* asno
Busíris 210
Butes, filho de Pandlon 234
Butes, um argonauta 160
Buxton, Richard 22
Byron, George Gordon, Lord 117

Cabiros 149
cabra(s), bode(s) 46
Caco 207
Cadmo 24
Cafauro 162
Cafereu, cabo 315
Ceneu 253
Cálais *ver* Zetes
Calcas 308
Calcíope 146
Cálidon 184; *ver também* javali de Cálidon
Calímaco 29
Calipso 35
Calírroe, filha de Aqueloo 286

Calírroe, filha de Oceano 205
Calisto 71
Camila 471
Campbell, Roy 73
Camus, Albert 123
Câncer 198
Canente 503
Cantos cíprios 27
cão (cães) 54
Cão Maior 59
Cão Menor 234
Caos 37
Capaneu 276
Capitolina, colina 480
Cária 47
Caríbdis 161
Cariclo 284
Cáris, *ver* graças
Carmina Burana 368
Carna 134
carneiro(s) 62
Caronte 118
Cartago 469
Cassandra 92
Cassiopeia, constelação 181
Castália, Fonte de 89
Castor *ver* dióscuros
Catreu 243
Catulo 30
Cáucaso, montanhas do 138
Cauno 506
cavalo(s) 51 *ver também* Aríon, Pédasos, Pégaso, cavalo de madeira, Xanto
Cebren, rio 520
Cebriones 335

Cécrops, filho de Erecteu 236
Cécrops, rei ateniense autóctone 101
Céculo 471
Cefalênia 378
Céfalos, filho de Hermes 231
Céfalos, marido de Prócris 186
Cefeu, rei da Tegeia 179
Cefeu, rei dos etíopes 179
Cefiso 489
Céix, filho de Eósforo 494
Céix, rei de Tráquis 225
Celeno, filha de Atlas 53
Celeno, líder das harpias 58
Celeu 76
cem mãos, monstros de 42
Ceneon, cabo 223
Centauro, filho de Íxion 91
Ceos 27
Ceos, ilha de 27
Cérbero 54
Cércion 239
cércopes 216
Ceres *ver* Deméter
cerineia, corça 198
Cerineu, monte 198
Cerinite, rio 198
Ceto 177
Ceto 52
Chaucer, Geoffrey 515
Chipre 44
Ciane 79
Cibele 82
Ciclo Épico 26; *ver também* obras citadas
ciclopes 42
Cicno, filho de Poseidon 311
Cicno, rei dos ligúrios 488
Cicno, um bandido 26
cícones 380
cigarra(s) 59
Cila, filha de Niso 246
Cila, um monstro 391
Cilene, monte 104
Cilícia 63
Címon 257
Ciniras 133
Ciparisso 93
Cípselo 228
Circe 35
Cirene 91
Críon 239
Cisne 495
Citera 44
Citéron, monte 98
Citorisso 156
Cízico 150
Cleite 150
Cleodeu 227
Cleópatra 186
Clímene, filha de Catreu 257
Clímene, filha de Oceano 50
Clitemnestra 24
Clítia 488
Clóris *ver* Flora
Cloto *ver* parcas
Cnossos 252
Cócalo 251
Cocito, Rio 116
Codros 260
Cólofon 375
Cólquida 46
comedores de lótus 382
Constelações 59; mapas III e IV

Copreu 197
Corfu 161
coribantes 132
Corinto 122
cornucópia da fortuna 221
Coroa Boreal 249
Corônis 90
Corono 254
Cós 65
Cranau 233
Cratos (Poder) 139
Creonte, rei de Tebas 164
Creonte, rei do Corinto 164
Cresfonte, filho de Aristômaco 227
Cresfonte, filho de Cresfonte e Mérope, 227
Creta 7
Creteu 141
Creúsa, filha de Ericteu 35
Creúsa, filha de Príamo 299
Crio 42
Crisaor 54
Criseida 317
Crises 317
Crisipo 268
Crisótemis 423
Crômion 54
Crono 42
Ctéato *ver* Moliônidas
Ctônia 234
cuco 71
Cumas 252
Cupido *ver* Eros
curetes, divindades cretenses 55
Curetes, uma tribo da Etólia 185
Curiáceos 482

Dafne 92
Dânae 71
danaides
Dânao 168-169
Dante Alighieri 409
Danúbio, rio 120
Dardanelos, estreito de *ver* Helesponto
Dardânia 290
Dárdano 58
Dedalion 493
Dédalo 25
Deidamia 306
Deífobo 299
Deifonte 228
Deípile 276
Delfine 63
Delfos 27
Delos 50
Deméter (Ceres) 23
Demódoco 397
Demofonte, filho de Metaneira 77
Demofonte, filho de Teseu 260
Demos (Medo) 102
Desejo 30
Deucalião, filho de Minos 227
Deucalião, filho de Prometeu 140
Dexâmenos 202
Dia (Hemera) 38
Diana *ver* Ártemis
Dicte, monte 55
Díctis 175
Dido 21
dilúvio, inundação 140
Diodoro Sículo 30
Diomedes, filho de Ares 33
Diomedes, filho de Tideu 102

Dione 83
Dioniso (Baco, Líber) 27
dióscuros, Castor e Polideuces (Pólux) 185
Dirce 266
Dis *ver* Hades
Discórdia *ver* Éris
Djanira, esposa de Héracles 187
Dodona 160
Dólio 400
Dólon 328
dórios 141
Dóris 52
Doro 141
Dragão, constelação 212
dragões *ver* serpentes
dragão, dentes de 157
drama 27; *ver também* dramaturgos citados
dríades 44
Dríope 505
Dríops 125

Éaco 122
Eano 219
Éax 315
Eco 491
Édipo 23
Eécion 315
Eetes 46
Éfeso 96
Efíaltes *ver* Oto
Egéria 482
Egeu 236
Egialeu, 285
Egina, filha de Asopo 122
Egina, ilha de 122
Egipã 63
Egisto 389
Egito (filho de Belo) 168
Egito, egípcios 62
Electra, filha de Agamêmnon 422
Electra, filha de Atlas 28
Electra, filha de Oceano 28
Electríon 180
Elefenor 256
Elêusis 76
Élida 102
Eliseu ou Campos Elíseos 120
Elpenor 389
Emátion 48
Encelado 64
Endímion 46
Eneias 7
Eneida ver Virgílio
Eneu 113
Ênio 102
Enipeu, rio 142
Enna 81
Ennius, Quintus 21
Enomau 25
Enone 522
Enópion 249
Éolo, filho de Heleno 141
Éolo, guardião dos ventos 385
Eos (Aurora) 45
Eósforo 48
Eósforo *ver* Fósforo
Épafo 166
Epeio 360
Epicasta *ver* Jocasta
Epidauro 90

epígonos 24
Epimeteu 50
Épiro 375
Épito 91
Epopeu, rei de Lesbos 492
Epopeu, rei de Sícion 266
Equemo 227
Equidna 53
Équion 264
Érebo 38
Erecteu 234
Ergino 195
Erictônio, rei da Dardânia 290
Erictônio, rei de Atenas 101
Erídano, rio 160
Erífile 276
Erígone, filha de Egisto 425
Erígone, filha de Icário 233
Erimanto, javali do 199
Erimanto, monte 199
Erimanto, monte (Pholoe) 199
erínias *ver* fúrias
Éris 39
Erisícton 80
Erítia 205
Érix 208
Eros (Amor, Cupido) 60
Ésaco 493
Escamandro 106
Esculápio *ver* Asclépio
Esfinge 54
Esmirna 30
Éson 143
Espanha 207
Esparta 29
Esquéria 161

Ésquilo 25,28,269; 7 peças remanescentes: *Agamêmnon* 24; *As eumênides* 28,43,434; *As coéforas* 28; Trilogia Oresteia 28; *Os persas* 28; *Prometeu* 28; *Sete contra Tebas* 28; *As suplicantes* 28, 170; fragmentos de peças 353: *As danaides* 168,170; *Os egípcios* 168,170; *As helíades* 488; *Laio* 268; *Os mirmidões* 332; *Édipo-rei* 261; *Psicostasia* 352; *A esfinge* 272
Ésquiros 256
estações *ver* horas
Estáfilo, filho de Dioniso 249
Estáfilo, um pastor 113
Estenebeia 171
Estênelo, filho de Capaneu 285
Estênelo, filho de Perseu 180
Esteno *ver* górgona
Estérope, filha de Cefeu 219
estéropes *ver* ciclopes
Estesícoro 27
Estínfalo, lago 202
Estínfalo, pássaros do lago 32
Estínfalo, rei da Arcádia 417
Estrabão 30
estrela(s) 48; *ver também* constelação(ões)
Estrófades 154
Estrófio, filho de Electra 448
Estrófio, rei da Fócia 426
estupro 34
Eta, monte 225
Etéocles 270
Etéoclo 276
Éter 38

Etiópia, etíopes 48
Etiópida 27
Etna, monte 63
Etólia, etólios 92
Etra 237
Etrúria, etruscos 20,
Euadne, filha de Ífis 280
Euadne, filha de Poseidon 91
Eubeia 223
Eueno, rio 92
Eufemo 148
Euforbo 335
eumênides *ver* fúrias
Eumeu 399
Euneu 149
Êunomo 221
Eupites 408
Euríale, filha de Minos 53
Euríale, uma górgona *ver* górgona
Euríalo 285
Euríbia 48
Euricleia 402
Eurídice, esposa de Creonte 283
Eurídice, esposa de Orfeu 119
Eurídice, filha de Lacedemon 174
Euríloco 393
Eurímaco 405
Eurínome 60
Eurípides 28, peças remanescenes: *Alceste* 28; *Andrômaca* 28; *As bacantes* 28; *Os heráclidas* 28; *Os ciclopes* 28; *Electra* 28; *Hécuba* 28; *Helena* 28; *Hipólito (segundo)* 28; *Íon* 28; *Ifigênia em Táuris* 28; *Ifigênia em Áulis* 28; *Héracles* 28; *Medeia* 28; *Orestes* 28; *As fenícias* 28; *Rheso* 28; *As suplicantes* 28; *As troianas* 28; peças fragmentadas: *Alexandros* 300; *Alope* 239; *Antíope* 254; *Belerofonte* 173; *Crisipo* 419; *Os cretenses*, 259; *As cretenses* 422; *Erecteu* 234-35; *Hipólito (primeiro)* 545; *Hipsípile* 277; *Crestofonte* 228; *Édipo-rei* 269; *Enômao* 417; *Palamedes* 315; *Protesilau* 313; *Estenebeia* 171; *Télefo* 315; *Tiestes* 423
Eurípilo 358
Eurísaces 3565
Euristeu 58
Eurítion, pastor 186
Eurítion, rei da Ftia 186
Eurítion, um centauro 202
Êurito, irmão de Ctéato *ver* Moliônidas
Êurito, rei da Ecália 214
Europa 71
Evandro 207

Faetonte, filho de Eos 487
Faetonte, filho de Hélio 487
fantasmas *ver* sombras
Fásis, rio 156
Fauno 125
faunos 111
Fáustulo 479
Fea 54
feácios 161
Febe, filha de Lêucipo 129
Febe, um titã 42
Fedra 243
Fegeu 282

Fêmio 406
Fenícia, fenícios 133
Fênix 326
Feres 143
Fídias 70
figo(s) 397
Fílaca 172
Fílaco 172
Filécio 408
Filêmon 504
Fileu 202
Filira 200
Fílis 260
Filoctetes 225
Filomela 102
Filonome 311
Fineu, irmão de Cefeu 153
Fineu, um vidente cego 153
Fíquion, monte 271
Fítalo 79
Flegetonte, rio 80
Flegra 64
Flora 103
Fobos (Terror) 102
Folo 200
fome 41
Fórcis 52
França 207
François Krater 186
Freud, Sigmund (Complexo de édipo) 270, 448
Frígia, frígios 85
Frixo 145
Ftia 185
fúrias (erínias, eumênides) 43

Gado 85, *ver também* touro(s), vaca(s), boi(s)
Gaia (Terra, Ge) 37
Galântis 193
Galateia, estátua de Pigmaleão 508
Galateia, uma nereida 508
Ganimede(s) 205
ganso(s) 504
Ge *ver* Gaia
Gelanor 168
Gêmeos, constelação 128
Gerião 54
Gibraltar 206
gigantes 42; *ver também* ciclopes, Polifemo
gigantomaquia 63
Glauco, filho de Hípoclo 152
Glauco, filho de Minos 244
Glauco, filho de Sísifo 152
Glauco, um deus do mar 152
golfinho(s) 74
Golfinho, constelação 74
górgona 32; *ver também* Medusa
graças 60
gralha(s) 51
Graias 53
grifos 166

Hades, filho de Crono (Dis, Orcus, Pluto, Plutão) 41
Hades, o Mundo Inferior 41
Haliarto 88
Halirrótio 231
hamadríades 44
Harmonia 74
harpias 52

Hebe 61
Hécale 241
Hécate 49
Hécuba 299
Hefesto (Vulcano) 60
Heitor 26,
Hekabe *ver* Hécuba
Helânico 294
Hele 145
Helena 28
Heleno 140
Heleno 299
Helesponto 20
helíades 488
Hélicon, monte 51
Hélio 45
Hemera *ver* Dia
Hemiteia 311
Hemon 278
Hera (Juno) 55
Hércules *ver* Héracles
Héracles 7
heráclidas 225
Hermafrodito 499
Hermes (Mercúrio) 27
Hermíone 298
Hero 514
Heródoto 20
herói, virtudes do 2+
Heroínas 31
Herse 231
Hesíodo 19; *Catálogo das mulheres* 26; *O escudo de Héracles* 26, 41 178 222 ; *Teogonia* 22· *Os trabalhos e os dias* 26
Hesíone 205

Hespérides 38
Héstia 55
Híades 58
Hias 58
hidra de Lerna 54
Hígia 90
Higino 31
Hílara 129
Hilas 148
Hilo 221
Hinos homéricos 27
Hipaso 115
hiperbóreos 199
Hipérion 42
Hipermnestra 170
Hipno, Sono (Somnus) 38
hipocampo 74
Hipocoonte 219
Hipocrene 51
Hipodâmia, esposa de Pélops 102
Hipodâmia, esposa de Pirítoo 177
Hipólita, esposa de Teseu 204
Hipólito 254
Hipólito, oponente de Héracles 255
Hipóloco 138
Hipomedonte 276
Hipomenes 450
Hipotoon 240
Hipsípile 149
Hirneto 228
Hírtaco 330
Hisarlik (Troia) 289
Hofmannsthal, Hugo von 448
homens semeados 263
Homero 19, *Ilíada* 24; *Odisseia* 7
Horácio 21

Horácio Cocles 485
horácios 482
horas (as estações do ano) 50
Hough, Graham 17
Housman, A. E. 513
Hunt, Patrick 458

Iambe 77
Iamo 91
Iasion 78
Íbico 27
Icária 250
Icário, pai de Penélope 380
Icário, um agricultor da Ática 113
Ícaro 245
icor 67, 162
Ida, monte (em Creta) 44
Ida, monte (perto de Troia) 44
Idas 92
Ideia 289-90
Ideu 348
Idmon 148
Idomeneu 258
Idoteia 370
Ifianassa 171
Íficles 185
Íficlo 172
Ifigênia 309
Ífis, amante de Anaxárete 502
Ífis, filha de Ligdos 502
Ífis, pai de Etéoclo 502
Ífito 214
ilhas dos Bem-Aventurados 57
Ilíada ver Homero
Ilion, Ilios, Ilium *ver* Troia
Ilírio 265

Ilisso, rio 234
Ilítia 61
Illyria 291
Ilo 291
Ínaco, rio 23
Ino 113
Insensatez *ver* Ate Ió 71
Iocasta *ver* Jocasta
Iolau 198
Iolcos 437
Íole 214
Ion 28
Ipinoe 154
Íris 49
Iros 400
Isandro 183
Ísis 501
Ismene 272
Ísquis 90
Istmo de Corinto 238
Istro, rio 159
Ítaca 26
Itália, italianos 20
Ítilo 267
Ítis 441
Itones 215
Íxion 124

Jacinto 93
Jano 503
Jápeto 42
Jasão 23
javali(s) 33
javali de Cálidon 33
Jeová *ver* Zeus
Jocasta (Iocasta, Epicasta) 261

Jogos da Nemeia 27
Jogos fúnebres 33
Jogos Ístmicos 181
Jogos Olímpicos 27
Jogos Pítios 27
Jônico, mar 154
julgamento de Páris 41
Juno *ver* Hera
Júpiter *ver* Zeus,
Juturna 131
Kavafis, Konstantinos 441
Kazantzakis, Nikos 409
Keats, John 51
Koré *ver* Perséfone

Lábdaco 265
Labirinto 242
Lácio 30
Lacônia 227
Ladon, rio 126
Ladon, uma serpente 53
Laertes 378
Laio 261
Laocoonte 361
Laodamante 285
Laodameia, esposa de Protesilau 313
Laodameia, filha de Belerofonte 313
Laódice 299
Laódoco 277
Laomedonte 48
lápitas 87
Laquésis *ver* parcas
Lars Porsenna 485
Latino 475
Latmos, monte 46
Lauso 471

Lavínia 470
Leandro 511
leão (leões); *ver também* Nemeia, leão da
Leão, constelação 182
Learco 263
lebre(s) 59
Leda 17
Lélaps 191
Lemnos 83
Lemnos, mulheres de 104
leopardo(s) 115
Lepus (a Lebre) 59
Lerna 54
Lesbos 27
Lestrigões 386
Lete, rio 39
Letó 49
Leuca (ilha Branca) 354
Lêucipo, Leucípides 129
Leucoteia 264
Leucotoé 488
Liber *ver* Dioniso
Líbia, filha de Épafo 161
Líbia, terra da 91
Licáon, filho de Príamo 341
Licáon, rei de Arcádia 140
Licas 223
Lícia, lícios 171
Lico, filho de Pandion 236
Lico, governante de Tebas 265
Lico, um rei da Mísia 155
Licomedes 256
Licto 55
Licurgo, um rei da Arcádia 114
Licurgo, um rei da Nemeia 277
Licurgo, um rei da Trácia 114

Lídia, lídios 121
Linceu, filho de Afareu 129
Linceu, marido de Hipermnestra 148
Lino 194
Lirnessos 316
Lisipe 171
Litierses 216
Lívio 31
lobo(s) 85
Lócris 131
Lótis 131
louros, coroa de 87
Lua *ver* Selene
Lucrécia 484

Macáon 90
Macária 221
Macedônia 20
Meandro, rio 94
magia 49
Maia 58
Maion 278
Mália 148
Manto 286
mar Adriático 159
mar Egeu 203
mar Negro 20
Maratona 127
Maratona, touro de 203
Marlowe, Christopher 367
Maron 381
Marpessa 92
Marselha 207
Mársias 94
Marte *ver* Ares
maschalismos 160

Mecisteu 276
Medeia 36
Mediterrâneo, mar 162
Medon, arauto de Odisseu 285
Medon, filho de Electra 448
Medon, filho de Etéoclos 285
Medos 241
Medusa 32
Megapentes 173
Mégara, cidade de 195
Mégara, filha de Creonte 195
Megareu 418
Melampo 172
melampodes 168
Melânion 187
Melanipo, filho de Teseu 239
Melanipo, um guerreiro de Tebas 239
Melanto 406
Melantos 260
Meleagro 24
melíades 43
Melicertes 264
Melos 85
Mêmnon 48
mênades (bacantes) 110
Meneceu, filho de Creonte 268
Meneceu, pai de Creonte 268
Menécio, filho de Jápeto 50
Menelau 120
Menesteu 256
Menetes, pai de Pátroclo 213
Mênfis 168
Meneites 206
Mercúrio *ver* Hermes
Meriones 258
Mérope, esposa de Cresfonte 228

Mérope, filha de Atlas 58
Mérope, madrasta de Édipo 268
Mérops, rei da Etiópia 487
Mérops, rei de Percote 150
Messênia 92
Messina, estreito de 161
Mestra 80
Métabo 475
Metamorfoses 30
Métis 60
Mezêncio 471
Micenas, micenos 25
Midas 94
Mileto 506
Millay, Edna St Vincent 17
Milton, John 81
Mínias, poema épico 115
Mínias, rei de Orcômeno 115
Mínios 195
Minos 58
Minotauro 24
mirmidões 122
Mirra 133
Mírtilo 419
Miseno 468
Mísia 148
Mistérios Eleusinianos 78
Mnemósine 42
Mnesímaque 202
moiras *ver* parcas
Moliônidas (ou Moliones), Eúrito e Ctéato 217
Molorco 196
Molosso 375
monstro marinho 177
Mopso, neto de Tirésias 375

Mopso, um argonauta 148
Morfeu 493
Morte *ver* Tânato
Motion, Andrew 99
mula(s) 104
Museu 512
musas 37
música 23

Narciso 25
Nashe, Thomas 373
Náuplio 219
Nausícaa 380
Naxos 248
néctar 56
Néfele 145
Neleu 142
Nemeia 27
Nemeia, leão da 27
Nêmesis 39
Neoptólemo (Pirro) 306
nereidas 44; *ver também* Anfitrite, Tétis
Nereu 52
Nesso 198
Nestor 218
Netuno *ver* Poseidon
Nice 49
Nicteu 265
Nictimene 491
ninfa(s) 44; *ver também* hespérides, nereidas, oceânidas
Níobe 97
Nisiro 65
Niso (rei de Négara) 236
Niso 473

Noite (Nyx) 38
Nonácris
Notos, Vento Sul 48
Numa Pompílio 481
Numitor 478
Nyx *ver* Noite

O Velho do Mar (Nereu) 52
oceânides 45
Oceano (Okeanos) 42
Ocno 124
Odisseia ver Homero
Odisseu *ver* Ulisses
Oenone *ver* Enone
Ofeltes 277
Ofiúco, aquele que segura a Serpente, constelação 91
Ogígia 394
Okeanos *ver* Oceano
Oleno 202
Olímpia 27
Olimpo, monte 21
Olimpo, morada dos deuses 21
oliveira 76
omophagia 110
omphalos 89
Ônfale 215
Ops 57
oráculo de Delfos 91
oráculo(s) 64; *ver também* Delfos, oráculo de, Dodona
Orcamo 489
Orcômeno, 115
Orcus *ver* Hades
Orestes 28
Orfeu 119

Órion, constelação 58
Orítia 234
Orto 54
Osíris 62
Ossa, monte 97
Oto e Efíaltes, os aloidas 97
ovelha(s) 49; *ver também* carneiro(s)
Ovídio 21
Oxylos 226

Pã 46
Pactolo, rio 510
Pafos 507
Pagasas 222
Paládio 292
Palêmon 264
Palamedes 305
Palas, epíteto de Atena 48
Palas, filho de Evandro 477
Palas, filho de Pandion 236
Palas, um titã 48
Palatina, Colina 64
Palene 64
Palinuro 467
Panateneia 233
Pandáreo 267
Pândaro 329
Pandion, filho de Cécrops 233
Pandion, filho de Erictônio 233
Pandora 137
Pandroso 231
Panopeu 137
pantera(s) 32
Pantôo 339
Papareto 249
parcae *ver* parcas

parcas (moirai, parcae) 40
Páris (também conhecido como Alexandre) 41
Parnaso, monte 88
Partenon, monte 219
Partenopeu 276
Pasífae 46
Pátroclo 36
Pausânias 20
pavão(ões) 70
Pédasos 540
Pégaso 51
peixe(s) 62
Pelasgo 170
Peleu 33
Pélias 33,
Pélion, monte 91
Pelopeia 420
Peloponeso 29
Peloponeso, Guerra do 29
Pélops 121
Penates 82
Penelau 358
Penélope 26
Pentesileia 350
Penteu 110
Pequena *Ilíada* 27
Percote 150
Perdix 244
perdiz(es) 245
Pérgamo 376
Periclimeno, filho de Neleu 148
Periclimeno, um guerreiro tebano 218
Perifetes 105
Perigune 239
Pero 172

Perséfone (Coré, Proserpina) 23
Perses, filho de Créos 48
Perses, filho de Perseu 180
Perses, irmão de Eetes 242
Perseu 24
Petrônio 484
pica-pau 479
Pico 502
Piéria 50
piérides 50
Piero 51
Pigmalião, irmão de Dido 465
Pigmalião, um escultor 465
Pílades 426
pilares de Héracles 206
Pilos 89
Píndaro 27
Píramo 514
piratas 113
Pirene 122
Pirítoo 119
Pirra 140
Pirro *ver* Neoptólemo
Pisa 177
Piteu 237
Pítis 127
Pitonisa 89
Píton 88
Planktai 161
plêiades 58
Plêione 58
Pleuron 185
Pluto 78
Plutão *ver* Hades
Plutarco 30
Pó, rio 160

Podalírio 90
Podarces, antigo nome de Príamo 173
Podarces, filho de Íficlo 173
Podarge 53
Peas 148
Pólibo 268
Polibotes 65
Policleto 70
Polidectes 175
Polideuces *ver* dióscuros
Polidoro, filho de Cadmo 263
Polidoro, filho de Hipomedonte 263
Polidoro, filho de Príamo 340
Poliido 183
Polifemo, um argonauta 72
Polifemo, um ciclope 383
Polifonte 228
Polimestor 435
Polinices 270
Polixena 299
Pólux *ver* dióscuros
pomo de ouro *ver* julgamento de Páris
Pomona 501
Ponto 42
Porfírion 64
Poseidon (Netuno) 52
Polidamas 339
Preto 171
Príamo 217
Príapo 82
Procne 102
Prócris 234
Procrustes 240
profecias 87; *ver também* Delfos, oráculo de, oráculos
Prômaco 285

Prometeu 28
Propércio 30
Proserpina *ver* Perséfone
Protesilau 173
Proteu 75
Psiquê 25
Psófis 286
Pterelau 191

queres 39
Quimera 54
Quintus de Esmirna 21
Quione 492
Quirino 481
Quíron 33

Racine, Jean 452
Raça de Prata 136
Raça de Bronze 136
Raça de Ferro 136
Raça de Ouro 135-36
Raça dos Heróis 136
Radamante 120
ramo de ouro 468
Reia 42
Reia Sílvia 103
Remo 24
Renascença 21
Reso 328
Retornos 27
retribuição *ver* Nêmesis
riqueza *ver* Ploutos
Rochas Estrepitosas *ver* Simplegades
Rochedos Errantes *ver* Planktai
Reno, rio 160
Rodes 29
Roma, romanos 7

Rômulo 24
Rouxinol(óis) 268
Ruínas *ver* Ker

Sabinas 480
sacrifícios 77
Safo 27
Sagitário, o Arqueiro, constelação 201
Salamina 204
Salmacis 499
Salmoneu 141
Samotrácia 290
Santorini 162
Saque de Troia 27
Samos 70
Sarpédon 40
sátiros 82
Saturnália 57
Saturno 57
Schliemann, Heinrich 289
Scorpio/Scorpius (o Escorpião) 59
Selene (Lua) 45
Sêmele 61
Sêneca 31
sereias 160
serpente(s) 33
Sérvio Túlio 483
Servius, comentador de Virgílio 259
Sestos 514
sete contra Tebas 253
Shakespeare, William 26
siameses, irmãos 217
Sibila 467
Sicília 20
Sícion 94
Sidero 143

Séfiro 175
Sileno 82
silenos *ver* sátiros
Sileu 215
Silvano 125
Sílvio 477
Simoente 290
Simônides 27
Simplégades 155
Sínis 238
Sinon 361
Sípilo, monte 267
Siqueu 465
Siracusa 498
Sírinx 126
Sírio 59
Sísifo
Sófocles 23; dramas remanescentes: *Ájax* 23; *Antígona* 23; *Electra* 23, 444-48; *Édipo-rei* 23, *Édipo em Colona* 23; *Filoctetes* 23; *As tarquinianas* 23; fragmentos de peças: *Atreu* 419; *Enômao* 414; *Tereu* 442; *Tiestes* 422; *Tiestes em Sícion* 422; *Troilo* 314; *Tiro* 141
Sol *ver* Hélio
sólimos 182
Sombras dos mortos 130
Somnus *ver* Hipno
sonhos 39
Sono *ver* Hipno
Sunion, cabo 101
sparagmos 110
spartoi ver homens semeados
Spenser, Edmund 54
Strauss, Richard 447

Styx, rio 301
Swinburne, Aigernon Charles 442

Tafos 191
Taígeto 129
Talos 76
Taltíbio 366
Tânato (Morte) 38
Tântalo, filho de Tiestes 413
Tântalo, filho de Zeus 121
Taraxipo 181
Tárcon 472
Tarpeia 480
Tárquinio, o Soberbo 483
Tarquínio Prisco 482
Tártaro 37
Taumas 52
Taurus (o Touro) 58
Taígeto, monte 129
Teano 322
Tebas 24
Tebas, uma cidade perto de Troia 315
Tebaida 27
Tebe, esposa de Zeto 267
Tecmessa 355
Tegeia 188
Teia 42
Télamon 148
Teleboanos ver tafianos
Télefo 220
Telegonia 27
Telégono 167
Telêmaco 305
Telfusa 88
Temeno 227
Têmis 40

templo(s) 19
Tenaron, 213
Tênedo 311
Tenes 311
Tennyson, Alfred Lord 293
Teoclímeno 372
Teócrito 29
Tera 162
Tereu 102
Terra ver Gaia
Tersandro 285
Teseu 7
Téspio(s) 194
Tesprotos 421
Tessalônica 67
Tétis 33
Tétis 33
Teucro, filho de Escamandro 290
Teucro, filho de Télamon 217
Teumessiana, raposa 517
Teutras 220
Térsites 350
Tibre, rio 470
Tideu 275
Tiestes 31
Tífis 148
Tífon 54
Tímete 260
Tíndaro 128
Tirésias 25
Tirinto 171
Tiro 141
Tirreno, mar 160
Tisâmeno 428
tirsos 111
Tisbe 514
Tíssalo 217

Titanomaquia 27
titãs 42
Tito Tácio 480
Titono 48
Tmolos, monte 510
Toas, filho de Dioniso 149
Toas, filho de Jasão 277
Toas, rei de Táuris 427
tosão de ouro 7
touro(s) 58
touro de Creta 203
Trabalhos de Héracles 190
Trácia, trácios 20
Trasímedes 307
Trasímelo 333
Trezena 237
tridente 72
Trinácia 389
tripé 89
Triptolemos 75
Tritão 75
Tritonis, lago 162
Troia 7
Troia, cavalo de 100
Troia, Guerra de 24
Troilo 33
Trós 290
Trovão *ver* raio(s)
Tucídides 29
Túlio Hostílio 482
Turno 470

Ulisses 25
Urano 25
Ursa Maior, constelação 59
Ursa Menor, constelação 212

vaca(s) 71
veado 32
veneno 198
Vento Norte *ver* Bóreas
Vento Oeste *ver* Zéfiro
Vento Sul *ver* Notos
Vênus, deusa do Amor *ver* Afrodite
Vênus, planeta 48
Vertumno 501
Vésper 48
Vesta 66
Vestais, virgens 83
Vida após a morte *ver* Hades, o Mundo Inferior
vingança 36
vinho 32
Virgílio 21, *Eneida* 24; *Éclogas* 30; *Geórgicas* 512
Virgo (a Virgem) 234
Volcente 473
Volites 461
Volúpia 527
Vulcano *ver* Hefesto

Wordsworth, William 75

Xanto e Bálio, cavalos de Aquiles 53
Xenodice, 215
Xuto 141

Yeats, William Butler 250

Zéfiro, Vento Oeste 48
Zelo (Aspirações) 49
Zetes e Cálais, os Boréades 148
Zeto 265
Zeus (Jeová, Júpiter) 17

*O texto deste livro foi composto em
Sabon LT Std, corpo 11/15*

*A impressão se deu sobre papel off-white
pelo Sistema Cameron da Divisão Gráfica
da Distribuidora Record.*